中国近现代针灸文献研究集成 教材卷

王富春 杨克卫／主编

针灸综合分卷

广西篇

北京科学技术出版社

图书在版编目（CIP）数据

中国近现代针灸文献研究集成. 教材卷. 针灸综合分卷. 广西篇 / 王富春, 杨克卫主编. —北京：北京科学技术出版社, 2021.11

ISBN 978-7-5714-1906-6

Ⅰ. ①中… Ⅱ. ①王… ②杨… Ⅲ. ①针灸疗法—文献—汇编—中国—近现代 Ⅳ. ①R245

中国版本图书馆CIP数据核字(2021)第206010号

策划编辑：侍　伟
责任编辑：吴　丹
文字编辑：吕　艳　董桂红　杨朝晖　严　丹　陶　清
责任校对：贾　荣
图文制作：北京艺海正印广告有限公司
责任印制：李　茗
出 版 人：曾庆宇
出版发行：北京科学技术出版社
社　　址：北京西直门南大街16号
邮政编码：100035
电　　话：0086-10-66135495（总编室）　0086-10-66113227（发行部）
网　　址：www.bkydw.cn
印　　刷：北京捷迅佳彩印刷有限公司
开　　本：787 mm × 1092 mm　1/16
字　　数：375千字
印　　张：40
版　　次：2021年11月第1版
印　　次：2021年11月第1次印刷
ISBN 978-7-5714-1906-6

定　　价：**490.00元**

“中国近现代针灸文献研究集成”丛书

编 委 会

张　琪　张　楚　张子扬　张丹枫　张珊珊　张晓旭

张晓梅　张瀚文　陆孟静　陈丽丽　陈春海　陈维伟

陈新华　邵　阳　范芷君　范嘉毅　岳永月　周　丹

冶丁铭　赵晋莹　赵雪玮　胡英华　柳正植　哈丽娟

钟　祯　洪嘉靖　姚　琳　贺怀林　柴佳鹏　党梓铭

徐　铭　徐万婷　徐立光　徐晓红　高　姗　郭丽君

郭晓乐　曹　洋　曹家桢　康前前　董国娟　蒋海琳

韩香莲　路方平　詹旭晖　谭蕊蕊

《中国近现代针灸文献研究集成·教材卷》

编 委 会

总 前 言

1840年，鸦片战争爆发，西方列强入侵中国，自此中国由独立的封建社会逐步沦为半殖民地半封建社会。20世纪初，受“五四运动”时期各种新思潮的影响，许多有识之士开始积极地向西方学习，由此，大量的自然科学和社会科学知识传入中国，这对中国的政治和社会经济等都产生了重大影响。近代西医学的影响力逐渐增大，解剖学、生理学等知识开始被当时的人们所了解和接纳，西医医院、西医学校等机构也在中国相继出现。随着西医医护队伍的不断壮大，许多人以转译日本人所著的西医学书籍的方式来学习西医学，并成立了相应的学术团体和职业团体。这一时期的针灸界亦是如此，宁波东方针灸学社、中国针灸学研究社等学术团体相继成立，针灸医家访问日本，带回大量日本的针灸著作并将之翻译出版。这些翻译著作较传统针灸医籍更容易学习，颇受民众喜爱。中国近代中医学家、教育家对针灸学术的研究极大地推动了针灸学的现代发展。中华人民共和国成立后，中医针灸学研究越来越受到重视，著书者众、办学者多，由此，针灸成为中医学研究与发展不可或缺的一环，并逐渐在世界范围大放异彩。2010年，中医针灸被列入《人类非物质文化遗产代表作名录》。中国近现代是中西方思想碰撞的时期，是中医学术多流派发展、百家争鸣的时代，其中又以民国时期最具代表性。研究民国时期这一特殊历史时期的针灸文献，可以为今后的针灸学术发展提供良好的借鉴。“中国近现代针灸文献研究集成”丛书对中国近现代针灸文献进行收集、整理和研究，其中以民国时期的针灸文献为主。

一、民国时期针灸的发展概况

民国时期的针灸学术研究一直未被学界所重视，但作为传统针灸与现代针灸的衔接，这一时期的针灸学术研究影响深远。民国时期是中医针灸学院化教育的萌芽时期，是现代针灸教育模式的源头时期，是针灸学术发展的历史转折期。近年来，对于民国时期针灸文献的研究逐渐被学界重视，大量民国时期的针灸医籍得以整理出版，如承淡安编撰的《中国针灸治疗学》《中国针灸学讲义》，杨医亚在民国时期办学的讲义等。然而，随着对民国时期针灸学术、针灸医籍的研究日渐增多与深入，研究者们面临着一个共同的难题——民国时期针灸文献的收集十分困难。这一难题产生的主要原因是民国时期的针灸文献存量不多，有些甚至已经失传。

经历了明清时期的积淀，民国时期的针灸学术得到进一步发展，针灸学术团体、学术体系逐渐形成，这一时期是传统针灸向现代针灸过渡的时期。以承淡安为代表的澄江针灸学派的先辈们创办中国针灸学研究社，开办针灸讲习所，招收学员，传播针灸技术，实践“针灸科学化”，对民国时期的针灸学术发展具有举足轻重的作用。民国时期针灸名医曾天治提倡的“科学针灸”的理念在这一时期备受关注，这对现代的针灸教育及针灸体系产生了巨大影响。中华人民共和国成立初期，全国各地兴办针灸学校，以承淡安为代表的针灸医家在继承古法、融汇新知的基础上，总结民国时期针灸学术研究成果及针灸教育的经验，开办针灸学习班，创办针灸高等教育学校，为现代针灸教育的发展打下了坚实的基础。

二、民国时期针灸文献的保存现状

有学者据《中国中医古籍总目》考查，发现民国时期的针灸医籍共有193种，较之明代的24种、清代的86种多出数倍。另有学者认为，民国时期的针灸医籍共有254种，其中中国本土针灸医籍有229种。民国时期是针灸医籍大量出现的时期。随着印刷技术的发展，出版书籍的成本逐渐降低，许多书籍得以大量出版。另外，民国时期各种中医学校、学术团体大量涌现，由于教学及学术交流的需要，针灸医籍的出版数量激增。

然而，对这些文献的保护并未得到足够的重视。首先，受当时的历史条件所限，大量图书并未经过正规出版，只是简单印刷，数量较少，且战乱频仍，导致不少文献难以留存全本。其次，由于不是正规出版物，相当一批文献没有进入馆藏系统，而是散落于民间，这使得这些文献留存状况不明，有些文献已经成为孤本，甚至已经散佚。同时，由于当时书籍纸张的质量普遍较差，且装订十分粗糙，部分文献在辗转流传过程中被损坏，已成残本，这种情况尤以油印材料及手抄本为突出。民国时期是我国出版业由手工造纸、印刷向机械造纸、印刷的过渡时期，相关技艺还不够成熟，用于印刷的纸张酸性强、保存期限短，加上长期以来各馆藏机构对民国时期文献的保护观念滞后、认识不足、保管不善，以致部分医籍呈现出不同程度的老化或损毁现象，情况岌岌可危。当前，亟须对这批文献进行重新整理及抢救性保护，使之进入国家各级馆藏体系，为我国针灸学术的传承及中医药事业的发展提供宝贵的文献资料。

三、本丛书所收录的针灸文献情况分析

（一）本丛书所收录的针灸文献书目

作者团队通过查阅《中国中医古籍总目》《中国针灸文献提要》《中国针灸荟萃·现存针灸医籍》《民国时期总书目·医药卫生》等工具书，参考各省（自治区、直辖市）及院校图书馆、档案馆和民间个人收藏书籍，共收集针灸文献1000余种，以来源可靠、记录严谨、实用性强、学术价值及文献价值高为原则筛选出210余种针灸书籍作为本丛书的书目。本丛书所收录的针灸文献以私人藏书为主，除了涵盖约90%的《中国中医古籍总目》所收录的民国时期的针灸文献，还增补了《中国中医古籍总目》所未收录的民国时期的针灸书籍近50种，其中不乏珍稀文献，如讲述“广西派针法”的《针灸菁华》、四川程兴阳的《针灸灵法》（石印本）等。对于抄本针灸文献，部分图书馆公藏的难以查阅，故本丛书未予收录，而民间发现的则择而收之。

本丛书按收录文献的内容题材进行分类分卷，并参考编者或学术团体所在地域进行分册，使体例清晰，便于使用。本丛书所收录文献按内容题材具体分为：①教材类；②专著类；③医案类；④杂志类；⑤图谱类；⑥其他（主要包括清末民国时期的佚名抄本等）。本丛书所收录针灸文献的情况如表1、表2所示。

表1　本丛书所收录针灸文献情况（按内容题材分类）

	教材类	专著类	医案类	杂志类	图谱类	其他
数量	54种	127种	5种	13种	6种	10种

表2　本丛书所收录《中国中医古籍总目》中针灸文献书目数量与《中国中医古籍总目》书目数量对比

	针灸通论类	经络孔穴类	针灸方法类	针灸临床类
“中国近现代针灸文献研究集成”收录书目数量	50种	23种	18种	16种
“中国近现代针灸文献研究集成”未录书目数量	15种	15种	8种	6种
《中国中医古籍总目》收录书目数量	65种	38种	26种	22种

注：《中国中医古籍总目》书目包括本丛书所收录书目与本丛书未录书目。其中抄本书目不在统计范围内，且《中国中医古籍总目》中的重复书目算作1种。①针灸通论类：收录50种，未录15种；另存抄本44种。②经络孔穴类：收录23种，未录15种（其中民国时期11种）；另存抄本64种，其中挂图7种，经查未见3种。③针灸方法类：收录18种，未录8种（多为太乙神针别本）；另存抄本15种（收录1种）。④针灸临床类：收录16种，未录6种（含针灸医案别本）；另存抄本17种。

（二）本丛书未收录的针灸文献书目

在对《中国中医古籍总目》进行查阅及对馆藏图书进行实地考察的基础上，现列举部分本丛书未收录的书目，以便后续收集。

针灸通论类：《针灸便览》、《中医刺灸术讲义》、《针灸秘法》、《简明针科学·论针篇》、《针灸纂要》、《针灸说明书》、《实用针灸医学》、《针灸学薪传》、《针灸学》（富锦文新书局）、《针灸学讲义》、《针灸精华》，以及《针灸学》（《中国中医古籍总目》载四川铅印本，经实地考察，实为《针灸医案》油印本）、《针灸学讲义》（重庆石印本，经查未见）、《针灸讲义》（石印本，经查与《针灸医案》同一函，蓝印）。

经络孔穴类：《脉度运行考》、《经络图说》、《俞穴指髓》、《铜人经穴骨度图》（张山雷）、《明堂孔穴针灸治要》（孙鼎宜）、《经络要穴歌诀》（经实地考察，该书与《经穴摘要歌诀·百症赋笺注》系同一馆藏代码，系重复编目）、《经穴辑要》（勘桥散人）、《十四经穴分布图》（姚若琴，经查未见，经考证为中华人民共和国成立后出版的，《中国中医古籍总目》有误）、《铜人新图》（范更生）、《正统铜人插针照片》、《实用铜人经穴图》（董德懋）、《针灸经穴挂图》（杨医亚）、《人体十四经穴图像》（赵尔康）、《人体经穴图》（承淡安）。以上多系人形挂图，未收录。

针灸方法类：《砭经》、《神灸经论》、《传悟灵济录》、《灸法秘传》、《灸法心传》、《延寿针治症穴道》等部分晚清针灸古籍。以上近年多有出版，未予收录。

针灸临床类：《济世神针》、《针灸治验百零八种》、《针灸医案》（系收录《针灸医案》别本）。

如上所述，本丛书基本涵盖了《中国中医古籍总目》所列大部分馆藏图书，亦收录了馆藏未见的民国时期的针灸书目近50种（其中新发现的民间私立学校所用针灸材料有数十种），缓解了目前民国时期针灸文献研究材料难得一见的窘迫局面，既能及时抢救该时期的中医针灸文献，又可使之化身千百，服务于学界，促进文化的传承。

四、民国时期针灸文献的价值及其对近现代针灸学术的意义

（一）民国时期针灸文献的价值

1. 文献保存

民国时期是一个战乱不断的特殊历史时期，战乱对书籍的保存流传的影响是灾难性的，如《针灸杂志》有35期，其中一部分印有千余册，时隔近百年，存世者已非常稀少，可见民国时期的针灸文献散佚了不少。部分老中医所藏医籍在1966—1976年亦有损毁，如著有《实用科学针灸》的谈镇尧（《中国中医古籍总目》为淡镇垚，系误）多年来整理的资料在这一时期几乎被销毁殆尽。《实用科学针灸》一书在河南中医药大学有藏，惜其只藏有中、下两册。在收集文献的过程中，作者团队收集到了谈镇尧的《实用科学针灸》《实用针灸讲义》。其中《实用针灸讲义》为1955年内部铅印本，其内容包含了谈镇尧已散佚的著述与资料，因此，该书的发现将谈镇尧的主要针灸医籍很好地保存了下来。民国时期的针灸文献凝结了一代中医针灸工作者的宝贵经验，是一代人无私奉献的结果，是我国中医针灸工作者宝贵经验和学术成果的集中体现。收集整理民国时期的针灸文献，可有力推动中医针灸学的发展。

2. 历史研究

1929年震惊中医界的“废止中医案”事件，使民国时期的中医学发展遭遇了前所未有的政策压制。民国时期的针灸史研究是整个近现代医学史研究的重要组成部分。目前我国对针灸史的研究多集中在民国时期以前的文献，对民国时期针灸文献

的研究基本处于空白状态。

民国时期是以澄江针灸学派为主导的多流派共发展、百家争鸣的时期。澄江针灸学派兴起于20世纪30年代。该学派以近代针灸名家承淡安先生为代表，以中国针灸学研究社核心成员及其传人为主体，是中国针灸学术发展史上具有科学学派特质的学术流派。民国时期该学派的代表人物还有罗兆琚、曾天治、赵尔康、杨甲三、程莘农等。该学派创办了民国时期影响最大、发行时间最长的针灸专业期刊《针灸杂志》，开创了具有现代化教育模式的中国针灸讲习所，推进了针灸学院化教育方式的发展。该学派的代表人物撰写了高质量的著作，如承淡安的《中国针灸治疗学》《中国针灸学讲义》，曾天治的《科学针灸治疗学》《针灸医学大纲》，罗兆琚的《中国针灸经穴学讲义》《实用针灸指要》，赵尔康的《针灸秘笈纲要》。这些书籍对民国时期及后世针灸医生影响甚深。除此之外，《（香港）广东中医药学校针灸学》（周仲房）、湖南国医专科学校《针灸学讲义》、《莆田国医专科学校针灸讲义》、《广西省立医药研究所针灸学讲义》、《广西省立南宁区医药研究所针灸学讲义》、《华北国医学院针灸讲义》、江苏省立医政学院《经络俞穴歌诀》等馆藏未见讲义陆续被发现，这为研究民国时期全国各地的院校教育提供了宝贵的一手材料。

作者团队在关注学院教育的同时，也收集到数目可观的民间私立学校的教学讲义，如《天津私立益三针灸传习所讲义》、《私立叔平针灸学社讲义》、《温灸术函授讲义》（广东温灸术研究社讲义）、《针灸菁华》（胡耀贞传习广西派针法使用的讲义）等。这些讲义使得民国时期的一些针法及治疗经验得以保存下来。

3. 临床应用

（1）“穴性”对初学针灸者的指导价值。“穴性”一词起源于民国时期。中华人民共和国成立后，“穴性”一词经李文宪、孙振寰等针灸医家的推广而广为流传。陈景文《实用针灸学》记载：“穴之有性质，亦犹药之有性质，知其性质，而后方明其功用。”该书将86穴分为气、血、虚、实、寒、热、风、湿8门。罗兆琚《实用针灸指要》记载：“夫所谓穴义者，即各穴具有之主要特性也，知其性之所在，而后明其功用之特长。故研究针灸术者，不知穴之性质，亦犹讲求方剂，而不识其药性。”该书记载了122穴，依旧将其分为8门。曾天治《针灸医学大纲》第五编“证治”中有“分门取穴”一节，此节除了介绍气、血、虚、实、寒、热、风、湿8门，又介绍了汗、肿、积、痛4门，然而后增的4门实为治疗处方，并非“穴性”。李文宪的《针灸精粹》亦记载了8门“穴性”的相关内容。20世纪80年代，孙振寰的《针灸心悟》记载了

"经穴性赋"的内容，使"穴性"广为流传。

"穴性"分气、血、虚、实、寒、热、风、湿8门。将药性与"穴性"进行对比，对腧穴进行分类，可使腧穴的临床应用更加系统化。"穴性"理论对于初学针灸者有较大帮助，初学针灸者可以依据症状选取穴位进行治疗，这种按"穴性"进行针灸治疗的方式在当时得到了众多医家的认可，并影响至今。

（2）"针灸科学化"为临床建立了相对容易理解的针灸理论体系。民国时期，在"五四运动"时期各种新思潮的影响下，西方科学技术和西医学在中国迅速传播，对针灸学术的发展产生了巨大而深远的影响。中医存废之争及中医科学化思潮使中医针灸面临着巨大的生存危机，以致民国时期的针灸医家被迫对当时的针灸进行反思和变革，试图用"西学"阐释和研究针灸，力求用"科学"改善针灸的生存环境；同时，日本针灸著作和研究成果的引进和翻译，将日本明治维新时期通过引进西方科学技术、西医学方法来阐释和研究针灸机制的方式带入中国。这使民国时期的针灸医家看到了曙光和希望，他们力图效仿日本而革新针灸，试图将中医针灸科学化，这也成为民国时期针灸学术的一大特色。

民国时期的针灸医家将解剖学引入对经络实质的研究中，进而阐释针灸治病的机制。如张山雷在《经脉俞穴新考正》中言："中医之所谓经脉，质而言之，即是血管。"但在民国时期，以血管阐释经络的理论并未占据主流。这一时期以承淡安为代表的针灸医家，将用"西学"阐释针灸原理的方式从日本带回中国并广泛传播。如承淡安在《中国针灸治疗学》中用神经、血管、淋巴来解释经络系统；在《增订中国针灸治疗学》中明确指出经脉由血管、淋巴、神经等构成，用刺激神经的理论阐释针灸治病的机制，通过"强刺激、中刺激、弱刺激"来阐释传统针法的泻法、平补平泻、补法，并将手法量化为具体的操作范式，以便于临床应用。

（3）"广西派针法"的传承与实践。"广西派针法"肇兴于清代末期，起源于广西，创始人为光绪年间著名针灸医家左盛德先生。民国时期，"广西派针法"传播于安徽、天津以及江南等地，成为国内闻名、成绩斐然、颇具影响的针灸流派。

罗哲初（1878—1944），字树仁，号克诚子，"广西派针法"的代表性针灸学家、针灸教育家。罗哲初弟子张治平受该学派思想影响，编著《针灸菁华》。该书现仍存世，是目前研究"广西派针法"的重要资料。以《针灸菁华》为主线展开研究，作者团队发现了以罗哲初、张治平为主传承的2支"广西派针法"传承脉络，一是张治平→吕应韶→胡耀贞的传承脉络，二是张治平→王文锦→于冈樵→白荫昇的传承脉络。通过对《针灸菁华》所载内容的初步梳理发现，该书应为“广西派针法”传习过程中的针灸讲义，经张治平、胡耀贞等弟子整理得以保存下来。参考“广西派针法”相关研究文章，可以窥见“广西派针法”的针灸特色，其特点为遵循子午流注学说，以奇经八法、井荥输经合、主客原络为取穴原则，运用生成数施行补泻手法，独擅针下辨气，将针下气感分为紧、绵、虚、顶、吸、滑、涩、软、微、无力、纯紧、纯虚12种，并在辨气的基础上，采用针刺手法以治疗疾病。《针灸菁华》记载了《六十六穴歌》，将六十六穴每穴编为七言歌诀以便记诵，并记载了《治验效穴歌》《行针秘要歌》等针灸治验歌诀，以便读者学习或研究。

罗哲初及其弟子张治平对“广西派针法”的传承做出了突出贡献。近代分布在天津、安徽、山西及浙江宁波等地的数名针灸医家（如天津的郑静侯、曹一鸣、张治平、华佩文，安徽的刘泽涛和田理全，山西的胡耀贞，以及浙江宁波的裘如耕等）与“广西派针法”皆有渊源。这些针灸医家对“广西派针法”进行了传承与发扬，如郑静侯对“奇经八脉推算开穴法”进行了研究，曹一鸣对“养子时刻注穴法”进行了研究，华佩文对“不留针法”的催气、调气、行气进行了研究，胡耀贞对“无极针法”进行了研究等。这些针灸医家在继承“广西派针法”精髓的基础上，崇尚古法，融汇古今，形成了独具一格的针刺方法及手法，对“广西派针法”的传播做出了卓越的贡献。

（二）民国时期的针灸文献对近现代针灸学术的意义

1.是对近现代中医针灸学术成果的系统总结和突出展示

民国时期的针灸文献记载了当时的针灸医家传承针灸学术的宝贵经验。民国时期是中医针灸学院化教育的萌芽时期，是针灸学术发展的历史转折期，是现代针灸区别于古代传统针灸的开端，是现代针灸教育模式的源头时期。对该时期的针灸文献进行系统、全面的挖掘和总结，是我国中医针灸发展史上具有里程碑式意义的大事。保护好、传承好这些中医针灸文献，并对其进行深入、系统的研究，发掘针灸医家的宝贵经验，不但可以为当今的中医针灸学术研究提供资料和良好的借鉴，还对我国中医药事业的发展具有重要的现实意义和历史意义。

2. 使针灸学术经验得到完整的传承

民国时期的针灸文献凝结了一代中医针灸工作者的宝贵经验，是一代人无私奉献的结果，是该时期我国中医针灸宝贵经验和学术成果的集中体现。我们应珍惜该时期的文献资料，珍惜一代人的无私奉献。通过收集整理、出版该时期的文献，可以有力地推动我国针灸学术的传承发展。

3. 有助于我国中医针灸产业的发展

作者团队对民国时期中医针灸文献进行细致的筛选，并对本丛书所收录的每一种文献进行了深入的研究，撰写了内容提要，对每一种文献的主要学术价值、临床实用性等做出了客观的评价。这使得本丛书整体的学术质量得到了明显提高，也为中医针灸文献后续的学术研究、临床实践、学术流派研究、新疗法创新等工作，奠定了良好的学术基础。长期沉寂在近现代针灸文献中的技术、疗法的不断涌现，必然会对我国针灸相关产业的发展起到积极的推动作用。

4. 填补学界空白，有助于促进我国优秀传统文化的发展

对民国时期针灸文献的研究填补了这一时期针灸文献学术研究的空白。此次整理是中华人民共和国成立以来对这一时期针灸文献最集中、最全面的收集整理。此次整理以《中国中医古籍总目》为主要线索，对该时期的材料进行地毯式搜集。此次整理、出版使近现代针灸文献（本丛书目前所收录的文献以民国时期针灸文献为主）得到了抢救性保护，缓解了当前部分文献传承断裂的严峻局面，使民国时期针灸文献整体进入国家各级馆藏体系，有力填补了民国时期针灸文献学术研究的空白，为我国中医针灸的传承和中医药事业的发展提供了宝贵的文献资料，从而大大促进了我国优秀传统文化的发展。

前　　言

《中国近现代针灸文献研究集成·教材卷》所收录的近现代针灸教材文献多出版于民国时期，少数出版于中华人民共和国成立后。

民国时期针灸教育的发展可谓曲折，1914年北洋政府主张废止中医，1929年国民政府通过了“废止中医”的提案，这些举动大大地影响了我国针灸学术的继承和发展。此时期的针灸学家们也清楚地意识到了中医针灸濒于湮灭的危机，他们团结一心，通过开班办学、创办杂志、翻译国外针灸著作等实际行动振兴中医针灸学，为我国针灸学的继承及发展做出了重大贡献。中华人民共和国成立初期，在民国时期中医院校、针灸学术团体的基础上，全国各地大力兴办中医学校，开办针灸学习班，中医针灸学术和教育得以进一步发展。

民国时期是传统针灸与现代针灸的衔接时期，是中医针灸学院化教育的萌芽时期，是针灸学术发展的历史转折期，是现代针灸治疗及理论区别于古代传统针灸的肇始。总结民国时期针灸学术的研究成果及针灸教育的经验，对现代的针灸教育影响深远。

民国时期的针灸教育主要有以下几方面的特点：一是针灸教育团体、学术体系逐渐形成，针灸学校主要由社会团体或个人创办；二是形成了具有地域特征的针灸学术流派，传承有序、传播广泛；三是教学内容以传统中医针灸理论为基础，注重吸纳西学，提倡“针灸科学化”，如以《西法针灸》、《高等针灸学讲义》等为代表的国外针灸著作被译成中文广为流传。

如1931年承淡安等学派先辈们创办了中国医学教育史上最早的针灸函授教育机构——中国针灸学研究社，开办针灸讲习所，开创了我国近代针灸教育的先河。该研究社传授并实践“西式”针灸学术，所用教材《中国针灸治疗学》与传统的针灸学著作不同，采用解剖学来讲解腧穴的定位。为了深入研究新法针灸，1934年10月，承淡安东渡日本学习和考察日本的针灸学，并带回针灸教学图具和在中国已经失传的

《十四经发挥》等医学专著。中国针灸学研究社培养出了邱茂良、罗兆琚、曾天治、赵尔康、杨甲三、程莘农等众多针灸名家，他们遍布全国各地，传道授业，对澄江针灸学派的传承与发展、对中医针灸学的传承与发展做出了重要贡献。

又如广西派针法的代表罗哲初游学办学，继承古法，以师传身授的教学方式在上海、南京、宁波、安庆等地先后举办了8期“针灸讲习班”，培养了一大批造诣颇深的针灸医家。这些人遍布大江南北，为传承和发扬广西派针法发挥了重要作用。罗氏弟子中如郑静侯、张治平、曹一鸣等积极研究学习针灸学术，对民国时期民间针灸学术的发展起到了重要的推动作用。

为适应时代变化和针灸学术的发展，民国时期的针灸教材在重视传统针灸理论的基础上，大都积极借鉴西方医学理论知识体系，重新诠释传统针灸理论。当时以西医学解剖部位及神经、肌肉等知识讲述腧穴的定位，以西医学神经、生理等知识阐释针灸现象已被广泛认可。针灸教材的内容渐趋规范化、科学化、实用化。

从民国时期针灸教材的内容中可以看到这一时期针灸学术研究的状况以及现代针灸教材的雏形。

但是需要注意的是，民国时期的针灸教材文献存量不多，大多已经失传。作者团队以《中国中医古籍总目》为主要线索，对以该时期为主的针灸文献进行地毯式搜集，经过10余年的努力，收集了1000余种针灸文献。此次，作者团队遴选了民国时期的针灸教材文献54种作为研究对象，以期保存和传承这些文献，为中医针灸的发展尽一份绵薄之力。以馆藏未见讲义为例，作者团队搜集到数种难得一见的针灸教材，如《（香港）广东中医药学校针灸学》（周仲房）、《针灸学讲义》（湖南国医专科学校）、《广西省立医药研究所针灸学讲义》、《广西省立南宁区医药研究所针灸学讲义》、《莆田国医专科学校针灸讲义》等，为民国时期全国各地的院校教育的研究提供了珍贵的一手材料。

另外，作者团队在关注学院教育的同时，也收集到数目可观的民间个人创办的私立学校的教学讲义，如《天津私立益三针灸传习所讲义》、《私立叔平针灸学社讲义》、《针灸菁华》（胡耀贞传习广西派针法使用的讲义）等。这些讲义在继承明清时期文献的基础上，以传承古法居多，使得一些家传针法及治疗经验得以较好地保存下来。私立办学在民国时期对针灸学术的发展也产生了举足轻重的影响。

此次对54种针灸教材文献的整理，以文献的内容题材进行分类，并参考编者或学术团体所在地域进行分册，体例清晰，便于使用。《中国近现代针灸文献研究集成·教材卷》按内容题材分为：①针灸基础分卷；②针灸技法分卷；③针灸临床分卷；④针灸综合分卷。其中，针灸基础分卷又按地域分为江浙闽篇、北方篇、两广篇；针灸综合分卷按地域分为江浙闽篇、北方篇、广东篇、广西篇、湖南篇。通过上述的分卷、分篇，可以方便读者学习与研究该地区的针灸学术特色。

以民国时期为主的近现代针灸教材文献承载了该时期针灸医家传承针灸学术及教学的宝贵经验，对整个近现代的针灸发展具有深远影响。本次对这一时期的针灸教材文献进行系统整理、深度挖掘和总结，对我国中医针灸的发展具有重要的历史意义和现实意义：不仅可以保护珍贵的文献资料、呈现针灸教育发展史，还将填补民国时期针灸教材文献研究的空白，为现代针灸教育的改革与发展提供参考和借鉴。

目　录

针灸菁华

提　要

一、作者小传

罗哲初（1878—1944），字树仁，号克诚子，广西桂林人，师从左盛德，勤学苦读，精研医理，尤善针灸和古方治病。20世纪20年代，罗哲初离开桂林，至上海、安徽、浙江等地悬壶济世，开班办学，传授针术，其弟子多为针灸界著名专家，如著名针灸专家张治平，津沽针灸名家郑静侯、曹一鸣等，张治平整理罗哲初讲义并编纂《针灸菁华》。1935年，罗哲初供职于中央国医馆，后返桂林，于1944年秋病故，终年66岁。

二、版本说明

《针灸菁华》（一卷本）存两册（一册有残，一册全本），刊于1934年，封面题“针灸菁华”（残本书名“针灸”二字略残；全本书名全，赵淑题），书口题“针灸”，书末题“针灸讲义”，此书为绥远丰镇县针灸按摩传习所讲义。另见《针灸讲义》（残）、《针灸精华》（六卷本）、《针灸精华》（五卷印本及抄本）、《针灸精华》（两卷本），其内容与《针灸菁华》（一卷本）颇多一致。

三、内容与特色

《针灸菁华》（一卷本）存有序文7篇，从中可以清晰地整理出“广西派针法”传承脉络。第一篇序文为张治平序于丙寅年（1926），经比对，此序与《中国针灸荟萃·现存针灸医籍》中《针灸菁华》（抄本）的序言内容基本相同，推断一卷本当与该抄本同出一源。张治平在序中叙述此书源流为：成王古佛著为针灸，邓宪章得其衣钵，一传于湘之黄华岳，一传于桂之左盛德，于是有湘桂二派之名称。罗哲初亲受于左盛德，尽得其传，后于1925年授徒于皖，1926年再授一班，两班每班21人，计42人，张治平为42人之外者，他据罗哲初秘本扩而充之，而成《针灸菁华》。第二序为山西宁武冀学蓬撰书、文水吕应韶谨序，序于甲戌年（1934），叙述了吕应韶于己未年（1919）入同善社，乙丑年（1925）学“无极针法”于天津，同学者13人，三月而毕业，后又跟师张治平三载，至张治平逝世。后吕应韶遨游天津、北京各地借此谋食，后与乡友韩君心元在山西省城组成针灸按摩医室，授徒14人。第三序为甲戌年（1934）胡耀贞序，叙述了胡耀贞学习之经历，胡耀贞得于吕应韶之传，后于丰镇得梁君思甫挽留，以累年经验及各针灸要诀分别采辑编为讲义，传授针灸。第四序为甲戌年（1934）汪秉煽序，叙述了其跟随胡耀贞学习针灸术之先后源流。第五序为山西张增智、赵淑序，粗略叙述习针法于胡耀贞之经过。第六序为甲戌年（1934）郝玉岭序，亦介绍习针于胡耀贞之经过。序后附记载：“谨按本书，经胡老师编纂成帙后，关于缮写石印底版，率皆出诸后学之手，其中以时间与无人校对关系，错误当属难免。”从前几序及此附记可推断，此书为胡耀贞据张治平之《针灸菁华》编纂而成。第七序为甲戌年（1934）杨承谟序，同样叙述了跟师学习针法之经过。书后附同学录计10人，其中前文序文多为学员所序，并附跋文一篇，跋文时间为甲戌年（1934），跋文后存“针灸讲义完”字样。综上所述，此《针灸菁华》当为胡耀贞在张治平《针灸菁华》基础上于1934年编纂而成，作为当时讲习针法的讲义使用。

《针灸菁华》（一卷本）正文从前至后依次为针灸纲领、总病总穴歌、千金穴歌等。针灸学上篇的总论部分记述针灸术之沿革，针灸在治疗上之价值，针刺治效之研究，经穴之考证，针灸手术（施针运气法、施针手法、补泻意义）等；张治平先生屡针屡效之循环妙穴，如中风针中脘、鸠尾、足三里，灸百会、大椎、风市、足三里，出血针委中、合谷等数十种针灸治法，同时亦载有药物、推拿等经验治法，以及煮针药方、灸条药方等；张治平先生教定穴名分寸，详解十四经穴名，记载了十四经穴定位，后附《井荥俞原经合歌》《十五络虚实主证歌》等，其内容多为实用之术，歌诀通俗易懂。

现将该书特色介绍如下。

（一）定穴详尽，歌赋全面

全书以大量篇幅讲述张治平先生教定经与定穴，并附经穴歌诀及针灸歌赋，如《井荥俞原经合歌》《十五络虚实主证歌》等，将零散的经穴定位及功用通过歌赋的形式讲述，使读者更容易记诵学习。

（二）配穴巧妙，针灸兼用

该书介绍了张治平先生屡针屡效之循环妙穴，陈述数种配穴，并详细记录了针灸的配穴。如泄泻针关元、石门、足三里，灸天枢；咳嗽针幽门、上脘、巨阙，灸肺俞、肩井等。该书组穴、手法兼备，便于临床择选应用。

鍼灸菁華
趙淑題

針灸菁華序

針灸之學。絕而不傳久矣。我成王古佛以統道之尊。出其餘緒。著為針灸。出而救世。活人無算。鄧憲章先生得其傳奧。鄧之衣鉢。一傳於湘之黄華嶽先生。一傳於桂之左盛德先生。於是有湘桂二派之名稱焉。法雖異。而理實同。吾師 羅哲初先生。親受於左。盡得其傳。不忍自秘。且欲充而大之。去歲授徒於皖。同學者二十有一。今歲再授於皖。同學者亦二十一人。治平於四十二人外之一也。於師之所授。未得萬一。第吾師教授之次第。有非他書所得同日語者。今就吾師秘本擴而充之。以饗後之學者。果能寢饋其中。自有佳境。幸勿視為老僧常談。而置之也。

丙寅春日安徽涇川張治平氏謹序

再序

針灸之學，其流傳於世者，代有專書，針灸之法，派別甚多，而亦

各有師承，比而觀之，不無高下優劣之分。惟有
尊儀古佛統道衰十五代祖，創為無極針法，以藝行道，非有道之人，
不能運用其妙。彼藝成而下者，固不可同年而語矣。 韶早歲餬口四
方，遊藝齊魯燕趙之間，於己未年入同善社。乙丑年羈身戎馬之
中，顛沛流離，幾遭不測，輾轉至天津，同善社。得遇 張治平先生
傳授無極針法，同學者十百三人，閱時三月而畢業。惟 韶獨奉先
生左右，就養者三載，而先生竟歸空矣。此歲以來，遨遊津平各地，
借此謀食。客歲邂逅鄉友 韓君心元於津門，韓君多年，專門辦
道，既得習聞斯法矣，恒以廣法桑梓為言，亦 韶之素志也。今春 韶歸
里葬親，道出太原省， 韓君心元暨同人等，在省城帽兒巷，組成針
灸按摩醫室，同來學者，一十四人，於五月初一日開始，傳授，從此傳遞
初心，何樂如之。惜乎原定一月為期，轉瞬已滿，無能犯欲速之戒。
韶自愧才疏學識，不能為吾

鮮增光。然斯舉也，非特廣吾師之傳於桑梓，而三晉人民，從此得少罹病苦，同躋壽域，自可預卜。青出藍而勝於藍，是所望於後學諸君子者。

甲戌孟夏榴月華朔山西文水呂應龢謹序　寧武冀學達撰書

再序

醫林濟濟，代不乏人。溯上下五千年，不無起死回生之手。衡縱橫九萬里，豈乏濟世活人之術。法藝是殊，旨則無二。中西並稱，婦孺皆知。惟以汗牛充棟之醫籍，十百千萬之醫葯。中醫又有湯葯針灸之分，西醫復有解剖注射之别。分門别類，條縷繁多。苟有竭畢生之力，而難能窮其淵源者。是以世之業醫者，比肩接踵。而着手春生者，實寥若辰星也。惟我

尊儀古佛體上天好生之大德，鑒衆生疾病之沉痛。創無極針法，施普渡寶筏。集針灸之大成，闡前賢之所不及。精砭石之奧意，啟

後學之正規。貞年十七。以酬素志。丙入先天道。以慕十五代祖師神針。而侍側張賈兩先生。越年，又復負笈于上海。肄業中西药專校。迄卒業，再入無錫「中國針灸研究學社」前後十數年。未嘗或敢以自足也。今春螢居并門際。乃又受業於針灸專家，吕應龍先生。時僅一月。固自所得無幾。然以先後數種針學。合而參之。殊覺大收觸類旁通之效。本年秋，麻君夢樓。閒悉貞在并受學斯術卒業也。於是以在綏專門辦道之餘。乃至函貞前往傳針。貞固不敢。竊慕教學相長之義。乃束裝北上。途出豐鎮。值梁君懸甫，力稱此地同人之熱心，留慰再再。故貞暫阻征西意。始與諸君作期限之研究焉。貞自愧才疏學淺。針學未窺全豹。謹以累年經驗，及各種針灸要訣。分別採輯。編為講義濫觴。權作貢獻。聊藉塞責。實係拋磚引玉。豈敢班門弄斧。惜乎！光陰如駛。精解期促。將來升堂入室。登峯造極。「冰水為之，而寒於水」斯負所深望於後學諸君子者。

山西榆次胡耀貞謹序於豐鎮

甲戌九月華朔

又序

針灸之學。載於靈素。自秦火之餘。散失不全。中世、雖有越人長桑公、乘陽慶、仲景、華陀、孫思邈、諸聖賢、出而匡正。奈其門人藏秘其書。不肯公之於世。日久湮沒。遂失其真。晉唐而後。諸名醫無不以鍼灸為絕學。迨至明清。逾趨逾下。末之何也。昔孔聖、道在一身。周遊列國。無非為傳道計。卒之、僅傳顏曾七十二聖賢。天下豈無人耶。原自古尊師重道。非其人不輕傳也。降至今日。又有西人出。以科學化一變而為醫學。是也非也、吾人不得無疑也。且欲駕三星而上。直將中國數千年神聖之功巧。意在打倒。良可慨耶。幸有吾道

十五代祖出。具此大慈大悲之願力。發明無極神針。及推拿神術。

繼往開來。傳流於世。以濟生民之疾厄。所傳皆佛門大弟子。輕財
重道。周急濟貧。其中有古皖張治平先生。亦一大弟子也。曾在
安慶。傳授大江南北。同善社諸道友。嗣至津門。再傳同善社諸
同道。並在津懸壺活人無算。 先生之功大矣。於民國十四年
有社員呂應韶者。當奉直大亂。由槍林彈雨中。逃至天津同
善社。 先生憐而收之。而呂自是師事 先生。數年間。盡得其
真傳。 先生於十七年 功滿歸空。所有畢生著述經驗。統授
於呂。呂後遂返太原。授徒而兼活人。有中西醫士胡耀貞先生。
亦列門牆。得秦後精益求精。得心應手。雖青出藍尤甚於藍。
此次 先生赴綏遠同人之約。適豐下車。晉謁道友 梁君爾
勤。因社中同人。久仰大名。懇求梁君挽留 先生。傳授針灸推拿
之神術。蒙 先生一諾千金。不辭勞瘁。 先生度人濟世之心。何其
殷也。并將經驗著述。印刷成書。為諸生研究之本。加以親傳之口訣

元妙。更不待言矣。先生大德如斯。同人等，感激無既。聊書弁言於首。以示不忘之意云耳。

天運甲戌九月三期龍華會日晚肥後學 汪秉炳謹序

又序

竊聞神農嘗藥性。而製本草。軒轅析病機。而作鍼灸。歷代傳世由來久矣。先聖先賢以之濟世。視為國粹絕學。迨至二十世紀西醫進化。普遍全國。而我數千年之針灸國粹。不獨無精進可言。且將真訣失傳。殆尽良深痛惜 夫針灸治療。施用簡捷。效驗神致。早為世人所贊許。惜其法不輕傳。真訣難得。雖針灸醫書。各有著述。而摘要處多未詳列。是以後之學者。徒聆其概義。而不知有無上妙法也 後學袁義針灸。苦無師傳。今秋幸遇 胡耀貞先生。應邀赴綏。便道來豐。經同人等。一再挽留。傳授針法。 先生固針灸專家也。在綏享著神奇。而於中西醫理。尤有深切經驗。五月間有 呂應龍

針灸叙論

先生者特擅吾師十五代祖尊儀佛無極神針也。先生從学拜门。尽得其妙。今在本組織，針灸按摩傳習所。秉誠傳授。同學十人。幸何如之。但後学才識庸愚蒙 先生熱心指導。開得茅塞。雖亦 先生之慈悲所致。抑亦地方人士之福音也。尚望同志。努力研究。精益求精。以斯光揚國粹。則幸甚矣。

天運甲戌年孟冬之月 晋圻後學 張增智 趙漵 謹序

又序

宋儒朱熹先賢論周易曰：太極生兩儀，兩儀生四象，四象生八卦……是故易逆數也。……夫陽既以逆言之矣，則其順維何？乃也，八卦生於四象，四象由於兩儀，兩儀出乎太極。太極者，對無極而言之也。無極之為言無極也，無氣質，無形象，無氣無臭，有所有而無以名之之名也，太極之為言太極也，或氣質，或形象，或氣或臭，有所有，而有名之之名也，是故朱子道德經曰：……無名天地之始，有名萬物之母……是先天地之前，而無極已先在其中矣。然則，太極之於無極，勢若子母，位如本根，時有先後之異；理無分別之殊。先賢宋儒程頤序周易曰：……散之在理，則有萬物之殊；統之在道，則無二致；所以易有太極，是生兩儀。太極者道也。兩儀者，陰陽也。陰陽一道也，太極無極也。萬物之生，負陰而抱陽，莫不有太極，莫不有兩儀。……今夫人位乎天地之間，數列萬物之首，固難逃乎太極陰陽之例也，彰彰明矣。雖再贅而言之，是天地一陰陽也，萬物一陰陽也，人亦一陰陽也。然天地萬物固不能常無變其陰陽也，姑無論矣。而人之陰陽變態則為疾病之根本也。其理若揭，不待煩言矣。是故疾病者，個人之陰陽變態也。醫療者，調其變態之陰陽也。我

十五代祖師，以普度慈航之資，徹了陰陽調息之理，現身說法，創無極針。起人沉疴，啟佑我後。數傳而至吾業師　胡耀貞先生。先生素擅岐黃，醫精中西，幼而潛習先天針法，壯而懸壺濟世，名

噪三晉，活人無算。非先生性天謙謙，自卑自牧。今年春復又來學於
無極針灸專家　呂應勳先生，親聆針灸元妙，面受無極口訣，融洛
貫通，業臻上乘。　巖也村儒，出自田間，蒙
佛恩之廣庇，幸三期之普度，叨忝佛門，躬逢　葉師過豐傳針之盛
會。欣坐　春風，得附驥尾。他日學有寸進，敢不飲水思源，奉行
祖師，「已饑已溺」之志，以稍竭棉薄，而自取罪戾哉？　數行俚語，權
藉自惕云爾。
天運甲戌年　孟冬小春之月　後學　山西洪洞郝玉巖謹序

「附記」一、謹按本書，經胡老師編纂成秩後，爾於繕寫石印底版，
舉皆出諸後學之手，其中以時間與無人校對關係，錯
誤當屬難免。況素無醫學常識者，固難免其任咎耶？
尚乞閱者諸學長，釐正指導，勿任翹盼！
二、謹按本書與口訣，有如形影，直似響應，二者合而為一

則可，分而為二則不可，表裏為用，互為依付。吾儕同學視為至寶也可，視為護法也亦可，即視為針灸聖經也，亦無不可。但此中人語云：不可為外人道也。

後學 郝玉巔再啟

序七

神農嘗百草而定藥性。軒轅察病機以作鍼灸。按孜藥與針之治療，功效懸殊。藥者性緩而易誤，不若針灸之收效神速。蓋以針鋒所刺，病魔立消，誠起死回生之最上仁術也。然而世之運針者，實繁有徒。其得心應手者，則屬寥寥無幾。原因業此道者，未得真傳也哉。

十五代師祖，憫病人之苦厄，本慈悲之婆心，創無極針，起人沉疴，功在華胄。名著江南，關田古皖。獨得心傳之張治平先生，懷道北來，乃在津設帳教授。於道友中擇其善者，口授心傳。呂蕭九先生，亦其一也。呂先生執經問難。先後侍從張先生者五年。是以全得張先生之妙。今夏呂先生歸籍省親。

論種痘之手術。要刺宜相接。兩不可過深。恐出血。傷苗。將苗刮去。刻不可戒。戒之慎之。晉之

在前又傳教十數人。我　師胡維貞先生。以習幼先天針法與在無錫研究各種針法之道。後又趨庭聆訓於呂先生焉。越月，　胡師竟踏無量通矣。名噪三晉。遊遍閩。針法之妙。識所罕覯。秋間，因應綏省公請傳針之約。乃遊出平綏。又以梁居是甫及同人之要請。當遊針合組織。臨時成立針灸按摩傳習所。講授傳法。業蒙　先生一諾千金。謨始傳之需有門。惟自愧才識淺拙。誠不能無負於吾　師之殷殷善誘。謨也謹有讀讀業業。努力進修。庶可稍識將來，自謨謨人人之懇。略序數語。聊表下悃。尚祈大雅有以啓正也是幸。

天運甲戌年九月　　日　　綏遠事鎮縣後學楊承謨敬序

種痘之時。皮膚、眼皆含淚。宜於二歲。腹大肚小。三歲必夭。內重外淺，骨少必夭。小兒肩足跟。兩歲三歲春。注說肚比腿肚大。又論種痘禁忌身熱。耳下青筋。眼發癆。

(甲)在病後未恢復時。不宜種痘。因此應重視神志。易律檢查。

1.急性傳染病包括全部臨床症狀未除。至少過了二十一天以上恢復期之發熱狀態。3.結核急性進期高熱及輕度熱。病程重篤。肋膜炎。肺炎。結核分全化階段和顯著型結核中毒。4.急性腸障礙。

5.糠疹症。6.肾炎。7.心臟代償机能減退期。8.变質及痉状态、气喘重症期，風湿病、痹症並皮疹。10

及蕁性湿疹、及炎毒性化膿皮肤病。11.各种很瘦弱者。

針灸綱領

詳列人身「手」「足」陰陽經於左

手

三陽　陽明……大腸　太陽……小腸　少陽……三焦

三陰　厥陰……心包絡經　太陰……肺經　少陰……心經

足

三陽　陽明……胃經　太陽……膀胱　少陽……膽經

三陰　厥陰……肝經　太陰……脾經　少陰……腎經

經脉「起」「終」點列左

(一) 手太陰肺經「起」中府「終」少商。共計十一穴

(二) 手陽明大腸「起」商陽「終」迎香。共計二十穴

(三) 足陽明胃經「起」頭維「終」厲兌。共計四十五穴

(四) 足太陰脾經「起」隱白「終」大包。共計二十一穴

(五) 手少陰心經「起」極泉「終」少衝。共計九穴

種痘部位。肩下二寸。肘上四寸。即在三角肌肉外側。即是三焦經之所走之地方也。上述肩下肘上之方，係指大小說論也。

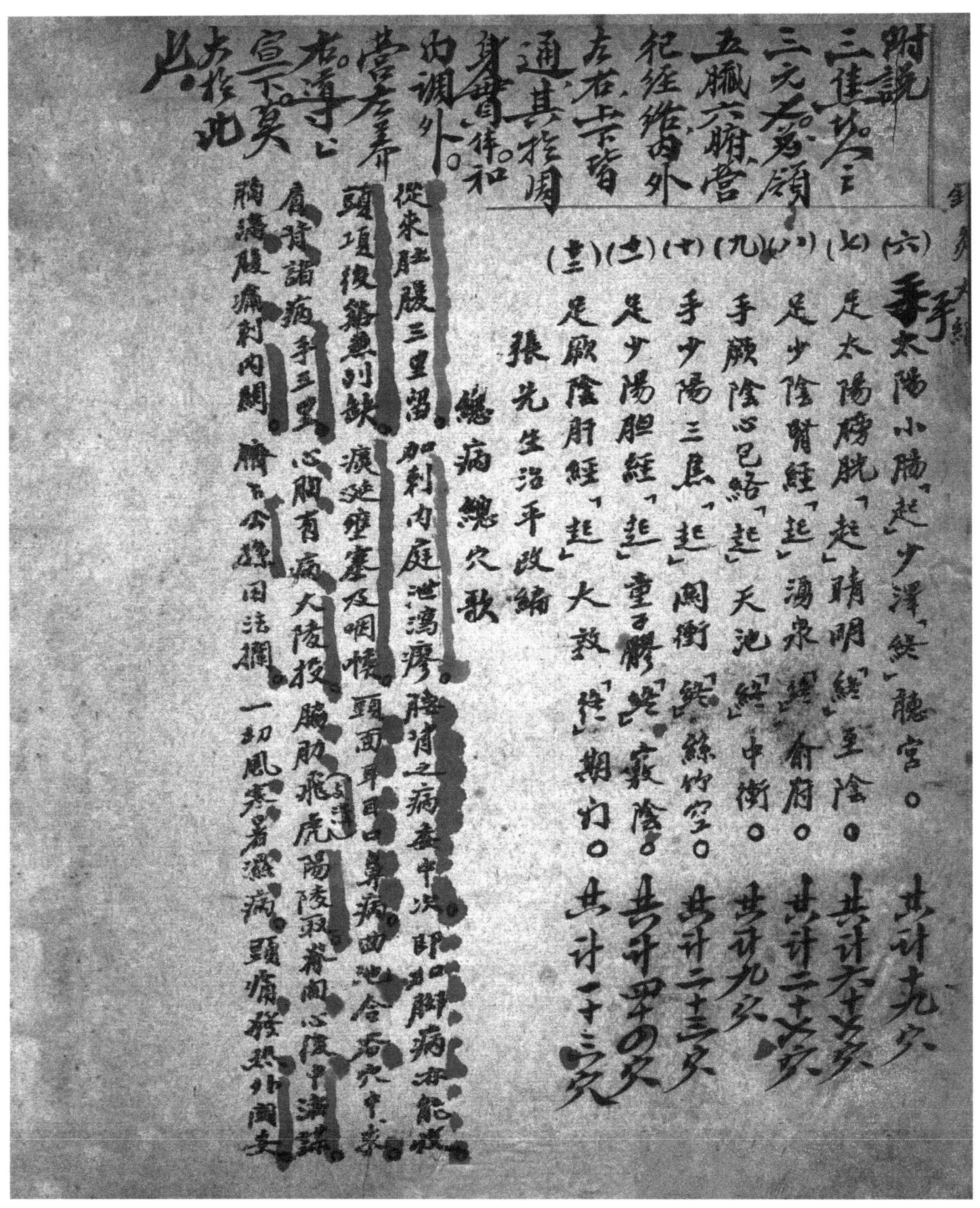

附說
三焦者，三元之氣，總領五臟六腑、營衛經絡、內外左右上下，皆通。其於周身灌體，和內調外，營左養右，導上宣下，莫大於此。

（六）手太陽小腸「起」少澤「終」聽宮。共計十九穴
（七）足太陽膀胱「起」睛明「終」至陰。共計六十三穴
（八）足少陰腎經「起」湧泉「終」俞府。共計二十七穴
（九）手厥陰心包絡「起」天池「終」中衝。共計九穴
（十）手少陽三焦「起」關衝「終」絲竹空。共計二十三穴
（十一）足少陽胆經「起」童子髎「終」竅陰。共計四十四穴
（十二）足厥陰肝經「起」大敦「終」期門。共計一十三穴

張先生治平改編

總病總穴歌

從來肚腹三里留，加刺內庭泄瀉瘳。腰背之病委中求，即如脚病亦能收。
頭項後部為列缺，痰涎壅塞及咽喉。頭面耳目口鼻病，曲池合谷穴中求。
肩背諸病手三里，心胸有病大陵投。脇肋飛虎陽陵取，脊間心後中渚求。
胸滿腹痛刺內關，臍下公孫用法攔。一切風寒暑濕病，頭痛發熱外關安。

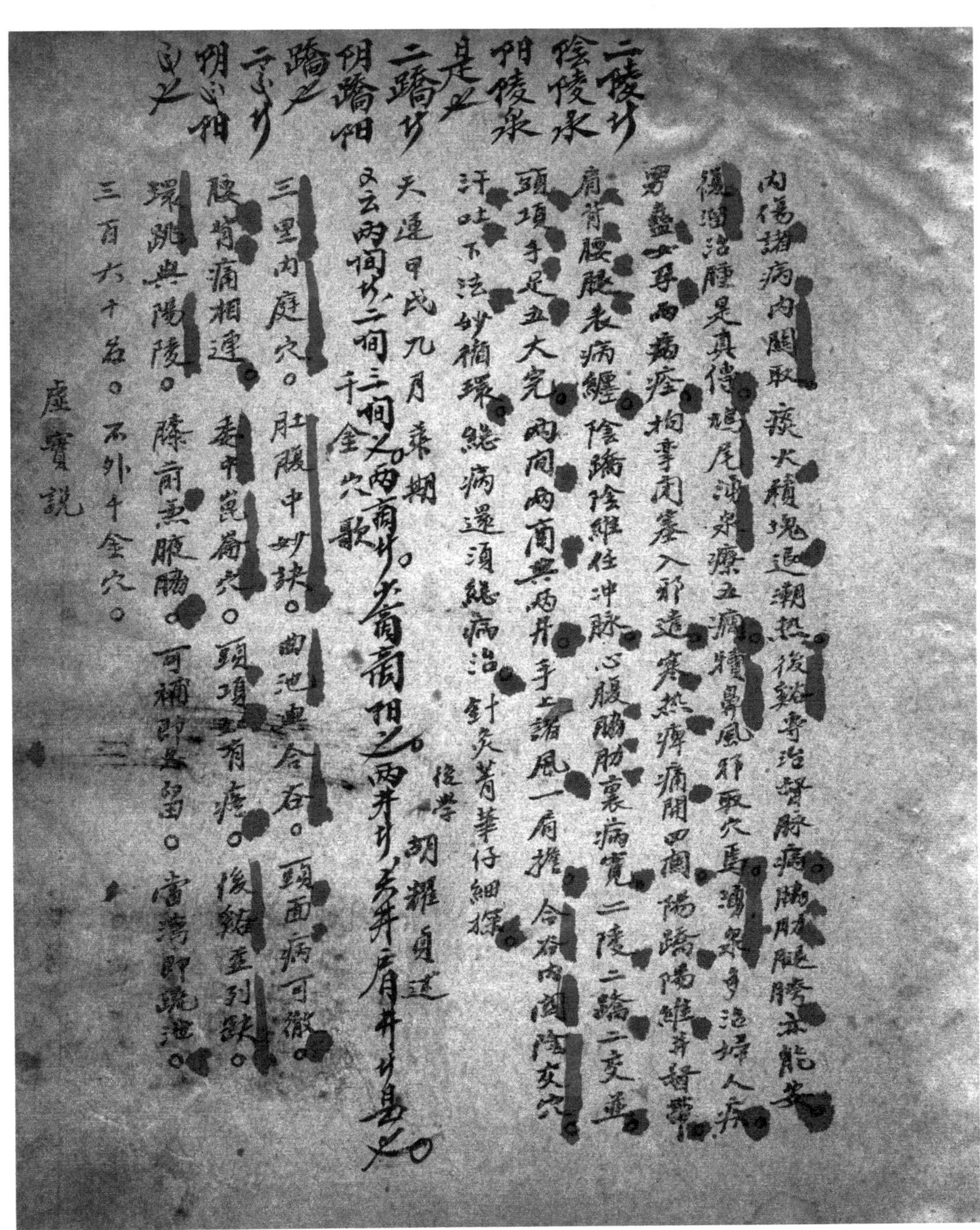

内傷諸病内關取　痰火積塊退潮熱　後谿專治督脉病　癲癇腰腿膝不能安
濁淋治腫是真傳　鳩尾湧泉療五癇　積鼻風邪取穴逢通里　多治婦人疾
男蠱女孕兩病痊　拘攣閉塞入邪遠　寒熱痺痛開四關　陽蹻陽維并督帶
肩背腰腿表病纏　陰蹻陰維任沖脉　心腹脇肋裏病寬　二陵二蹻二交並
頭項手足五太完　兩關兩商與兩井　手上諸風一肩推　合谷内關陽交穴
汗吐下法妙循環　總病還須總病治　針灸菁華仔細探

天運甲戌九月　桑期　　後學　胡耀貞　述

又云兩關者二間三間也　兩商者少商商陽也　兩井者天井肩井是也
二陵者陰陵泉陽陵泉是也　二蹻者陰蹻陽蹻是也　二交者陰交陽交是也

千金穴歌

三里内庭穴。肚腹中妙訣。曲池與合谷。頭面病可徹。
腰背痛相連。委中崑崙穴。頭項若有病。後谿並列缺。
環跳與陽陵。膝前兼腋脇。可補即久留。當瀉即疏泄。
三百六十名。不外千金穴。

虛寶說

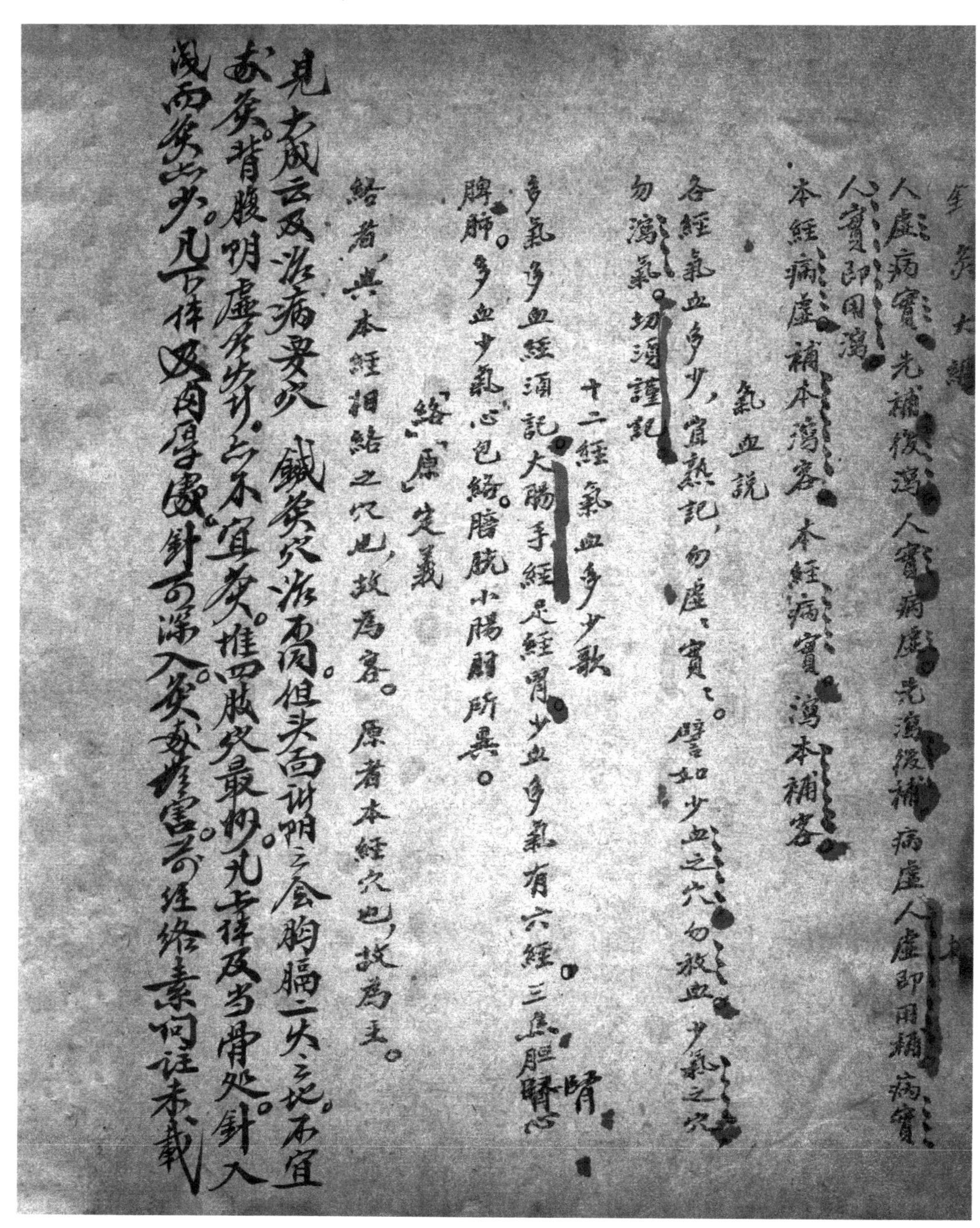

針灸大綱

人虛〻病實〻先補後瀉 人實〻病虛〻先瀉後補 病虛人虛即用補 病實〻人實〻即用瀉

·本經病虛補本瀉客 本經病實瀉本補客

氣血說

各經氣血多少，宜熟記，勿虛〻實〻。譬如少血之穴勿放血 少氣之穴勿瀉氣 切須謹記

十二經氣血多少歌

多氣多血經須記 大腸手經足經胃 少血多氣有六經 三焦膽腎心脾肺。多血少氣心包絡。膀胱小腸肝所異。

絡、原定義

絡者，與本經相結之穴也，故為客。原者本經穴也，故為主。

見大成云灸治痛要穴 鍼灸穴治病同。但头面諸陽之会，胸膈二火之地，不宜多灸。背腹陰虛有火者，亦不宜灸。惟四肢穴最妙。凡骨節及当骨處，針入淺而灸宜少。凡上体及肉厚處，針可深入，灸多無害。前经络素问注未載鍼灸學可以此推之。

針灸學上篇

總論

一 針灸術之沿革

古代治病。始為祝由。繼乃砭石導引。而湯藥在於砭石之後。砭石今已失傳。今之針灸術。殆即砭石之遺意。內經素問靈樞。中醫界奉為醫科聖經必讀之書。而靈樞九卷。特詳臟腑經俞。針家尊為針經。故亦有針經九卷之名。而素問刺熱刺瘧諸篇。實開針灸治療之源。越人扁鵲刺維會。起虢太子之尸厥。可謂針家之鼻祖。自後載諸史乘。代有傳人。漢之華佗郭玉其最著者也。他如魏之崔氏彧李氏濬元。皆以針名。至晉有王甫謐著甲乙針經。齊有徐文伯馬嗣明。為針灸之著者。隋之北山黃公。唐之名臣狄公仁傑。皆精於針灸。而孫氏思邈。王超王燾甄權諸賢。更復著作。及至宋代。仁宗詔王維德考次針灸。鑄為銅人。於是經穴始有標準可循。針灸一科。研者遂多。丘經歷王纂許希王克明等。皆名聞朝野。而王氏執中。復著有針灸資生經七卷。劉氏元實。又著有洞伏針灸經行世。至金元而仍不稍衰。太師竇漢卿。官而精針術。著有標幽賦。張氏潔古，醫學著作尤多。亦精針灸。滑壽伯仁。得東平高洞陽之傳。名噪遐邇。著作亦多。元臣忽太必烈。著有金蘭循經。王鏡澤得竇氏之傳。重註標幽賦。傳其子國瑞。國瑞傳廷玉。廷玉傳宗澤。世克其業。降之明季。有過龍之針灸要覽。吳嘉言之針灸原樞。汪機之針灸問對。姚亮之針灸圖經。陳會之神應針經。高武之針灸節要，與聚英。楊繼洲之大成。長篇巨著。各有發明。而黃良佑，陳光遠，李成章等。專以針鳴世。元明兩季。為中國針灸學最盛時代。清季之世。歐風東漸。此學遂衰。葉徐汪陳諸大醫家。雖都熟諳經穴。特偏重湯藥治療。針灸一科。遂不為世所重。甚有一般醫家。以經穴難明。手術不諳。謂言針能洩氣。或宜於偉形壯體。遂使人皆畏避。且世窮鄉僻壤。挑夫走卒。每得前賢一得之傳。針刺痧疫。屢收捷效。士君子但以學都賤役。遂不屑研究之。致我國特獨之絕學。起痼治病之神術。坐是以不彰。而東西各國。近年來視針灸。為特獨之器械療法。唯一之物理療法。

竟有設專科以研究之者。嗟乎發明針灸術之我國。反以敝屣視之。烏乎其可。方今提倡保存國粹之時。能不起而研究振興之哉。

二　針灸在治療上之價值

二十世紀之中國醫療界。大别分為中西二派。中醫側重湯液治療。歷千載如一日。無其他之改進。西醫則由藥物内療服法。進而行注射治療。迨今又趨重於紫光電、太陽燈、等之電氣與物理療法。彼醫療既進。尚感治療之闕如。未能應付萬病。而功效萬能之中國針灸學術。中醫界明知其有偉大功能。而不與提倡。中國之西醫界。追隨歐美醫學之後。步趨未遑。固無暇顧及祖國之精粹。大好學術。湮沒不彰。良深可惜。今摘述針灸在治療上之功能。以見其價值之一斑。

傷寒　西醫名為腸窒扶斯。至今尚未發明特效療法。中醫則自詡善治傷寒。每引以自傲者。仲景傷寒論一書。為治外感六淫之專書。醫者奉為金科玉律之聖經。為湯劑之圭臬。然書闌尾炎中医稱為腸癰。

中有當刺期門。與先刺風池風府等明文之句。足見針刺能助湯藥之不及。仲景亦曾言之矣。昔許叔微治婦人傷寒熱入血室。如結胸狀譫語者。處以小柴胡湯不應，而嘆曰：若有能針刺者。病當愈。觀此針灸之於傷寒。其重要為何如。治傷寒不外汗吐下和四法。針灸無則不能之。其功效之迅捷。遠非藥石所能及。往往一針甫下。沉疴立起。呈不可思議之奇蹟。令人驚嘆。

中風

西醫謂為腦充血。中醫則謂為厥陽暴逆。或肝陽上升。俱認為險惡之症。西醫除安靜其神經外。無治療方法。中醫雖有鎮逆，熄風，填竅，諸治法。效果蓋亦遲緩。若施以針灸。往往得獲神效。百會一穴。實為治中風之捷徑。一針甫下。其疾若失者有之

肺癆

中醫名曰傳尸。西醫名曰肺結核。亦為醫界束手之壞症。苟初起有善灸者。於膏肓肺俞鬼眼三里等穴頻施之殺之

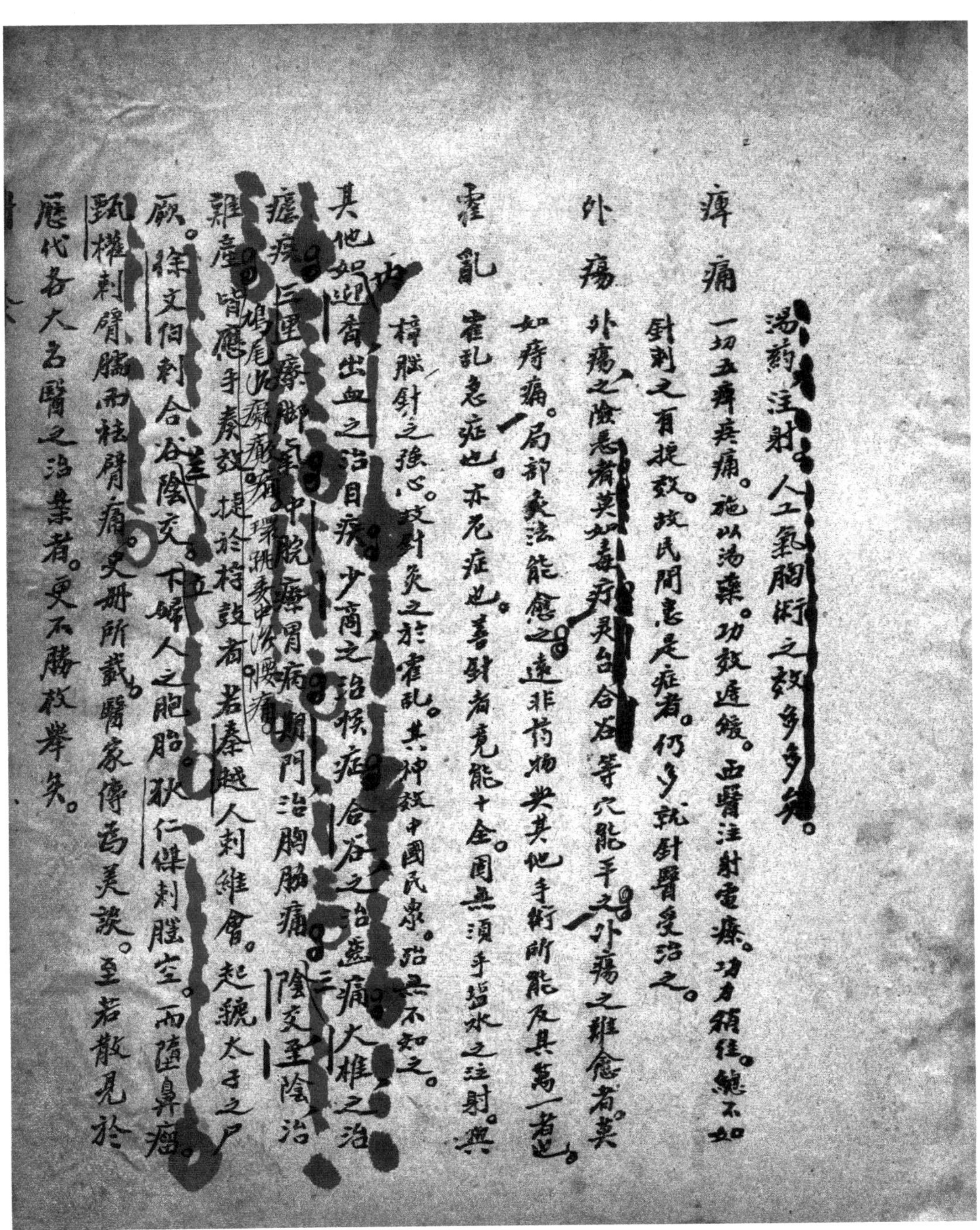

湯藥注射人工氣胸術之效多多矣。

痺痛　一切五痺疾痛。施以湯藥。功效遲緩。西醫注射電療。功力頗佳。總不如針刺之有捷效。故民間患是症者。仍多就針醫受治之。

外瘍　外瘍之險惡者莫如毒疔。灵台合谷等穴能平之。外瘍之難愈者莫如痔瘡。局部灸法能愈之。速非藥物與其他手術所能及其萬一者也。

霍亂　霍乱急症也。亦危症也。善針者竟能十全。固無須乎鹽水之注射。與樟腦針之強心。故針灸之於霍亂。其神救中國民衆。治無不如之。

其他如迎香出血之治目疾。少商之治喉症。合谷之治齒痛。大椎之治瘧疾。三里療腳氣。中脘療胃病。期門治胸脇痛。陰交至陰治難產。鳩尾治癲癇。環跳療中風腰痛。皆應手奏效。提於特殊者。若秦越人刺維會。起虢太子之尸厥。徐文伯刺合谷陰交三五。下婦人之胞胎。狄仁傑刺腦空。而墮鼻瘤。甄權刺臂臑而桂臂痛。史冊所載。醫家傳為美談。至若散見於歷代各大名醫之治案者。更不勝枚舉矣。

針灸之治效。已畧如上述。則其在醫療上之價值。遠勝於湯藥無疑矣。矣又更非紫光電太陽燈之種種治療所能企及。毋怪東西國。有設專科而加意研究之者也。

三 針刺治效之研究

藥物治療。某藥祇適應某病。而不能統治百病。中西皆同。而一針一艾之微。甚至效如桴鼓。其學理之安在。至今日尚未有正確之發明。前賢有言。經脈者所以決死生。處百病，調虛實。所謂經脈者。指人身之十二經脈，與任督諸脈。謂人身之氣血。俱循此經脈以流行。內經有云：營氣之道。納穀為寶。穀入於胃。乃傳之肺。流溢於中。佈散於外。精專者、行於經遂。常營無已。終而復始。是為天地之紀。故氣從太陰。出注手陽明。上行注足陽明。下行至跗上注大指間與太陰合。上行抵髀。從脾注心中。循手少陰出腋。下臂注小指。合手太陽。上行乘腋。出䪼內注目內眥上巔下項合足太陽。循脊下尻。下行注小指之端。循足心注足少陰。上行注腎。從腎注心。外散於胸中，循心之脈，出腋下臂，出兩筋之間，入掌中，出中指之端。還注小次指之端。合手少陽上行注膻中，散於三焦。從三焦注膽，出脇注足少陽。下行之跗上，復從跗注大指間。合足厥陰上行至肝。從肝上注肺，上循喉嚨，入頏顙之竅。其支別者。上額循巔，下項中，循脊入骶，是督脈也。絡陰器，上過毛中，入臍中，上循腹裏。入缺盆，下注肺中。復出太陰。此營氣之所行也，逆順之常也。又曰：衛氣之行，一日一夜，五十週於身。晝日行於陽二十五週，夜行於陰二十五週（中略）……故五十度而復大會於太陰矣。其謂人身之病也。手太陰肺脈是動則病肺脹滿，膨膨而喘欬，缺盆中痛，甚則交兩手而瞀。欬上氣，喘渴，煩心，胸滿。臑臂內前廉痛，厥。掌中熱。氣盛有餘則肩背痛，風寒汗出中風，小便數而欠。氣虛則肩背痛寒，少氣不足以息，溺色變。手太陽大腸脈是動則病齒痛，頸腫，目黃，鼽衄，喉痹，肩前臑痛，大指次指痛不用。氣有餘則當脈所過者熱腫，虛則寒慄不復。

足陽明胃脈是動則病。洒洒振寒，善呻，數欠，顏黑。病至則惡人與火。聞木聲
則惕然而驚，心欲動，獨閉戶塞牖而處。甚則欲上高而歌，棄衣而走，賁響
腹脹，狂瘧溫淫。汗出，鼽衄，口喎唇胗。頸腫，喉痹，大腹水腫，膝臏腫痛，循
膺乳氣街股，伏兔，骭外廉，足跗上皆痛，中指不用。氣盛則身以前皆
熱。氣有餘則消穀善飢，溺色黃。氣不足則身以前皆寒慄，胃中寒則
脹滿。足太陰脾脈是動則病舌本強，食則嘔，胃脘痛，腹脹，善噫，身体
重，舌本痛，体不能動搖，食不下，煩心，心下急痛，溏泄，水閉，黃疸，不能
臥，強立，股膝內腫厥，足大指不用。手少陰心脈是動則病嗌痛，頷腫不可
以顧，肩似拔，臑似折，耳聾，目黃，頰腫，頸頷肩臑肘臂外後廉痛。足太陽
膀胱脈是動則病。衝頭痛，目似脫，項似拔，脊痛，腰似折，髀不可以曲，膕
如結，腨如裂，痔瘧狂顛疾，頭顖項痛，目黃淚出，鼽衄，項背腰尻膕腨
腳皆痛，小指不用。足少陰腎脈是動則病。飢不欲食，面如漆柴，咳吐即有
血，喝喝而喘，坐而欲起，目䀮䀮無如所見，心如懸若飢狀，氣不足則善恐

心惕，如人將捕之，口熱，舌乾，咽腫，上氣，嗌乾及痛，煩心，心痛，黃疸，腸澼，脊股內後廉痛，痿厥，嗜臥，足下熱而痛。手厥陰心包絡脈，是動則病。手心熱，臂肘攣急，腋腫，胸脇支滿，心中澹澹大動。面赤目黃，喜笑不休。煩心，心痛，掌中熱。手少陽三焦脈，是動則病。耳聾渾渾焞焞，嗌腫，喉痺，汗出，目銳眥痛。頰腫，耳後肩臑肘臂外皆痛。小指次指不用。足少陽膽脈，是動則病。口苦，善太息，心脇痛，不能轉側。甚則面微有塵，体無膏澤，足外反熱。頭痛，頷痛，目銳眥痛。缺盆中腫痛。腋下腫，馬刀俠癭。汗出振寒，瘧，胸脇肋髀膝外至脛絕骨，外踝前及諸節皆痛。足厥陰肝脈。是動則病。腰痛不可以俛仰。丈夫㿗疝。婦人少腹腫。嗌乾，面塵脫色。胸滿嘔逆。飧泄，狐疝，難溺，閉癃。任脈為病。男子內結七疝。女子帶下聚瘕。督脈為病。脊強反折。又曰：邪之客於形也。必先舍於皮毛。留而不去。入於經脈。留而不去。入於絡脈。留而不去。入於經絡。內連五臟。散於腸胃。陰陽俱盛。五藏乃傷。

針灸

綜上前賢所述。人身之生活運用。無不繫乎十二經氣血之流行。凡百疾病亦無不繫乎十二經脈氣血之太過或不及。即外感六淫之侵襲。亦無不由皮毛而入經絡而脈絡而絡縫也。讀經刺，繆刺，巨刺，諸論。迎隨補瀉諸法。即可得刺法之大要。而知治十二經脈太過不及發生諸病之總綱矣。觀乎此。針刺之有特殊功效者。其即流通十二經脈氣血之流行歟。然竊有疑焉。每見殘手，斷足者。其運動雖失自由。而精神氣魄依然不變。並不以經脈之殘絕。致氣血之流行不能聯接而危其生命。且也。二十世紀。科學昌明。學術銳進。西醫擅解剖。終不得所謂十二經之痕跡。然則，前人十二經絡之說。已根本動搖。而針之能流通十二經脈氣血之說。則亦不能成立矣。因是旁考生理解剖新識。謂吾人之意識。舉止運動。無不繫乎神經之作用。其總樞悉統於腦。考腦分大小二枚。大腦主意識作用。小腦司運動總健。腦有神經十二對。舉凡聲色香味觸法。無不繫乎十二對腦神經之作用。苟損其一。則五官之官能，即受應響。腦之下為延髓。

内臟官能之神經繫焉。如肺之呼吸。心之輸血。肝之製胆汁。腎之主分泌。脾之主造白血球。腸胃之蠕動汗分泌。血流行。二便排泄。在在屬於內藏神經之官能作用也。延髓之下為脊髓。有脊椎神經三十一對。人身筋肉之觸覺。四肢之活動繫焉。於是知我中醫，認為人身之生活運用，繫於十二經之氣血運用者，即西醫所謂神經也。而針刺致用之理。或可得而知矣。神經器佈遍身。有似電網。四通八達。無不相連。苟一經偶受阻滯。病態立即發生。針刺者，即所以刺激神經。興奮神經。促進或減緩血液之流行。亢進或制止內臟之分泌與蠕動，及排除神經之障碍，而恢復其常態者也。故一針之微。萬百疾病。皆得而治焉。同道陳君晏如曾告我曰：昔者某西醫博士。嘗謂人身有電。針為金製。傳電最易。針線與飢肉摩擦。即發生輕微之電流。疏通神經。復其常態。病態於是乎消矣。是說也，則針刺致用之理。更進一解矣。

奇經八脈之研究

奇經八脉者。任脉，督脉，衝脉，帶脉，陽蹻，陰蹻，陽維，陰維，别於十二正經之外者也。然任行身之前。督行身之背。此二經外，衝隸陽明，帶隸少陽，陰陽蹻維亦隸於十二經中。仍不能越於十二經之外。內經本藏論曰：經脉者，所以行血氣，而營陰陽。又曰：經脉者，血氣之道路也。由斯以觀經為神經，脉為血管。二者交相附麗，各盡其造化運用之妙。蓋血之行也。由於心臟之鼓動。心鼓動之發生點，則屬於心臟神經叢擴張性，與收縮性之機能作用。即血管所佈之處，亦有此種机能性之神經纖維附繞之。以發揮其輸血之作用。內經所謂氣主輸之者是也。神經系統之營養。則全恃血行之活潑。內經所謂血主濡之者是也。然則，十二經者。固不但屬神經。亦包括一部分之血管於內也。督脉云者。內經設起於下極。貫脊而絡。腦統主一身之陽氣。考生理解剖。脊髓神經。上連於腦。下達尾閭。發出神經三十一對。通達週身四肢。吾人週身之知覺與運動。俱本於此。陽氣者指人身意識筋肉机關之活動力也。陽氣旺者，即活動力强。强則神充体健。弱即活動力弱。弱者意識疲靡。内經之所謂督脉統一身之陽者。與脊髓神經統人身知覺與運動之神經適相符合。其為脊髓神經也無疑矣。任脉起於中極之下。循少腹直上。而至咽喉之上。納經所謂任主血。起於胞中。為血之海。其為病也。男子内結七疝。女子帶下瘕聚。今就生理上觀察之。心臟為血行器。動靜二大脉管俱聯於此。靜脉為廻血管。血液之新鮮者。由動脉輸出。復由靜脉而廻入。靜脉有上大靜脉與下大靜脉。俱在人身之正中線。會集人身之靜脉血。而輸入於心臟。萬流同歸。不啻為血之海。又有名淋巴管者。為養生要素之一。(淋巴液)而聯介於靜脉之重要管囊也。其系統則附麗於血管。沿上下大靜脉而行者。有左右總淋巴幹。在腹腔者。為腸淋巴幹。在胸腔者。為氣管縱膈淋巴幹。頸淋巴幹等。其名稱固不止是。但其統系之淋巴管淋巴線。因淋巴液壅滯而發生淋巴管線腫脹結核疝瘕等病。與任病疝瘕相符合。是則内經之所謂任脉。為大靜脉與淋巴幹也無疑矣。衝脉云者。内經謂衝為血海。又謂衝脈皆起於氣衝。並少陰之經挾臍上行。至胸中而散。是則衝脈者。亦為下大靜脈也。帶脈起於季脇之下。當十四腰椎之間。内經謂如束帶。廻繞一週。約束諸經。就生理言。定此當為腹動脈。與腹淋巴幹。是則帶脈當為動脈與淋巴幹矣。陽蹻，陰蹻，陽維，陰維，就内經所載而觀之。使附屬於十二經之中。陽蹻為病。陰緩而陽急。陰蹻為病。陽緩而陰急。陽維為病。腰溶溶不能自收持。陰維為病。苦心痛。是皆屬於神經性之病態。則陰陽蹻維。其為一部分之神經也。無疑義矣。

奇經八脈之觀察如上述。今再重複而歸納之。經脈者，包括人身之神經，血管，淋巴管，三種重要器官也。苟許此說為未誤。若再進一步分析而研究之。則我國四千年久守不變之十二經絡學理。不難立符其真義。而破其啞謎矣。

經、穴之考正

一、人身度量標準

經穴度量尺寸。與各種別人哉足不同。普通以患者中指彎曲。取其第一節與其第二節之橫紋夫。與第二節第三節之橫紋夫。兩夫相去為一寸。以此計算。作量四肢之標準。頭部以前髮際至後髮際。作為一尺二寸計算之。前髮際不明者。以眉心上行至後髮際作為一尺五寸。後髮際不明者。取大椎骨上行。至前髮際。作為一尺五寸。前後不明者。以大椎直上行至眉心。作為一尺八寸計算。此量頭部直行尺寸之標準。頭之橫寸。以眼之內眥角至外眥角。作一寸為標準。胸腹部之量法。以兩乳相去作八寸計算。為胸腹橫寸之標準。鳩尾夫(胸劍骨)至臍心。作八寸計算之。如無鳩尾夫。以胸岐骨量至臍心。作八寸計算之。為胸腹直行寸之標準。背部以大椎至尾骶骨。作三尺計算之。為背部分寸之標準(如後圖)

附誌 天部—百會 人部—璇璣 地部—湧泉

五臟心肝脾肺腎是 六腑三焦心包絡胆胃大腸小腸是也

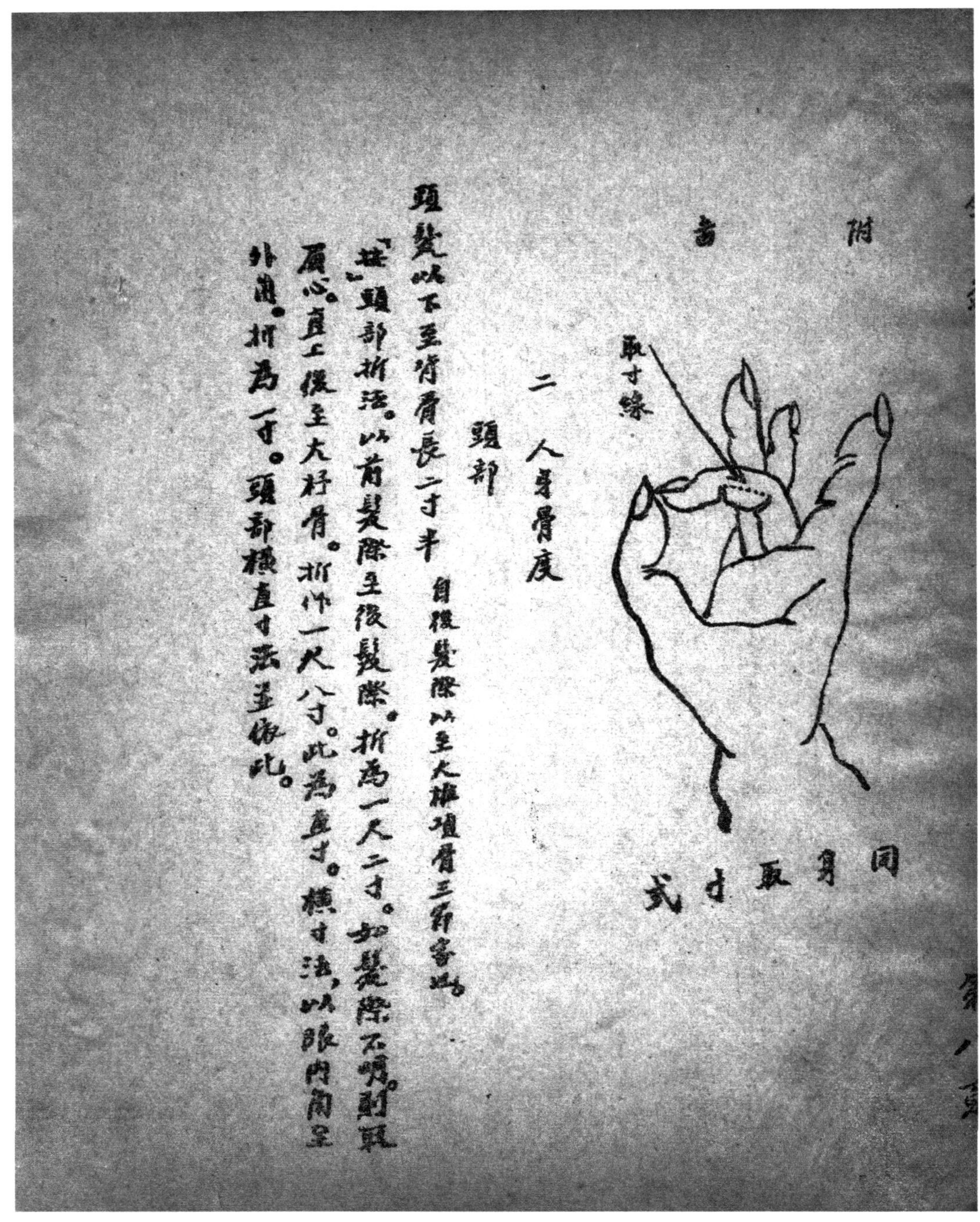

附圖

取寸線

同身取寸式

二 人身骨度

頭部

頭髮以下至背骨長二寸半 自後髮際以至大椎項骨三節處也

「按」頭部折法。以前髮際至後髮際。折為一尺二寸。如髮際不明。則取眉心。直上後至大杼骨。折作一尺八寸。此為直寸。横寸法，以眼內角至外角。折為一寸。頭部横直寸法並依此。

第八頁

胸腹部

結喉以下至缺盆中長四寸　此以巨骨上陷中而言即天突穴處

缺盆以下髃骬之中長九寸　髃骬之中即鳩尾穴

胸圍四尺五寸

兩乳之間廣九寸半　當折作八寸

髃骬中下至天樞長八寸　指平臍而言

天樞以下至橫骨長六寸半

橫骨橫長六寸半　毛際下骨曰橫骨

「按」此古數也。以今用之下穴法參較。多有未合。宜從胸腹折法為當。胸腹折法。直寸以中行為之。自缺盆中天突穴起。至岐骨際上中庭穴止。折作八寸四分。自髃骬上岐骨際下至臍心。折作八寸。臍心至毛際曲骨穴。折作五寸。橫寸以兩乳相去折作八寸。胸腹橫直寸法依此

背部

脊骨以下至尾骶二十一節長三尺

腰圍四尺二寸

「按」背部折法。自大椎至尾骶通折三尺。上七節各長一寸四分一厘共九寸八分七厘。中七節各長一寸六分一厘。共一尺一寸二分七厘。第十四節與臍平。下七節各一寸二分六厘。共八寸八分二厘。共計二尺九寸九分六厘。有零未尽也。直寸依此横寸用中指同身寸法

側部

自柱骨下行腋中不見者長四寸 柱骨頸項根骨也

腋以下至季脇長一尺二寸 季脇小肋也

季脇以下至髀樞長六寸 大腿曰股。股上曰髀。楗骨之下。大腿之上。兩骨合縫之所。曰髀樞。當足少陽環跳穴處也。

髀樞下至膝中長一尺九寸

横骨上廉下至内辅之上廉長一尺八寸　骨際曰廉，膝旁之骨突出者，曰辅骨。内曰内辅。外曰外辅。

内辅之上廉以下至下廉長三寸半

内辅下廉下至内踝長一尺二寸

内踝以下至地長三寸

四肢部

肩至肘長一尺七寸

肘至腕長一尺二寸半

腕至中指本節長四寸　臂掌之交，曰腕。指之後節，曰本節。

本節至末長四寸半

膝以下至外踝長一尺六寸

膝膕以下至附屬長一尺二寸　膕腿湾也。附足面也。膝在前，膕在後，附屬者凡两踝前後，胫掌所交之處。皆為附之屬也。

附屬以下至地長三寸

「按」骨度，靈樞經骨度篇文。所論之長短。皆古數也。然骨之

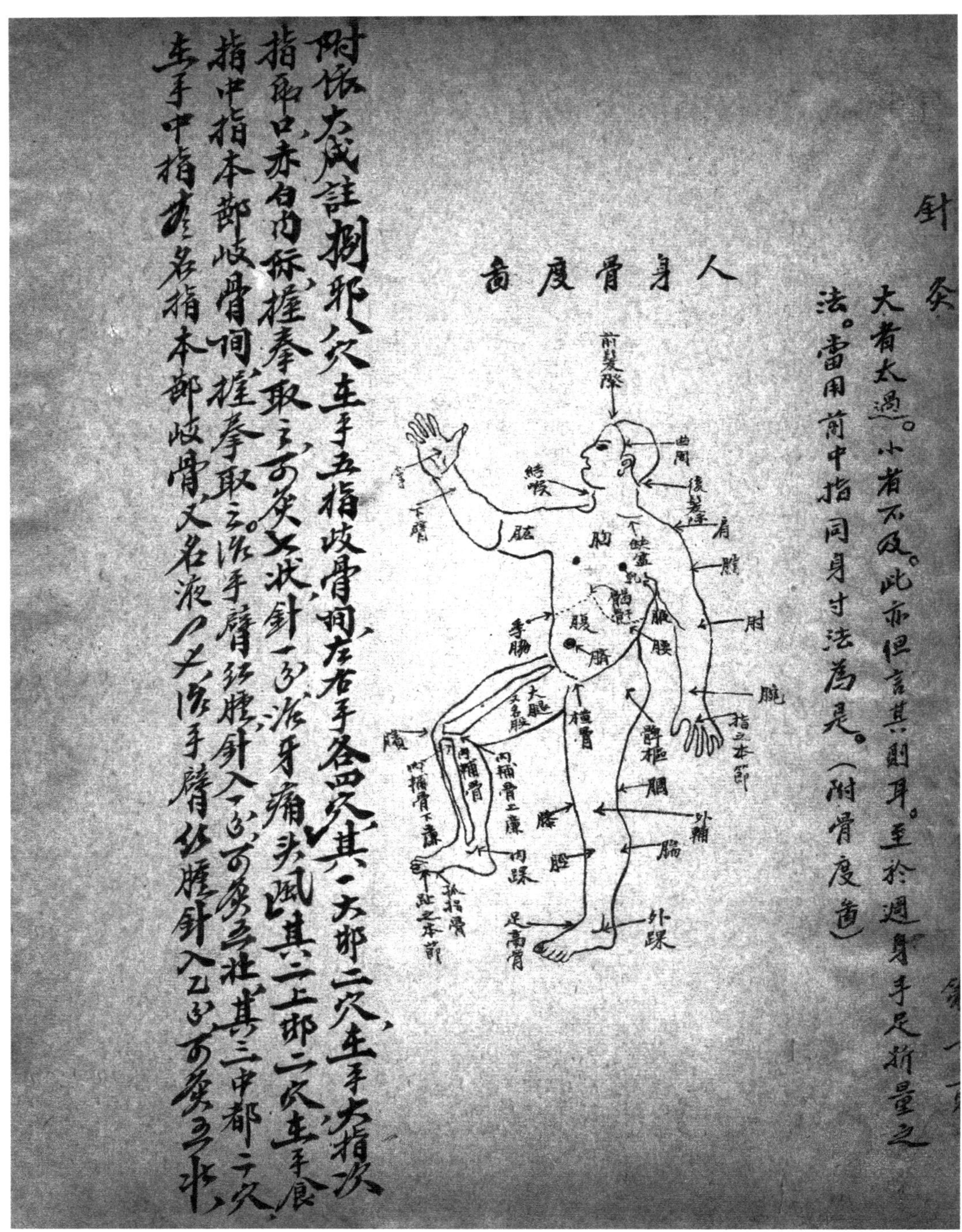

针灸

大者太過。小者不及。此亦但言其略耳。至於遍身手足揣量之法。當用前中指同身寸法為是。（附骨度圖）

人身骨度圖

附錄大成註捌邪八穴在手五指歧骨間左右手各四穴其一大都二穴在手大指次指虎口赤白肉際握拳取之可灸七壯針一分治牙痛頭風其二上都二穴在手食指中指本節歧骨間握拳取之。治手臂紅腫。針入一分。可灸五壯。其三中都二穴在手中指無名指本節歧骨。又名液門。治手臂紅腫。針入一分。可灸五壯。

其(的)下都二穴，主手無名指小指本節後岐骨間，一名中渚，足中渚之名穴主液門，下至三間，治手臂紅腫，針一分，灸五壯，兩手共八穴，故名八穴。

附經血異名表

一、同名異穴

頭之臨泣	足之臨泣	頭之竅陰	足之竅陰
手之三里	足之三里	背之陽關	足之陽關
腹之通谷	足之通谷	手之五里	足之五里

二、一穴二名

神庭（髮際）	曲差（鼻衝）	後頂（交衝）	通天（天臼）	腦空（顳顬）
強間（大羽）	目窗（至榮）	顱顖（顱顖）	瘈脈（資脈）	竅陰（枕骨）
素髎（面王）	迎香（衝陽）	地倉（會維）	大迎（髓孔）	顴髎（兌骨）
懸顱（髓孔）	人迎（天五會）	水突（水門）	扶突（水穴）	天鼎（天頂）
天窗（窗籠）	缺盆（天蓋）	肩井（膊井）	大椎（百勞）	神道（臟俞）
厥陰俞（闕俞）	心俞（背俞）	督俞（高蓋）	中膂俞（脊內俞）	中髎（中空）
會陽（利机）	魄户（魂户）	志室（精宮）	玉堂（玉英）	俞府（輸府）。

乳中（當乳） 乳根（薜息） 巨闕（心募） 下脘（幽门） 臨门（玉门）

石向（石闕） 商曲（高曲） 四滿（髓府） 大巨（腋门） 歸來（谿穴）

氣衝（氣街） 期门（肝募） 大橫（腎氣） 淵液（液门） 天池（天会）

維道（外樞） 少商（鬼信） 太淵（鬼心） 列缺（童玄） 向使（鬼路）

天泉（天温） 少衝（經始） 少海（曲節） 商陽（絶陽） 二向（間谷）

三間（少谷） 合谷（虎口） 陽谿（中魁） 肘髎（肘尖） 五里（尺之五向）

陽池（别陽） 支清（飛虎） 三陽络（通向） 少澤（小吉） 前谷（手太陽）

漏池（太陰络） 地机（脾舍） 血海（百虫窠） 中封（懸泉） 蠡溝（交儀）

陰包（陰胞） 湧泉（地衝） 梁丘（跨骨） 陰市（陰鼎） 僕參（安邪）

懸鐘（絶骨） 金门（梁關） 附陽（跗陽） 飛揚（厥陽） 承扶（肉郄）

3、一穴三名

絡却（强陽、腦蓋） 絲竹空（巨窌、目髎） 睛明（淚孔、淚空）

聽宮（多所聞、窗籠） 禾窌（禾髎、長頻） 廉泉（本池、舌本）

承泣（鼷穴，面髎）　臑會（臑窌，臑交）　脊中（神宗，脊俞）

命门（属累，竹杖）　天突（玉户，天瞿）　中脘（太倉，胃募）

水分（中守，分水）　神闕（臍中，氣舍）　氣穴（胞门，子户）

大赫（陰維，陰関）　横骨（下極，屈骨）　日月（胆募，神光）

衝门（慈宫，上慈宫）　尺澤（鬼受，鬼堂）　大陵（心主，鬼心）

温溜（逆注，蛇頭）　曲池（鬼臣，陽澤）　臂臑（頭衝，頸衝）

隱白（鬼壘，鬼眼）　三陰交（承命，太陰）　大敦（水泉，大順）

中都（中郄，太陰）　然谷（龍淵，然骨）　衝陽（會原，會涌）

下巨虛（下廉下廉，巨谷）　巨虛（上廉，上巨虛）　伏兔（外勾，外丘）

陽輔（絶骨，分肉）　陽交（别陽，足窌）　環跳（髖骨，分中）

中脉（鬼路，陽蹻）　承筋（腨腸，直腸）　足三里（下陵，鬼邪）

廿、一六四五

上星……鬼堂……明堂……神堂　勞宫……五里……鬼路……掌中

針灸

顖會……顖上……鬼門……顖門
瞳子髎……太陽……前關……後曲
膻中……元兒……上氣海……元見
陰交……少關……橫戶……丹田
中極……氣原……玉泉……膀胱募
京門……氣府……氣俞……腎募
復溜……伏白……昌陽……外命
陽關……關陵……陽陵……關陽

有一穴五名

承漿……天地……鬼市……懸漿……垂漿
肩髃……偏骨……中肩井……肩尖……偏骨
上脘……胃脘……上紀……胃管……上管
腹結……腹屈……腸結……腸窟……陽窟

腦戶……匝風……會額……合顱
頰車……機關……鬼牀……曲牙
中府……膺中俞……肺募……府中俞
氣海……脖胦……下肓……丹田
曲骨……胞尿……屈骨……屈骨端
神門……兌衝……中都……銳中
太谿……呂細……照海……陰蹻
承山……魚腹……肉柱……腸山

上關……客主人……客主……容主……太陽
鳩尾……尾翳……髑骬……神府……骭骬
會陰……屏翳……金門……下極……平翳
章門……長平……脇窌……脾募……肋髎

委中……郄中……委中央……血郄……腿凹

6. 一穴六名與数名

水溝……鼻人中……鬼宫……鬼客廳……鬼市……人中

攢竹……員在……始光……夜光……明光……元柱

石门……利機……精露……丹田……命门……三焦募

関元……下紀……次门……丹田……大中極……小腸募

天樞……長谿……谷门……大腸募……循際……長谷

百會……鬼门……泥丸宫……巔上……天满……三陽……五會

腰俞……背解……髓空……腰户……髓孔……腰柱……髓俞……髓府

長强……窮骨……骶上……骨骶……龜尾……龍虎穴……河車路……上天梯……撅骨……尾閭

[illegible]兩太沖之。又有虫窠之穴，即血海之异，膝内廉上三寸，針三分，乃[illegible]部上瘡

經外奇方穴

內迎香二穴 在鼻孔中上端。治目热暴痛，用芦管子搐出血，最效。

鼻準一穴 在鼻柱尖上，專治鼻上生酒醉風，宜針出血。附大成用三稜針

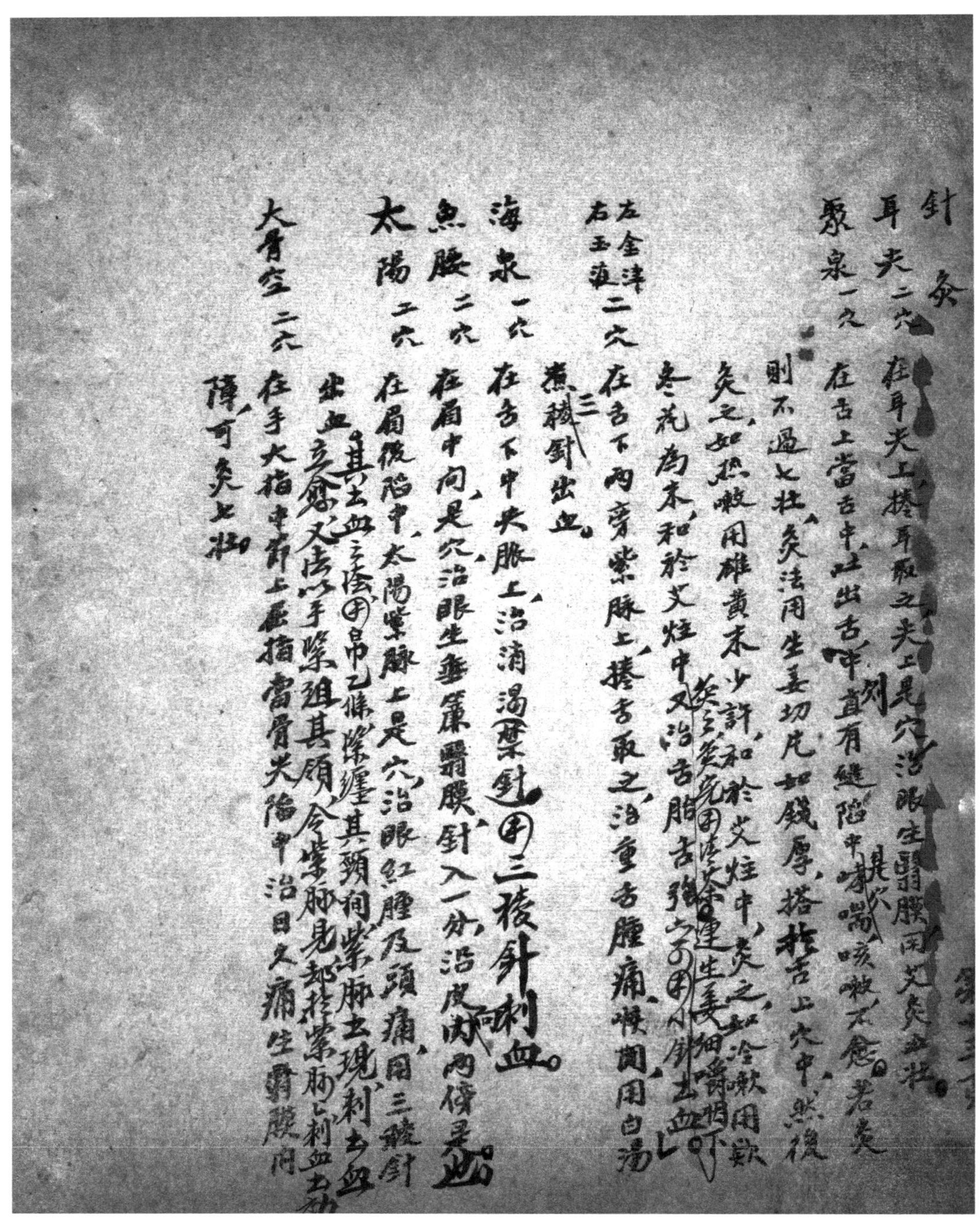

針灸

耳尖二穴 在耳尖上，捲耳取之，尖上是穴。治眼生翳膜，用艾炙五壯。

聚泉一穴 在舌上當舌中，吐出舌，中直有縫陷中是穴。治喘咳嗽不愈，若炙則不過七壯。灸法用生姜切片如錢厚，搭於舌上穴中，然後灸之。如熱嗽，用雄黃末少許，和於艾炷中，灸之；如冷嗽，用款冬花為末，和於艾炷中。灸之，灸完用清茶連生姜細嚼咽下。又治舌胎，舌強，亦可用小針出血。

左金津 右玉液 二穴 在舌下兩旁紫脈上，捲舌取之。治重舌腫痛，喉閉，用白湯煮過三稜針出血。

海泉一穴 在舌下中央脈上。治消渴，用[illegible]針，用三稜針刺血。

魚腰二穴 在眉中間，是穴。治眼生垂簾翳膜，針入一分，沿皮向兩傍是也。

太陽二穴 在眉後陷中，太陽紫脈上是穴。治眼紅腫及頭痛，用三稜針出血。其出血之法，用帛一條，緊纏其頸項，紫脈出現，刺出血立愈。又法以手緊紐其領，令紫脈見，却於紫脈上刺出血。

大骨空二穴 在手大指中節上，屈指當骨尖陷中。治目久痛，生翳膜，內障，可灸七壯。

左右八穴

兩足共八穴

兩手共十穴

兩手共四穴

中魁 二穴 在中指二節骨尖上，屈指得之，治五噎、反胃、止食。可灸七壯。

腎陽穴。又陽谿二穴，亦名中魁。

八邪 八穴 在手五指岐骨間，治頭風、牙痛、手臂紅腫。各針一分，灸五壯。

八風 八穴 在足五指岐骨肉間，各針一分，灸五壯，主治腳背紅腫。灸三壯。

十宣 十穴 在手十指頭上，去爪甲一分，針一分，灸五壯，主乳蛾出血大效。

五虎 四穴 在手食指、無名指第二節骨尖上，握拳取得之，治五指拘攣，

灸五壯。

肘尖 二穴 在手肘骨尖上，屈肘得之，治瘰癧，可灸七七壯。大成註七壯。

肩柱骨 二穴 在肩端骨尖上是穴，治瘰癧，亦治手不能舉動，灸七壯。

二白 四穴 即郄門也，在掌後橫紋中，直上四寸，一手有二穴，一穴在筋內兩筋

間，即間使後一寸，一穴在筋外與筋內之穴相並，治痔、脫肛，針灸亦可。

獨陰 二穴 在足第二指下橫紋中是穴，治小腸疝氣、死胎、胎衣不下、女人乾噦、

嘔吐、經絡血不調，灸五壯。

針灸

內踝尖 二穴 在足內踝骨尖上，治下片牙疼、脚內廉轉筋，灸七壯。出血亦可

外踝尖 二穴 在外踝骨尖上，治脚外廉轉筋、寒熱脚氣，灸七壯，針宜出血。三稜針

囊底 一穴 在陰囊十字紋中，治腎臟風瘡、小腸疝氣、腎家一切證候。悉皆治之。灸七壯，艾炷如鼠糞。

鬼眼 四穴 在手大指去甲角如韭葉，兩指並起，用帛縛之，當兩指岐縫中是穴。又二穴在脚大指，取穴亦如在手大指同，治五癇等症，正發即時灸之甚效。

髖骨 四穴 梁丘兩旁各開寸半，兩足共四穴，治腿痛，灸七壯。

中泉 二穴 在手背腕中，陽谿、陽池中間，治心痛、腹中諸氣痛不可忍。灸二七壯。

小骨空 二穴 在手小指第二節尖上，治手節痛、目痛，灸七壯。

子宮 二穴 在中極兩旁，各開三寸，針一寸，灸二七壯，主婦人久無子嗣。

玉龍歌內

孩子慢驚何可治

必印堂刺入艾還加

印堂 一穴 在兩眉中陷中是穴，針一分。灸五壯。治小兒驚風。

四縫 四穴 在手四指內中節，是穴。三稜針出血。治小兒猢猻勞等症。

高骨 二穴 在掌後寸部前五分，針寸半，灸七壯，治手病。

蘭門 二穴 在曲骨兩旁，各開三寸脉中，治膀胱七疝奔豚。

睛中 二穴 在眼黑珠正中取穴之法，先用布搭目外，以冷水淋一刻，方將三稜針〻於目外角離黑珠一分許

龍玄 二穴 在兩手側腕叉紫脉上，灸七壯，禁針，治手疼。

背縫 二穴 在肩端骨下，直腋縫尖，針二寸，灸七壯。玉龍歌：肩背風氣連臂痛，背縫二穴用針明。

附添肩兮二穴 在肩端骨下寸

許家吴穴 肩上二寸取此穴

針灸手術

施針運氣法

瘡功若針灸針之多

觀市醫於施針之時。使病者得無窮痛苦。故病者非不得已時。未敢

趙大保常 求醫針刺。甚或病雖危急。亦不敢應針者。畏痛故也。坐視針灸神術。

用是穴故 置於不用之地。此亦針學失傳之一大原因也。欲求醫者針學之振興

誘之試之

針灸

非使病者無痛苦不可。欲求病者無痛苦。必須施用毫針。熟諳手法。欲求手法之純熟。非鍊施針運氣法不可。但前人对于此項多秘而不宣。視為懷寶。惟此法亦甚易也。法用銀針數枚。(此種銀針可使銀匠製之。長約四寸。細如棉紗線。針尖亦須磨銳。再以較細之銀絲緊繞於針尾。長約寸許。惟此種針。因脆易斷。非備數枚不可)再用淨白棉花三四兩。搓成球形。每晨用棉紗線緊繞二十轉。暇時即以銀針將右手大指與食指及中指。時時捻進捻出。日復一日。經一年之久。此球經棉紗線凡六七千次之繞緊。則結實異常。而轉捻亦復自如也。由是而施之人身。亦自覺純熟。再將下節之施針手法。參考熟讀之。即可使病者。除痠麻走氣之外。分毫不覺針刺也。

施針手法

施針之時。先定應針應灸之穴。令患者或坐或卧。或側卧,或伏。坐者背脊端直。兩手着膝。足並微開。不偏不欹。端正坐之。卧者,手足並伸而平卧之。側卧者，則下足伸直。上足屈之。或兩足皆屈之。伏者，兩手圍着頸下。平伏之。醫者乃以針揩净。納口中使温。（口亦漱潔）然後審量穴道。昔人雖謂針一穴而必取五穴。治一經必先辨三經。是恐經絡不清。陰陽倒治。然亦不必泥此。蓋人身寸寸是穴。前後左右取二三穴。即可真切。且陽經穴眼。多在骨側陷處。按之痠麻為真。陰經穴眼。按之多有動脈應手也。取穴既確。即可以左手大指。切於應針之穴上。（或將左手之中指食指相疊。以針夾於其間。大指可與食指相合以助之。蓋毫針細軟。易感灣曲致也）然後稍稍用力。使該穴皮下神經麻痹——針刺入時可減痛——右手即持針直刺之。隨刺隨捻相裹進。約進幾分深之數。一方問病者覺痠重散出否。苟只覺痛或痛與痠重皆不覺。可將針微深入。或退出些些而捻運之。待患者覺痠重之後。且覺針下氣緊之時。是氣已至。庶可施以補瀉。「註」必須認定經之來去。而微捻之。每捻祇針柄半轉。非若輪之旋轉不已也。補瀉既畢。氣之鬆緊自殊。其效乃顯。然後出針。
不可拘定留幾呼瀉既吸也。且內經（灵樞）云。毫針者，尖如蚊虻
喙。靜以徐往。微以久留之。而養以取痛痹。由是以觀。施針者必須
全付精神。注視兩手。以靜候氣之來去。切不可學市醫之旋針旋
出。不待氣至而妄施補瀉。致治病無效。而失病者之信仰也。一針
既畢。再刺他穴。緩緩從事。毋輕率了之斯可矣。至於出針之時。亦當
將左手大指。或中食指緊按穴邊。以右手左右搓轉。用平補平瀉法。
緩緩抽出。務使病者不覺痛苦而後已。若病人手足伸屈。將針灣
曲不直者。或肌腠纏繞針頭。致針撓屈者。起針之時。最感艱難。驟
然拔出。易傷好肉。易感痛疼。且又有折針之患。故必須緩緩出針。當針
腰向何處灣屈。然後將針用右手兩指扳倒。就弦彎轉而出。是針
不痛。而又無折斷之患。此亦針家之所急當留意者也。
「註」醫家運針。必待氣至。所謂氣至者。病者覺針下痠重。

實有捻動針柄。亦覺針下沉緊之象是也。

補瀉之意義

計賢對於補瀉之說。不外有餘者瀉之。不足者補之。實則瀉之。虛則補之。不實不虛。以經取之之義。間嘗擬思。凡百疾病。無不繫乎神經機能之亢盛或衰弱。血行之增進或遞減。例如熱病也。由於神經性之造溫機能亢進或散溫機能減退。咳也。嘔吐也。由於脾胃神經叢之反射機能亢進。瀉痢也。遺尿也。由於腹膀胱之蠕動過甚。神經制止之機能不振。凡百痛也。或由於血管充血刺壓神經。或由積聚物質之停滯而擠壓神經。或由於內臟分泌過盛而刺激神經。痿痹也。眩暈也。大部由於血虛而神經與筋肉失其榮養。略舉數例。即可以概其餘。簡言之。所謂實有餘者。不外血行之速度過甚。或充血。神經各種機能亢進也。所謂虛者。不外血行之遲緩過甚。或貧血。神經各種機能不振。或衰弱也。用針瀉者。所以排除充血。制止神經之興奮。用針補者。所以刺激神經。使之興奮而活動其機能。促進血液之行運也。他如四肢運用不慎。偶失活動之能。非為六經外邪之侵襲。亦非七情之所與者。則前賢所謂不實不虛。以經取之。是也。

針灸

乙　補瀉之手術

前賢云。隨而濟之爲之補。迎而奪之爲之瀉。又曰三進一退謂之補。三退一進謂之瀉。又曰提則爲瀉。插則爲補。夫隨而濟之、迎而奪之、進插提退實爲補瀉不易之要法。今將十二經補瀉手法。分别述明之。手陽明大腸經、手少陽三焦經、手太陽小腸經。俱自手而至頭。足太陰脾經。足厥陰肝經、足少陰腎經、俱自足而至腹。六經悉皆自下而至上。如針左邊而行補法。針入穴内相當之分寸。微停、凝神集意。專注於針。以右手拇食二指持針柄捻動。轉向右邊。大指向後。食指向前。如針右邊而用補法。則針轉向左邊。大指向前。食指向後。是爲手三陽、足三陰之補法。如針左邊而行瀉法。則針轉向左邊。大指向前。食指向後。如針右邊而行瀉法。則針轉向右邊。大指向後。食指向前。是爲手三陽、足三陰之瀉法。手太陰肺經、手少陰心經、手厥陰心包絡。俱自胸而至手。足陽明胃經、足太陽膀胱經、足少陽膽經、俱自頭而至足。斯六經者。俱自上而至下。如針左邊而行補法。針頭轉向左邊。大指向前。食指向後。如針右邊而行補法。則針頭轉向右邊。大指向後。

食指向前。此為足三陽手三陰之補法。若瀉左邊，則針捻向右轉。大指向後，食指向前。如針瀉右邊，則針轉左面。大指向前，食指向後。斯為足三陽手三陰之瀉法。任督二脈，俱屬中行。補法悉向左轉。大指向前。食指向後。瀉法悉向右轉。大指向後。食指向前。毋分背陽腹陰而異其法。十二經之補瀉捻法。既如上述。而於進捧退提，及出針諸法，亦須明焉。凡屬補針，當捻動時。微深進分許，提起再捻進，往進行之。出針時，漸出針而疾按其孔。凡屬瀉針。當捻動時。微向上提分許，捧進再提起，往進行之。出針時疾出針而不按其孔。此運針補瀉之真義，千古奉為秘訣。輕易不宣者也。

藏針法

針既修製完善。或施針既畢。經葯擦消毒之後。（用棉巾數方，以硼酸半兩，水二十五兩煎煮一小時，用此巾勤擦，亦有消毒之功，且甚便利）須製一藏器以防損壞。最好使銀匠製一銀質細管狀之針筒。長約四寸。口部用螺絲式之戒子。并繫之以銀索。針藏之於內。先以輭木塞之。然後以螺

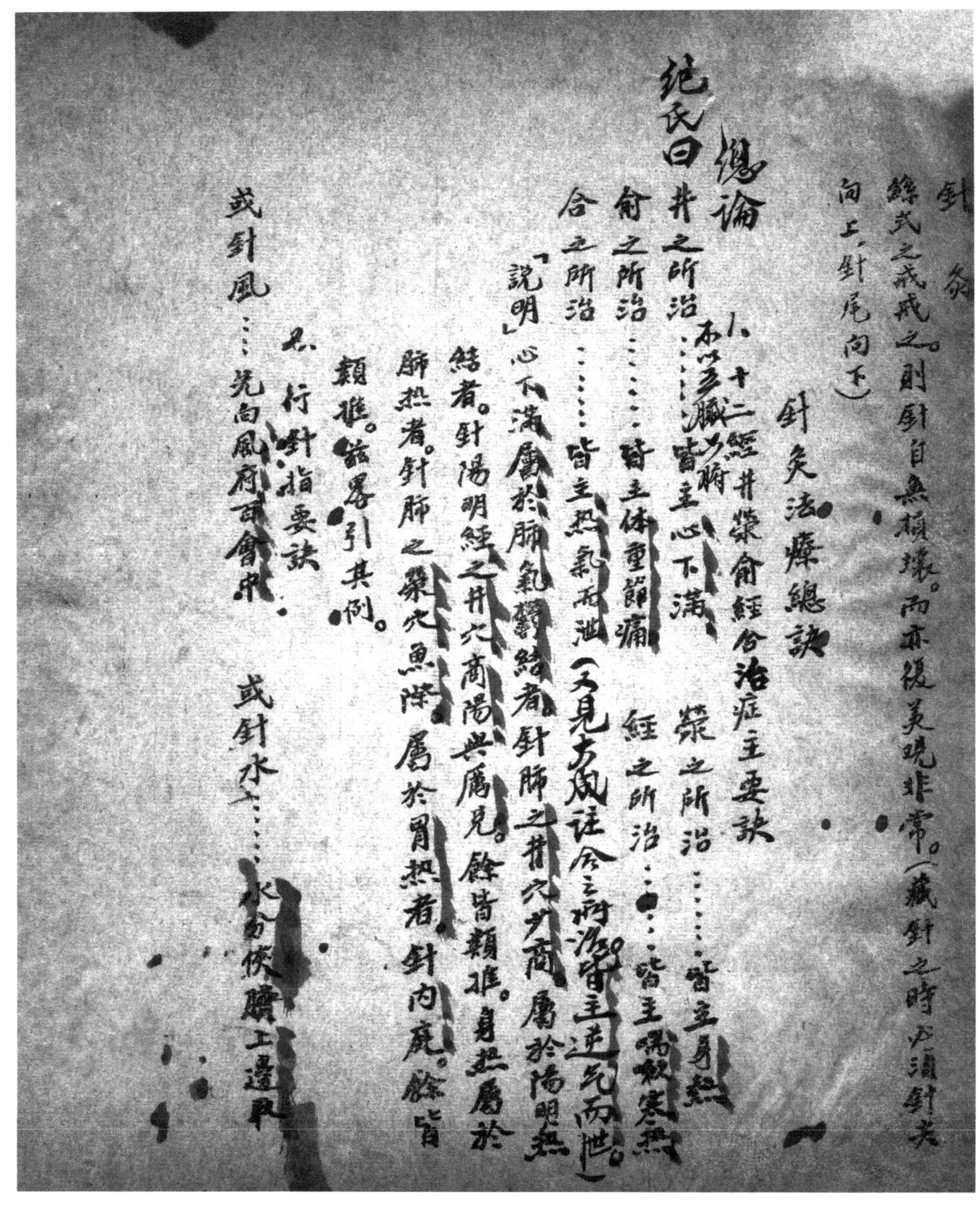

針灸

鍼式之戒戒之。則針自無損壞。而亦復美觀非常。（藏針之時必須針尖向上，針尾向下）

針灸法療總訣

八、十二經井滎俞經合治症主要訣

總論

紀氏曰

井之所治……不以多臟少腑皆主心下滿　滎之所治……皆主身熱

俞之所治……皆主体重節痛　經之所治……皆主喘嗽寒熱

合之所治……皆主熱氣而泄（又見方氏注合主病治皆主逆气而泄）

「說明」心下滿屬於肺氣鬱結者，針肺之井穴少商。屬於陽明熱結者。針陽明經之井穴商陽與厲兌。餘皆類推。身熱屬於肺熱者。針肺之滎穴魚際。屬於胃熱者。針內庭。餘皆類推。餘略引其例。

九、行針指要訣

或針風……先向風府百會中。

或針水……水分俠臍上邊取

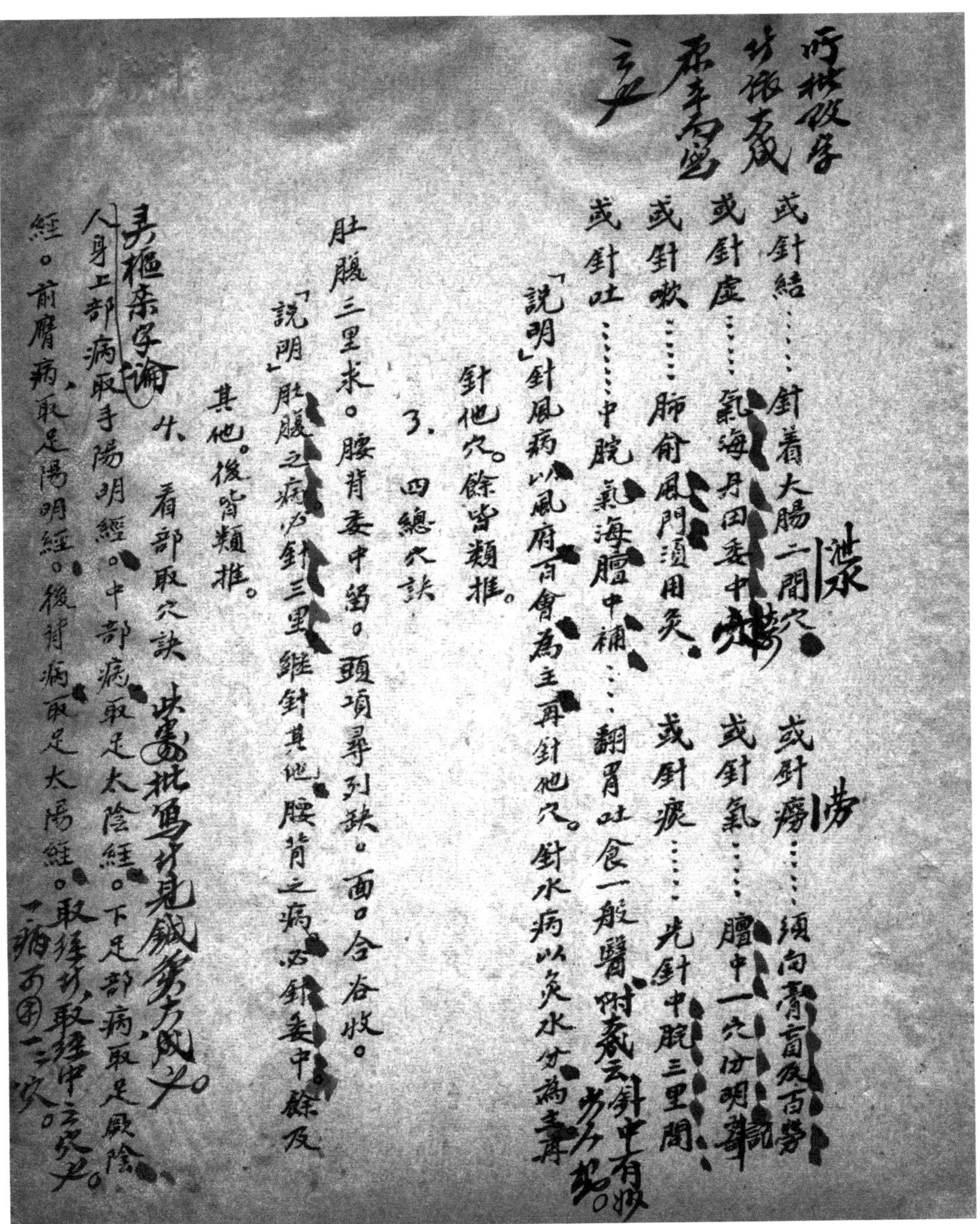

或針結……針着大腸二間穴 或針癆……須向膏肓及百勞

或針虛……氣海丹田委中奇 或針氣……膻中一穴分明記

或針嗽……肺俞風門須用灸、或針痰……先針中脘三里間、

或針吐……中脘氣海膻中補……翻胃吐食一般醫

「説明」針風病以風府百會為主再針他穴。針水病以灸水分為主再針他穴。餘皆類推。

3. 四總穴訣

肚腹三里求。腰背委中留。頭項尋列缺。面口合谷收。

「説明」肚腹之病必針三里，繼針其他」腰背之病必針委中。餘及其他。後皆類推。

4. 看部取穴訣

人身上部病取手陽明經。中部病取足太陰經。下足部病取足厥陰經。前膺病取足陽明經。後背病取足太陽經。

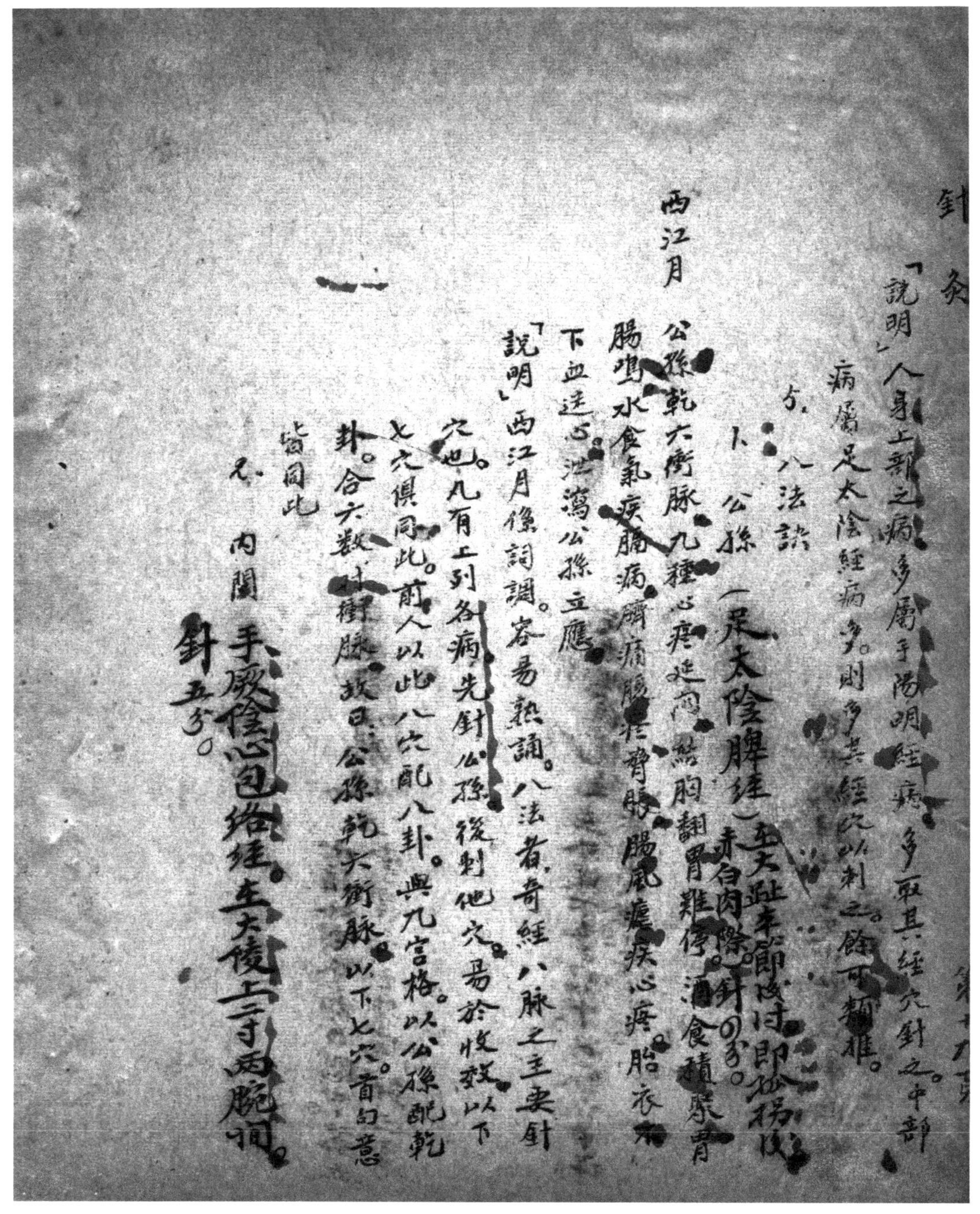

針灸

「說明」人身上部之病多屬手陽明經病多取其經穴針之。中部病屬足太陰經病多。則多其經穴以刺之。餘可類推。

今、八法訣

甲、公孫（足太陰脾經）在大趾本節後一寸即公孫穴赤白肉際。針四分。

西江月

公孫乾六衝脈 九種心疼延悶 結胸翻胃難停 酒食積聚胃腸鳴 水食氣疾膈痛 臍痛腹疼脅脹 腸風瘧疾心疼 胎衣不下血迷心 泄瀉公孫立應

「說明」西江月係詞調。容易熟誦。八法者，奇經八脈之主要針穴也。凡有上列各病，先針公孫，後刺他穴，易於收效。以下七穴俱同此。前人以此八穴配八卦。與九宮格。以公孫配乾卦。合六數，於衝脈。故曰：公孫乾六衝脈。以下七穴。首句意皆同此

乙、內關 手厥陰心包絡經。在大陵上二寸兩筋間。針五分。

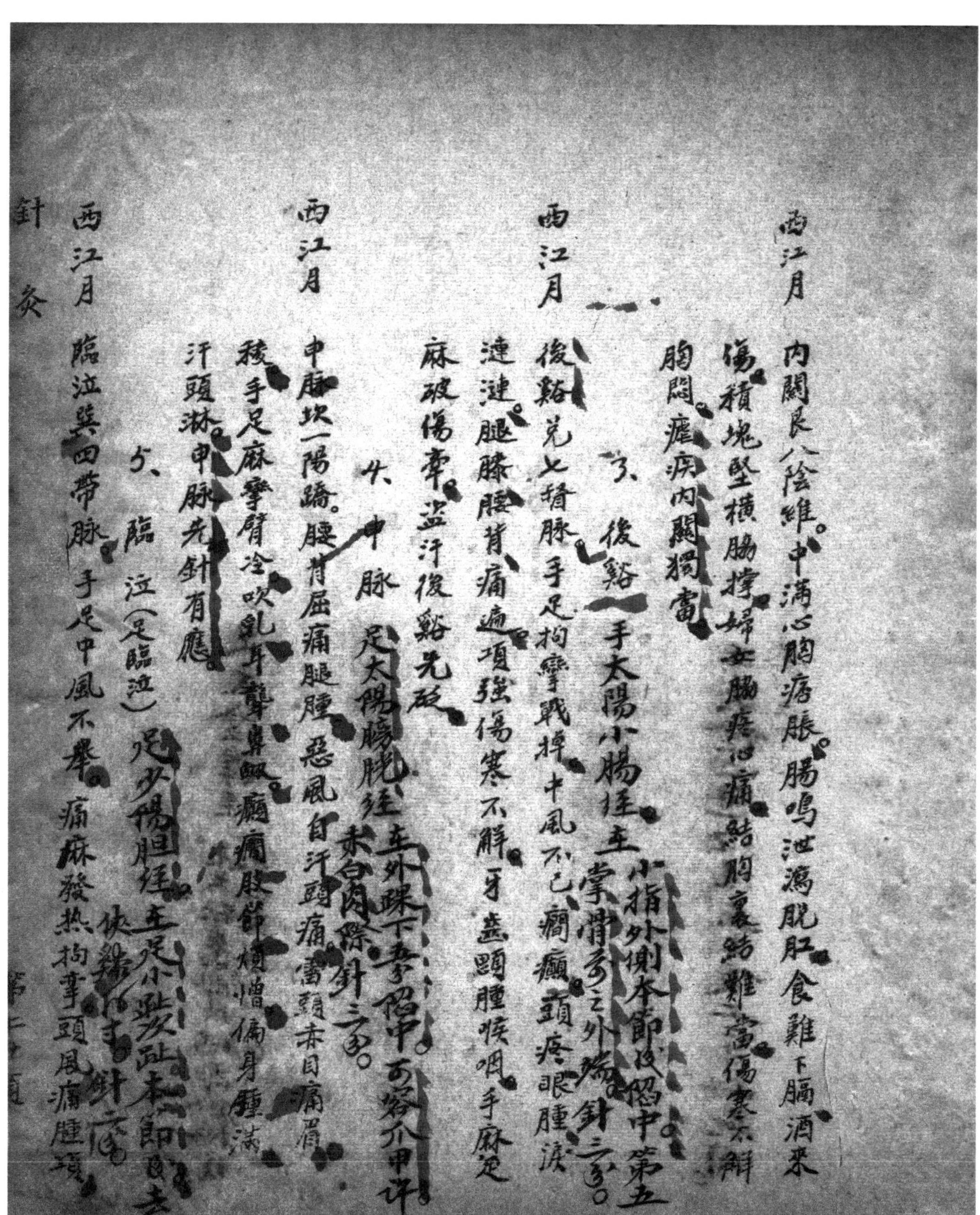

西江月 內關艮八陰維。中满心胸痞脹。腸鳴泄瀉脫肛 食難下膈酒來傷 積塊堅横腸撐 婦女脇疼心痛 結胸裏結難當 傷寒不解胸悶 瘧疾內關獨當

3、後谿 手太陽小腸經 主 小指外側本節後陷中第五掌骨前之外端 針三分。

西江月 後谿兌七督脉 手足拘攣戰掉 中風不已癇癲 頭疼眼腫漣漣 腿膝腰背痛遍 項強傷寒不解 牙齒腮腫喉咽 手麻足麻破傷牽 盗汗後谿先砭

4、中脉 足太陽膀胱經 主 外踝下五分陷中 可容爪甲許 赤白肉際 針三分。

西江月 中脉坎一陽蹻。腰背屈痛腿腫 惡風自汗頭痛 雷頭赤目痛眉稜 手足麻攣臂冷 吹乳耳聾鼻衄 癇癲肢節煩憎 偏身腫滿汗頭淋 中脉先針有應

5、臨泣(足臨泣) 足少陽胆經 主 足小趾次趾本節後 去俠谿1寸 針三分

西江月 臨泣巽四帶脉 手足中風不舉 痛麻發熱拘攣 頭風痛腫項

針灸 第二[illegible]頁

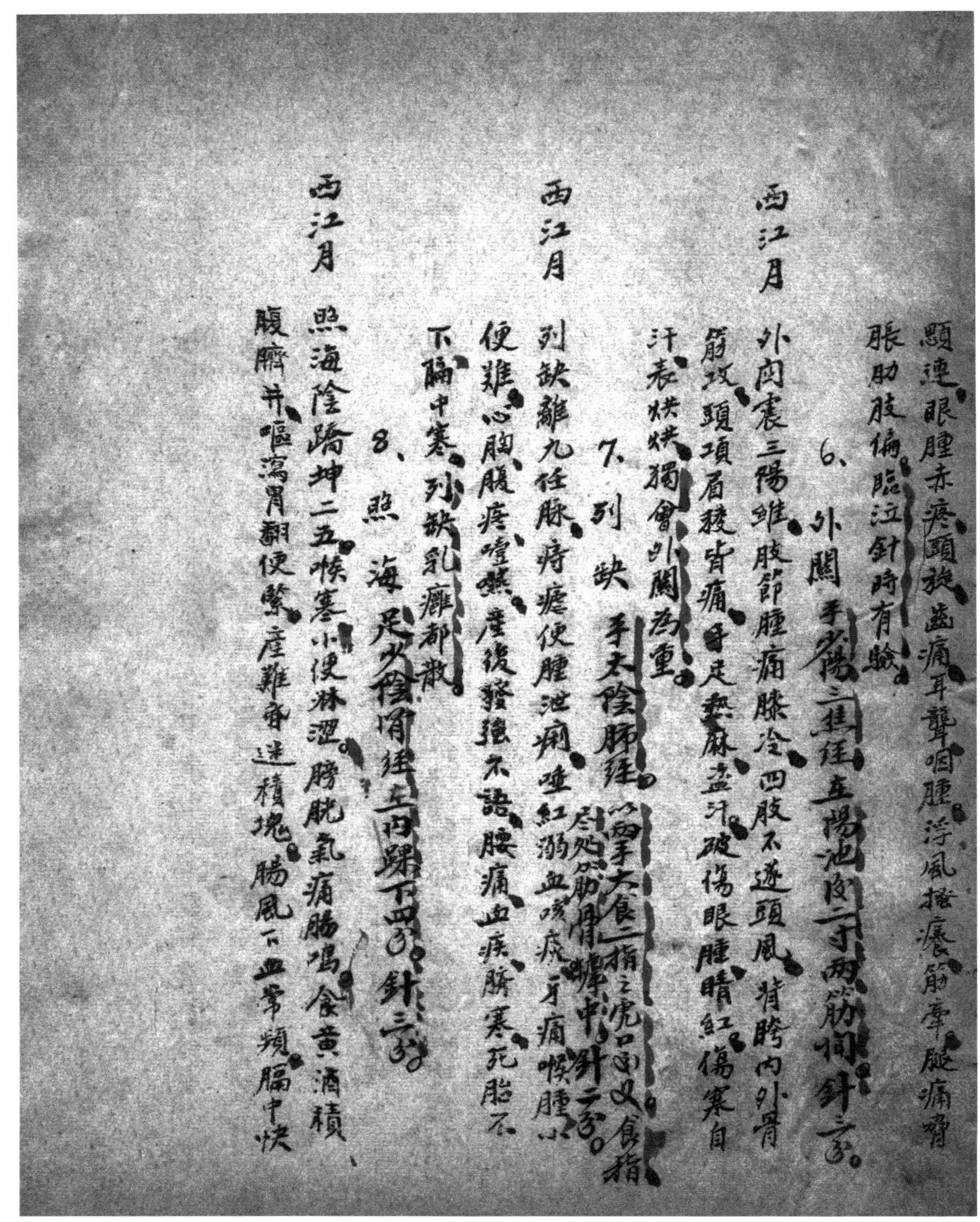

顋連，眼腫赤疼，頭旋，齒痛，耳聾咽腫，浮風搔癢，筋牽，腿痛脅
脹肋肢偏，臨泣針時有驗。

6、外關　手少陽三焦經　在陽池後二寸兩筋間　針三分。

西江月　外關裏三陽維，肢節腫痛膝冷，四肢不遂頭風，背胯內外骨
筋攻，頭項眉稜皆痛，手足熱麻盜汗，破傷眼腫睛紅，傷寒自
汗表烘烘，獨會外關為重。

7、列缺　手太陰肺經　以兩手大食二指之虎口相叉食指
尽处筋骨罅中　針二分。

西江月　列缺離九任脈，痔瘧便腫泄痢，唾紅溺血咳痰，牙痛喉腫小
便難，心胸腹疼噎咽，產後發強不語，腰痛血疾臍寒，死胎不
下膈中寒，列缺乳癰都散。

8、照海　足少陰腎經　在內踝下四分　針三分。

西江月　照海陰蹻坤二五，喉塞小便淋澀，膀胱氣痛腸鳴，食黃酒積
腹臍并，嘔瀉胃翻便緊，產難昏迷積塊，腸風下血常頻，膈中快

氣氣核侵。照海有功必定。

6. 八會訣

腑會中脘。臟會章門。筋會陽陵。髓會絕骨。
血會膈俞。骨會大杼。脉會太淵。氣會膻中。

「說明」凡屬腑病先針中脘繼針別穴臟病先針章門繼針他穴。餘類推。會者言其氣之會於此也

7. 馬丹陽天星十二訣

三里內庭穴。曲池合谷接。委中配承山。太衝崑崙穴。環跳與陽陵。通里並列缺。合擔法用擔。合截用法截。三百六十穴。不出十二訣。治病如神靈。渾如湯潑雪。北斗降真機。金鎖教開徹。至人可傳授。匪人莫浪說。

1. 三里　三里膝眼下。三寸兩筋間。能通心腹脹。善治胃中寒。腸鳴並泄瀉。腿腫膝胻痠。傷寒羸瘦損。氣蠱及諸般。年過三旬後。針灸眼便寬。

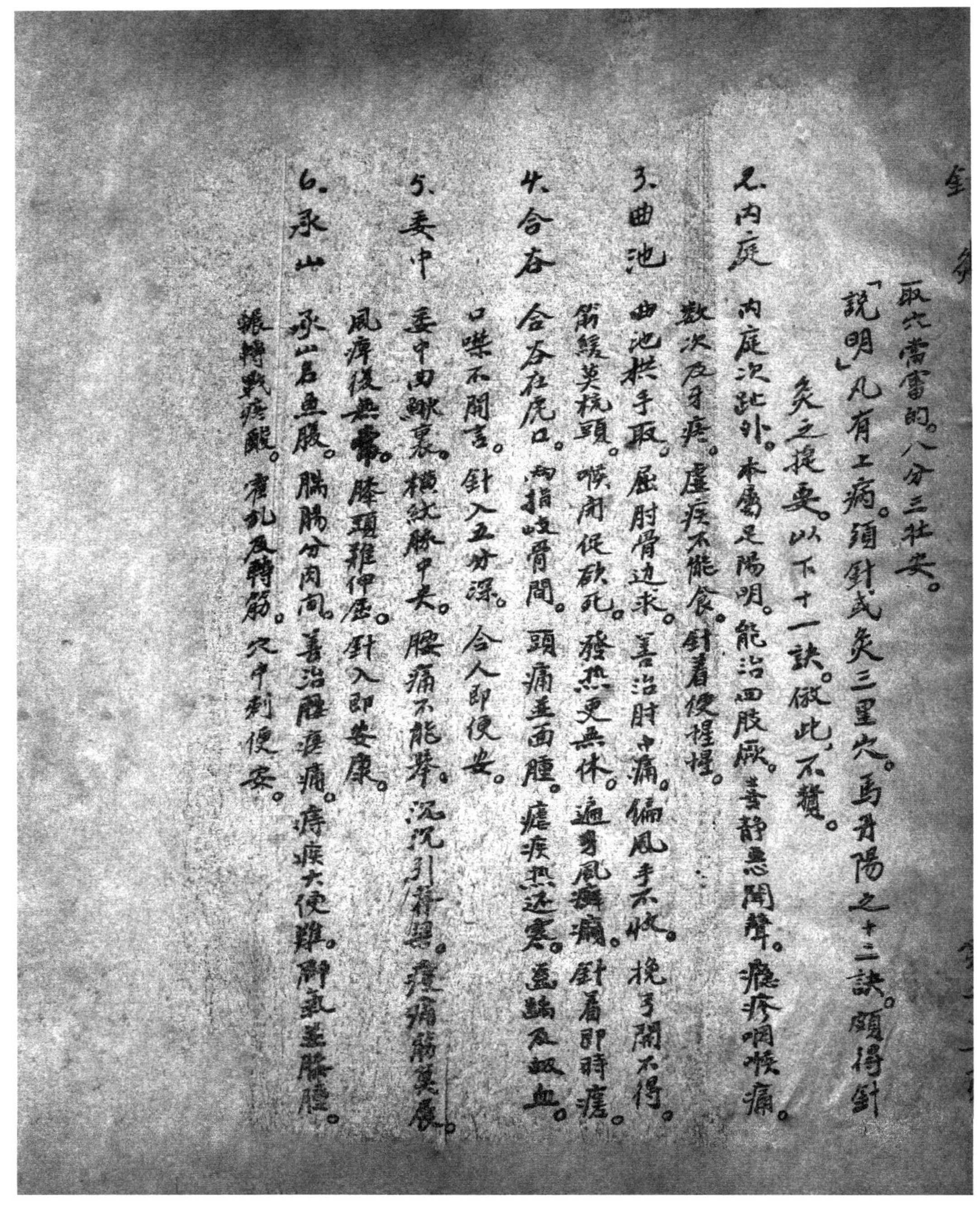

取穴當審的。八分三壯安。

「說明」凡有上病。須針或灸三里穴。馬丹陽之十二訣。頗得針灸之提要。以下十一訣。倣此，不贅。

2.內庭 內庭次趾外。本屬足陽明。能治四肢厥。喜靜惡聞聲。癮疹咽喉痛。數次及牙疼。瘧疾不能食。針着便惺惺。

3.曲池 曲池拱手取。屈肘骨边求。善治肘中痛。偏風手不收。挽弓開不得。筋緩莫梳頭。喉閉促欲死。發熱更無休。遍身風癬癩。針着即時瘥。

4.合谷 合谷在虎口。兩指歧骨間。頭痛並面腫。瘧疾熱還寒。齒齲及衄血。口噤不開言。針入五分深。令人即便安。

5.委中 委中曲脷裏。横紋脉中央。腰痛不能舉。沉沉引脊梁。痠痛筋莫展。風痺復無常。膝頭難伸屈。針入即安康。

6.承山 承山名魚腹。腨腸分肉間。善治腰疼痛。痔疾大便難。脚氣并膝腫。輾轉戰疼酸。霍乱及轉筋。穴中刺便安。

7、太衝

太衝足大指，節後二寸中。動脈知生死，能醫驚癇風。咽喉並心脹，兩足不能行。七疝偏墜腫，眼目似雲朦。亦能療腰痛，針下有神功。

8、崑崙

崑崙足外踝，跟骨上邊尋。轉筋腰尻痛，暴喘滿中心。舉步行不得，一動即呻吟。若欲求安樂，須於此穴針。

9、環跳

環跳在髀樞，側卧屈足取。折腰莫能顧，冷風並濕痹。腿胯連腨痛，轉側重欷歔。若人針灸後，頃刻便消除。

10、陽陵

陽陵居膝下，外廉一寸中。膝腫并麻木，冷痹及偏風。舉足不能起，坐卧似衰翁。針入六分止，神功妙不同。

11、通里

通里腕側後，去腕一寸中。欲言聲不出，懊憹及怔忡。實則四肢重，頭腮面頰紅。虛則不能食，暴瘖面無容。毫針微微刺，方信有神功。

12、列缺

列缺腕側上，次指手交叉。善療偏頭患，遍身風痹麻。痰涎頻壅上，口噤不開牙。若能明補瀉，應手即如拿。

8、十二經主客原絡訣

I、肺主大腸客　肺經原……太淵　大腸絡……偏歷

太陰多氣而少血，心胸氣脹掌發熱。喘咳缺盆痛莫禁，咽中喉乾身汗越。肩內前廉兩乳痛，痰結膈中氣如缺。所生病者何穴求，太淵偏歷與君說。

「說明」主客者主病與客症。何謂主病。即其本經之主症。何謂客症，因本經之主症。而涉及標病，標病即為客症，譬如太陰肺與陽明大腸為表裏，太陰肺之本病而旁及陽明大腸病。則肺為主病，大腸為客症。主病刺本經之原穴。客症刺客經之絡穴。治時感病，能認識其主客，按穴施治。無不應手而愈者。下列各症。主客解釋同。

II、大腸主肺客　大腸原……合谷　肺經絡……列缺

陽明大腸俠鼻孔，面痛齒疼腮頰腫，生疾目黃口亦乾，鼻流清涕及

血濃喉痺肩前痛莫當，大指次指為一統。合谷列缺取為奇。二穴針之居病總。

3、脾主胃客　脾經原……太白　胃經絡……豐隆

脾經為病舌本強，嘔吐胃翻疼腹腸，陰氣上冲噫難瘳，体重脾搖心事矣，瘧生振慄兼体羸。秘結疸黃手執杖。股膝內腫厥而疼。太白丰隆取為尚。

4、胃主脾客　胃經原……衝陽　脾經絡……公孫

腹瞋心悶意悽愴。惡人惡火惡燈光，耳聞響動心中惕，鼻衄唇喎瘧又傷，棄衣驟步身中熱。痰多足痛與瘡瘍，氣蠱胸腿疼難止。衝陽公孫一刺康。

5、心主小腸客　心經原……神门　小腸絡……支正

少陰心痛並乾嗌。渴欲飲兮為臂厥。生病目黃口亦乾。脇臂疼兮掌發熱。若人欲治勿差求。專在醫人心審察。驚悸嘔血及怔忡。神门支正何堪缺。

6、小腸主心客　小腸原……腕骨　心經絡……通里

小腸之病豈為良。頰腫肩痛兩臂傍。項頸強疼難轉側。嗌頷腫痛甚非常。

第二十三頁

肩似拔，臑似折。生病耳聾及目黄，臑肘臂外後廉痛。腕骨通里取為詳。

7、腎主膀胱客　　腎經原……太谿　　膀胱絡……飛揚

臉黑嗜卧不欲糧。目不明兮發熱狂。腰疼足痛步難履。若人捕獲難躲藏。心膽戰兢氣不足，更兼胸結與身黄。若欲治之無他法。太谿飛揚取最良。

8、膀胱主腎客　　膀胱原……京骨　　腎經絡……大鍾

膀胱頸病目中疼，項腰足腿痛難行，痢瘧狂癲心胆熱，背弓反手額眉稜。鼻衄目黄筋骨縮。脱肛痔漏腹心膨。若欲治之無別法。京骨大鍾任顯能。

9、三焦主包絡客　　三焦原……陽池　　包絡絡……內關

三焦為疾耳中聾，喉痹咽乾目腫紅。耳後肘疼並出汗。脊間心後痛相從。肩背風生連膊肘。大便堅閉及遺癃。前病治之何法愈。陽池內關法理同。

10、包絡主三焦客　　包絡原……大陵　　三焦絡……外關

包絡為病手攣急，臂不能伸痛如屈。胸膺脇滿腋腫平，心中淡淡面色赤。目黄善笑不肯休，心煩心痛掌熱極。良醫達士細推詳。大陵外關病消失。

麝香性味辛温无毒，功効行气、消肿通经、止痛。

穿山甲本草素称有消肿排脓之力

11. 肝主膽客　肝經原……太衝　胆經絡……光明

氣少血多，肝之經，丈夫㿉疝苦腰痛，婦人腹膨小腹腫，甚則咽乾面脫塵。

所生病者胸滿嘔，腹中泄瀉痛無停，癃閉雞溺疝瘕痛，太衝光明即安寧。

12. 膽主肝客　膽經原……丘墟　肝經絡……蠡溝

膽經之穴何病主，胸脇肋疼足不舉，面体不澤頭目痛，缺盆腋腫汗如雨，

頸項癭瘤堅似鐵，瘧生寒熱連骨髓，以上病症欲治之，須向丘墟蠡溝取。

附　雷火針方

沉香、木香、乳香、茵陳、羌活、乾姜、川山甲各三錢，麝香少許，蘄艾二両，以棉紙半尺，先鋪艾茵於上。次將葯末摻匀。捲極緊，外用雞子清代漿糊，糊一層薄紙，不使散開，留待取用。用法將火燃着，將紙大七層或紅布六七層隔穴按之，每按二三秒鐘。離開約二三秒鐘再按之。如是往復。針葯之熱已退，再燃火按之，每穴按數十次，内部覺熱停止。再換他穴。此雷火針法也。

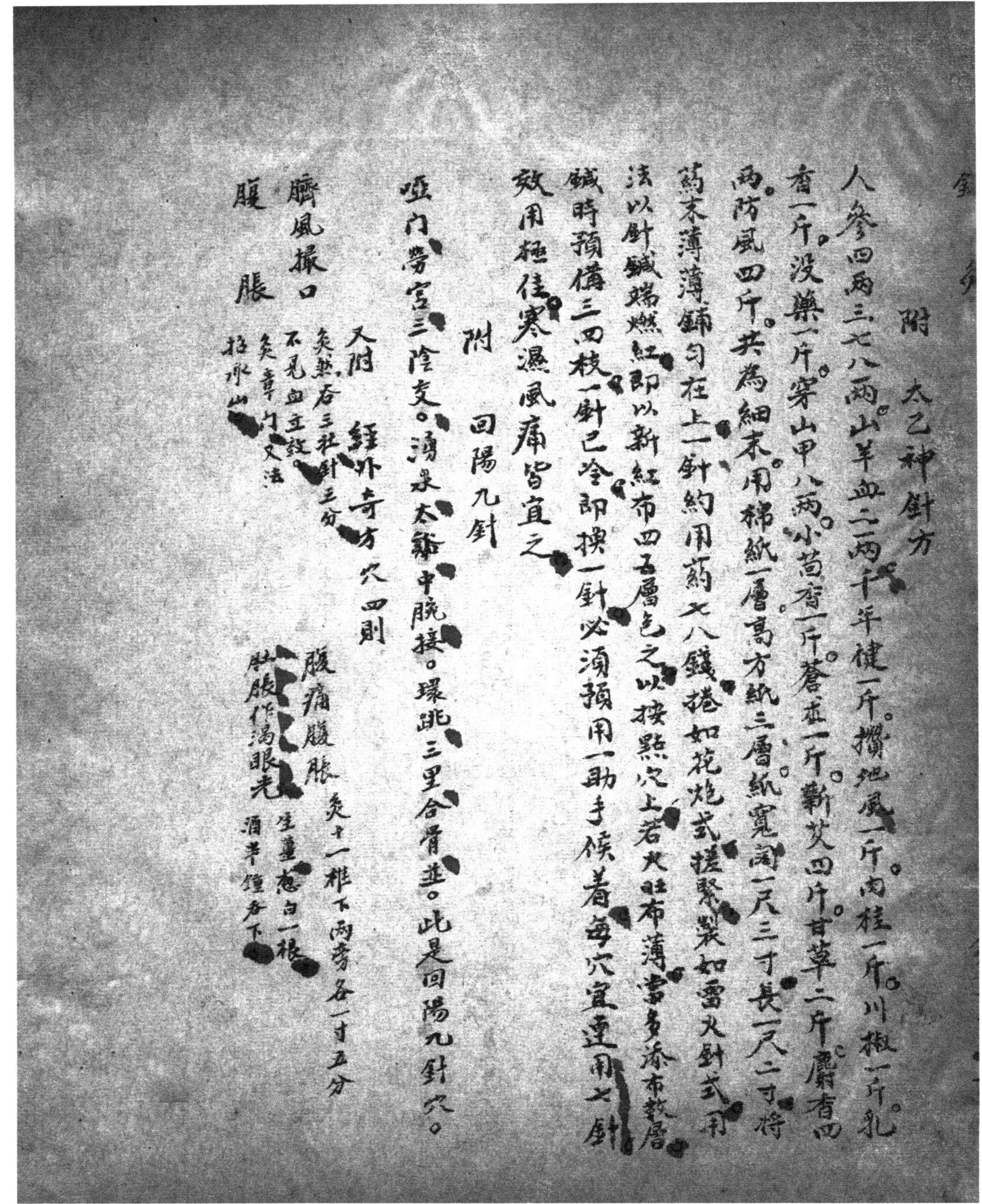

附 太乙神針方

人參四兩。三七八兩。山羊血二兩。千年健一斤。攢地風一斤。肉桂一斤。川椒一斤。乳香一斤。沒藥一斤。穿山甲八兩。小茴香一斤。蒼朮一斤。蘄艾四斤。甘草二斤。麝香四兩。防風四斤。共為細末。用棉紙一層。高方紙三層。紙寬闊一尺三寸。長一尺二寸。將藥末薄薄鋪勻在上。一針約用藥七八錢。捲如花炮式。搓緊。製如雷火針式。用法以針鍼端燃紅。即以新紅布四五層包之。以按點穴上。若火旺布薄。當多添布數層。鍼時預備三四枝。一針已冷。即換一針。必須預用一助手候着。每穴宜連用七針。效用極佳。寒濕風痛皆宜之。

附 回陽九針

啞門。勞宮。三陰交。湧泉。太谿。中脘。接。環跳。三里。合骨。並。此是回陽九針穴。

又附 經外奇方穴四則

臍風撮口 灸然谷三壯 針三分 不見血立效 灸章門又法

腹脹 按承山

腹痛腹脹 灸十一椎下兩旁各一寸五分

肚腹作渴眼光 生薑葱白一根 酒半鍾吞下

「註一」留五呼者。指針針在穴內留捻，五呼吸之時間也。前人無時計。乃以呼吸計算其久暫。以下二呼三呼七呼等意皆同。

「註二」壯，前人以艾絨作丸，丸如小麦子，置於穴上燃之。一丸曰一炷，亦曰一壯。五十壯者繼續燃五十枚之艾丸也。三壯五壯意同。

「註三」合水，《靈樞經》曰：二十七氣（註十一）所入為合。素問曰：治府者治其合。又曰：陽氣在合。取合以瀉陽邪。前賢詮合字之意曰：合者如水之會也，所入為合者，言經絡之聯接處也。亦此經與彼經相應之處也。所謂水者，乃前人以五行中之水，配經之合穴，無甚意義（在臟經配水，在腑經配土）。以下有簡稱合水合土意皆同。

「註四」郄與郤同，閑也，亦還也。言所入之經氣，由此而還出。

「註五」絡，支而橫出者為絡。十二經各有別絡，別絡者，由此經分支而與別經相連屬之路也。

「註六」經，金，血脈之直行者為經。又曰：經者如水之行也。靈樞經曰：二十七氣之所行

如二十五頁

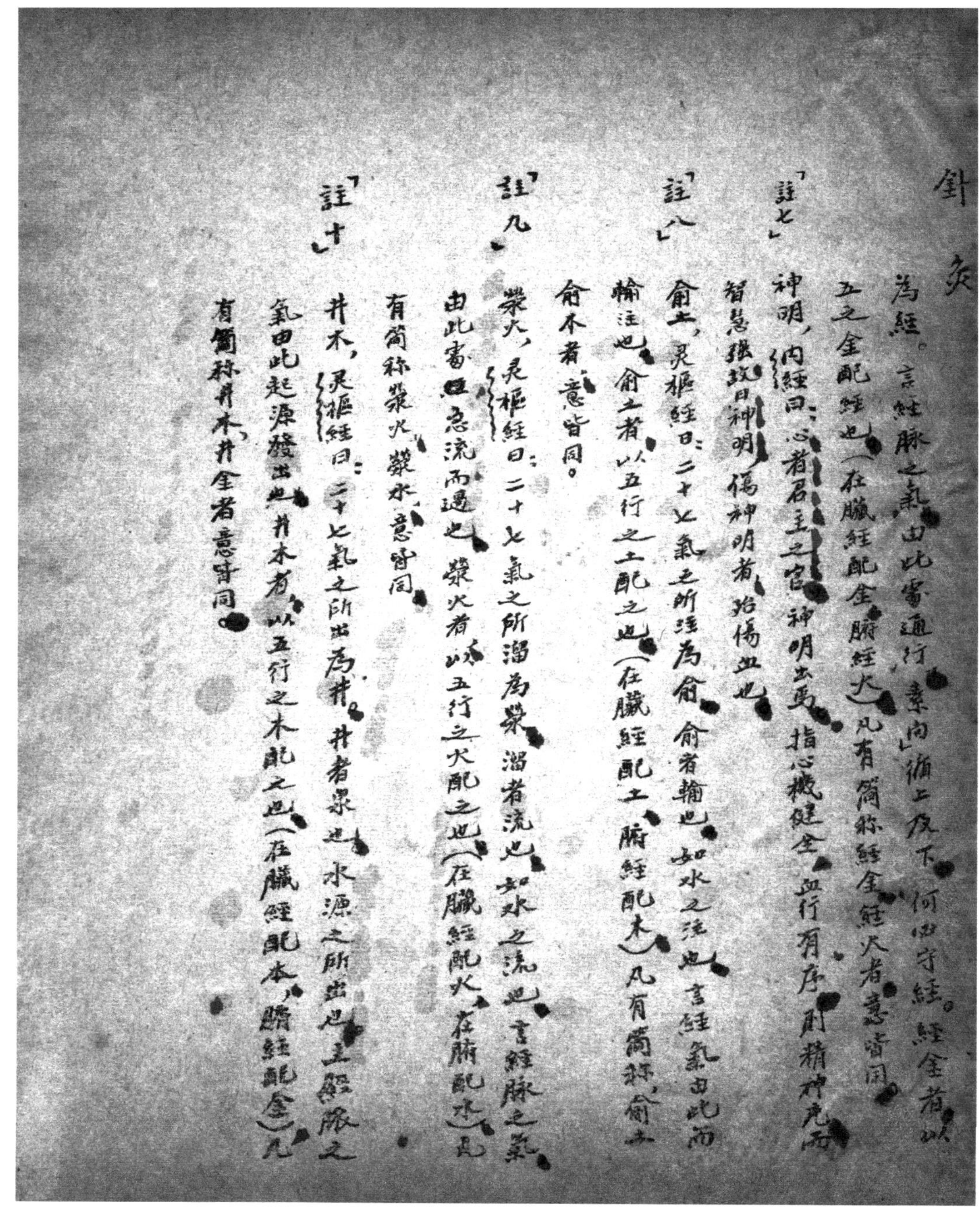

針灸

為經。言經脉之氣由此當通行，表裏循上及下，何由守經。經金者以五之金配經也（在臟經配金，腑經配火）凡有稱經金，經火者意皆同。

「註七」神明，內經曰：心者君主之官，神明出焉。指心機健全，血行有序，則精神充而智慧强，故曰神明。傷神明者，殆傷血也。

「註八」俞土，靈樞經曰：二十七氣之所注為俞。俞者輸也，如水之流也。言經氣由此而輸注也。俞土者以五行之土配之也（在臟經配土，腑經配木）凡有稱俞土，俞木者，意皆同。

「註九」滎火，靈樞經曰：二十七氣之所溜為滎。溜者流也，如水之流也，言經脉之氣由此當急流而過也。滎火者以五行之火配之也（在臟經配火，在腑配水）凡有稱滎火、滎水，意皆同。

「註十」井木，靈樞經曰：二十七氣之所出為井。井者泉也，水源之所出也。言經脉之氣由此起源發出也。井木者以五行之木配之也（在臟經配木，腑經配金）凡有稱井木、井金者意皆同。

「註十一」二十七氣：内經分十二經，十五絡，（十二經各有絡，再加任督二脉，脾之大絡，合為十五絡）其為經絡二十七。

「註十二」募，募者聚也。言經氣之結聚也。凡募穴皆在胸腹。難經曰：募在陰而俞在陽。

「註十三」原，脉之所過為原。原者如水之源也。經曰：瀉必針其原。言瀉該經之氣則針其原穴。考六府之經有原，五臟之經無原穴，以俞穴作原穴。

註再將各種指針切法等分別列後

指針亦分淺深法

以針刺穴有淺深之别，以指代針亦有淺深之異。指頭按穴之淺深以全針刺穴之淺深為標準。以全針刺穴應淺者，如二分三分，用指者亦輕按其穴而推搯之，手法不一，只求血氣流通。針之所刺者撚轉搗臼，一時僅及一穴，指則一手能按數穴，兩手皆可並舉。且病邪深者各經要穴皆可按法推搯，以和其氣，其功效真大焉。

針灸

切法

取穴已正，指針已行，似可以下針矣，然非切而散之，爪而下之，則氣血之近血邊也，無由宣散，難免有刺營衛之害。況切之不到，則進針多澀，爪之不深，則針下多痛。指針以行其遠氣，爪切以宜其近氣，故必於指法實行後，用大指或食指切定其穴，掐而下之，兩面推開。穴既深陷，則氣散而針易進，是注痛法也，亦不傷營衛之道也。

指針

世之用針者，皆知某病針某穴，某穴治某病，審病既確，則先取穴，取穴既正，則急下針，豈知未針前之手法不完全，則氣道難通，收效亦較遲緩。一遇多年積聚，經絡閉塞，僅恃針頭補瀉，恐不足以通氣血而交經脈，故指針尚焉。指針無殊於金針，金針補瀉不外上下迎隨，指針補瀉亦不外上下迎隨。金針之進退補瀉法，則爲指針之進退補瀉法，不過金針之刺入也深，指針之按下也淺，深者收效速。浅者見功緩。按摩之説。見於内經。而其法不傳。然不傳者法，而可據者理。人身上下俱有者。陰陽經絡是。陰經氣由下而至上。陽經氣由上而至下。針芒有向上向下之分。指頭亦有向上向下之别。針頭有左右捻轉之殊。指頭亦有左右推擒之異。行針有提捶搗拉之法。用指亦有起落緊慢之勢。知用針之訣者。即知用指之訣焉。譬如一人得肺病。按法當瀉尺澤。尺澤是肺之合穴。在肘中横紋上兩筋肉動脈應手。是經爲手太陰。由胸而走手。針是穴者。進針後針頭向内搖轉。使氣由手而走胸。爲迎爲瀉。然必須於未進針以前。用大指頭或食指頭切定是穴。指頭向内按推。如瀉針之行六陰數。一起一落。一緊一鬆。頻頻推擒。使氣由外達内。其他。如斯經所屬之列缺、經渠、太淵、魚際、少商亦照推瀉尺澤之手法。皆畧爲推擒。以和其氣。如是則經氣血流通活動。未針而脉道通。針進而迎奪易。非惟除邪退實。可以補助針功。而循絡按穴。是亦注痛之妙法也。邪氣結着恬々有針進

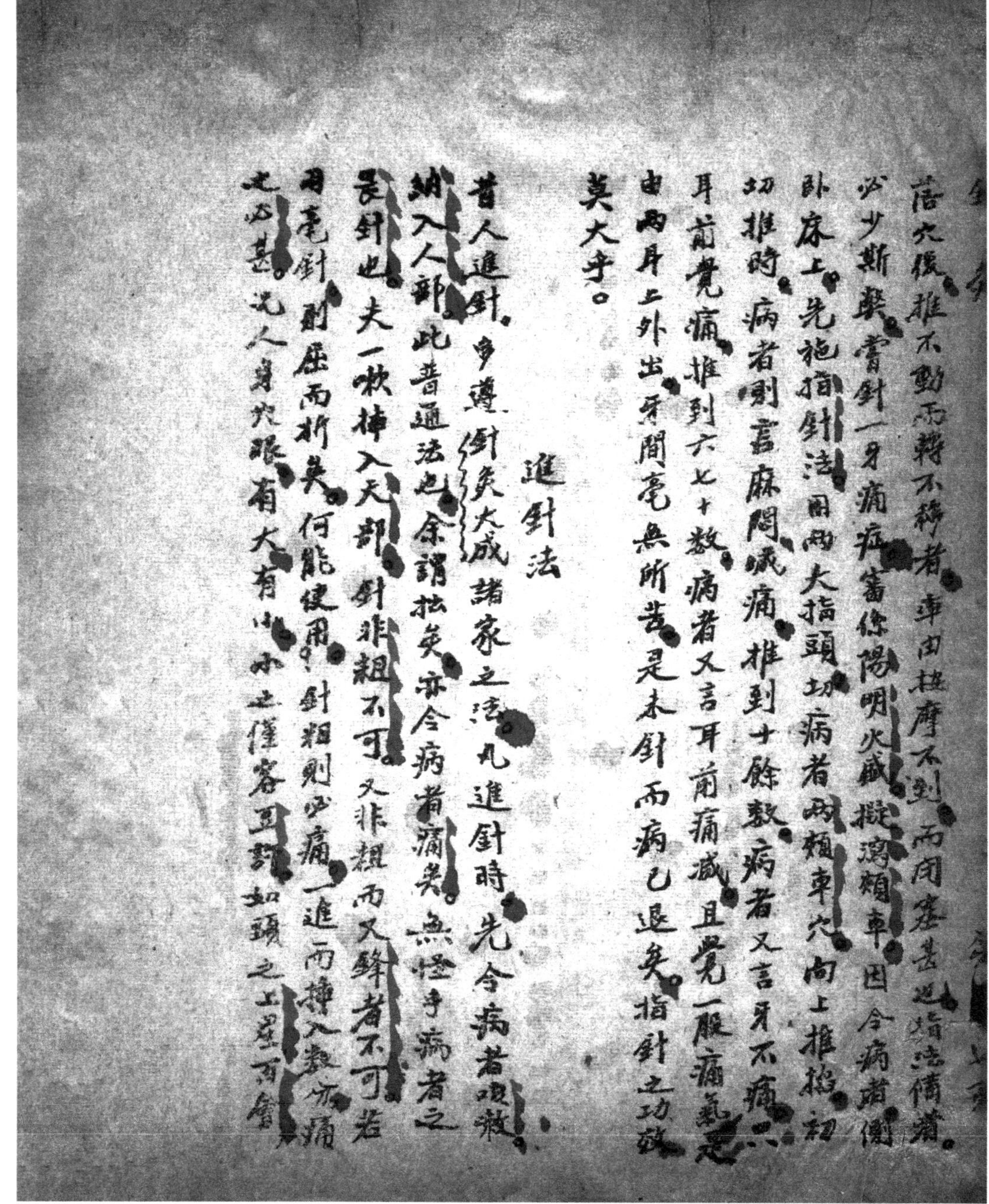

落穴後，推不動而轉不移者，專由按摩不到，而閉塞甚遂，指法備着。必少斯疑。嘗針一牙痛症，審係陽明火盛，擬瀉頰車，因令病者側臥床上，先施指針法，用兩大指頭切病者兩頰車穴，向上推按，初切推時，病者則言麻悶微痛，推到十餘數，病者又言牙不痛，只耳前覺痛，推到六七十數，病者又言耳前痛減，且覺一股痛氣，是由兩耳上外出，牙間毫無所苦，是未針而病已退矣。指針之功效莫大乎。

進針法

昔人進針，多遵《針灸大成》諸家之法，凡進針時，先令病者咳嗽一聲，隨咳下針，納入人部。此普通法也。余謂拙矣，亦令病者痛矣。無怪乎病者之畏針也。夫一吹捻入天部，針非粗不可，又非粗而又鋒者不可。若用毫針，則屈而折矣，何能使用？針粗則必痛，一進而捻入數分，痛尤必甚。況人身穴脈，有大有小，小之僅容豆許，如頭之上星、百會等穴。■欸之僅留爪隙，如面之頰車，客主人等穴是。其他有在兩筋間者。有在骨縫內者，在筋者無傷筋，在骨者無傷骨，一進針入穴即能保無旁刺斜挿傷骨傷筋之害乎。一刺未中穴眼，將隨其誤入而終刺之，擬出針再刺乎。隨其誤則傷身無效，出針再刺則一痛再痛，病人太苦。噫！針灸大成，諸家進針之法。除內難兩經。針法失傳外，未有善妙可取者。無怪學斯術者，日流於卑，而為病者所懼也。夫九針雖各有所用。而除出血針治瘡針外。諸針皆宜取細。況毫針能針三百六十五穴。通經接氣，除邪補正，未有便於毫針。雖刺大人針宜細刺孩亦針宜粗，刺腹上各穴針宜粗，刺手足各穴針宜細，大人有此分別。然真實不必拘泥。針細有數便，易於進穴一也，病者不覺痛苦二也，不受有傷穴旁好肉三也。進針時，照上所列姿勢，持針緩緩捻進，一右一左，平補平瀉。靜聽病者呼吸。以為輕重緩急之用。呼則手法較重而緊，吸則手法較輕而緩。隨呼進針與隨欸進針同一理。不過陡急而此緩。

針灸

從猛進而此撚入。猛進者多痛。撚入者無苦。且人身有八萬四千毛孔。穴眼雖容豆許。而毛孔甚多。平補平瀉進針法是隨毛孔納入。孔雖小而針亦細。徐徐撚轉。循孔漸下。既不覺痛。又可免傷骨肉。左轉盡而覺痛，則變為右轉。右轉盡而覺痛，則變為左轉。一左一右。權操兩手拔撥針者。針過一次。還求再針。非若市醫之拙。病者非不得已未肯求針也。余等嘗以此法針小兒。乘其睡熟。暗為進針。徐徐而入。撚之徐徐而出。手法施竣。兒猶未醒。似此妙法。豈隨便進針者所能及哉。

瀉法

瀉針之手法不一。或將此經邪氣輸轉他經。用針頭搓轉不往達行大陰數是也。或用緊提慢按法。從地部提針至人部。從人部提針至天部使邪氣由下至上。自內達外。即從營置氣之義是也。或用進圓退方法。撚針時徐徐直進。勿稍偏移。提針時搓動急起。將針孔四旁搖大。

使邪氣隨針孔泻出是也。或用白虎摇頭法。以兩指扶起針尾，將肉内針頭摇轉。如下水船之櫓。振動六數。欲氣前行。按之在後。欲氣後行。按之在前是也。或用出多入少法。從地部提人部，從人部提天部。緊提數手。慢插一手，出針快，進針緩。使病邪由下達上。即一進三退之説是也。法雖不一，總不外除邪散結，解鬱開閉諸意耳。醫者果能精通其義，行針時，又摇又顫。又能摇轉。又使提插，將諸法溶化一手。謂邪有不退者，吾不信也。

補法

補法亦多端。進針得氣後。順經搓轉。使氣由彼達此。虚者填實也。或進針時。由淺及深。慢提緊按。使正氣由天部入人部，由人部入地部。慢提則氣不至隨針外出，緊按則氣正可隨針内入是也。或用青龍擺尾法。以兩指扳倒針頭。令朝病所。如扶船舵。執之不轉。一左一右。慢慢撥動九數。使氣直達病所是也。或用通法。以兩指扳倒針頭。令病人吸氣

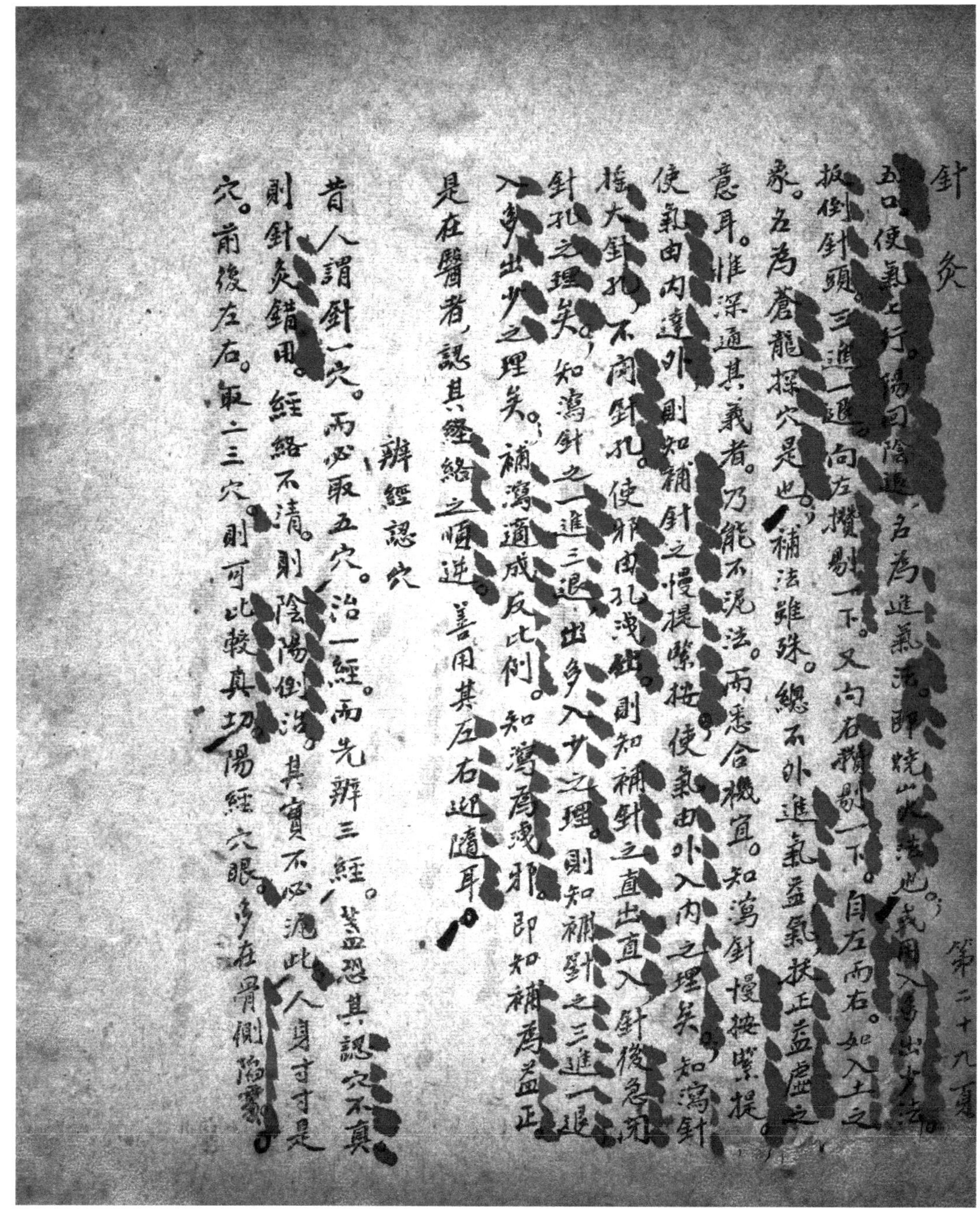

针灸　　第二十九頁

五口。使氣上行。陽回陰退。名為進氣法。即燒山火法也。或用入多出少法。扳倒針頭。三進一退。向左攢剔一下。又向右攢剔一下。自左而右。如入土之象。名為蒼龍探穴是也。補法雖殊。總不外進氣益氣扶正益虛之意耳。惟深通其義者。乃能不泥法。而悉合機宜。知瀉針慢按緊提。使氣由內達外。則知補針之慢提緊按。使氣由外入內之理矣。知瀉針搖大針孔。不閉針孔。使邪由孔洩出。則知補針之直出直入。針後急閉針孔之理矣。知瀉針之一進三退。出多入少之理。則知補針之三進一退入多出少之理矣。補瀉適成反比例。知瀉為洩邪。即知補為益正。是在醫者。認其經絡之順逆。善用其左右迎隨耳。

辨經認穴

昔人謂針一穴。而必取五穴。治一經。而先辨三經。蓋恐其認穴不真則針灸錯用。經絡不清。則陰陽倒治。其實不必泥此。人身寸寸是穴。前後左右。取二三穴。則可比較真切。陽經穴眼。多在骨側陷處。

按之瘦麻為真。陰經穴眼，按之多有動脈應手。初學針法，固不得不多取幾穴，以防錯誤。然用針熟者，伸手便得。在背則數脊，在腹則量臍，在頭面髮際則於骨縫有隙處求之，在手足肢四則於筋骨側陷中取之。針過一次則成熟眼。分寸不失，自無差誤。至陰經經絡各有交會起落，太陽行身之背，少陽行身之側，陽明行身之前。直臍而上者為任脈，夾臍兩旁各開一寸而上者，為足少陰腎脈，又為衝脈。衝脈並於腎脈，衝脈無穴。針腎脈即是針衝脈。夾臍兩旁各開二寸，由上而下者，為足陽明胃脈。臍上二寸，又各旁開六寸者，為脾募章門穴。乳臍不直量四寸至近腹處第二肋間者，為肝募期門穴。肝脈環陰器，抵小腹，夾胃，貫膈，布脇肋而上，循喉嚨之後。督脈直脊而行，夾脊兩旁各開寸半，為太陽經穴。此陰陽經絡之在腹背者也。其在手，則陽經由手指外側，循手背而行，至頭面；陰經由足內側而上行，入腹。陰升陽降，手足皆同。無論初學久學，必須先辨經認穴。經絡分明，則取穴自無差誤。否則臨症

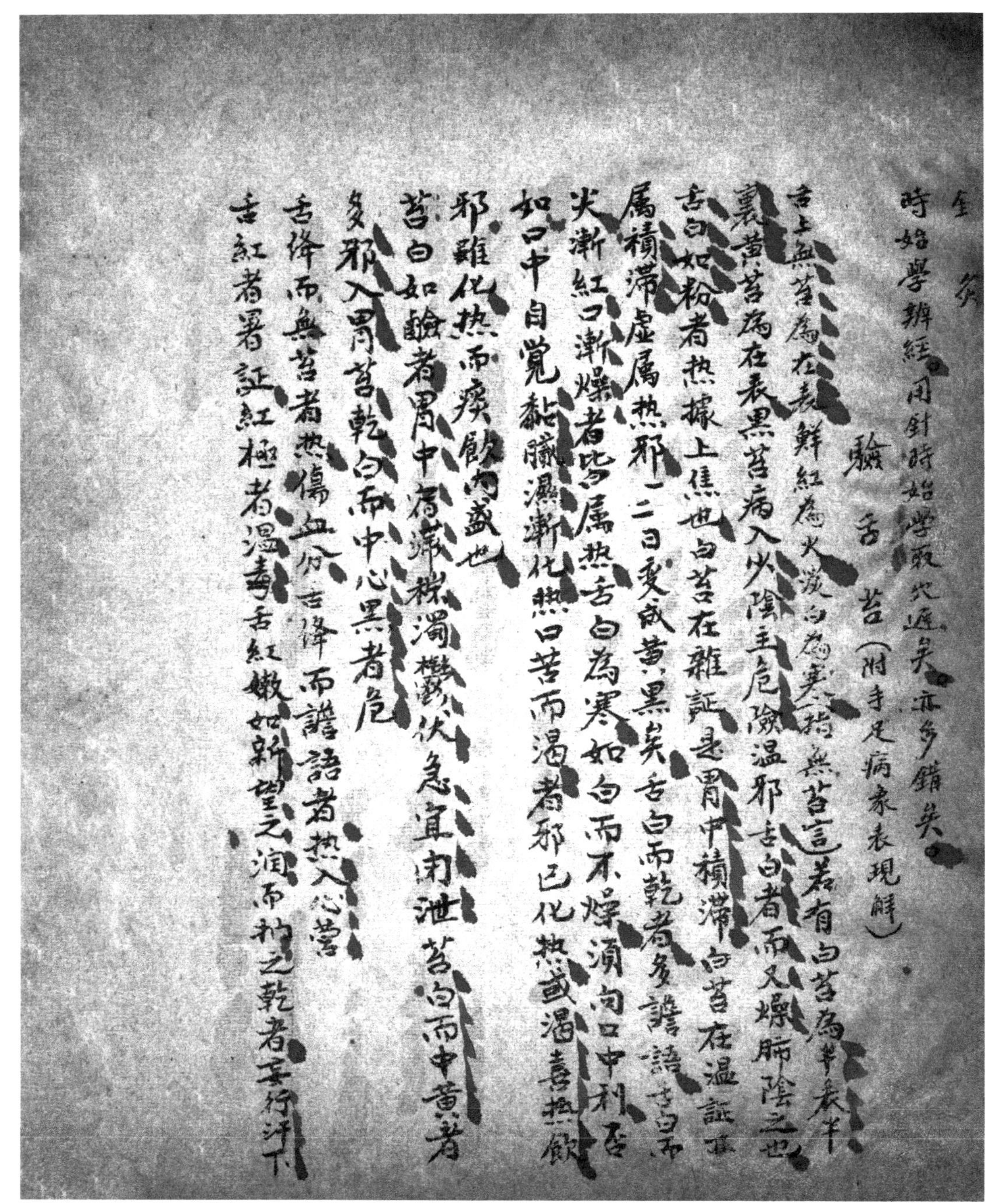

針灸

時始學辨經。用針時始學取穴遲矣。亦多錯矣。

驗舌苔（附手足病象表現解）

舌上無苔為在表鮮紅為火淡白為寒指無苔言若有白苔為半表半
裏黃苔為在表黑苔為入少陰主危險溫邪舌白者而又燥肺陰之也
舌白如粉者熱據上焦也白苔在雜証是胃中積滯白苔在溫証亦
屬積滯虛屬熱邪一二日變成黃黑矣舌白而乾者多譫語舌白而
尖漸紅口漸燥者皆屬熱舌白為寒如白而不燥須向口中利否
如口中自覺黏膩漸化熱口苦而渴者邪已化熱或渴喜熱飲
邪雖化熱而痰飲內盛也
苔白如鹼者胃中宿滯挾濁鬱伏急宜開泄苔白而中黃者
多邪入胃苔乾白而中心黑者危
舌絳而無苔者熱傷血分舌絳而譫語者熱入心營
舌紅者暑証紅極者溫毒舌紅嫩如新望之潤而捫之乾者妄行汗下

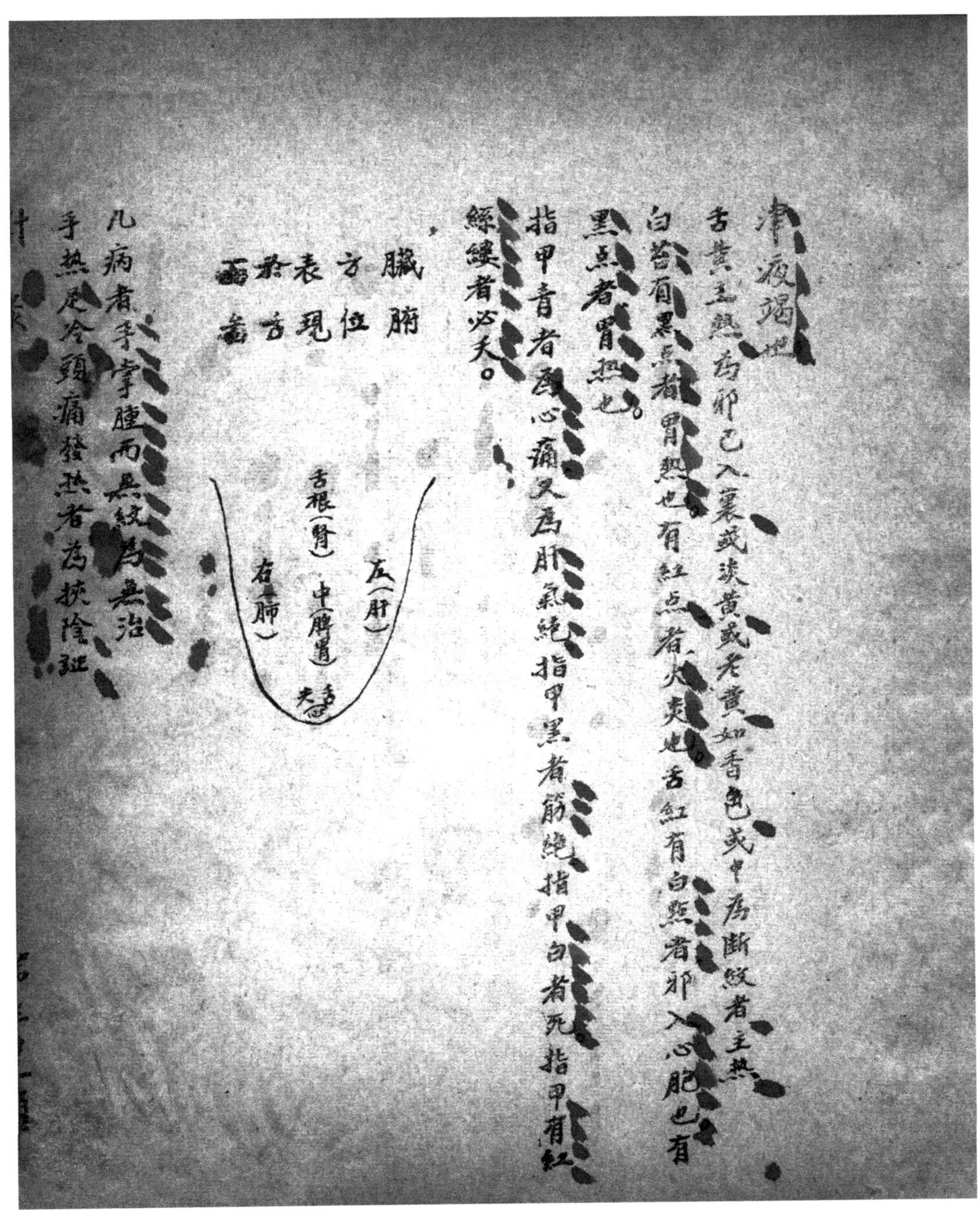

津液竭也
舌黃主熱為邪已入裏或淡黃或老黃如香色或中有斷紋者主熱
白苔有黑點者胃熱也。有紅點者火熱也。舌紅有白點者邪入心胞也有
黑點者胃熱也。
指甲青者為心痛又為肝氣絶指甲黑者筋絶指甲白者死指甲有紅
絲縷者必夭。

臟腑方位表現於舌面圖

凡病者手掌腫而無紋為無治
手熱足冷頭痛發熱者為挾陰証

手热足冷汗多妄言者着湿病也
足心热主热足胫冷主寒
足趺肿呕吐头重者不治
足趺上肿两膝大如斗者十日死
手背热与背上热者外感手心热与小腹热者阴伤
手心冷者腹中寒手心热者虚火旺
足冷而晕者气虚也手足抽搐身反後者痉病也
額上及手足冷者为阴証如不能久立行则振动者骨败故也
仰睡而足伸者热覆卧而脚踡者寒
言迟者风言急者火声高而响者主内热外达凡小儿声音清亮者
寿有回音者寿哭而声涩者病散而无声者夭凡声微者气不足声
壮者气有余哭而无泪者实哭而多泪者虚

寒熱病懶言多語詳判於後

寒病懶言，熱病多語。言壯為實，言輕為虛。言尾則氣奪，出言而首尾不相顧者為神丧。声重鼻塞者傷風。声音暴啞者風痰伏火或暴怒聽喊。声濁者痰火。平時無寒熱氣短不足心急者亦痰火。大便黑為膠漆者主濕熱凝滯。大便時急作痛者屬熱。大便如紅水而粘者為暑熱。大便味如雞卵腥臭者傷乳食。大便醬色者屬濕。白色者屬脾虛。凡大便色青者為寒，然亦有因風瀉者，其色亦青，肝木尅脾也。

兩耳時紅時熱者，主外感風熱。

兩耳尖發冷者，主發痘疹。

風門在耳前少陽經所主，色黑則為寒為痛，色青則為驚為風。凡發熱耳筋出現，紫黑赤白皆凶。耳上冷者吉，耳下冷者凶。耳後青筋起主瘛瘲。耳色枯焦，主腎躁証危。兩耳後黑筋橫過髮際，主臍下痛腎氣痛。凡三歲小兒潮熱之際，以兩耳辨其五色為驗，使知生死輕重之

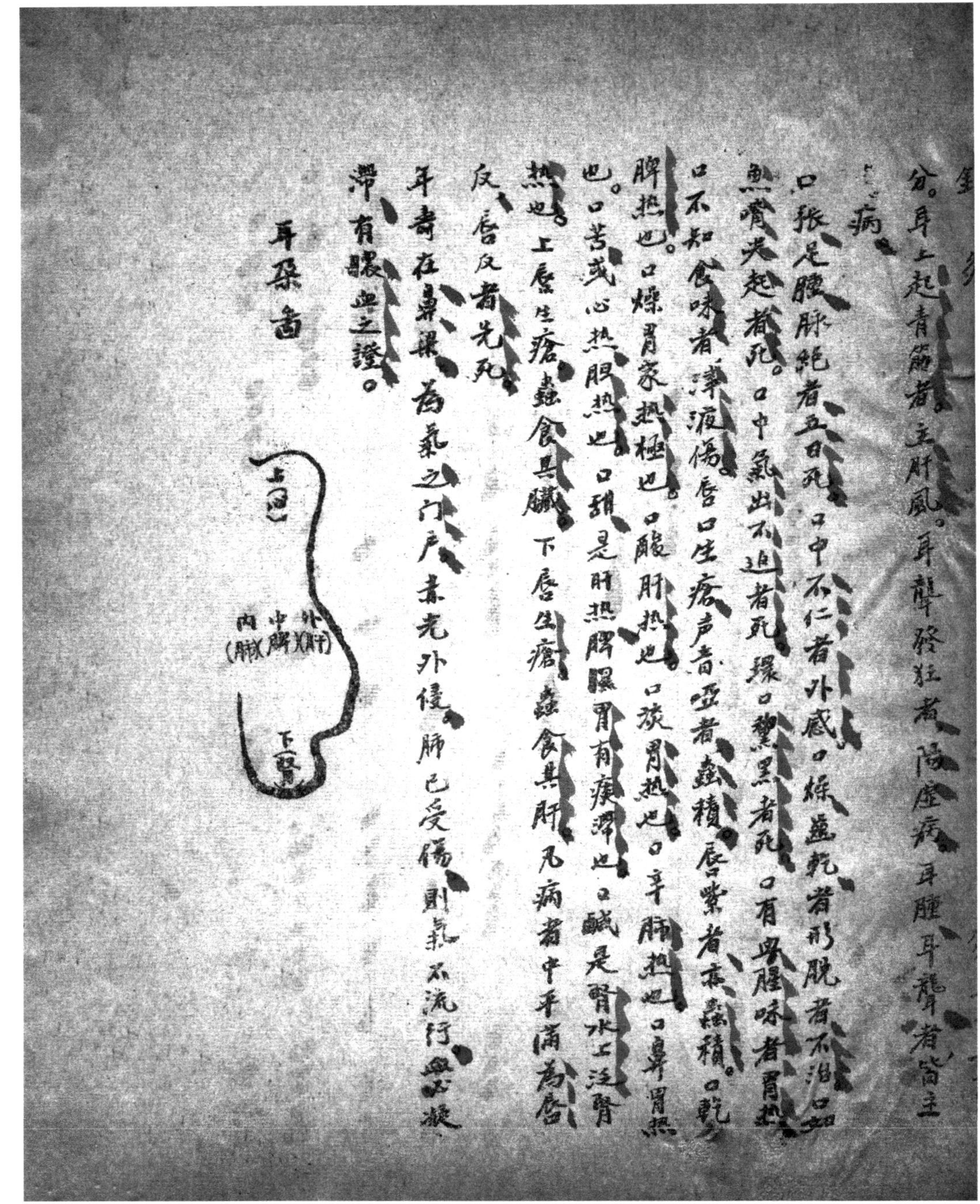

分。耳上起青筋者，主肝風。耳聾發狂者，陽虚病。耳腫耳聾者，皆主

病。

口張是臟脈絶者五日死。口中不仁者外感。口燥盡乾者形脱者不治。口如魚嘴尖起者死。口中氣出不返者死。環口黧黑者死。口有腥味者胃热口不知食味者津液傷。唇口生瘡声音啞者蟲積。唇紫者亦蟲積。口乾脾热也。口燥胃家热極也。口酸肝热也。口淡胃热也。口辛肺热也。口鼻胃热也。口苦或心热胆热也。口甜是肝热脾腸胃有痰滞也。口鹹是腎水上泛腎热也。上唇生瘡蟲食其臟。下唇生瘡蟲食其肝。凡病者中平滿為唇反。唇反者先死。

耳壽在鼻梁，為氣之门户，素光外侵，肺已受傷，則氣不流行，血不凝滯，有膿血之證。

耳朵圖

山根為足陽明胃之脈絡。小兒乳食過度，胃氣抑鬱，則青黑之紋橫截於山根，主生災。鼻孔為肺竅，乾燥熱也，流清涕寒也，流濁涕熱也。鼻準屬脾，紅燥，脾熱也，慘黃，脾敗也。鼻色青，主吐乳，又主腹中痛肢冷者死。鼻病者，風火。鼻色黃黑而亮者，小腹兩脇痛及蓄血。鼻尖青黃黑色者為淋。

觀神氣

神有餘，則笑不止，神不足則悲。氣有餘則喘嗽上氣，不足則息利少氣。形氣相得者生。

小兒識悟通敏過人者多夭，稍費人雕琢者壽，凡人間壽，在神未有神不足而不夭者。神宜藏不宜露，神宜和不宜滯，神宜清不宜枯，神宜發揚不宜輕佻，神宜安靜不宜浮動。氣聚則生，氣散則死。

（以上錄朱文公語）

面色之分析如下：青為肝色，赤為心色，黃為脾色，白為肺色，黑為腎色。

第三十三頁

針灸

如面青主驚風之証，又主痛。面赤主火熱。面黄主傷脾傷食。面白主虚寒。面黑主痛多惡疾。總之，五色明顯為新病証屬輕，晦濁為久病証屬重。脾病色黄，正色也。見紅色，是火能生土，故為順。若見青色，乃木來尅土，為逆也。

針後行灸法

人身穴脈，有禁針者，有禁灸者，有針灸並禁者。除禁針禁灸各穴外，其他諸穴皆可施針灸。昔人有針而不灸，灸而不針之説，其實誤矣。蓋針頭搖轉，因有瀉實補虚之功。而艾火行灸，亦見驅邪扶正之力。艾味苦而氣温，陰中有陽。本艸嘗言，主灸百病。氣盛則能瀉，氣虚則能補。故凡病之應灸者，則宜於起針後，勿閉其穴，勿使病者移動，卧針者仍卧灸。坐針者仍坐灸。就所針之穴脈上，安插艾炷，用火燃着艾炷，燃到底面，將盡時，或痛者畧覺肉痛，則將艾灰取去，再換他炷，壯数多寡，均照此法行灸。灸畢炷盡，則以手指緊按其穴，防中風寒。昔人行灸，有

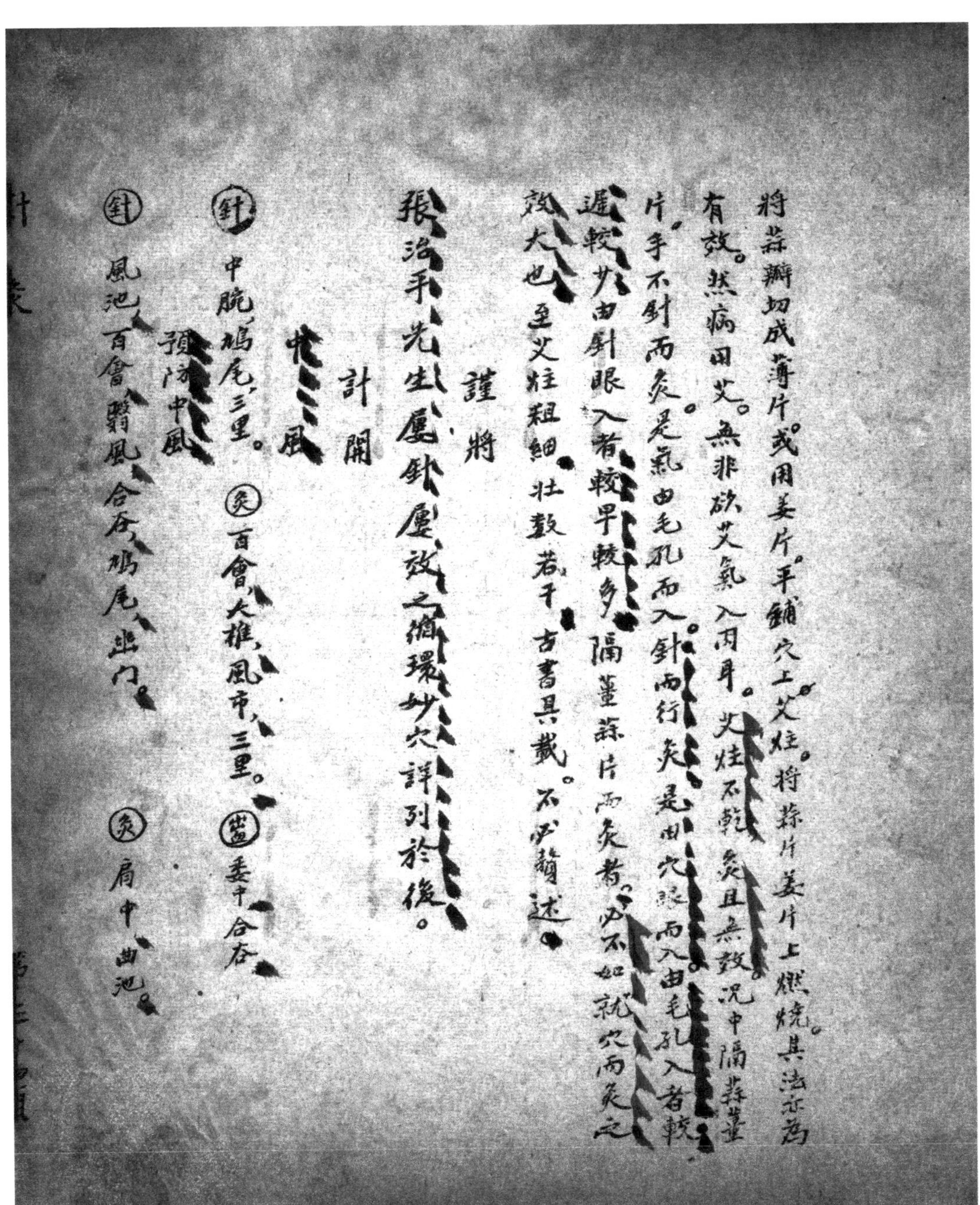

將蒜瓣切成薄片。或用姜片。平鋪穴上。艾炷。將蒜片姜片上燃燒。其法亦為有效。然病回艾。無非欲艾氣入肉耳。艾炷不乾灸且無效。況中隔蒜薑片手不針而灸是氣由毛孔而入。針而行灸是由穴眼而入由毛孔入者較遲較少由針眼入者較早較多。隔薑蒜片而灸者。必不如就穴而灸之效大也。至艾炷粗細。壯數若干。古書具載。不必贅述。

謹將

張治平先生屢針屢效之循環妙穴詳列於後。

計開

中風

預防中風

(針) 中脘、鳩尾、三里。 (灸) 百會、大椎、風市、三里。 (盅) 委中、合谷

(針) 風池、百會、翳風、合谷、鳩尾、神門。 (灸) 肩中、曲池。

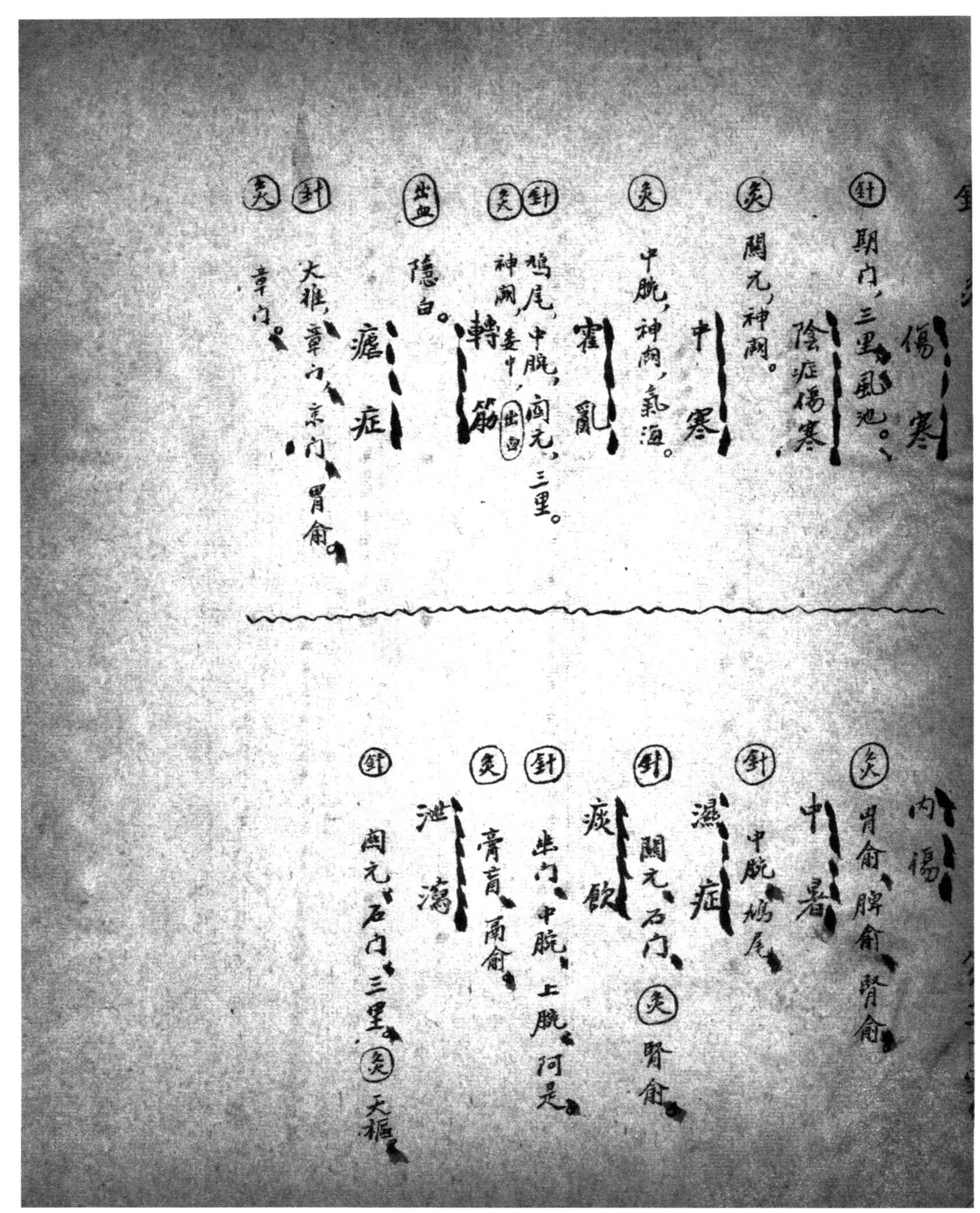

傷寒
針 期门、三里、風池。
陰症傷寒
灸 關元、神闕。
中寒
灸 中脘、神闕、氣海。
霍亂
針 灸 鳩尾、中脘、關元、三里。神闕、委中、出血
轉筋
出血 隱白。
瘧症
針 大椎、章门、京门、胃俞。
灸 章门。

内傷
灸 胃俞、脾俞、腎俞。
中暑
針 中脘、鳩尾。
濕症
針 關元、石门、灸 腎俞。
痰飲
針 幽门、中脘、上脘、阿是。
灸 膏肓、鬲俞。
泄瀉
針 關元、石门、三里、灸 天樞。

咳嗽
针 幽门、上脘、巨阙。灸 肺俞、肩井。出血 曲泽。

痢疾
针 章门、天枢、关元、肾俞。灸 京门、腰眼。

呕吐
针 章门、京门、水分、三阴交。灸 三里。（百壮至二百壮）

痿躄
针 三里、大椎、青盲、肾俞。灸 肺俞、膈俞。出血 大敦。

头痛
针 百会、风池、阿是、头维、三里。灸 列缺、关元、痖门。出血 头维、百会。

胃脘痛（俗名心痛）
针 中脘、鸠尾、脾俞、内关。出血 青肓。

腹痛

针灸　第三十五页

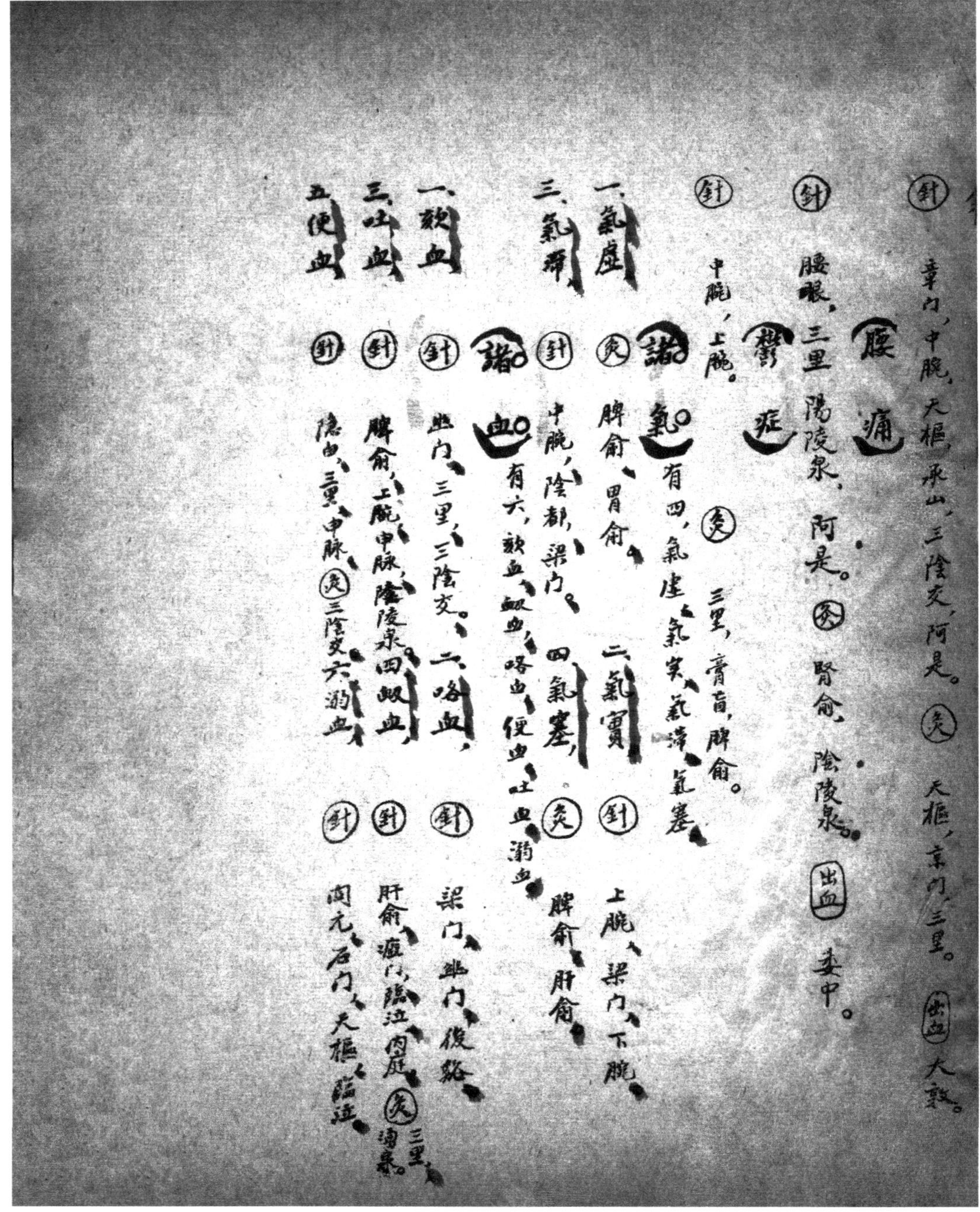

針 章门、中脘、天枢、承山、三陰交、阿是。灸 天枢、京门、三里。出血 大敦。

腰痛

針 腰眼、三里、陽陵泉、阿是。灸 腎俞、陰陵泉。出血 委中。

鬱症

針 中脘、上脘。灸 三里、膏肓、脾俞。

諸氣

有四，氣虚、氣実、氣滞、氣塞。

一、氣虚 灸 脾俞、胃俞。二、氣實 針 上脘、梁门、下脘。

三、氣滞 針 中脘、陰都、梁门。四、氣塞 灸 脾俞、肝俞。

諸血

有六，欬血、衄血、咯血、便血、吐血、溺血。

一、欬血 針 幽门、三里、三陰交。二、咯血 針 梁门、幽门、復谿。

三、吐血 針 脾俞、上脘、中脘、陰陵泉。四、衄血 針 肝俞、瘂门、臨泣、内庭 灸 三里、涌泉。

五、便血 針 隱白、三里、中脘 灸 三陰交。六、溺血 針 関元、石门、天枢、臨泣。

呃逆

针 中脘、阴都。灸 三里。

恶心

针 中脘、上脘、梁门。灸 脾俞、胃俞

伤食

针 中脘、鸠尾、章门。灸 神阙。出血 百会

胃翻

针 中脘、上脘、下脘、阴都。灸 膈俞、脾俞、膏肓。

脘掌

针 中脘、三里、承山、内庭。灸 三里、隐白。

大便闭

针 承山、章门、膀胱俞、灸 中脘、腰眼。

喘急

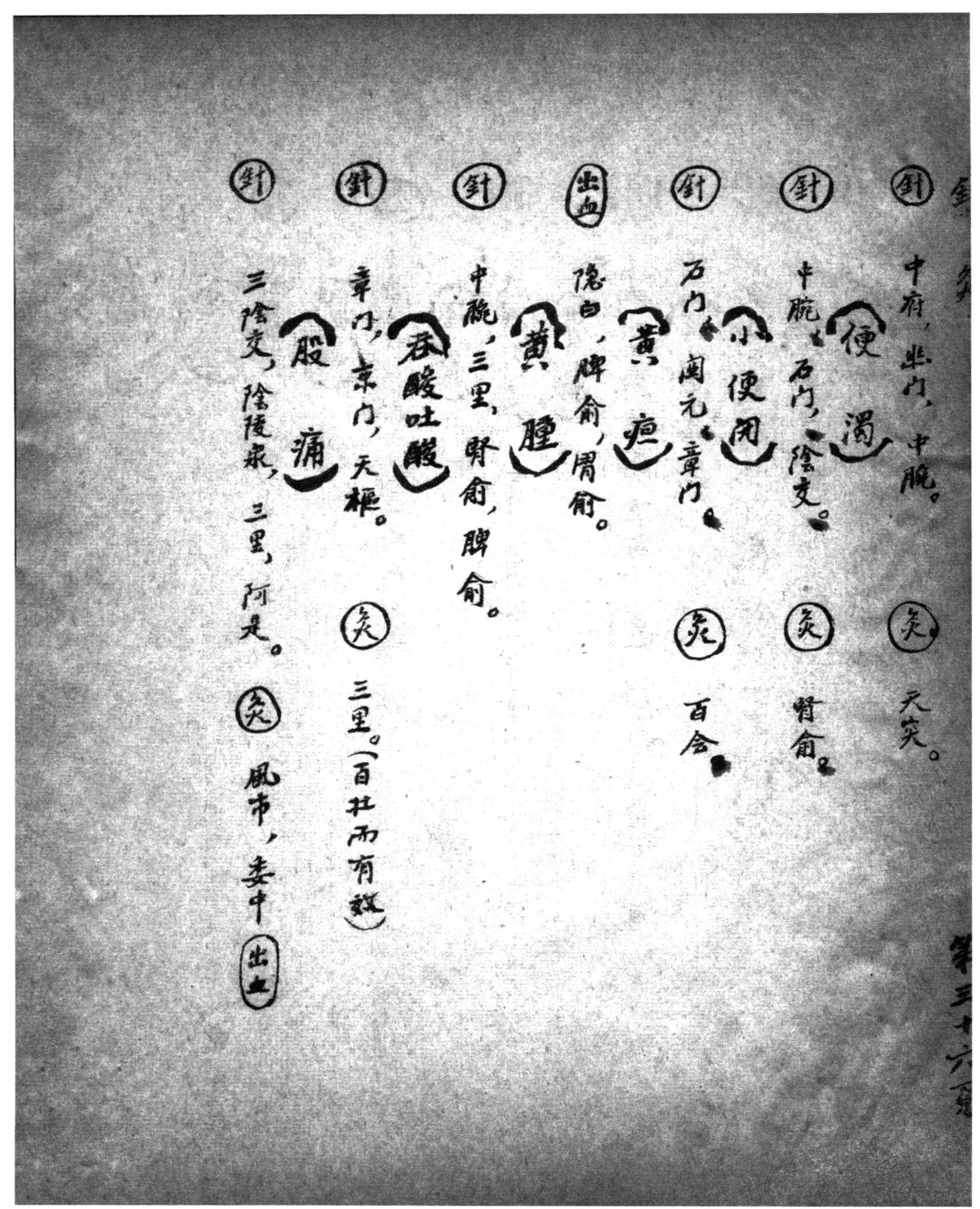

(針) 中府，巢門，中脘。(灸) 天突。

〔便濁〕

(針) 中脘，石門，陰交。(灸) 腎俞。

〔小便閉〕

(針) 石門，關元，章門。(灸) 百會。

〔黃疸〕

(出血) 隱白，脾俞，胃俞。

〔黃腫〕

(針) 中脘，三里，腎俞，脾俞。

〔吞酸吐酸〕

(針) 章門，京門，天樞。(灸) 三里。(百壯而有效)

〔股痛〕

(針) 三陰交，陰陵泉，三里，阿是。(灸) 風市，委中(出血)

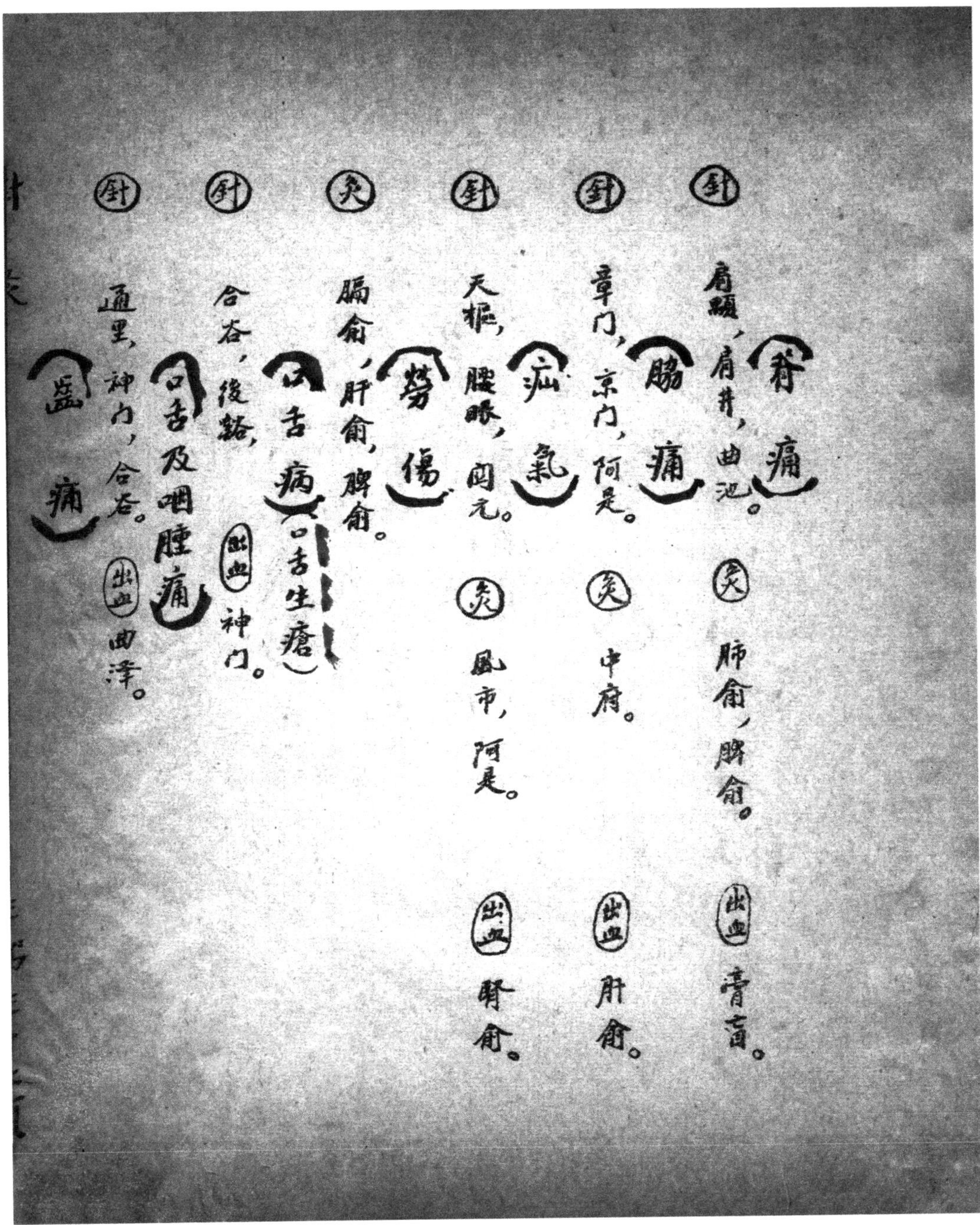

（脊痛）針 肩髃，肩井，曲池。灸 肺俞，脾俞。出血 膏肓。

（脇痛）針 章门，京门，阿是。灸 中府。出血 肝俞。

（疝氣）針 天枢，腰眼，关元。灸 風市，阿是。出血 腎俞。

（勞傷）灸 膈俞，肝俞，脾俞。

（口舌病）（口舌生瘡）針 合谷，後谿，出血 神门。

（口舌及咽腫痛）針 通里，神门，合谷。出血 曲澤。

（齿痛）

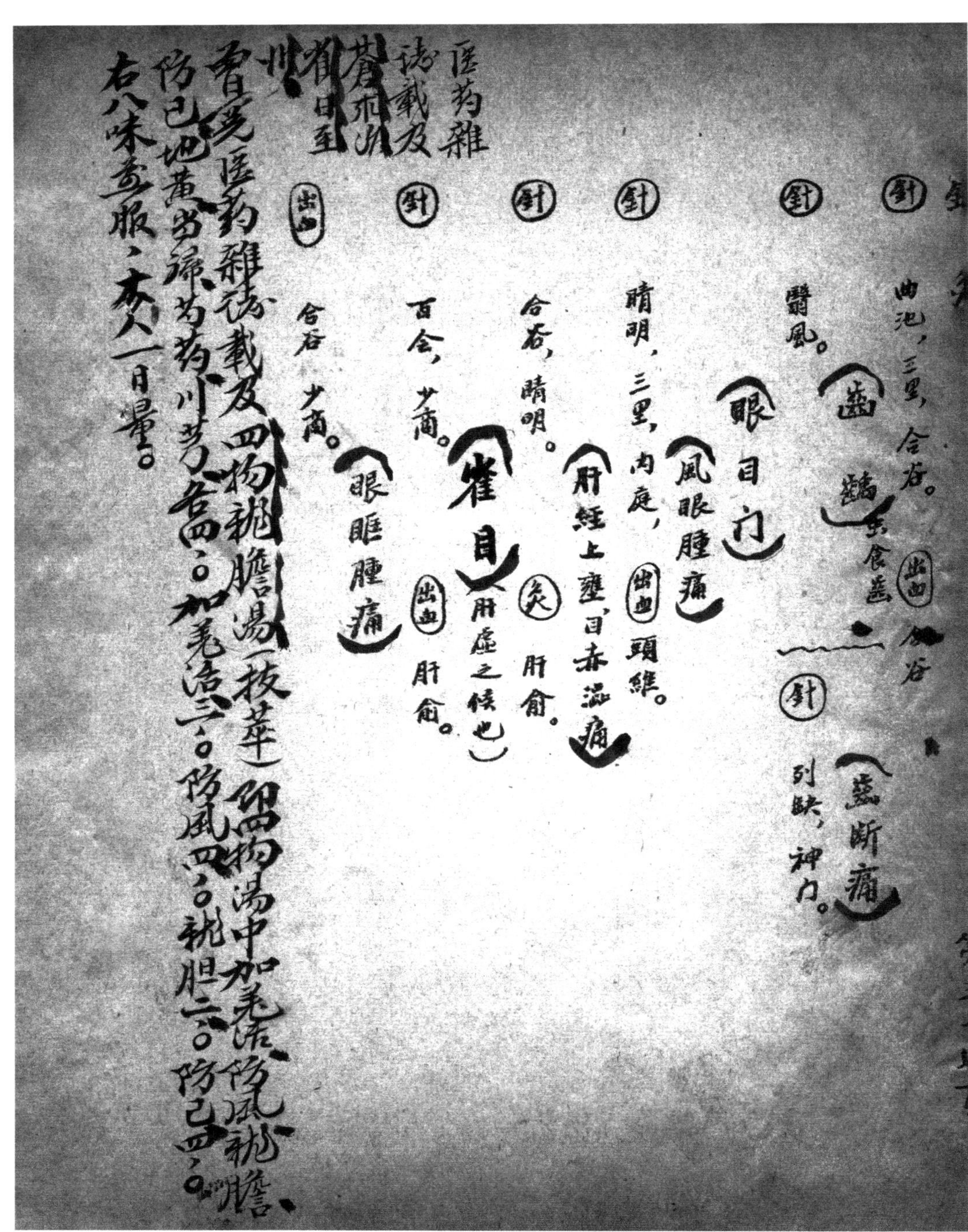

針 曲池，三里，合谷。出血 合谷

（齒齲 虫食齒）
針 翳風。

（齒断痛）
針 列缺，神门。

（眼目门）

（風眼腫痛）
針 睛明，三里，内庭，出血 頭維。

（肝經上壅，目赤澀痛）
針 合谷，睛明。灸 肝俞。

（雀目 用虚之候也）
針 百会，少商。出血 肝俞。

（眼眶腫痛）
出血 合谷 少商。

医药雜誌載及 眷爪此 眉目至 川

眉[illegible]選医药雜誌載及四物龍膽湯（抜萃）四物湯中加羌活、防風、龍膽、防己、地黄、当帰、芍药、川芎各一。加羌活三○防風四○龍胆二○防己四○

右八味煎服，一日量。

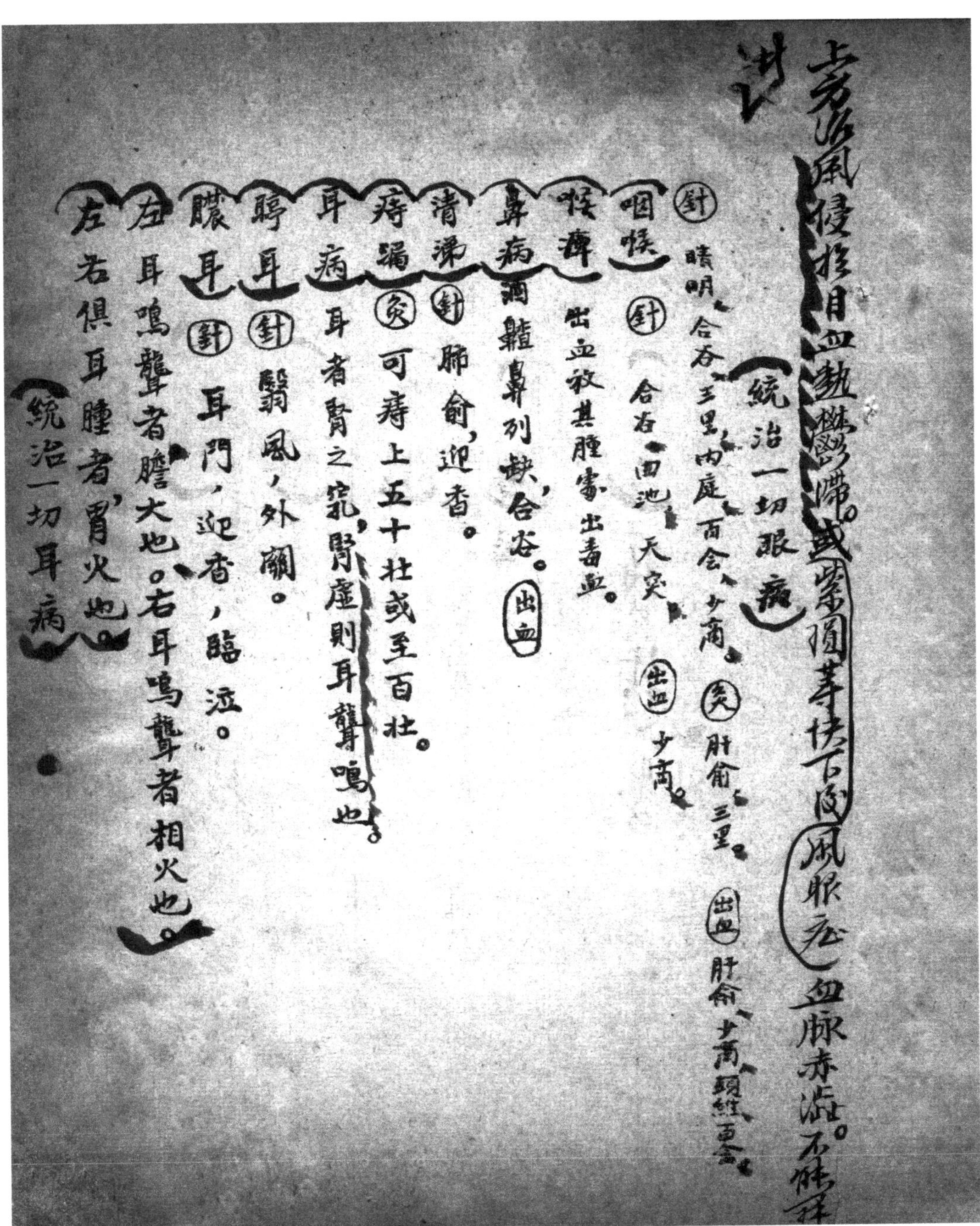

上方治風侵於目血熱鬱滯。或紫瞳弄挟下陷風眼疮 血脉赤澁。不能睁

針之

針 睛明、合谷、三里、内庭、百会、少商。灸 肝俞、三里。出血 肝俞、少商、頭維、百会。

統治一切眼病

咽喉 針 合谷、曲池、天突、出血 少商。

喉痹 出血救其腫處出毒血。

鼻病 酒齇鼻 列缺、合谷。出血

清涕 針 肺俞、迎香。

痔漏 灸 可痔上五十壮或至百壮。

耳病 耳者腎之竅，腎虚則耳聾鳴也。

聤耳 針 翳風、外關。

聵耳 針 耳門、迎香、臨泣。

左耳鳴聾者膽大也。右耳鳴聾者相火也。

左右俱耳腫者，胃火也。

統治一切耳病

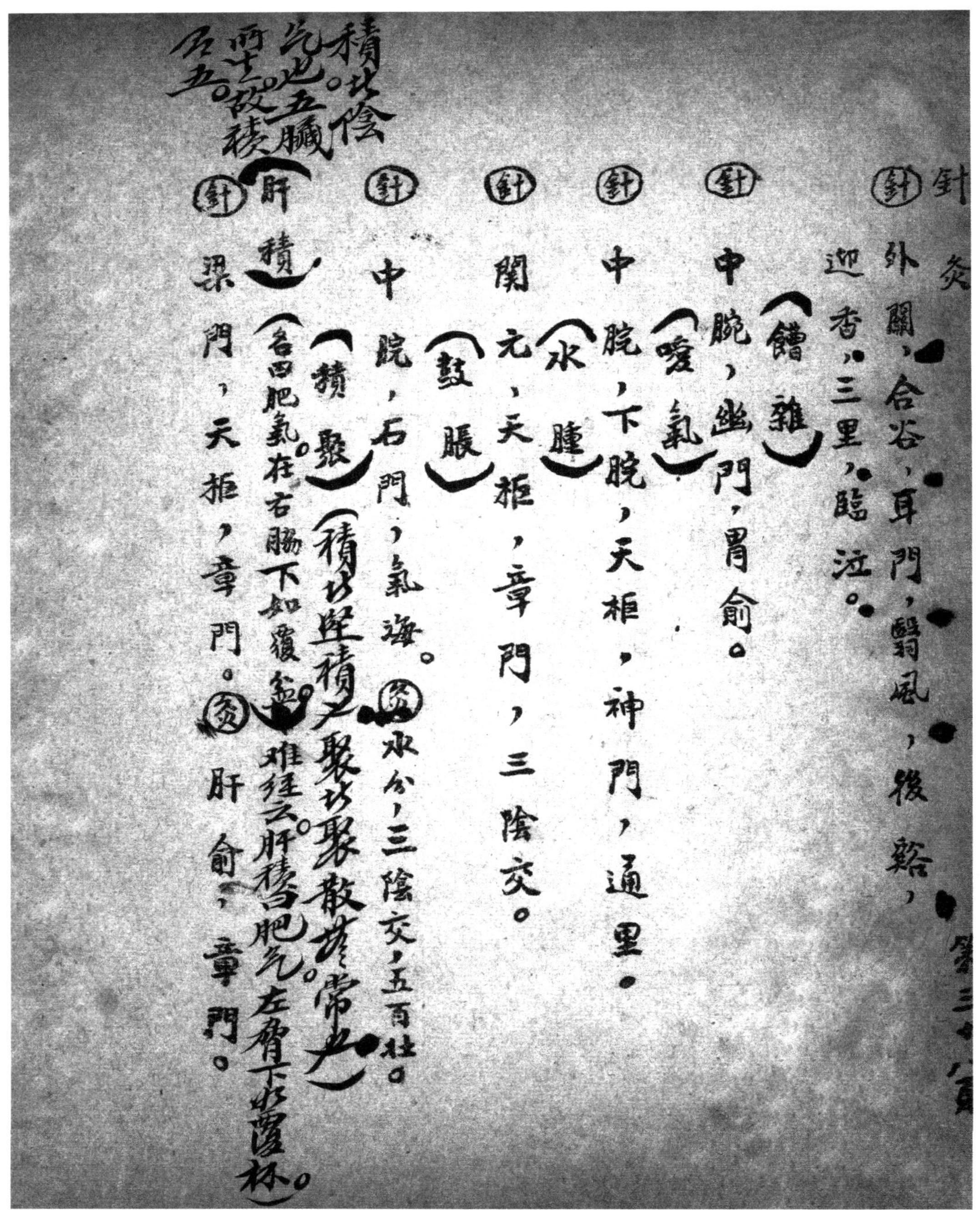
针灸

第三十八頁

针 外關，合谷，耳門，翳風，後谿，迎香，三里，臨泣。

针 中脘，幽門，胃俞。

（嘈雜）

针 中脘，下脘，天樞，神門，通里。

（噯氣）

针 關元，天樞，章門，三陰交。

（水腫）

针 中脘，石門，氣海。灸 水分，三陰交，五百壯。

（鼓脹）

（積聚）（積者堅積也，聚者聚散無常也）

積皆陰氣也。五臟所生。故積有五。

（肝積）（名曰肥氣。在右脇下如覆盃。難經云。肝積名曰肥氣。在左脅下如覆杯。）

针 梁門，天樞，章門。灸 肝俞，章門。

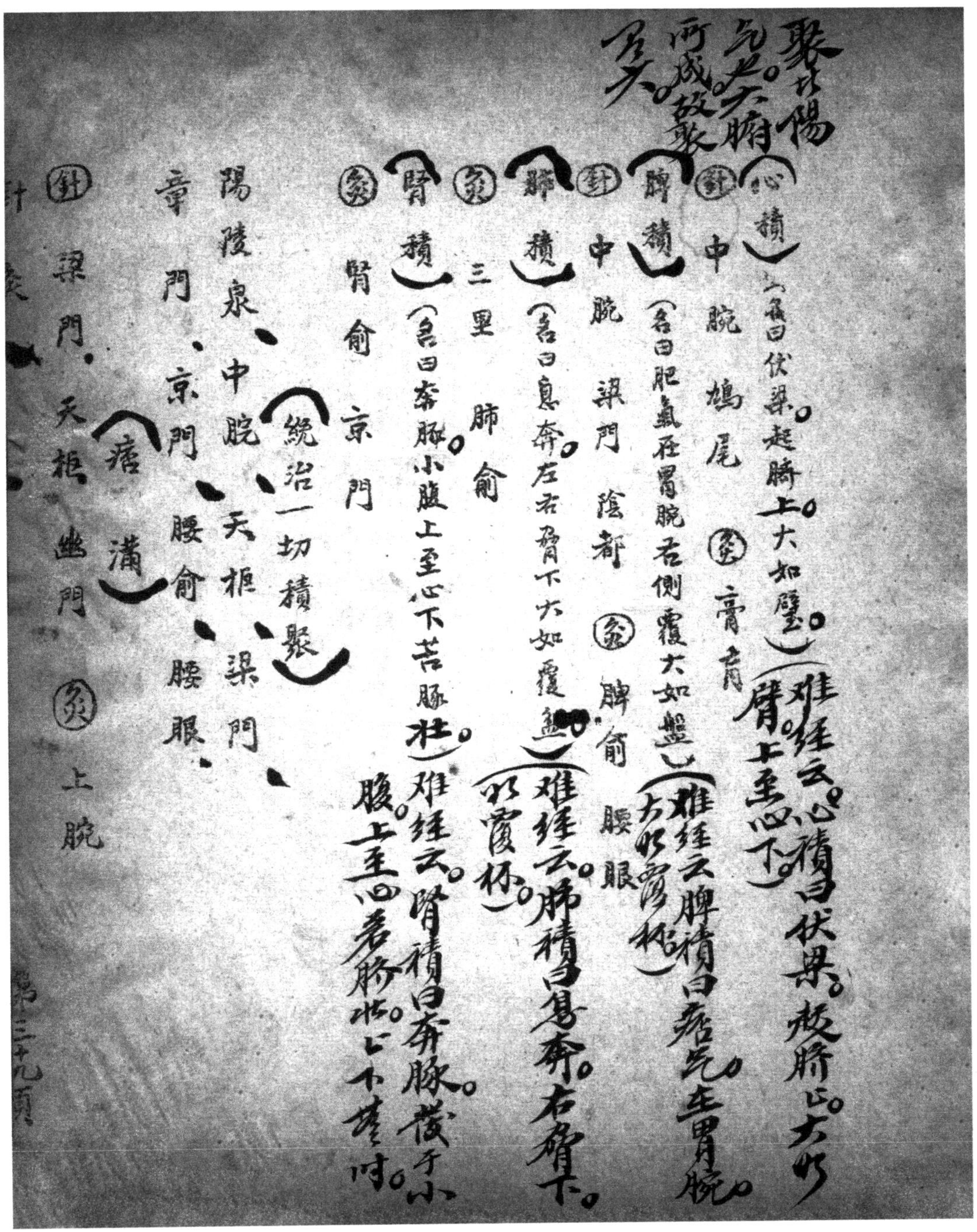

聚於陽氣。是大腧所成故聚見之。

（心積）（一名曰伏梁。起臍上。大如臂。）（难经云。心積曰伏梁。起臍上。大如臂。上至心下。）

針 中脘 鳩尾 灸 膏肓

（脾積）（名曰肥氣在胃脘右側覆大如盤）（难经云脾積曰痞氣。在胃脘。大如覆盤）

針 中脘 梁門 陰都 灸 脾俞 腰眼

（肺積）（名曰息奔。左右脅下大如覆盤。）（难经云。肺積曰息奔。右脅下。如覆杯。）

灸 三里 肺俞

（腎積）（名曰奔豚。小腹上至心下若豚狀。）难经云。腎積曰奔豚。發于小腹。上至心。若豚狀。上下無時。

灸 腎俞 京門

陽陵泉、中脘、天樞、梁門、（統治一切積聚）章門、京門、腰俞、腰眼、

針 梁門、天樞、幽門 灸 上脘（痞滿）

針灸

第二十九頁

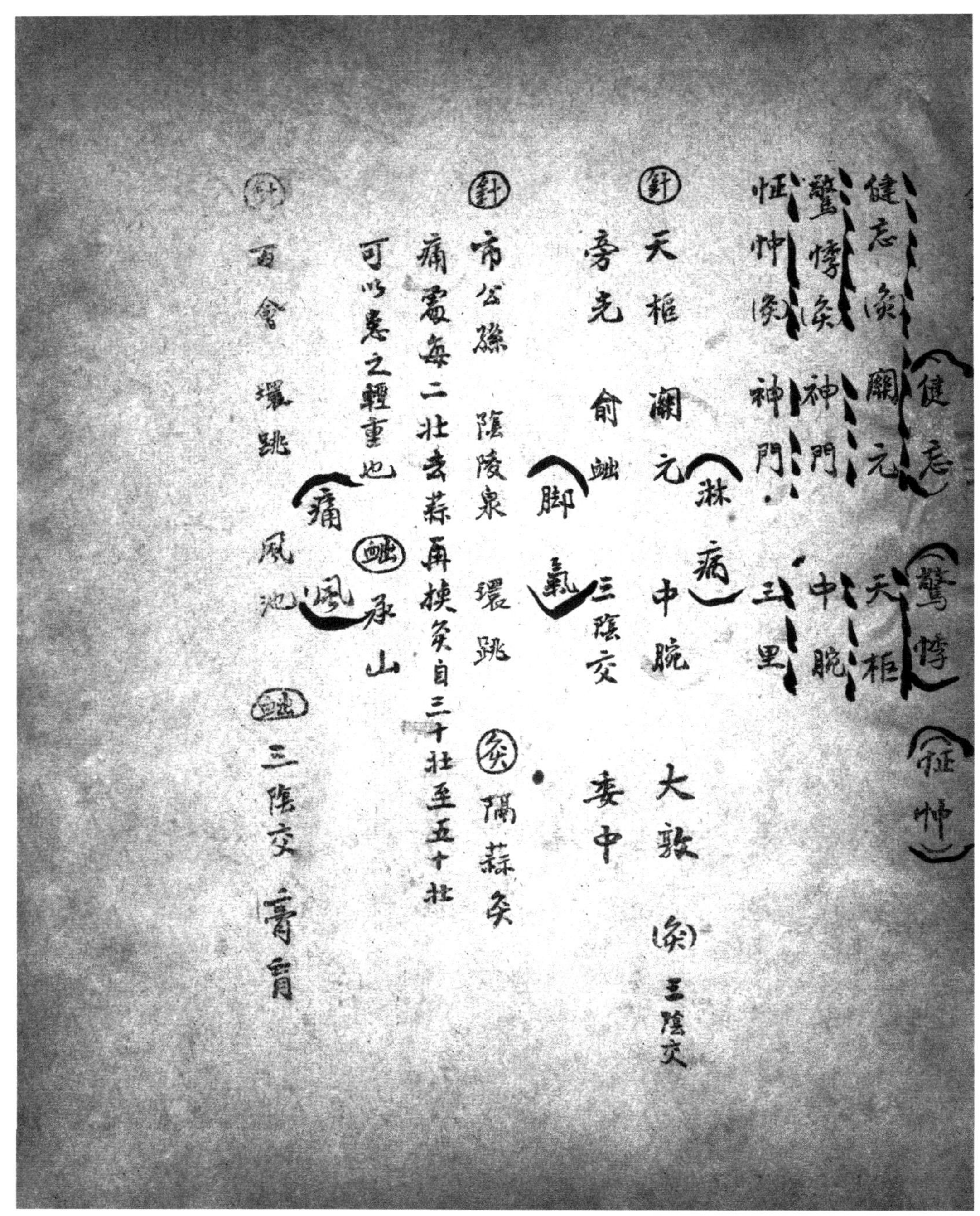

（健忘）健忘灸關元　天樞

（驚悸）驚悸灸神門　中脘

（怔忡）怔忡灸神門　三里

（淋痛）針天樞　瀾元　中脘　大敦　灸三陰交

（腳氣）膀光俞　出血　三陰交　委中

針市公孫　陰陵泉　環跳　灸隔蒜灸

痛處每二壯去蒜再換灸自三十壯至五十壯

可以患之輕重也

（痛風）出血承山

針百會　環跳　風池　出血三陰交　膏肓

傅青主云：怒氣傷肝，而肝氣沖於胃口者，皆氣不得下行；肺氣不得下行，而成此證，解鬱為主，亡之所謂即關格也。

（關格）痰格中焦

（針）中脘，鳩尾。（出血）少商，大敦。

（臂痛）臂痛者，因温痰横行經絡也。

（針）肩井，合谷，肩髃，曲池。（灸）阿是。

（肩痛）痰濕為主

（針）肩井，風池，肩髃。（灸）膏肓。（出血）肺俞。

（足痛）

（針）公孫，三里，陽陵泉。（灸）阿是。

（手痛）

（針）曲池，合谷，神门，通里（灸）阿是，商陽。

（麻木）十指麻木胃中有温痰死血。

（針）環跳，陽陵泉，肩髃，三里，百会，曲池，合谷，肩井。

（出血）合谷，百會。

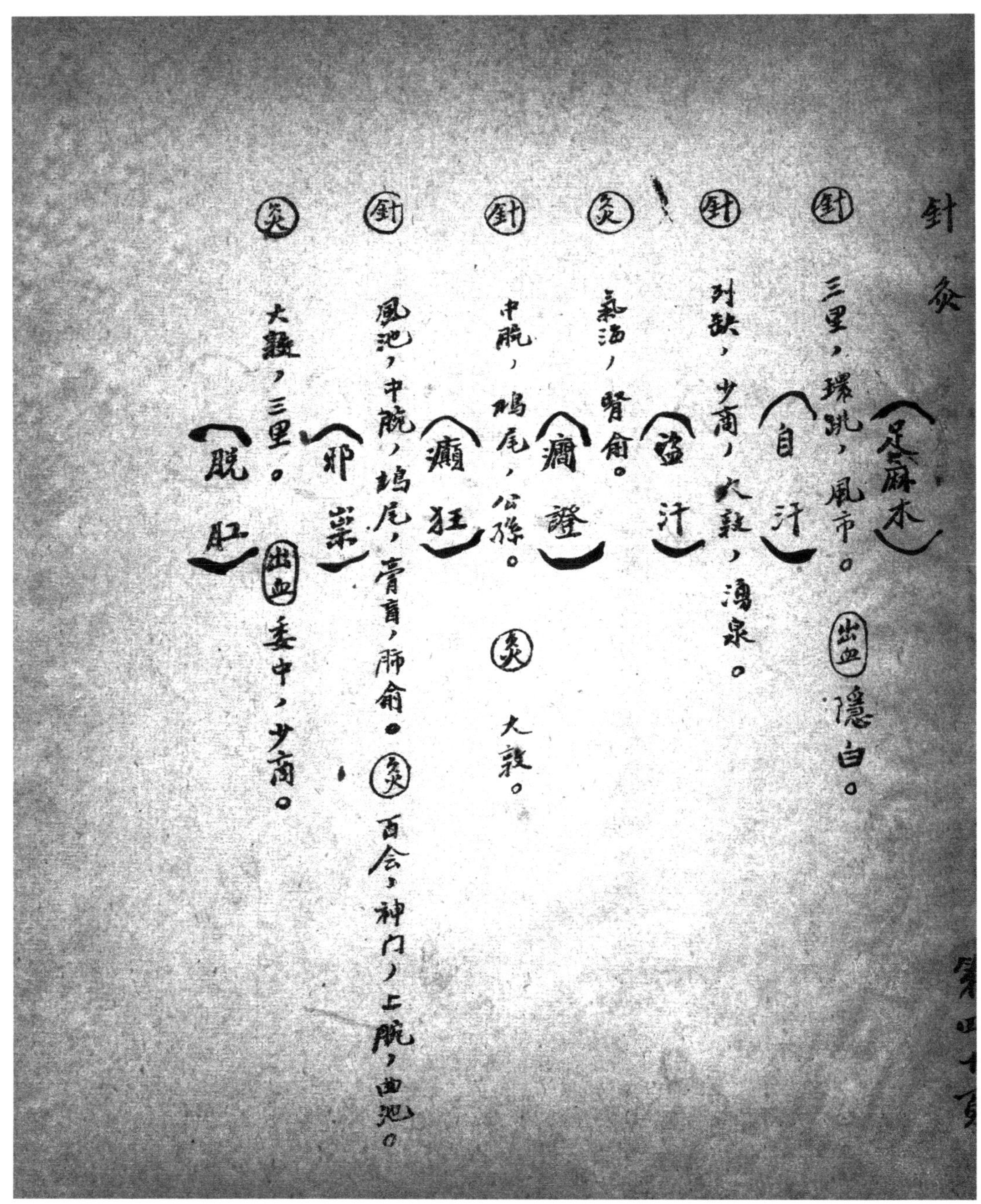

針灸

（足麻木）
㊉針 三里，環跳，風市。㊉出血 隱白。

（自汗）
㊉針 列缺，少商，大敦，湧泉。

（盜汗）
㊉灸 氣海，腎俞。

（癇證）
㊉針 中脘，鳩尾，公孫。㊉灸 大敦。

（癲狂）
㊉針 風池，中脘，鳩尾，膏肓，肺俞。㊉灸 百会，神门，上脘，曲池。

（邪祟）
㊉灸 大敦，三里。㊉出血 委中，少商。

（脫肛）

第四十頁

（灸）腰眼，肾俞，脾俞。（诸虚）

（针）京门，章门，天枢。（灸）肝俞，脾俞。（遗溺小便失禁者属气虚）

（灸）石门，肾俞。（脓气）

（灸）脓下有细孔，每穴三壮。（消渴）因食甘美而多肥故其气上溢转为消渴。

（针）中脘，阴都。（灸）三里。（折伤）

（出血）其患处，多取血。（妇人科）

脓气灸法
黄字秘六
秘此说是之

經闲

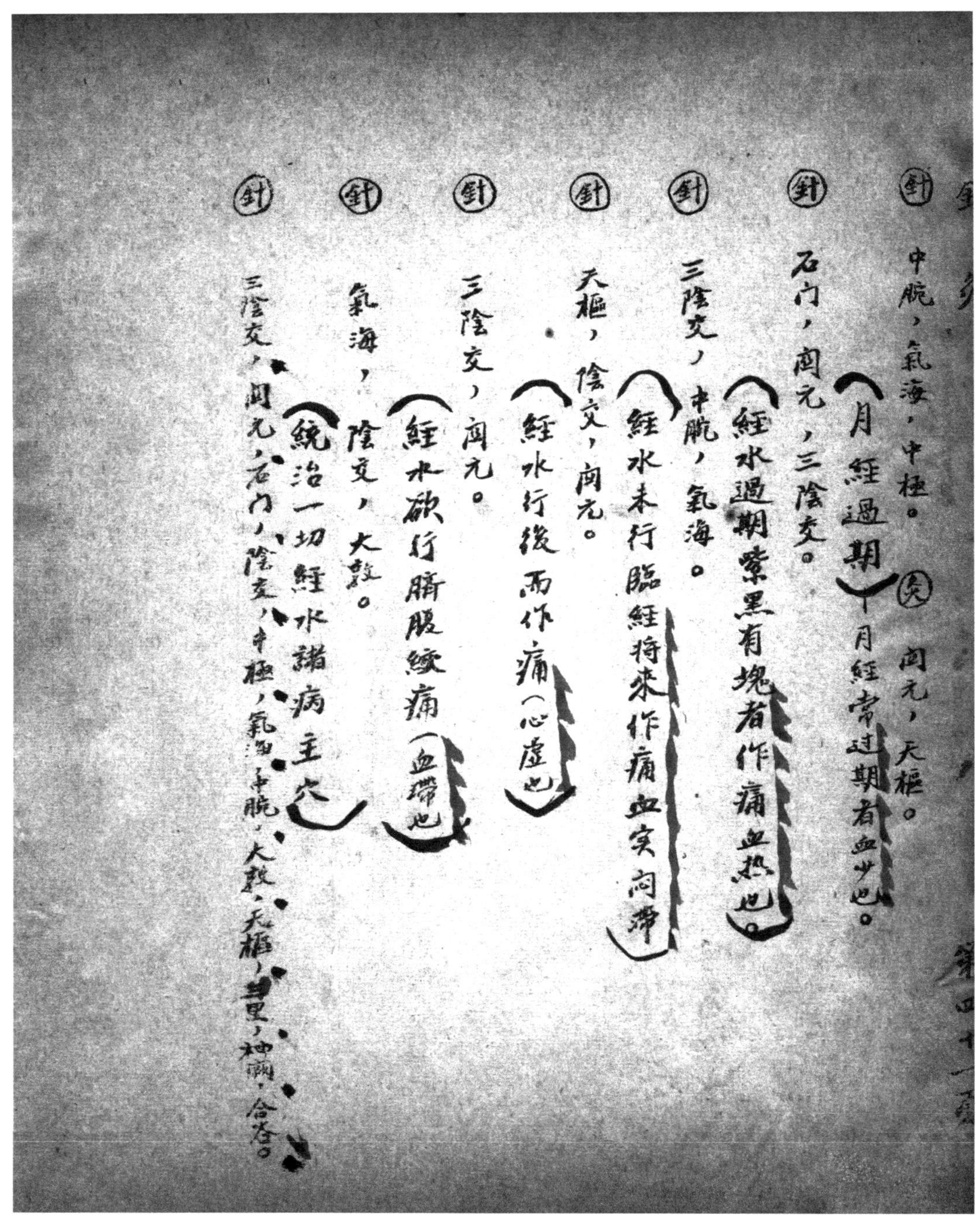

針灸

（月經過期）

針　中脘，氣海，中極。　灸　関元，天樞。

月經常过期者血少也。

針　石门，関元，三陰交。

（經水過期紫黑有塊者作痛血熱也。）

針　三陰交，中脘，氣海。

（經水未行臨經將來作痛血实阻滯）

針　天樞，陰交，関元。

（經水行後而作痛心虛也）

針　三陰交，関元。

（經水欲行臍腹絞痛血滯也）

針　氣海，陰交，大敦。

（統治一切經水諸病主穴）

針　三陰交，関元，石门，陰交，中極，氣海，中脘，大敦，天樞，三里，神闕，合谷。

第四十一頁

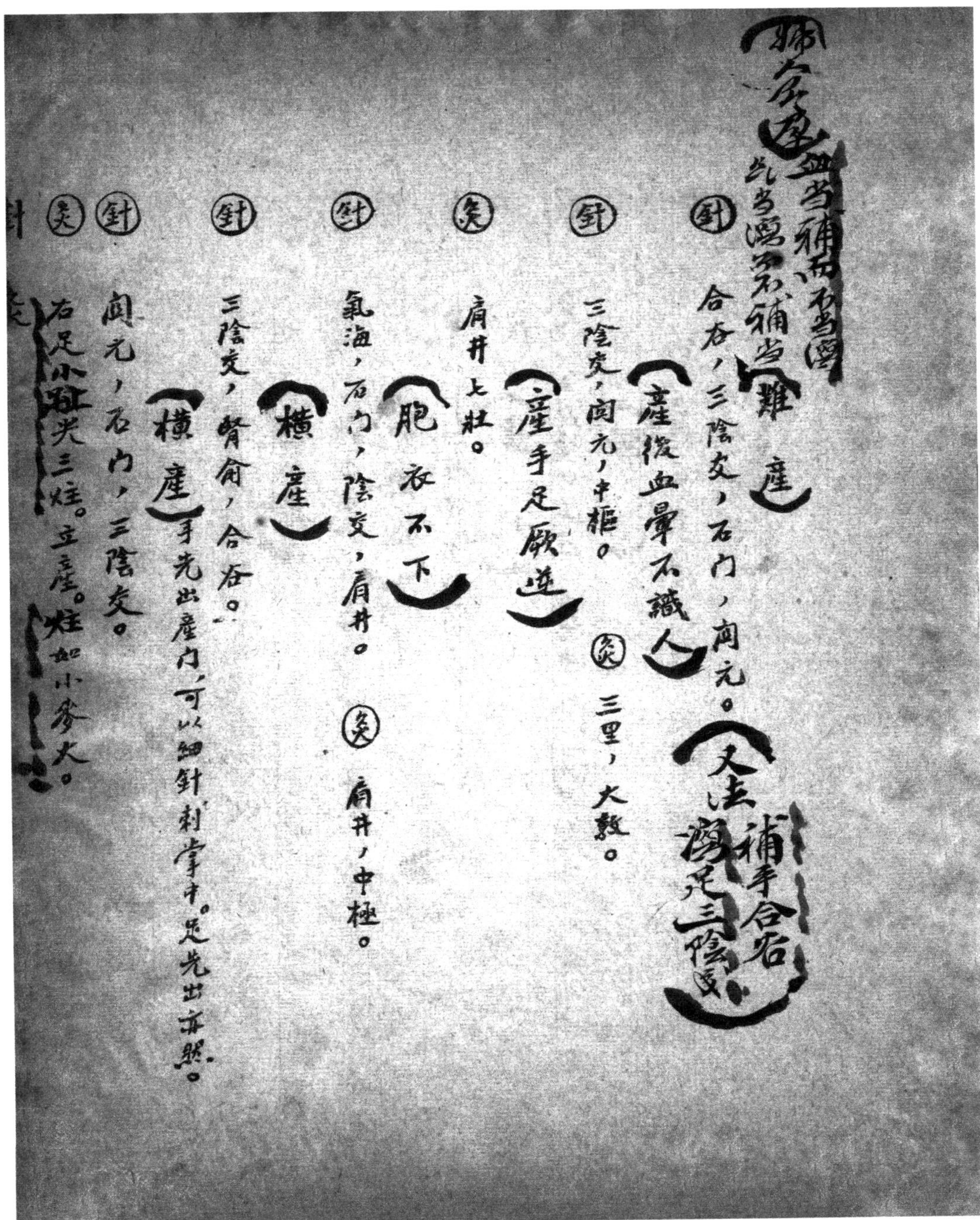

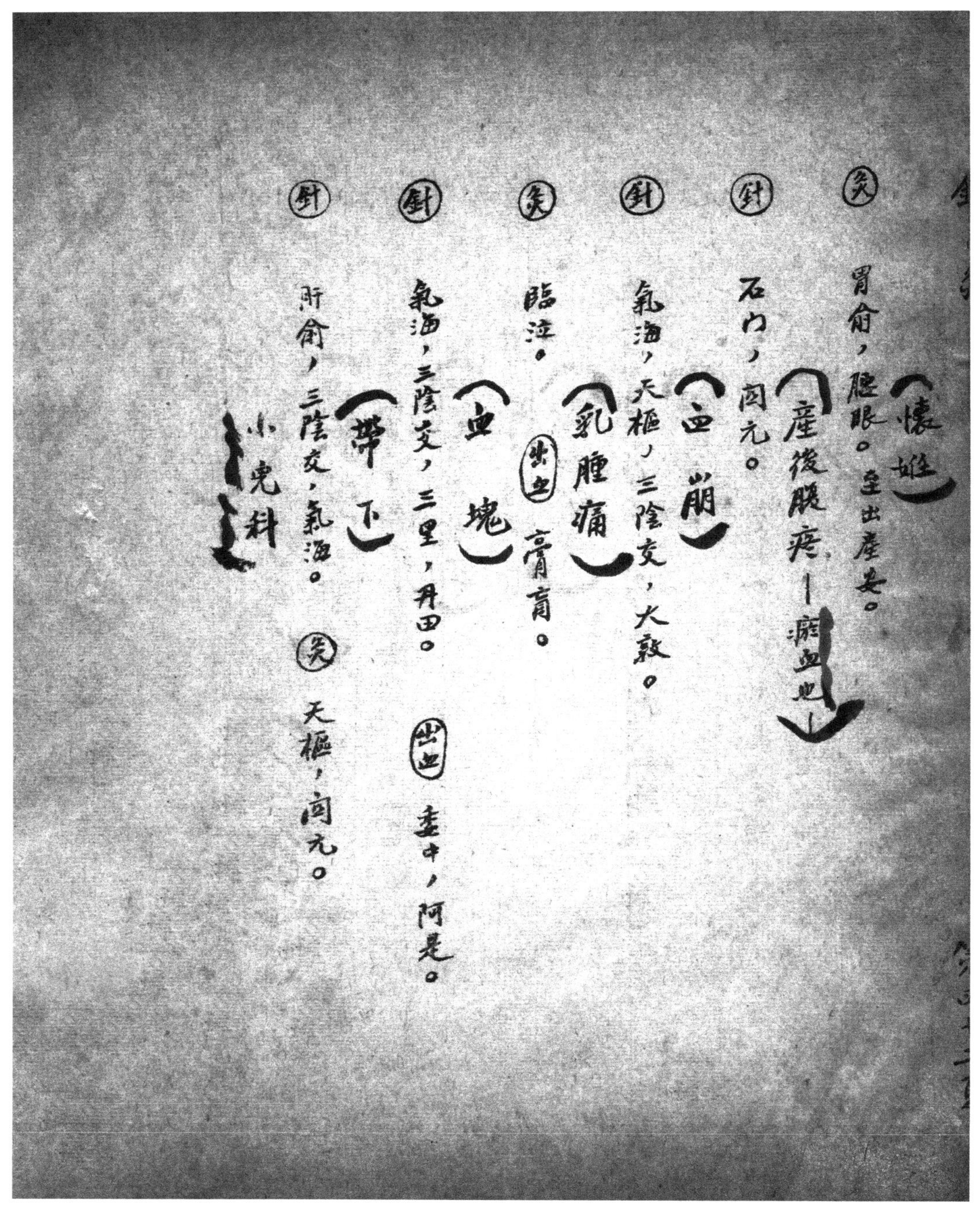
(懐姙)
灸 胃俞，腿眼。至出産安。
(産後腹疼——瘀血也)
針 石门，関元。
(血崩)
針 氣海，天樞，三陰交，大敦。
(乳腫痛)
灸 臨泣。 出血 膏肓。
(血塊)
針 氣海，三陰交，三里，丹田。 出血 委中，阿是。
(帶下)
針 肝俞，三陰交，氣海。 灸 天樞，関元。
小児科

急驚　針　中脘，鳩尾，百会，湧泉。灸　章门。

慢驚　灸　章门，神闕。

癇疾　針　中脘，鳩尾。灸　肝俞，脾俞，章门。出血　兩俞，胃俞，腎俞。

癖疾　出血　肝俞，脾俞，腎俞。

丹毒　出血　委中。

吐瀉　針　關元，天樞，鳩尾。

腹脹　灸　章门。

腹痛　多是飲食所傷也。針　中脘，章门，關元。

夜啼　灸　脾俞。

重舌　乃小兒舌下生舌也。出血　舌下紫脈刺之，去惡血。

痤瘡　出血　委中，曲澤。

風眼　生出膜，刺手中指本節尖，灸五壯，右眼灸左，左眼灸右。

臁瘡　久不愈，則見至五用中。灸三陰交五壯，則再不發。

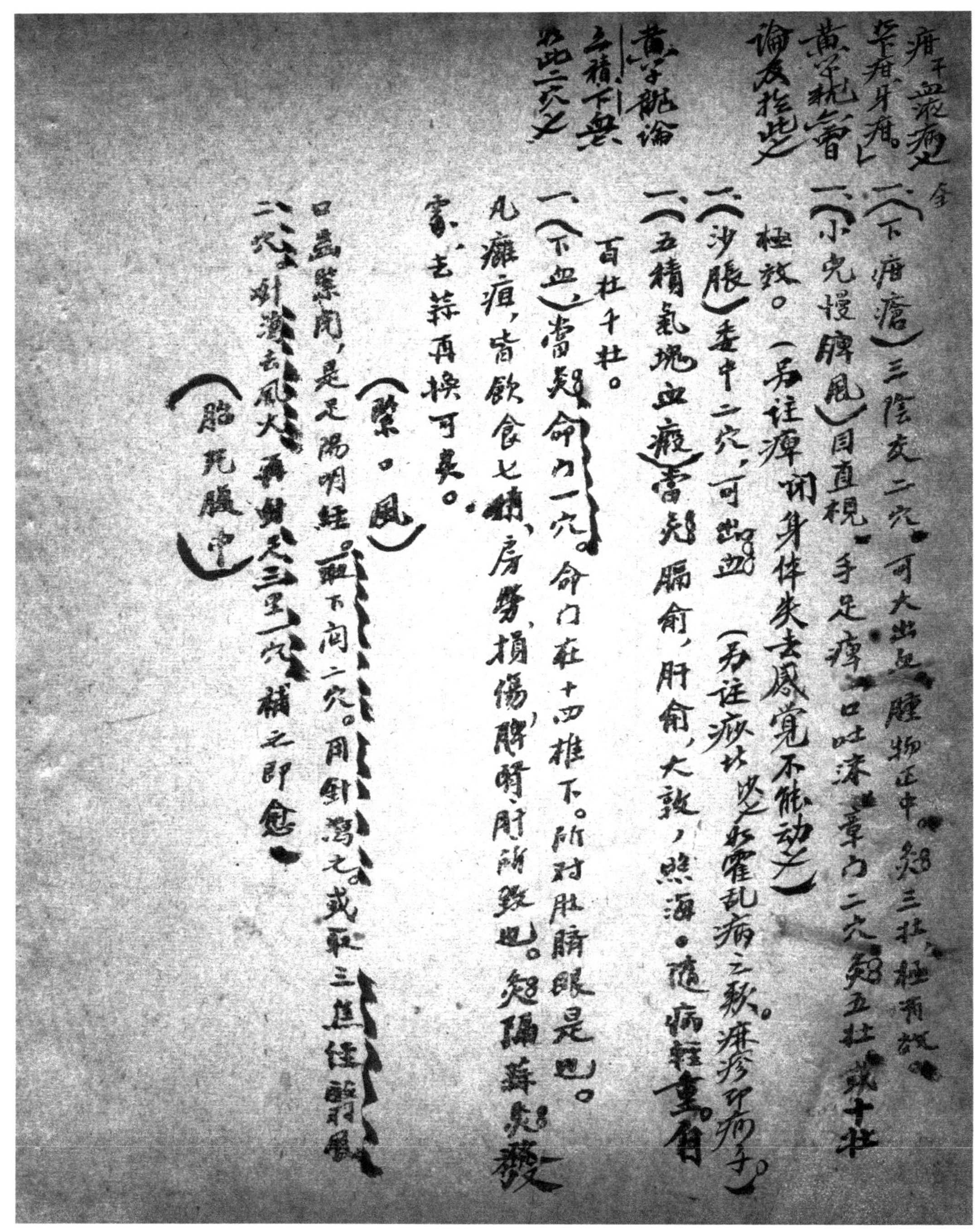

痔干血最痛之 全
苹痔、牙痔、
黄字批曾
论及於此之
黄字能论
五精下
此二穴之

一、（下痔瘡）三陰交二穴，可大出血，腫物正中。灸三壯，極有效。

一、（小兒慢脾風）目直視，手足痺，口吐沫，章门二穴，灸五壯或十壯，極效。（另注痺闭身体失去感覺不能动之）

二、（沙脹）委中二穴，可出血（另注痧，以之如霍乱病之類，痲疹即病子）

二、（五積氣塊血瘕）當灸膈俞，肝俞，大敦，照海，隨病輕重，百壯千壯。

一、（下血）當灸命门一穴。命门在十四椎下。所对肚脐眼是也。凡癱痪，皆飲食七情，房勞損傷脾腎，肝所致也。灸隔蒜灸發瘡，去蒜再换可灸。

（緊口風）口齒緊閉，是足陽明經。頰下間二穴。用針瀉之，或取三焦經翳風二穴，針瀉去風火，再針足三里一穴，補之即愈。

（胎死腹中）

衝陽承泣頰穴 中法
陰第二第三
臨骨掐合之
安徽黃名
动师安徽
針乃孕婦禁用
雅針灸乃在
不能為

（針）合谷補之，三陰交補瀉之，死胎得下。

（口眼歪斜）

蓋因邪風所吹。針闕陽、合谷、頰車三穴必痊。

（痔漏）

針長強二穴補之，如有管不治。

（脫肛）

蓋因氣虧。日常非晝兆。針外鄉補之，灸百會二九壯，外以花松薰洗即好。

（吐血）

取手太陰肺經尺澤穴以調氣，即針上穴補之，合服童便百日即愈。

（經水逆行）

取足三陰交補之。又針太谿。照法補之。針合谷即愈。

（紅崩不止）小產

依法灸穴。不用針亦可

針灸

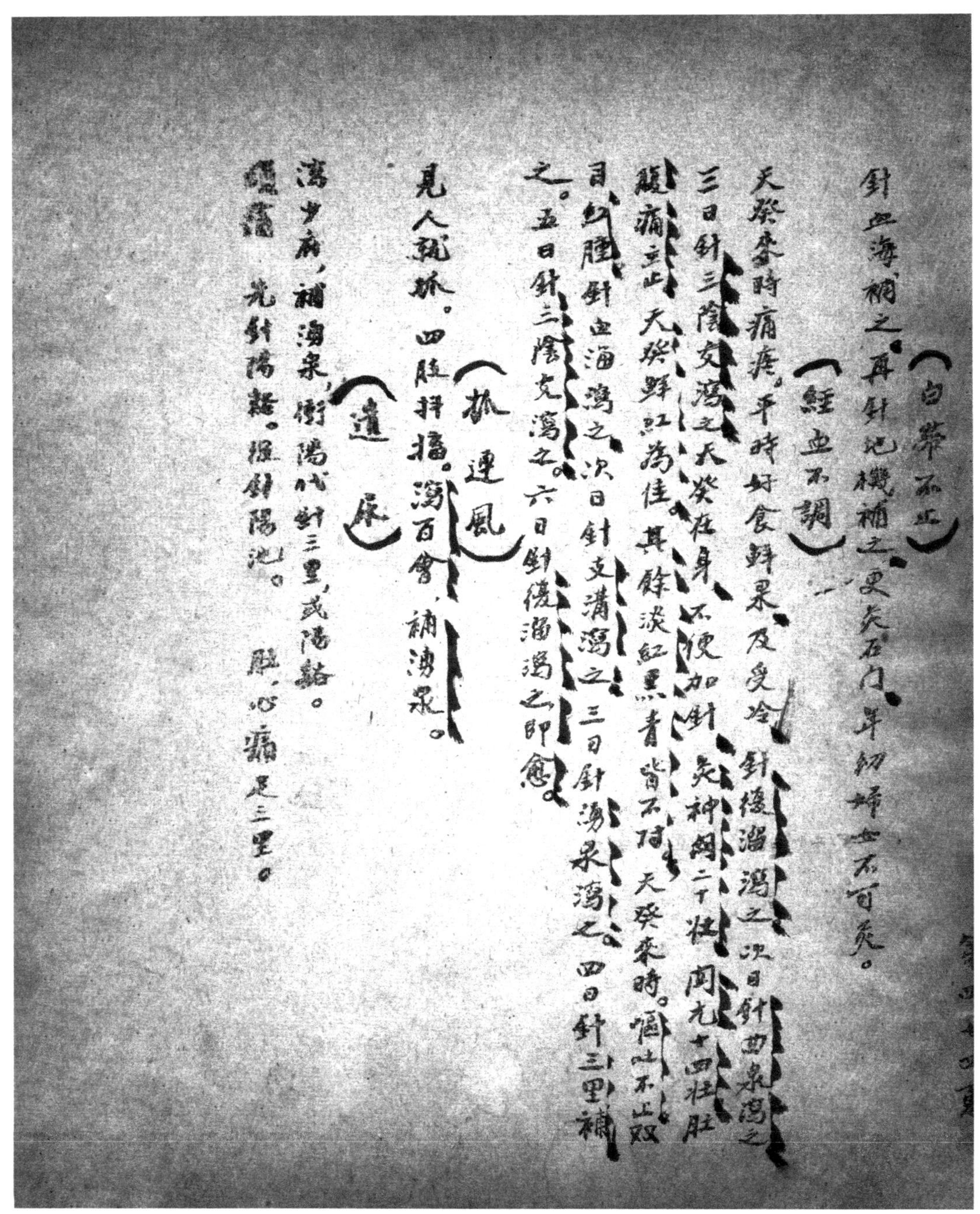

針血海，補之；再針氣機，補之。更灸石門，年幼婦女不可灸。

（白帶不止）

（經血不調）

天癸來時痛疼，平時好食鮮果及受冷。針復溜瀉之，次日針曲泉瀉之，三日針三陰交瀉之。天癸在身，不便加針，灸神闕二十壯，関元十四壯，肚腹痛立止。天癸鮮紅為佳，其餘淡紅黑青皆不吉。天癸來時，嘔吐不止，双目紅腫，針血海瀉之，次日針支溝瀉之，三日針湧泉瀉之，四日針三里補之。五日針三陰交瀉之，六日針復溜瀉之，即愈。

（抓連風）

見人就抓。四肢抖搐。瀉百會，補湧泉。

（遺尿）

瀉少府，補湧泉，衝陽，或針三里，或陽谿。

遺溺　先針陽谿。復針陽池。　肚心痛　足三里。

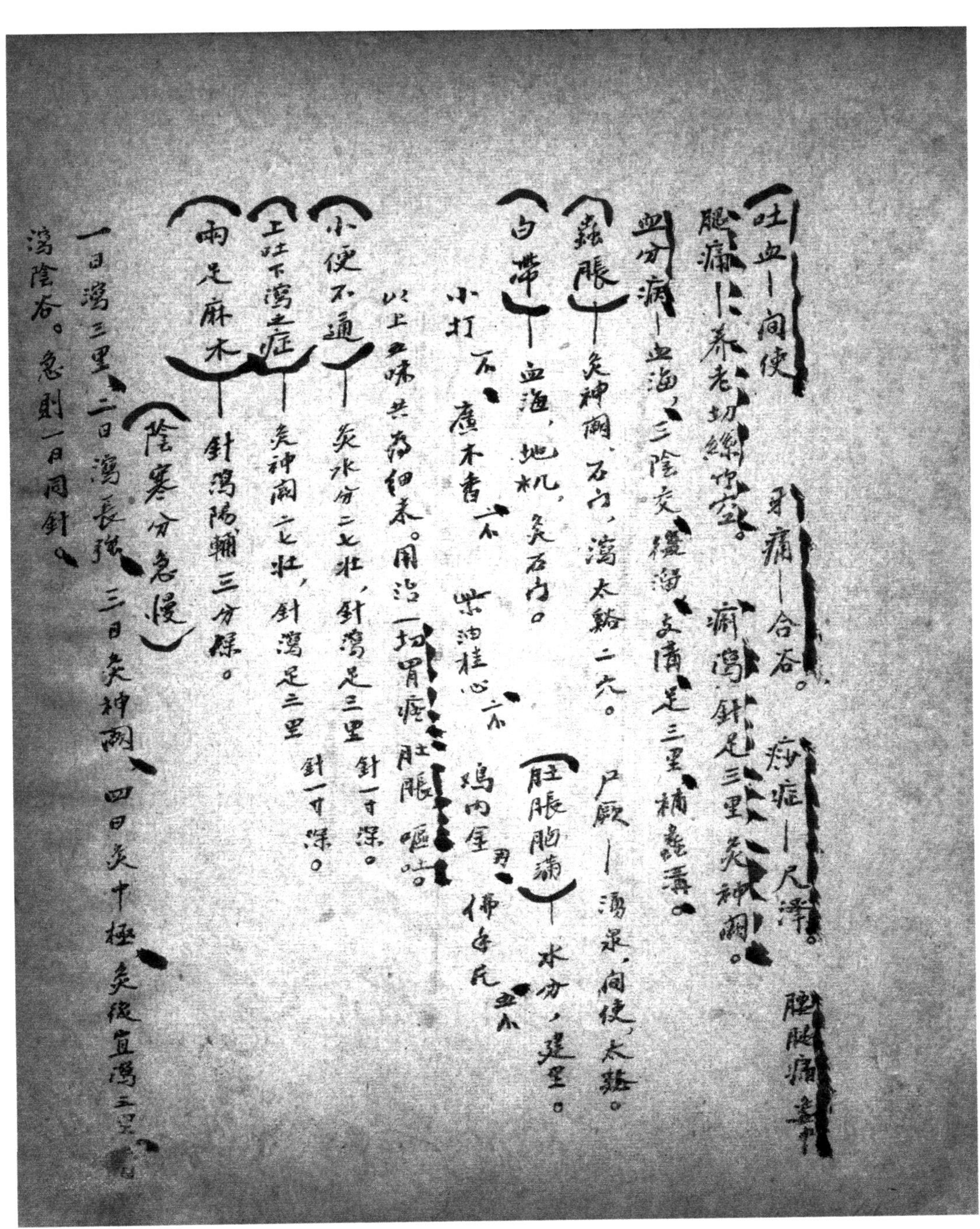

吐血—间使　　牙痛—合谷。　　痧症—尺泽。　　腿腿痛委中

腿痛—养老、切丝竹空。　　痢泻针足三里，灸神阙。

血分病—血海，三阴交，照海，交信，足三里，补蠡沟。

尸厥—涌泉，间使，太溪。

鼓胀—灸神阙、石门，泻太谿二穴。

肚胀胸满—水分，建里。

白带—血海，地机，灸石门。

小打石　广木香二分　紫油桂心二分　鸡内金钱　佛手柑五分

以上五味共为细末。用治一切胃疼肚胀呕吐。

小便不通—灸水分二七壮，针泻足三里　针一寸深。

上吐下泻之症—灸神阙二七壮，针泻足三里　针一寸深。

两足麻木—针泻阳辅三分深。

（阴寒分急慢）

一日泻三里，二日泻长强，三日灸神阙，四日灸中极，灸后宜泻三里，泻阴谷。急则一日同针。

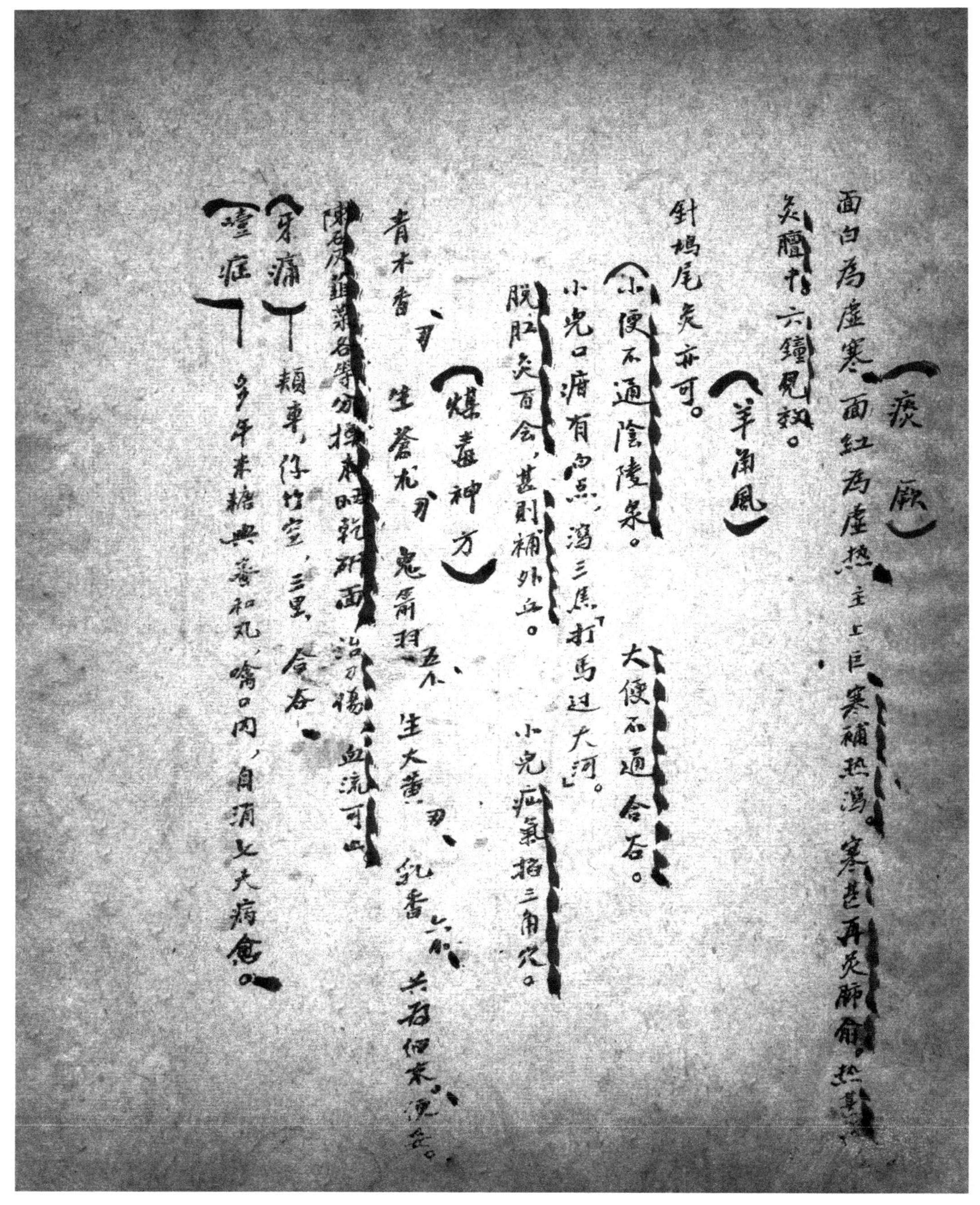

（痰厥）面白為虛寒，面紅為虛熱，主上巨，寒補熱瀉。寒甚再灸肺俞，熱甚[illegible]

灸膻中，六鐘見效。

（羊角風）針鳩尾灸亦可。

（小便不通）陰陵泉。

（大便不通）合谷。

小兒口瘡有白点，瀉三焦「打馬過大河」。

脱肛灸百会，甚則補外丘。

小兒疝氣指三角穴。

（爆毒神方）

青木香一两　生蒼朮一两　鬼箭羽五分　生大黃一两、乳香六分　共為細末，酒合。

陳石灰韮菜各等分搗末曬乾研面，治刀傷血流可止。

（牙痛）頰車，絲竹空，三里，合谷。

（噎症）多年米糖與薑和丸，噙口內，自消七天病愈。

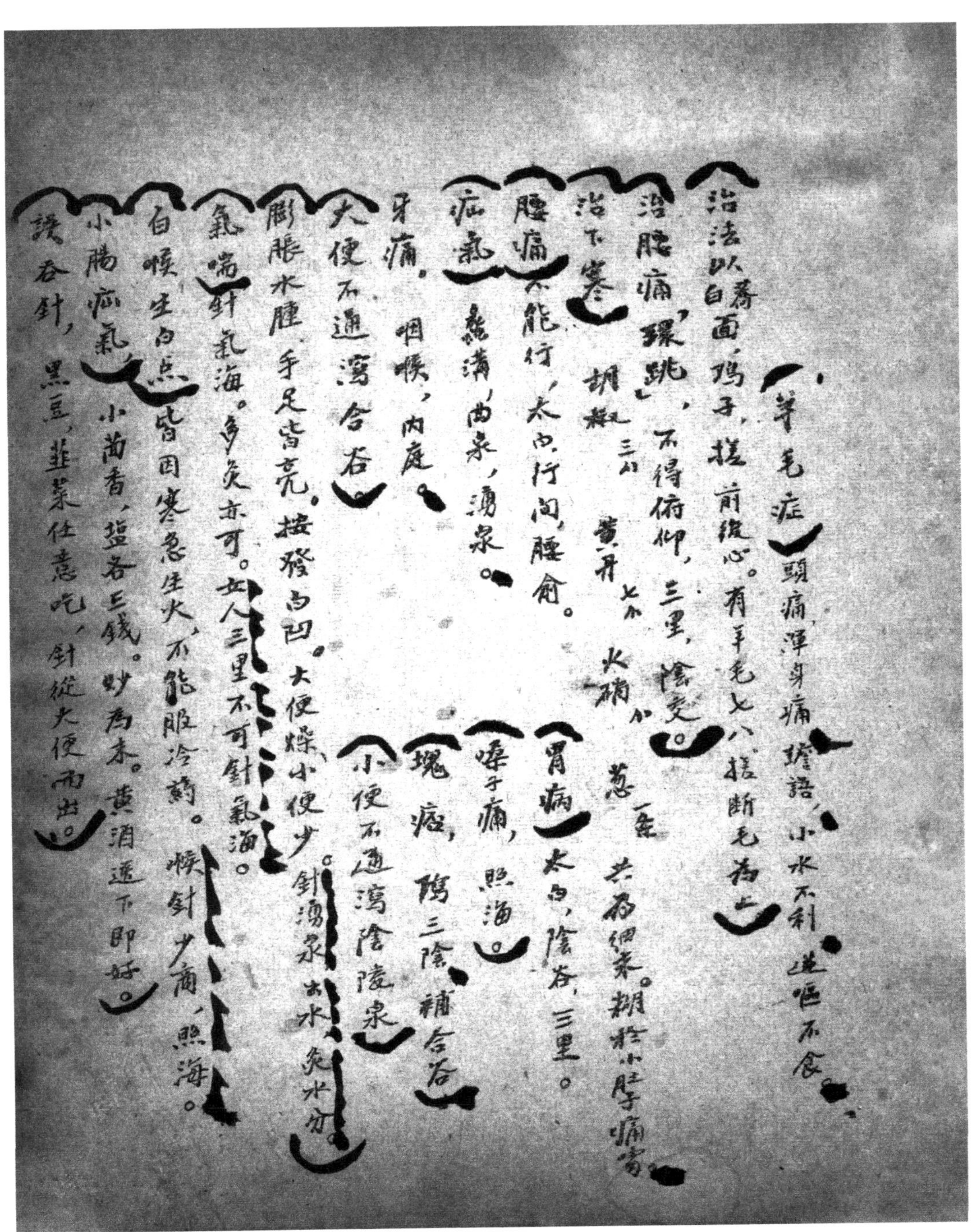

羊毛症：頭痛，渾身痛，譫語，小水不利，逆嘔不食。

治法以蕎面，鸡子，搓前後心。有羊毛七八，搓断毛為上。

治腰痛，環跳，不得俯仰，三里，陰交。

治下寒：胡椒三个，黄丹七个，火硝一个，葱一条，共為细末。糊於小肚子痛處。

腰痛不能行，太白，行间，腰俞。

胃病：太白，陰谷，三里。

疝氣：蠡溝，曲泉，湧泉。

嗓子痛，照海。

牙痛。咽喉，内庭。

塊痞，瀉三陰，補合谷。

大便不通，瀉合谷。

小便不通，瀉陰陵泉。

脚脹水腫，手足皆亮，按發凸凹。大便燥，小便少，針湧泉出水，灸水分。

氣喘，针氣海。多灸亦可。女人三里不可針氣海。

白喉生白點，皆因寒急生火，不能服冷藥。喉针少商，照海。

小腸疝氣，小茴香，塩各三錢。炒為末。黄酒送下即好。

誤吞针，黑豆，韭菜任意吃，針從大便而出。

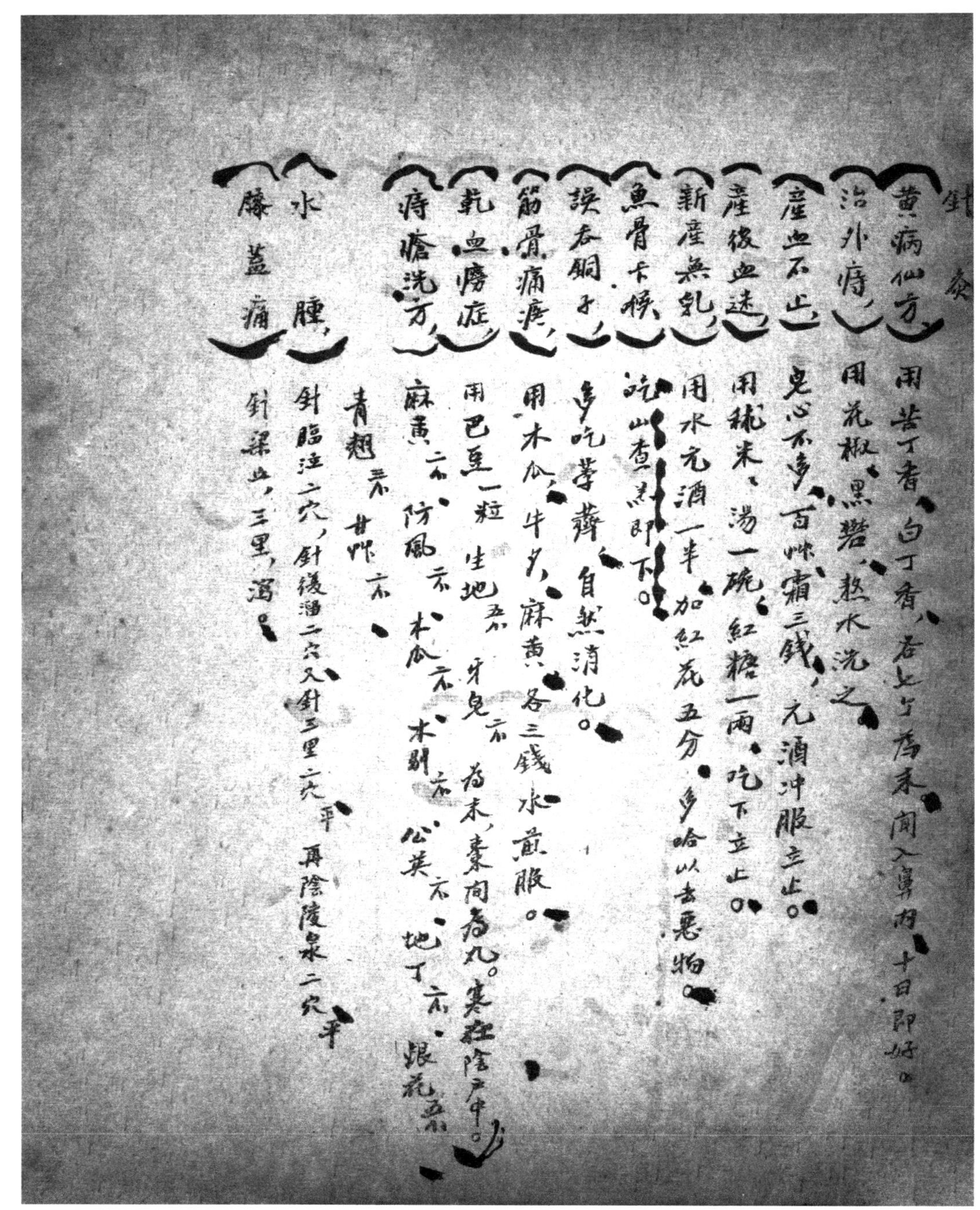
針灸

黄病仙方　用苦丁香、白丁香、各七个為末，聞入鼻内，十日即好。

治外痔　用花椒、黑礬、熬水洗之。

産血不止　鬼心不多，百草霜三錢，元酒沖服立止。

産後血迷　用秫米、湯一碗，紅糖一兩，吃下立止。

新産無乳　用水元酒一半，加紅花五分，多喝以去惡物。

魚骨卡喉　吃山查黑即下。

誤吞銅子　多吃荸薺，自然消化。

筋骨痛疾　用木瓜、牛夕、麻黄、各三錢，水煎服。

乾血癆症　用巴豆一粒，生地五分，牙皂二分，為末，棗肉為丸。塞在陰户中。

痔瘡洗方　麻黄二分，防風二分，木瓜二分，木别二分，公英二分，地丁二分，銀花五分，青翹二分，甘艸二分。

水腫　針臨泣二穴，針後溜二穴，又針三里二穴，平。再陰陵泉二穴，平。

膝蓋痛　針梁丘、三里、溜。

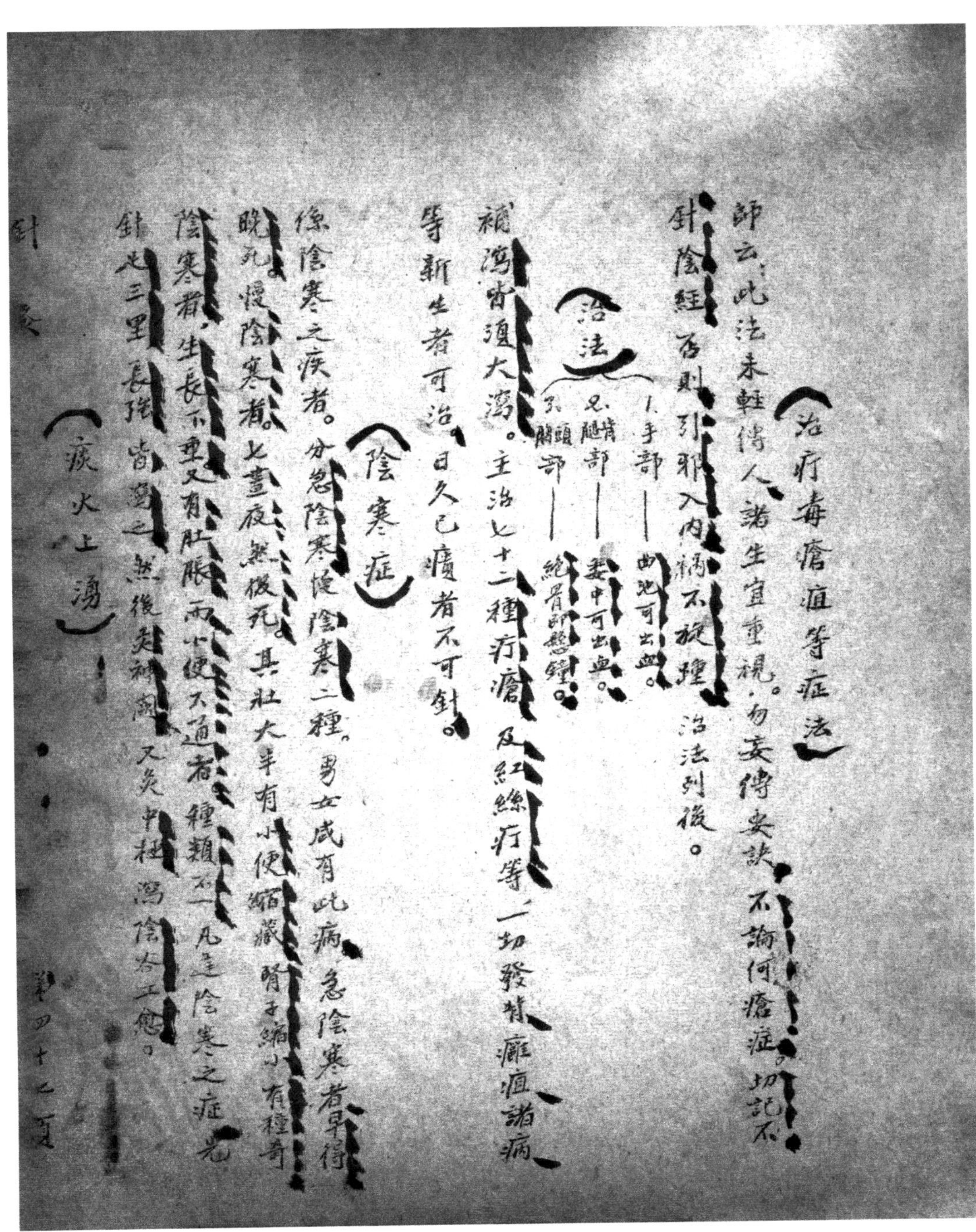

（治疔毒瘡疽等症法）

師云：此法未輕傳人，諸生宜重視。勿妄傳妄試，不論何瘡症，切記不針陰經，否則引邪入內，禍不旋踵。治法列後。

（治法）

1.手部——曲池可出血。
2.腿背部——委中可出血。
3.頭顱部——絶骨部懸鐘。

補瀉皆須大瀉。主治七十二種疔瘡及紅絲疔等一切發背癰疽諸病等新生者可治。日久已潰者不可針。

（陰寒症）

係陰寒之疾者。分急陰寒、慢陰寒二種。男女咸有此病。急陰寒者早得晚死。慢陰寒者，七晝夜無復死。其壯大半有小便縮藏，腎子縮小，有種奇陰寒者，生長不重，又有肚脹兩小便不通者，種類不一。凡是陰寒之症，先針足三里、長強，皆瀉之，然後灸神闕，又灸中極，瀉陰谷工愈。

（痰火上湧）

針灸

第四十七頁

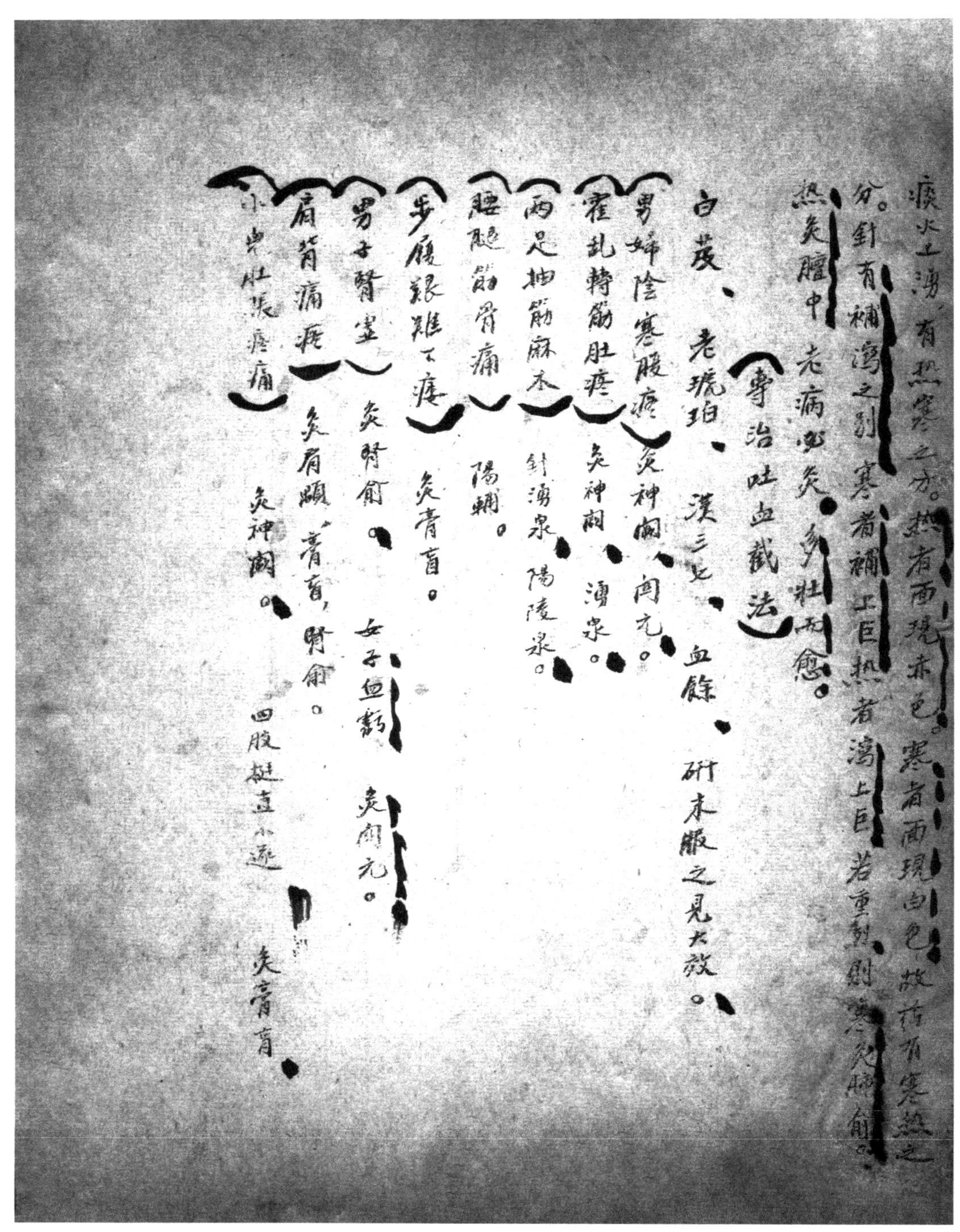

痰火上湧，有热寒之分。热者面現赤色。寒者面現白色，故針有寒熱之分。針有補瀉之別，寒者補上巨，熱者瀉上巨，若重則灸肺俞。熱灸膻中，老病必灸，多壯而愈。

（專治吐血截法）

白芨、老琥珀、漢三七、血餘，研末服之見大效。

（男婦陰寒腹疼）灸神闕、関元。

（霍乱轉筋肚疼）灸神闕、湧泉。

（兩足抽筋麻木）針湧泉、陽陵泉。

（腰腿筋骨痛）陽輔。

（步履艱難下疼）灸膏肓。

（男子腎虛）灸腎俞。女子血虧，灸関元。

（肩背痛疼）灸肩顒、膏肓、腎俞。

（小肚脹疼痛）灸神闕。四肢挺直不遂，灸膏肓。

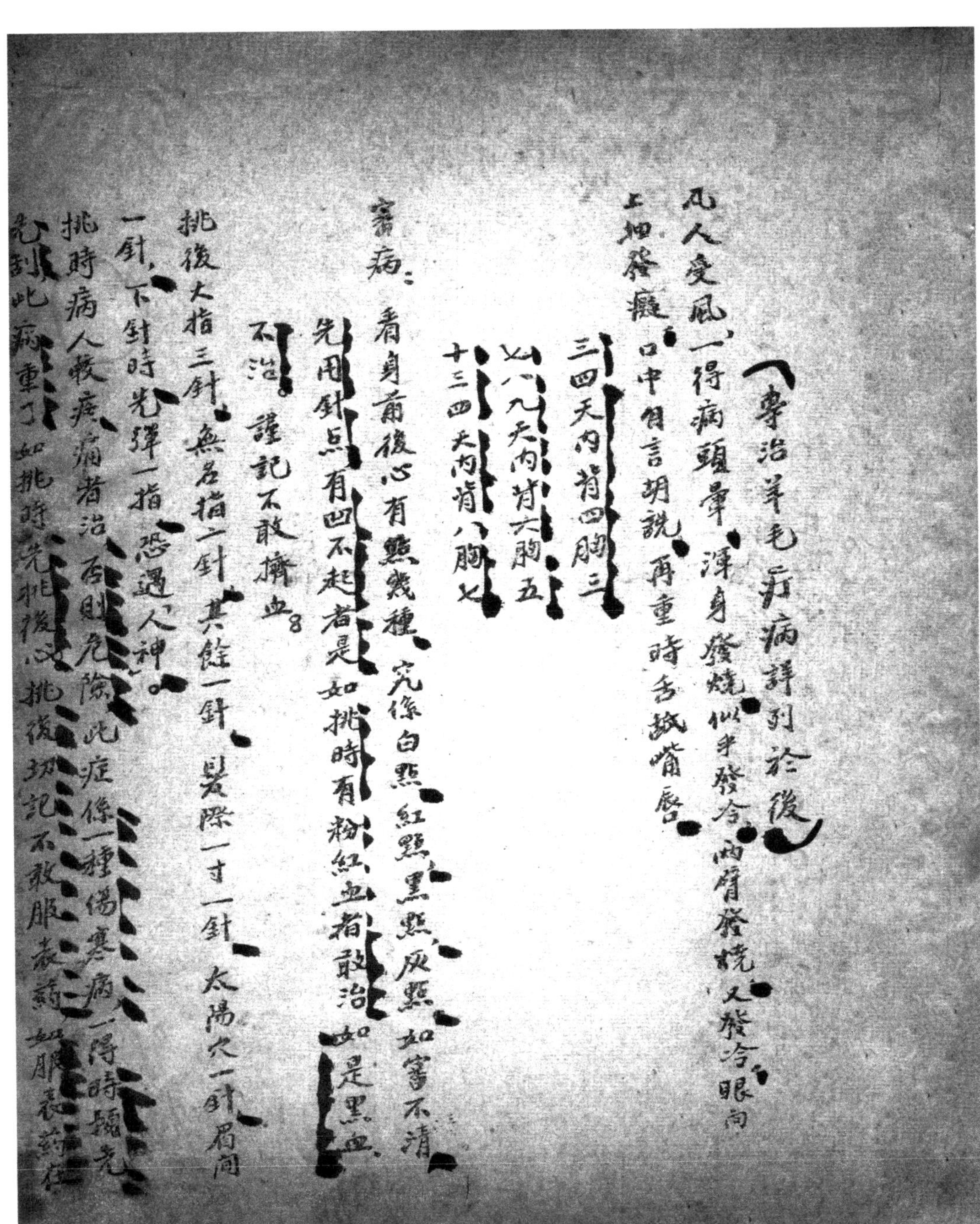

專治羊毛痧病詳列於後

凡人受風，一得病頭暈，渾身發燒，似冷發冷，兩臂發燒又發冷，眼向上细發癡，口中自言胡說，再重時舌敲嘴唇。

三四天内背四腳三
六八九天内背六腳五
十三四天内背八腳七

審病：看身前後心有點幾種，究係白點、紅點、黑點、灰點，如害不清，先用針點有凹不起者是，如挑時有粉紅血者敢治，如是黑血不治。謹記不敢擠血。

挑後大指三針，無名指二針，其餘一針，髮際一寸一針，太陽穴一針，眉間一針，下針時先彈一指，恐遇人神。

挑時病人較疼痛者治，否則危險。此症係一種傷寒病，一得時搖光，先刮此病重了，如挑時先挑後心，挑後切記不敢服表藥，如服表藥在

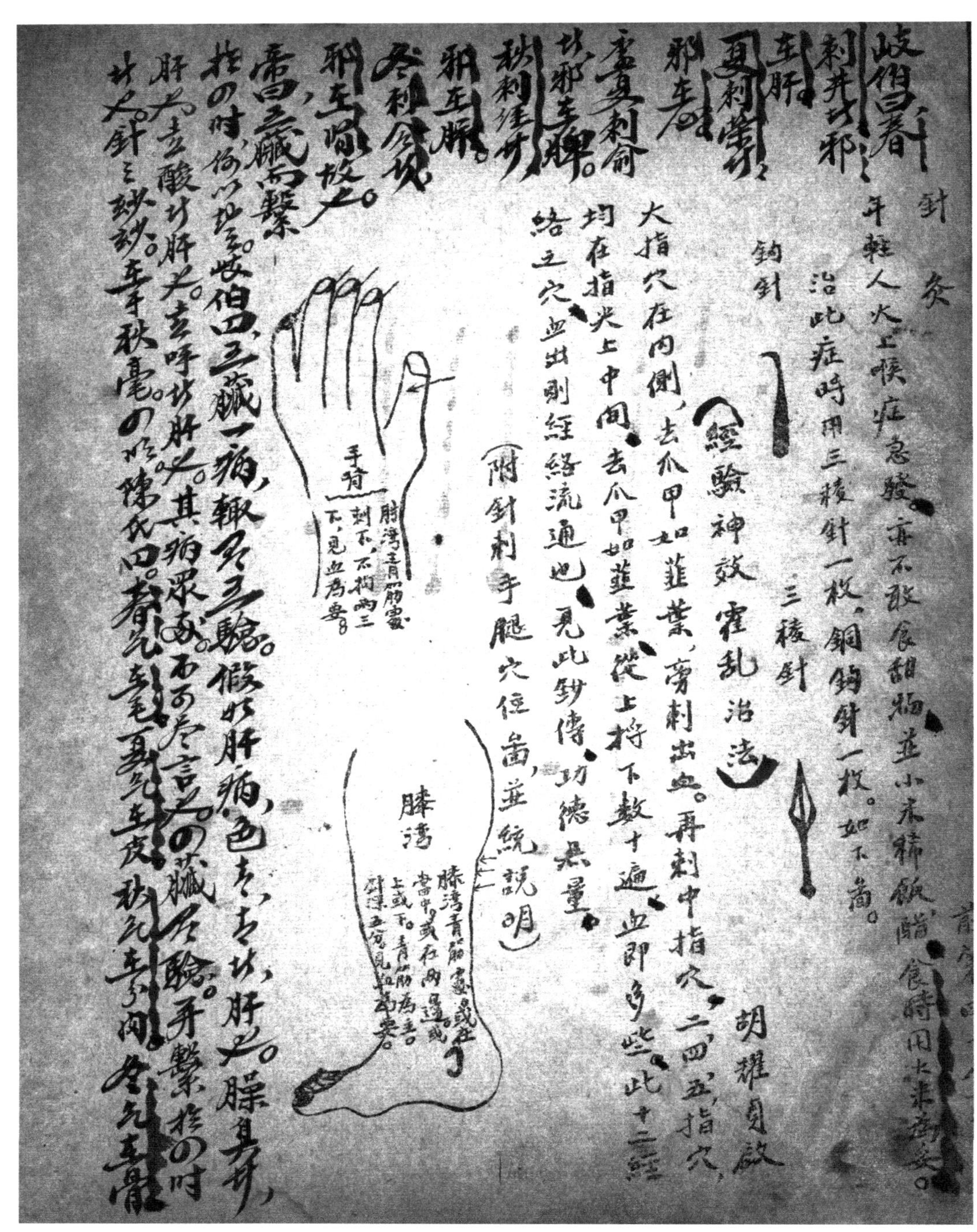

針灸

年輕人火上喉症急發，亦不敢食甜物並小米稀飯、醋，食時用大米為要。

治此症時用三稜針一枚、銅鈎針一枚。如不齒。

鈎針

三稜針

（經驗神效霍乱治法）

胡耀□啟

大指穴在內側，去爪甲如韭葉，旁刺出血。再刺中指穴，二、四、五指穴，均在指尖上中間，去爪甲如韭葉，從上捋下數十遍，血即多些。此十二經絡之穴，血出則經絡流通也。見此鈔傳，功德無量。

（附針刺手腿穴位圖，並繞說明）

岐伯曰：春刺井，以邪在肝；夏刺榮，邪在心；季夏刺俞，以邪在脾；秋刺經，以邪在肺；冬刺合，以邪在腎，故之。當言藏而繫於四时，何以故也？岐伯曰：五藏一病，輒有五驗。假如肝病，色青者肝也，臊臭者肝也，喜酸者肝也，喜呼者肝也。其病衆多，不可盡言也。四時藏有驗，并繫於四时者也。針之要妙，在于秋毫。

陳氏曰：春氣在毛，夏氣在皮，秋氣在分肉，冬氣在骨。

髓是淺深之應也。見鍼灸大成註井滎俞原經合歌中註也。

（附老子按摩法）

兩手捺股之左右，捩身二七，七遍。

兩手扶股之左右，紐肩二十七遍。

兩手抱頭之左右，扭腰二十七遍。

頭左右傾二十七遍，兩手托頭三舉。

一手抱頭，一手托膝，以頭下俯三遍，左右輪流行之。

兩手攀頭下向，同時頓足三遍。

兩手相叉向前又後退至心窩三遍。

曲腕近肋，挽肘左右各三遍。

以手着膝，挽肘覆膝上，左右各三遍。

以手摩肩，自上至下，左右同行。

兩手向空上舉三遍。

兩手相叉，反覆攪之，左右各七遍。

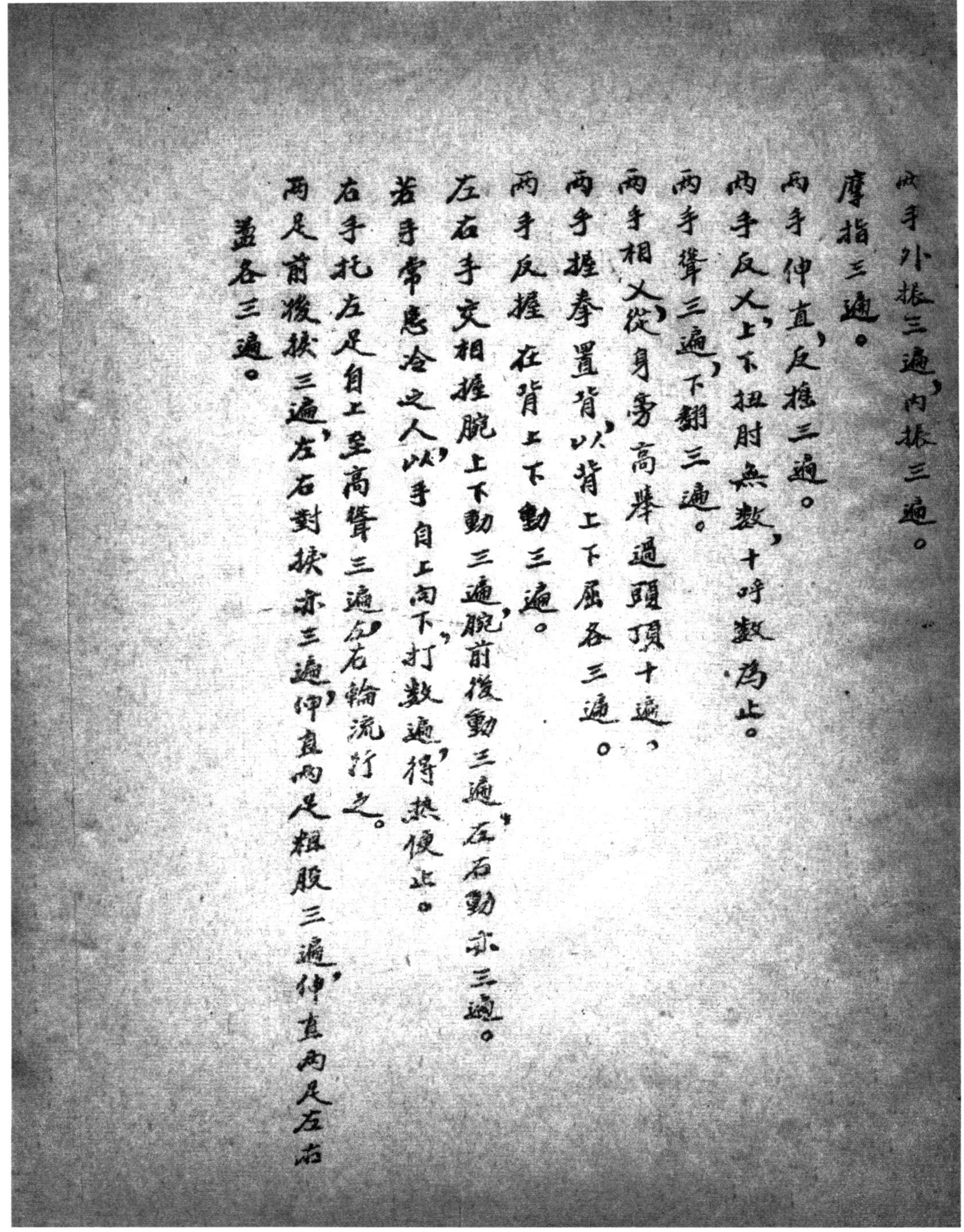

两手外振三遍，内振三遍。
摩指三遍。
两手伸直，反推三遍。
两手反叉，上下扭肘無数，十呼数為止。
两手聳三遍，下翻三遍。
两手相叉，從身旁高举過頭頂十遍。
两手握拳置背，以背上下屈各三遍。
两手反握在背上下動三遍。
左右手交相握腕上下動三遍，腕前後動三遍，左右動亦三遍。
若手常患冷之人，以手自上向下，打数遍，得熱便止。
右手托左足自上至高髀三遍，左右輪流行之。
两足前撥拔三遍，左右對拔亦三遍，伸直两足粗股三遍，伸直两足左右蓋各三遍。

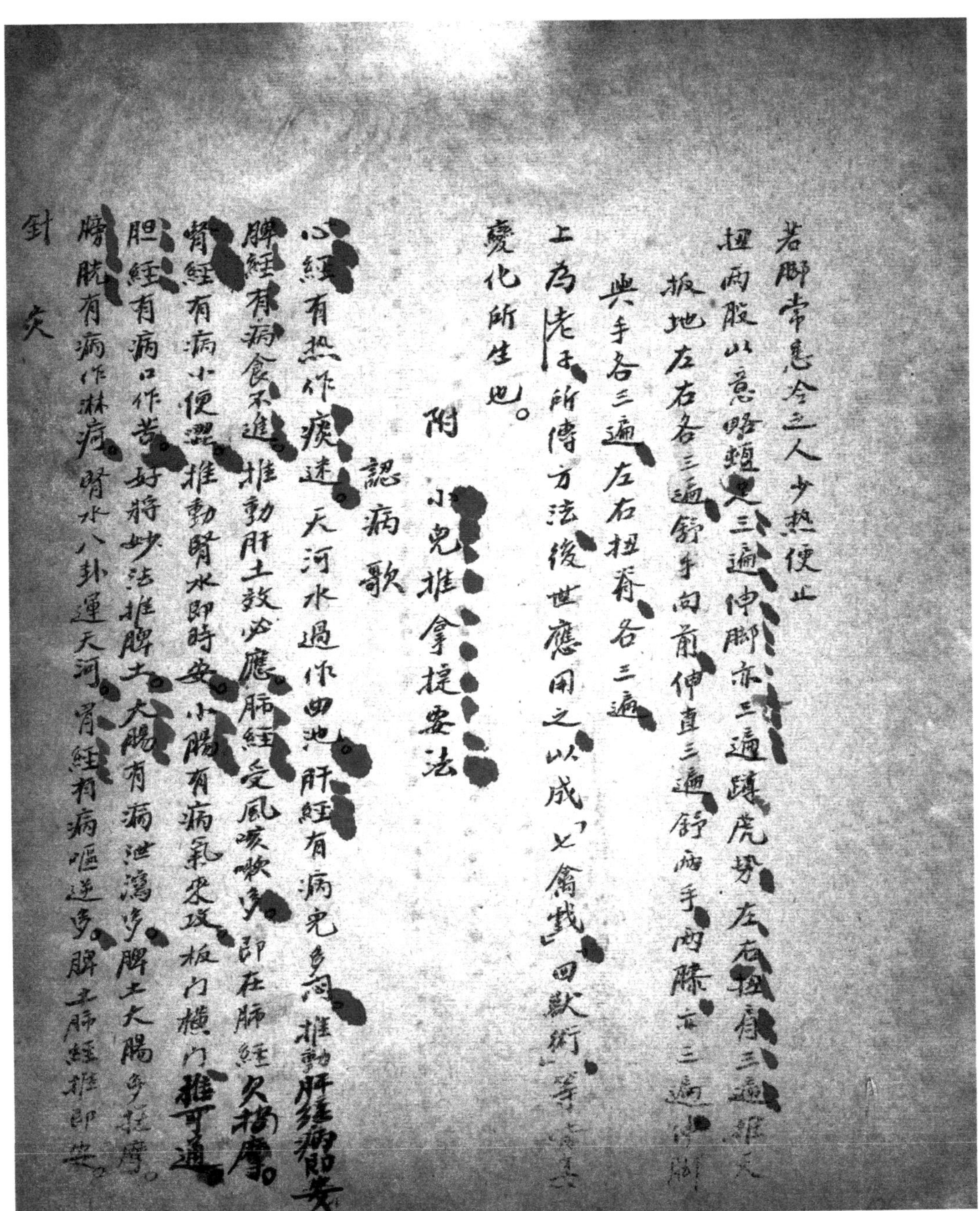

若腳常患令之人少熱便止
扭兩股以意踏蹠足三遍伸腳亦三遍踞虎勢左右扭脊三遍推天
扳地左右各三遍舒手向前伸直三遍舒兩手兩膝亦三遍伸腳
與手各三遍左右扭脊各三遍
上為老子所傳方法後世應用之以成「七禽戲」「五獸術」等亦由是
變化所生也。

附 小兒推拿捉要法

認病歌

心經有熱作痰迷　天河水過作洪池　肝經有病兒多悶　推動肝經病即安
脾經有病食不進　推動脾土效必應　肺經受風咳嗽多　即在肺經久按摩
腎經有病小便澀　推動腎水即時安　小腸有病氣來攻　板門橫門推可通
胆經有病口作苦　好將妙法推脾土　大腸有病泄瀉多　脾土大腸久搓摩
膀胱有病作淋痾　腎水八卦運天河　胃經有病嘔逆多　脾土肺經推即安

針灸

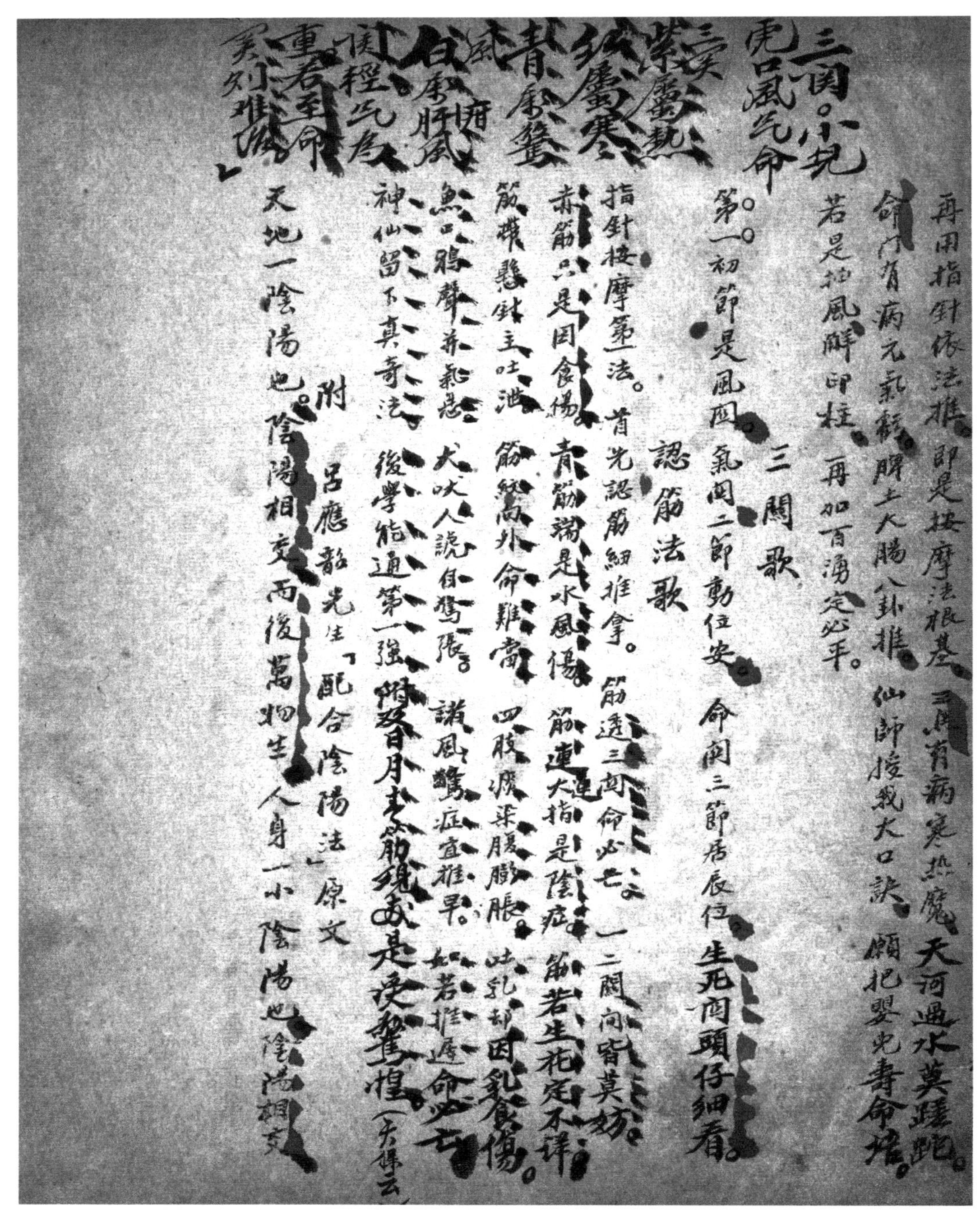

而後百病叢 陽陰互用 氣血交融 自然無病 無病則壯 其理分明 然行此功 亦借陰陽交互之義 蓋天地萬物之元機也 如此卽病 凡人身中 其陽衰者 多患瘧疾虛憊之病 宜用童子少婦依法揉之 蓋以女子外陽而內陰。借取其陽。以助我之衰。自然之理也。若陽盛陰衰者多患火病。宜用童女少男。蓋以男子外陰而內陽。借取其陰。以制我之陽盛。亦可見按摩法。用有功夫之人。或用少男幼女揉之更妙。

附 製針說明法

以百年馬口鐵打針。打時忌陰人雜犬。及空鏈打出後。錯針夫用銅絲纏上半段。再以栗炭火烤之，忌燒紅。另將蟾酥二三錢化水。俟針熱插入蟾酥內炸之響。不響無效。凡響三次。將針插入老火腿皮肉交界處。俟針一一燒好。連同火腿，及各藥。統放入罐中。以淨水浸得肉為準。文武火煮，盡水淨取出。洗淨埋入土中。三日後取出，磨用之。

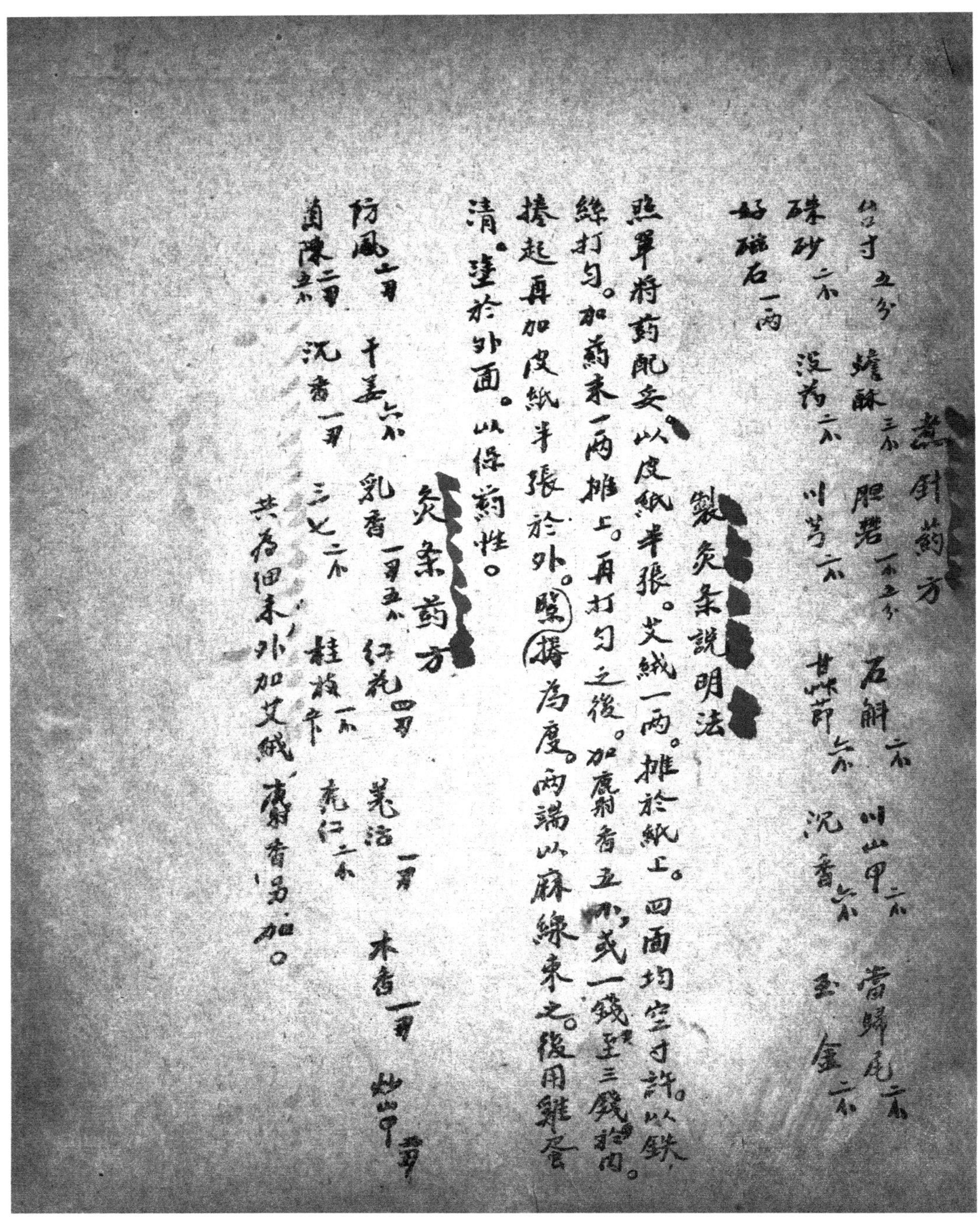

煮針葯方

台寸 五分　蟾酥 三分　胆礬 一分五分　石斛 二分　川山甲 二分　當歸尾 二分

硃砂 二分　沒葯 二分　川芎 二分　甘草節 六分　沉香 六分　玉金 二分

好磁石 一両

製灸条說明法

照單將葯配妥。以皮紙半張。艾絨一両。排於紙上。四面均空寸許。以鉄絲打勻。加葯末一両排上。再打勻之後。加麝香五分、或一錢至三錢於內。捲起再加皮紙半張於外。緊捲為度。兩端以麻線束之。後用雞蛋清。塗於外面。以保葯性。

灸条葯方

防風 一錢　干姜 六分　乳香 一錢五分　紅花 四錢　羌活 一錢　木香 一錢　山甲 一錢

茵陳 二錢五分　沉香 一錢　三七 二分　桂枝 一分　桃仁 二分

共為細末，外加艾絨，麝香另加。

謹將

張治平先生教定穴名分寸

十四經穴名詳解

手太陰肺經十一穴

由雲门至中府上直至以降旁距施圳付針灸天成穴是穹呼付

中府 手太陰由胸口至兩乳頭各四寸由乳頭外二寸由此直上三四骨間妙手針三分 灸五壯

雲門 由天突外六寸巨骨下一寸六分與中府直妙手針三分灸五壯

天府 以鼻尖點墨印于臂上所印處即是針三分禁灸

俠白 以乳頭點墨印于臂上由印處與天府直印是針四分禁灸

尺澤 胳膊彎內橫紋上筋骨陷中針八分禁灸

孔最 由經渠上七寸手心向下取之針五分

列缺 兩手交叉食指尽頭內稍側大腕骨界後取之針三分

經渠 順大指手腕處橫紋頭筋骨陷中針二分禁灸

太淵 大指根手腕上骨陷針一分禁灸

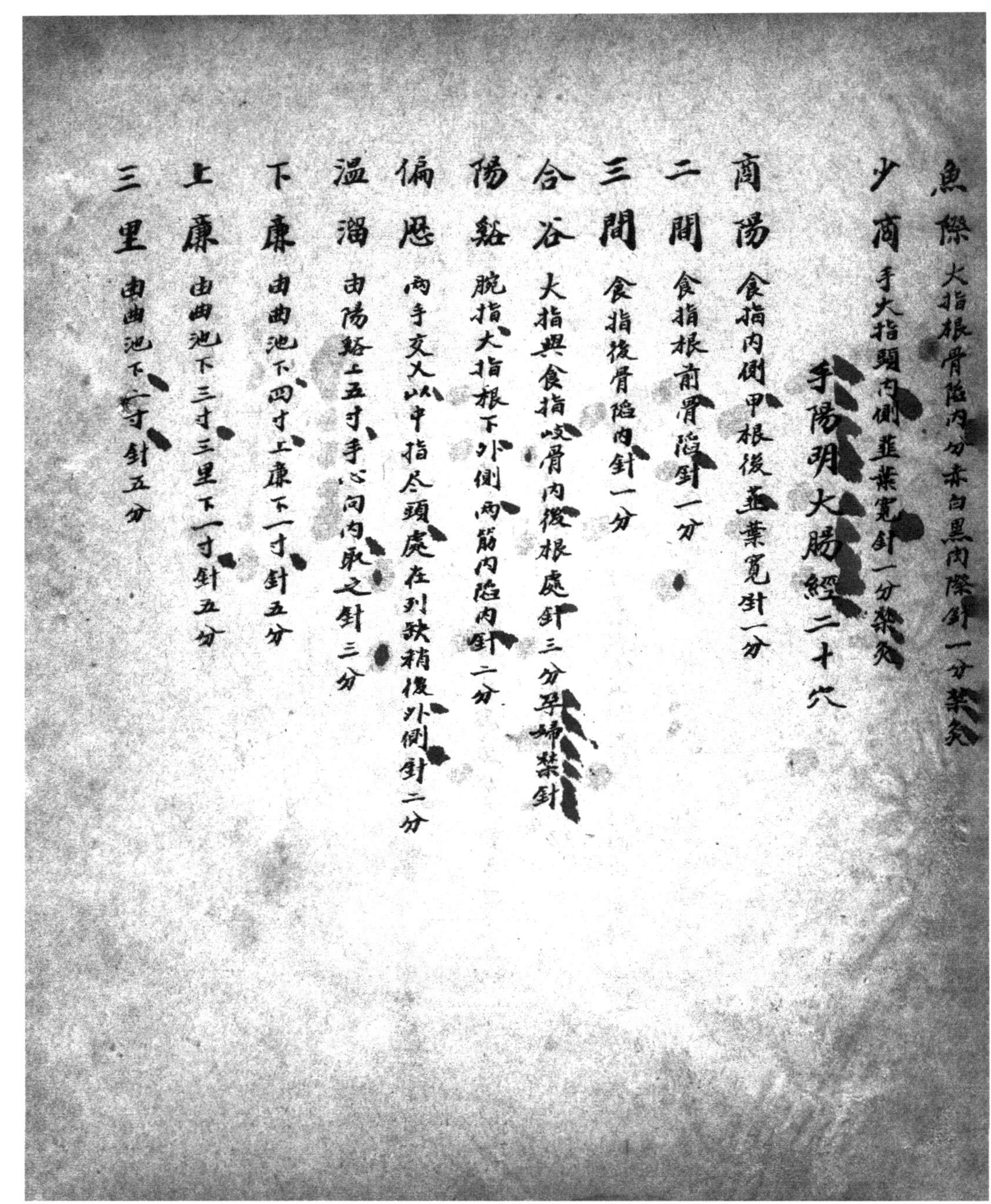

魚際　大指根骨陷内分赤白黒肉際針一分禁灸

少商　手大指頭内側韮葉寛針一分禁灸

手陽明大腸經二十穴

商陽　食指内側甲根後韮葉寛針一分

二間　食指根前骨陷針一分

三間　食指後骨陷内針一分

合谷　大指與食指岐骨内後根處針三分孕婦禁針

陽谿　腕指大指根下外側兩筋内陷内針二分

偏歷　兩手交叉以中指尽頭處在列缺稍後外側針二分

温溜　由陽谿上五寸手心向内取之針三分

下廉　由曲池下四寸上廉下一寸針五分

上廉　由曲池下三寸三里下一寸針五分

三里　由曲池下二寸針五分

曲池 曲肘上横纹头处针一寸

肘髎 由天井向外一寸五分外廉陷中妙手针三分灸二七壮

五里 曲池上二寸禁针灸

臂臑 五里上肩髃下用力握拳臂中分肉处内侧禁针灸

肩髃 肩头处三穴内为肩髃中肩髎外肩贞均在骨陷内针八分灸十四壮举臂取之

巨骨 肩头中岐骨内交叉处人字头上取妙手针三分灸宜禁针

天鼎 扶突下一寸妙手针二分灸三壮

扶突 人迎旁一寸五分妙手针二分灸三壮又名水穴

禾髎 鼻孔正下针二分禁灸

迎香 鼻旁五分针三分禁灸

足陽明胃經四十五穴

頭維 在神庭旁四寸五分本神旁一寸五分在額角入髮際針三分禁灸

下關 在耳門旁五分合口有穴開口穴閉側卧閉口取之針三分禁灸

頰車 耳下八分陷中閉口有穴開口穴無側卧開口含物取之

承泣 目下直對瞳子下陷中七分禁灸

四白 目下一寸直對瞳子禁針灸

巨髎 鼻旁八分直對瞳子平水溝針三分禁灸

地倉 口角旁四分針二分禁灸

大迎 口下頰骨旁骨陷中距角三寸許針三分禁灸

人迎 靠喉旁寸許與結喉平大動脉上禁針灸

水突 在人迎氣舍之中妙手針二分灸三壯不宜針

氣舍 在天突旁陷中直對人迎下與天突平大喉管大動脉上妙手針二分灸三壯

缺盆 直對乳頭上缺盆骨内即鎖子骨陷中妙手針三分灸二壯

氣户 上直缺盆下直乳頭一寸六分肋骨空中妙手針二分灸二壯

庫房 仝上氣户下一寸六分針二分灸五壯

屋翳 仝上庫房下一寸六分針三分灸五壯

由氣户至乳中对召中線旋玑旁付对第一直線俞府旁对但上气户至乳中各穴相距1.6寸次是第二直線之位置坊之

由不容至归来并气冲以上至下旁距脐中二寸均是二寸此是第二直线行也再接承注对第一线均是相距对针灸大成所注二是对

膺窗 仝上屋翳一寸六分针三分灸五壮

乳中 仝上膺窗下一寸六分禁针灸

乳根 以上六穴每肋空中一穴约卑一寸六分此穴在乳中下一寸六分针三分灸五壮

不容 乳根下二寸距胸口三寸与巨阙平下直肚脐外三寸乳及胸口上至天突為八寸下至肚脐亦為八寸针三分灸五壮

承满 不容下一寸针五分灸五壮 去中行二寸对上脘

梁門 承满下一寸针五分灸五壮至十四壮 去中行二寸对中脘

關門 梁門下一寸针一寸灸六壮 去中行二寸对建里

太乙 關門下一寸针一寸灸六壮 去中行二寸對下脘

滑肉門 太乙下一寸针一寸灸六壮 去中行二寸对水分

天樞 本脐旁二寸针三分灸二十一壮 去肓腧一寸五分

外陵 天樞直下一寸针一寸五分灸五壮 去中行二寸对陰交

大巨 外陵下一寸针一寸八分灸六壮 去中行二寸对石門

水道 大巨直下一寸针五分灸五壮治水臌 去中行二寸对關元

针灸

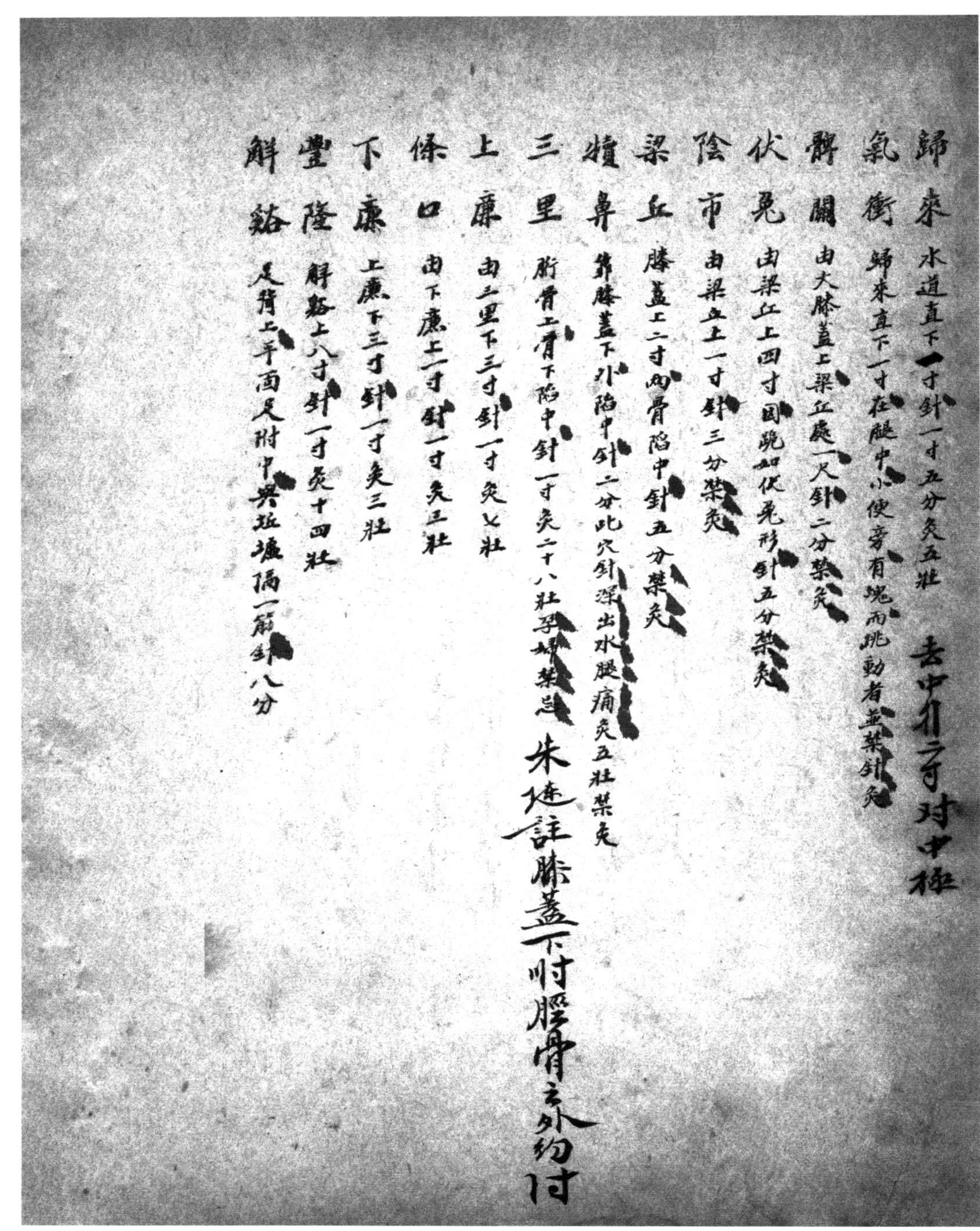

歸來　水道直下一寸針一寸五分灸五壯　去中行二寸對中極

氣衝　歸來直下一寸在腿中小便旁有塊而跳動者並禁針灸

髀關　由大膝蓋上梁丘處一尺針二分禁灸

伏兔　由梁丘上四寸圓塊如伏兔形針五分禁灸

陰市　由梁丘上一寸針三分禁灸

梁丘　膝蓋上二寸兩骨陷中針五分禁灸

犢鼻　髕膝蓋下外陷中針二分此穴針深出水腿痛灸五壯禁灸

三里　胻骨上骨下陷中針一寸灸二十八壯孕婦禁忌　朱筆註膝蓋下时脛骨之外約寸

上廉　由三里下三寸針一寸灸七壯

條口　由下廉上一寸針一寸灸三壯

下廉　上廉下三寸針一寸灸三壯

豐隆　解谿上八寸針一寸灸十四壯

解谿　足背上平面足附中與坵墟隔一筋針八分

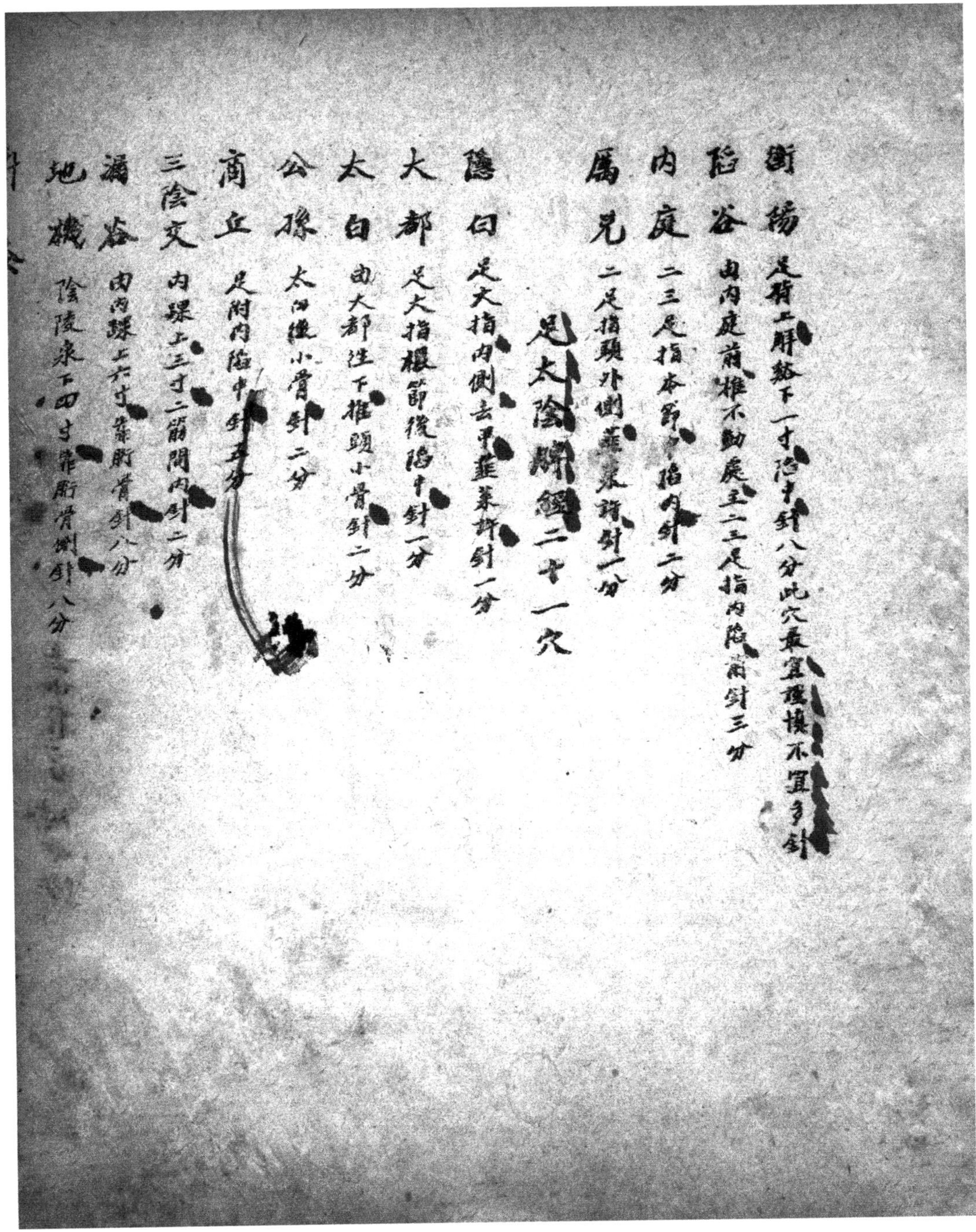

衝陽 足背上胼豁下一寸陷中針八分此穴最宜謹慎不宜多針

陷谷 由內庭前推不動處至二三足指內陷中針三分

內庭 二三足指本節前陷內針二分

厲兌 二足指頭外側韭菜許針一分

足太陰脾經二十一穴

隱白 足大指內側去甲韭菜許針一分

大都 足大指根節後陷中針一分

太白 由大都往下推頭小骨針二分

公孫 太白後小骨針二分

商丘 足附內陷中針五分

三陰交 內踝上三寸二筋間內針二分

漏谷 由內踝上六寸靠脛骨針八分

地機 陰陵泉下四寸靠脛骨側針八分

陰陵泉　膝髕內側下一寸骨下膝內針一分禁灸　朱註膝下內輔骨下陷中一針[illegible]深

血海　以手合膝蓋上用大指靠在膝內取之針一分

箕門　血海上六寸筋間動脈取之禁針灸三壯

衝門　大橫下五寸靠大腿根夾內陷縫針灸五壯

府舍　腹結下三寸針八分灸十四壯

腹結　大橫下一寸三分針一寸五分灸二十七壯

大橫　平臍旁四寸五分針一寸灸二十壯

腹哀　巨闕旁四寸五分為期門下一寸五分為日月下一寸五分為腹哀針五分灸五壯

食竇　天谿下一寸六分針五分灸五壯

天谿　胸鄉下一寸六分針三分灸五壯

胸鄉　周榮下一寸六分針三分灸五壯

周榮　中府下一寸六分針三分灸五壯

大包　腋下六寸針二分灸三壯

由周榮至食竇主下一寸臑中第[illegible]付針灸大成上具註付於胸中第[illegible]五[illegible]之

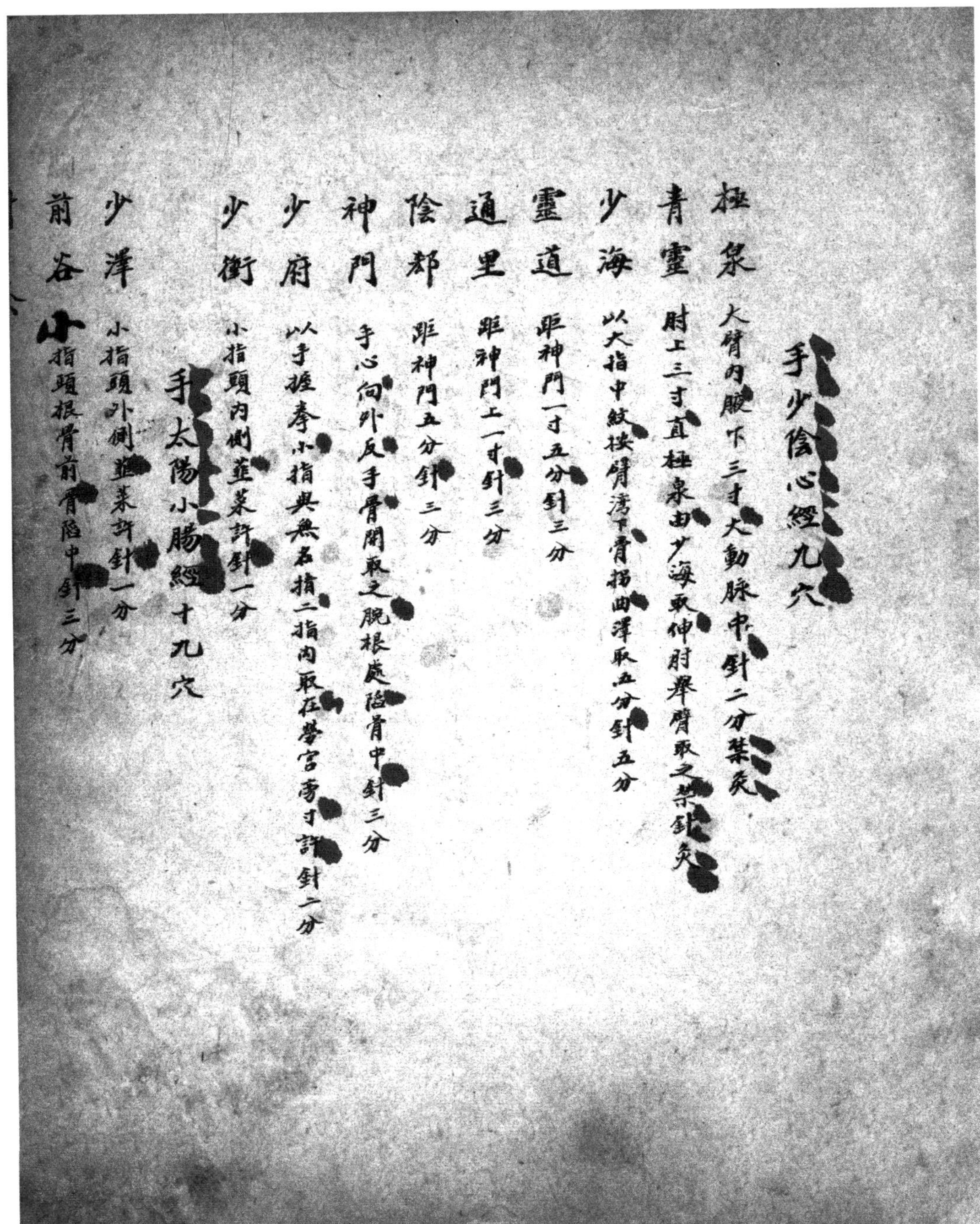

手少陰心經九穴

極泉 大臂内腋下三寸大動脉中針二分禁灸

青靈 肘上三寸直極泉由少海取伸肘舉臂取之禁針灸

少海 以大指中紋按臂湾下骨捐曲澤取五分針五分

靈道 距神門一寸五分針三分

通里 距神門上一寸針三分

陰郄 距神門五分針三分

神門 手心向外反手骨間取之腕根處陷骨中針三分

少府 以手握拳小指與無名指二指内取在勞宫旁寸許針二分

少衝 小指頭内側韭菜許針一分

手太陽小腸經十九穴

少澤 小指頭外側韭菜許針一分

前谷 小指頭根骨前骨陷中針三分

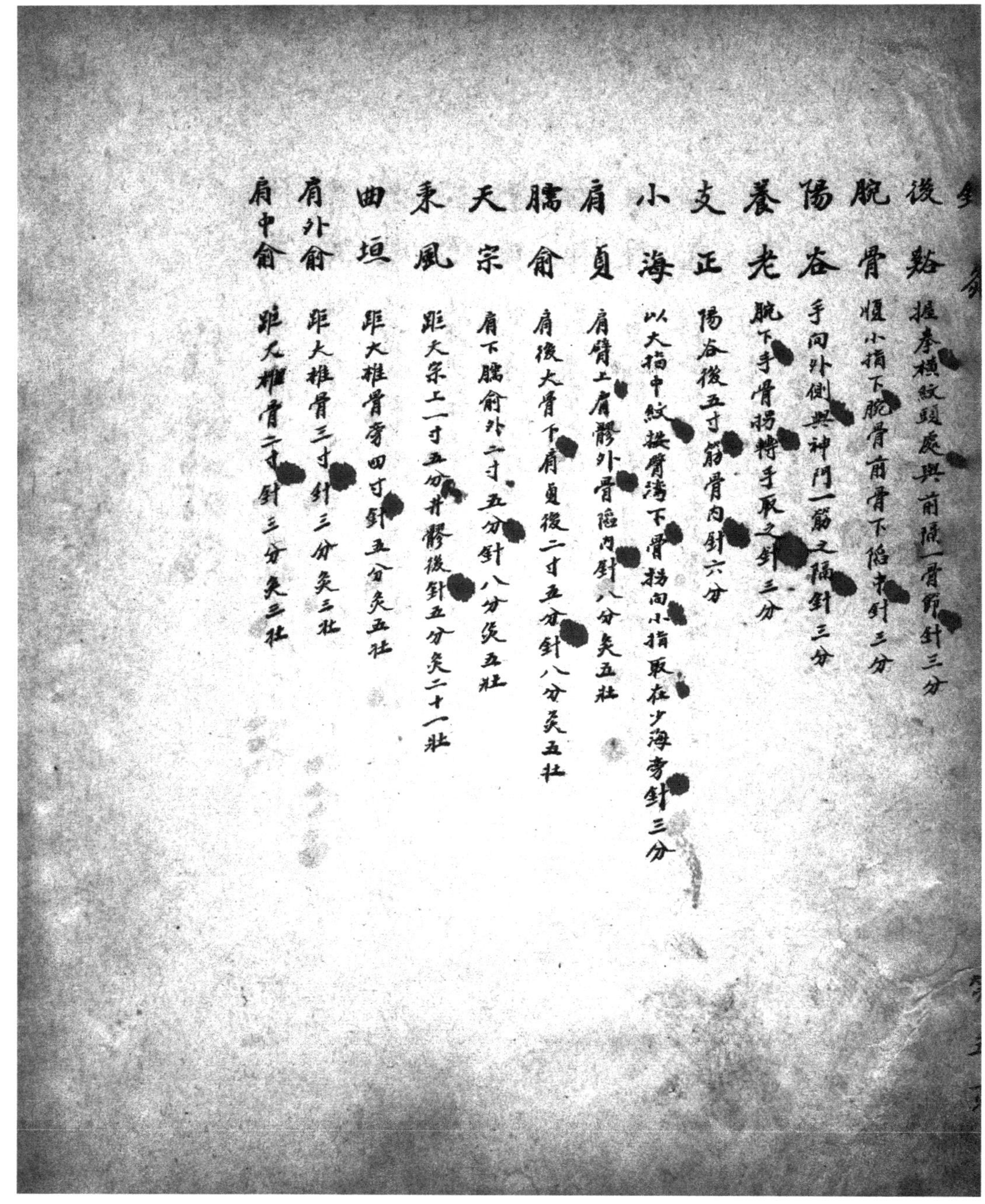

後谿　握拳橫紋頭處與前陷一骨節針三分

腕骨　[illegible]小指下腕骨前骨下陷中針三分

陽谷　手內外側與神門一筋之隔針三分

養老　腕下手骨踝轉手取之針三分

支正　陽谷後五寸筋骨內針六分

小海　以大指中紋按臂灣下骨踝內小指取在少海旁針三分

肩貞　肩臂上肩髎外骨陷內針八分灸五壯

臑俞　肩後大骨下肩貞後二寸五分針八分灸五壯

天宗　肩下臑俞外二寸五分針八分灸五壯

秉風　距天宗上一寸五分井髎後針五分灸二十一壯

曲垣　距大椎骨旁四寸針五分灸五壯

肩外俞　距大椎骨三寸針三分灸三壯

肩中俞　距大椎骨二寸針三分灸三壯

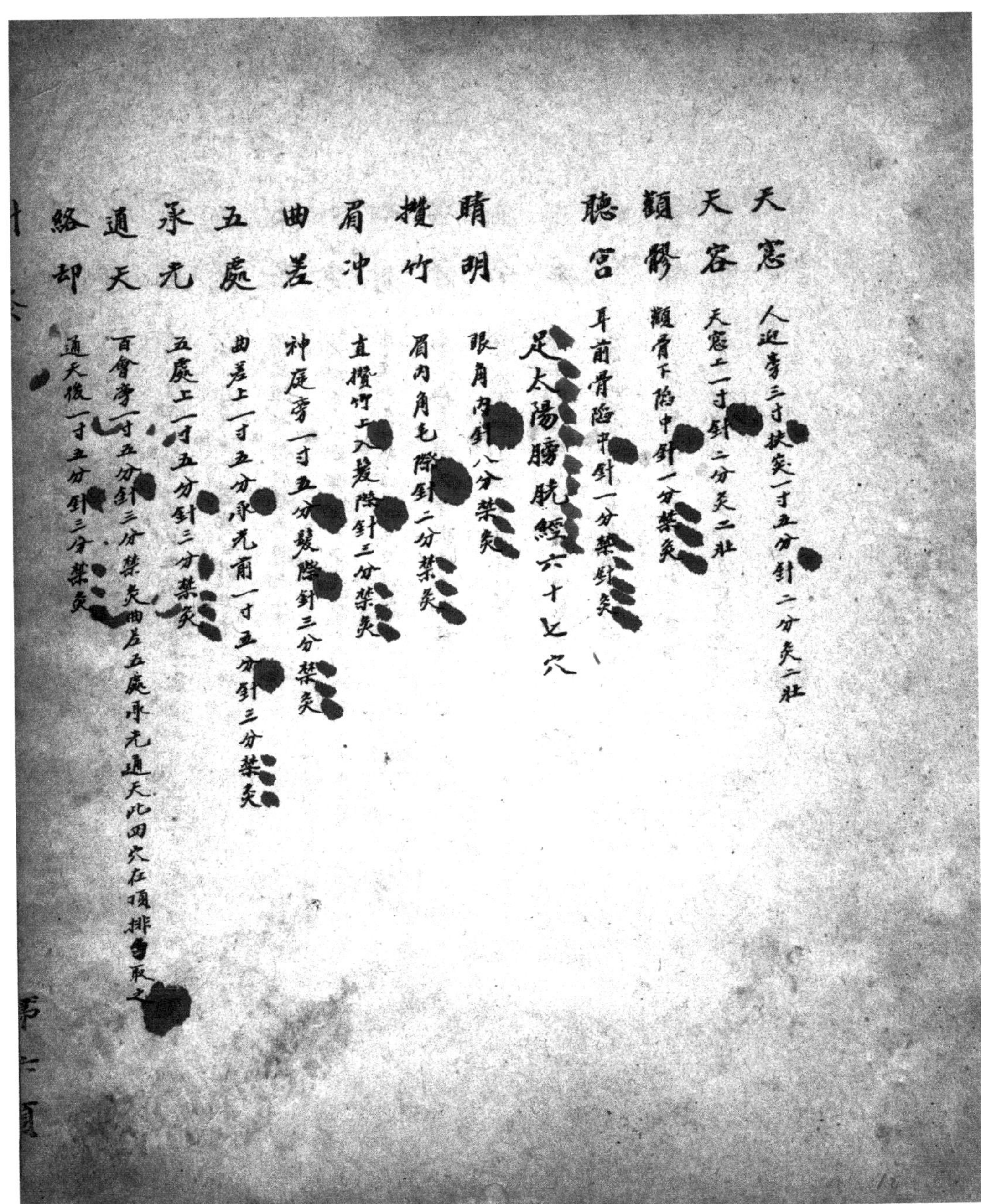

天窓　人迎旁三寸扶突一寸五分針二分灸二壮

天容　天窓上一寸針二分灸二壮

顴髎　顴骨下陷中針一分禁灸

聽宮　耳前骨陷中針一分禁針灸

足太陽膀胱經六十七穴

睛明　眼角内針八分禁灸

攢竹　眉内角毛際針二分禁灸

眉冲　直攢竹上入髮際針三分禁灸

曲差　神庭旁一寸五分髮際針三分禁灸

五處　曲差上一寸五分承光前一寸五分針三分禁灸

承光　五處上一寸五分針三分禁灸

通天　百會旁一寸五分針三分禁灸曲差五處承光通天此四穴在頂排匀取之

絡却　通天後一寸五分針三分禁灸

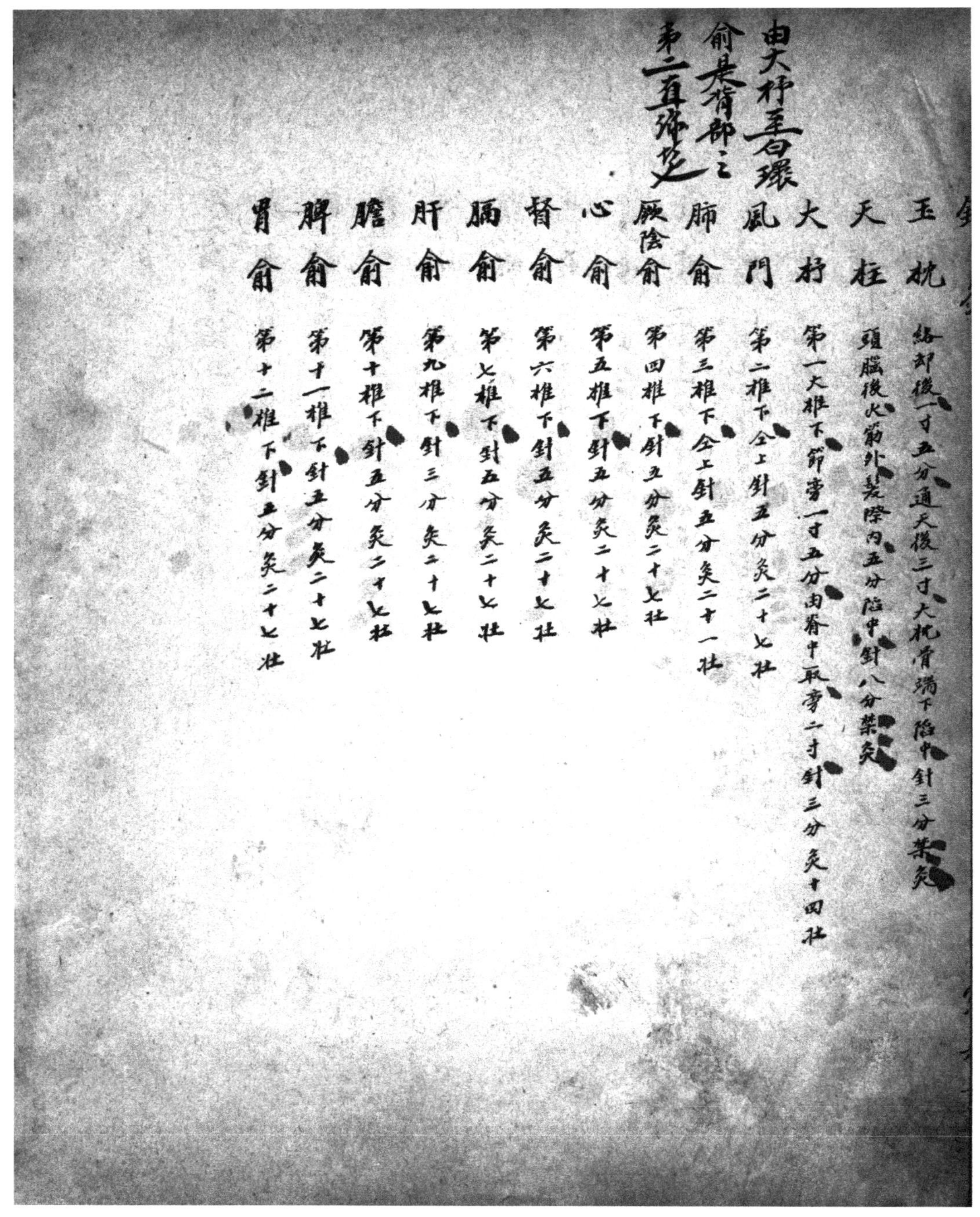

玉枕　絡卻後一寸五分通天後三寸大枕骨端下陷中針三分禁灸

天柱　頭腦後火筋外髮際內五分陷中針八分禁灸

由大杼至白環俞是背部之第二直線也

大杼　第一大椎下節旁一寸五分由脊中取旁二寸針三分灸十四壯

風門　第二椎下仝上針五分灸二十七壯

肺俞　第三椎下仝上針五分灸二十一壯

厥陰俞　第四椎下針五分灸二十七壯

心俞　第五椎下針五分灸二十七壯

督俞　第六椎下針五分灸二十七壯

膈俞　第七椎下針五分灸二十七壯

肝俞　第九椎下針三分灸二十七壯

膽俞　第十椎下針五分灸二十七壯

脾俞　第十一椎下針五分灸二十七壯

胃俞　第十二椎下針五分灸二十七壯

三焦俞 第十三椎下針五分灸二十七壮

腎俞 第十四椎下針五分灸二十七壮

氣海俞 第十五椎下針五分灸二十七壮

大腸俞 第十六椎下針五分灸二十七壮

関元俞 第十七椎下針五分灸二十七壮

小腸俞 第十八椎下針五分灸二十七壮

膀胱俞 第十九椎下針五分灸二十七壮

中膂俞 第二十椎下針五分灸二十七壮

白環俞 第二十一椎下針五分灸二十七壮

上髎 本関元俞内收五分十七椎下節外針八分灸二十一壮

次髎 平小腸俞内收五分十八椎下節外針八分灸二十一壮

中髎 本膀胱俞内收五分十九椎下節外針八分灸二十一壮

下髎 中膂俞内收五分二十椎下節外針八分灸二十一壮

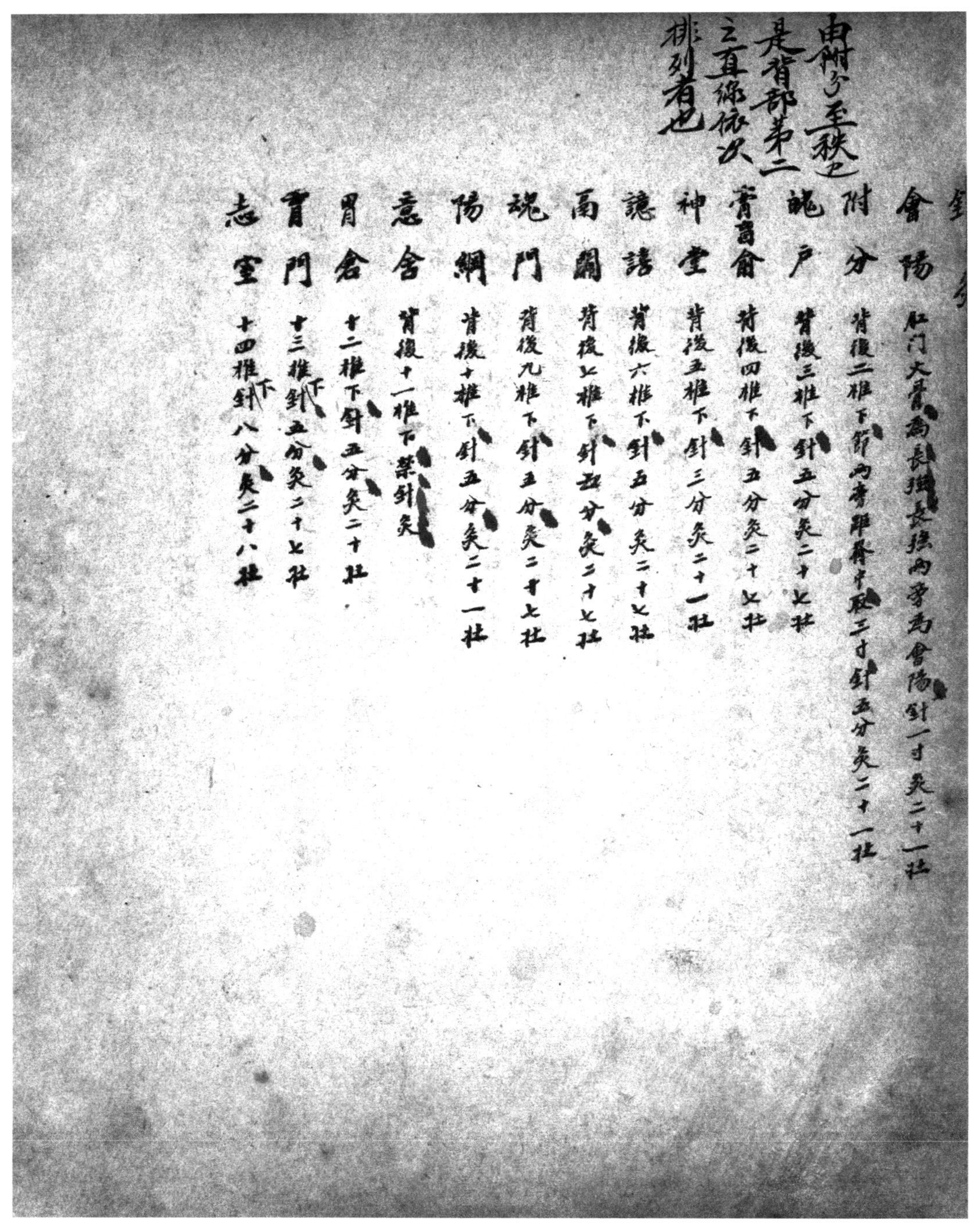

會陽　肛門大骨爲長強長強兩旁爲會陽針一寸灸二十一壯

由附分至秩邊是背部第二之直線依次排列者也

附分　背後二椎下節兩旁距脊中取三寸針五分灸二十一壯

魄戶　背後三椎下針五分灸二十七壯

膏肓俞　背後四椎下針五分灸二十七壯

神堂　背後五椎下針三分灸二十一壯

譩譆　背後六椎下針五分灸二十七壯

鬲關　背後七椎下針五分灸二十七壯

魂門　背後九椎下針五分灸二十七壯

陽綱　背後十椎下針五分灸二十一壯

意舍　背後十一椎下禁針灸

胃倉　十二椎下針五分灸二十壯

肓門　十三椎下針五分灸二十七壯

志室　十四椎下針八分灸二十八壯

胞肓　十九椎下針五分灸二十七壮

秩邊　二十椎下針一寸灸五壮

承扶　臀下陽股上横紋中針一寸禁灸

殷門　承扶下六寸針八分禁灸

浮郄　委陽上一寸針八分禁灸

委陽　平委中外約一寸兩筋中針一寸五分禁灸

委中　膕中央二筋内横紋中針二寸禁灸

合陽　委中直下二寸針一寸五分禁灸

承筋　小腿肚企紋上又人字紋頭上又脚跟上七寸承山上一寸禁針灸七壮

承山　承筋下一寸企足人紋下陷中針一寸灸七壮針時承筋切記分清否則有大碍

飛揚　外踝上七寸針一寸灸十四壮

跗陽　外踝上三寸針一寸

崑崙　外踝後五分脚骨拗中針八分

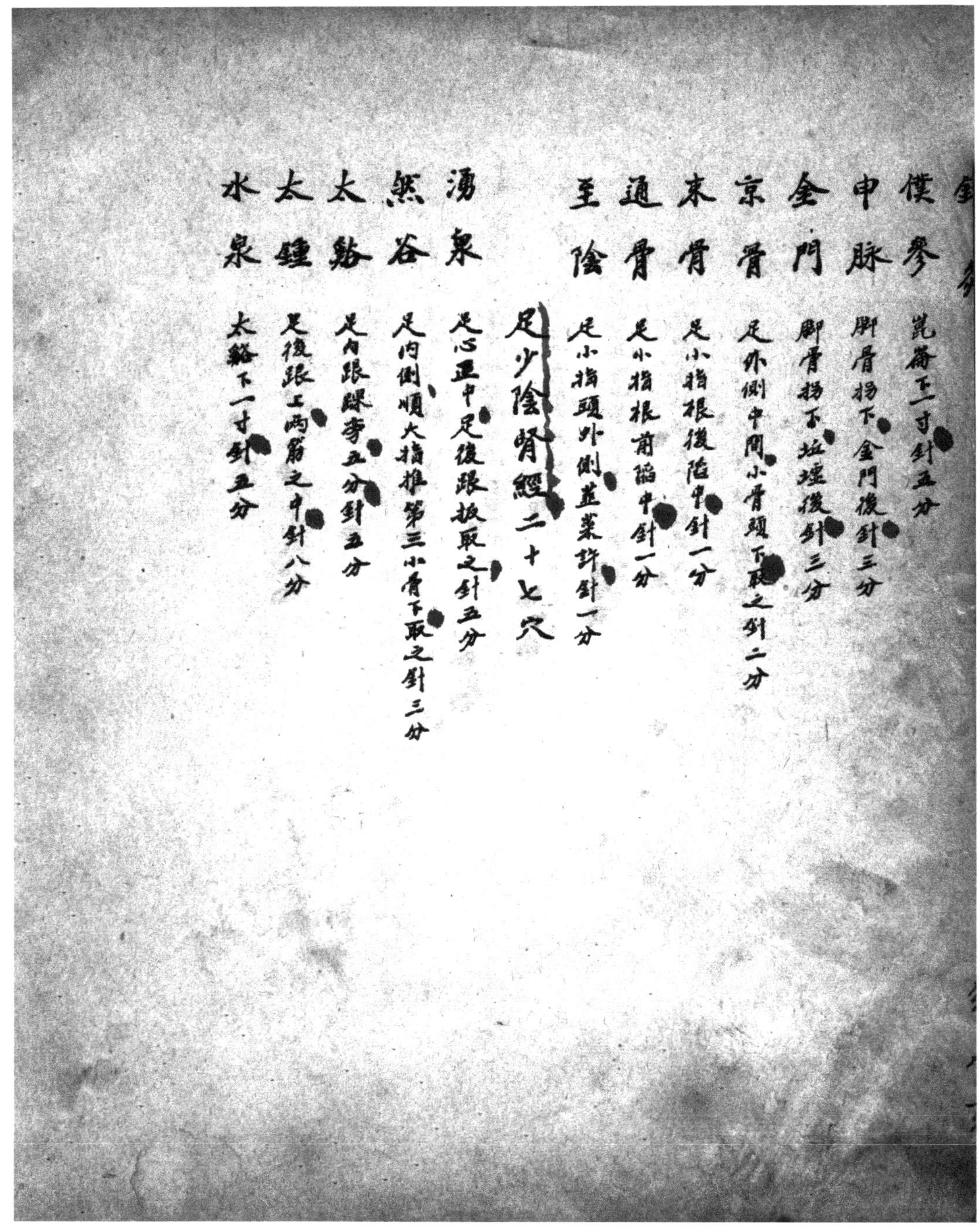

僕參　崑崙下一寸針五分

申脈　脚骨揚下金門後針三分

金門　脚骨揚下坵墟後針三分

京骨　足外側中間小骨頭下取之針二分

束骨　足小指根後陷中針一分

通骨　足小指根前陷中針一分

至陰　足小指頭外側韮葉許針一分

足少陰腎經二十七穴

湧泉　足心正中足後跟拔取之針五分

然谷　足內側順大指推第三小骨下取之針三分

太谿　足內跟踝旁五分針五分

太鍾　足後跟上兩筋之中針八分

水泉　太谿下一寸針五分

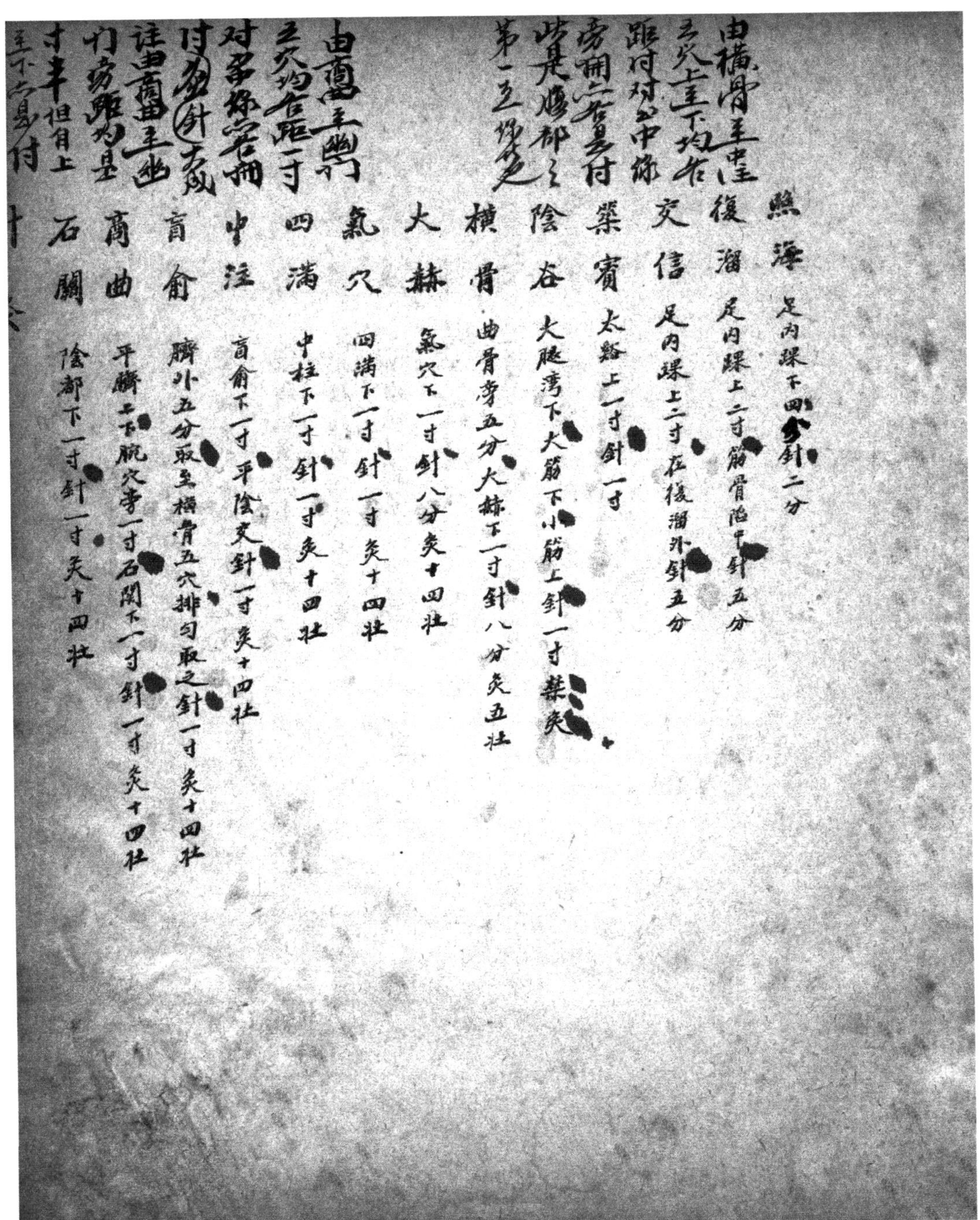

由横骨至中注
六穴上至下均各
距寸对正中線
旁開六分各付
此是腹部之
第一至線走

照海 足内踝下四分 針二分
復溜 足内踝上二寸筋骨陷中 針五分
交信 足内踝上二寸在復溜外 針五分
築賓 太谿上一寸 針一寸
陰谷 大腿湾下大筋下小筋上 針一寸 禁灸
横骨 曲骨旁五分大赫下一寸 針八分 灸五壮
大赫 氣穴下一寸 針八分 灸十四壮
氣穴 四満下一寸 針一寸 灸十四壮
四満 中柱下一寸 針一寸 灸十四壮
中注 肓俞下一寸平陰交 針一寸 灸十四壮
肓俞 臍外五分取至横骨五穴排匀取之 針一寸 灸十四壮
商曲 平臍上下脘穴旁一寸石関下一寸 針一寸 灸十四壮
石關 陰都下一寸 針一寸 灸十四壮

由商曲至幽門
六穴均在距一寸
对正中線各開
付多針灸
注由商曲至幽
門旁距均是
寸半 但自上
至下六穴多付

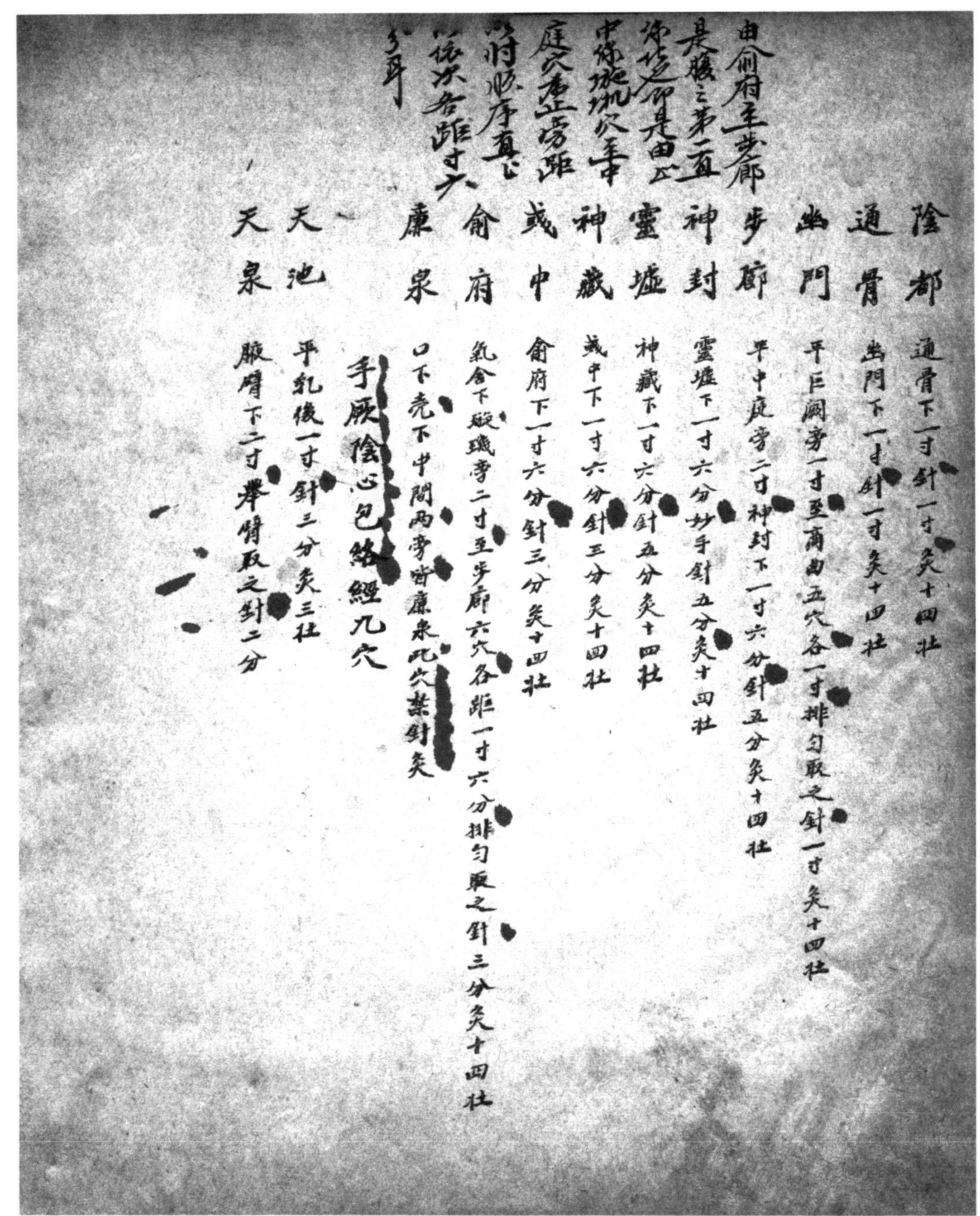

由俞府至步廊是腹之第二直綫也即是由正中線璇璣穴華庭穴旁並旁距府順序直下依次各距寸六分耳

陰都 通骨下一寸針一寸灸十四壯

通骨 幽門下一寸針一寸灸十四壯

幽門 平巨闕旁一寸至商曲五穴各一寸排勻取之針一寸灸十四壯

步廊 平中庭旁二寸神封下一寸六分針五分灸十四壯

神封 靈墟下一寸六分妙手針五分灸十四壯

靈墟 神藏下一寸六分針五分灸十四壯

神藏 彧中下一寸六分針三分灸十四壯

彧中 俞府下一寸六分針三分灸十四壯

俞府 氣舍下璇璣旁二寸至步廊六穴各距一寸六分排勻取之針三分灸十四壯

廉泉 口下亮下中間兩旁皆廉泉此穴禁針灸

手厥陰心包絡經九穴

天池 平乳後一寸針三分灸三壯

天泉 腋臂下二寸舉臂取之針二分

曲澤　臂灣下横紋頭針一寸五分

郄門　大陵後五寸針一寸

間使　大陵後三寸針一寸五分

内關　大陵後二寸針一寸五分孕婦禁忌

大陵　掌後横紋中間靠筋骨取之針五分

勞宫　以手握拳取中指與無名指中在手心中針二分

中衝　中指頭内端中去韮菜許針一分

手少陽三焦二十三穴

關衝　無名指頭外側韮菜寬針一分

液門　無名指與小指下交叉窩兩節中針二分

中渚　由液門往腕推之不動在手背陷中針二分

陽池　手背腕中对中指無名指二指筋交叉窩取針二分

外關　由陽池上二寸針一寸五分

支溝 由陽池上三寸針一寸五分

會宗 平支溝外一寸 禁針灸三壯

三陽絡 陽池上四寸禁針灸三壯

四瀆 陽池上五寸 禁針灸三壯

天井 以手摸肩大臂腕上一寸二分大骨陷中針一寸灸十四壯

清冷淵 天井上一寸 禁針灸十四壯

消濼 一指按清冷淵一指按臑會此穴居中禁針灸十四壯

臑會 與肩臑对一大肉左内外禁針灸五壯

肩髎 與肩髃肩頭平此穴居中針八分灸五壯

天髎 肩井上一寸禁針灸六壯

天牖 一指按天容一指按天注此穴居中針八分灸五壯

翳風 耳垂下開口有空開口取之針一寸五分禁灸針深人啞

瘈脉 耳後雞足筋間禁針灸

顱息 耳後青筋在瘈脉上禁針灸

角孫 耳上捲耳取之開口有空禁針灸

絲竹空 眉旁五分陷中針一寸禁灸

和髎 耳前髮際橫脉中名太陽筋處禁針灸

耳門 聽宮上五分針六分禁灸不針爲妙

足少陽膽經四十四穴

瞳子髎 目旁五分陷中針五分禁灸

聽會 耳微前聽宮下針三分禁灸不針爲妙

客主人 即上關耳前骨上開口有穴與下關隔一骨針二分禁灸

頷厭 以一指按頭維以一指按曲鬢頷厭懸顱懸釐皆在其中排勻取之針二分禁灸

懸顱 仝上註

懸釐 仝上註

曲鬢 捲耳取之直耳尖上針二分禁灸

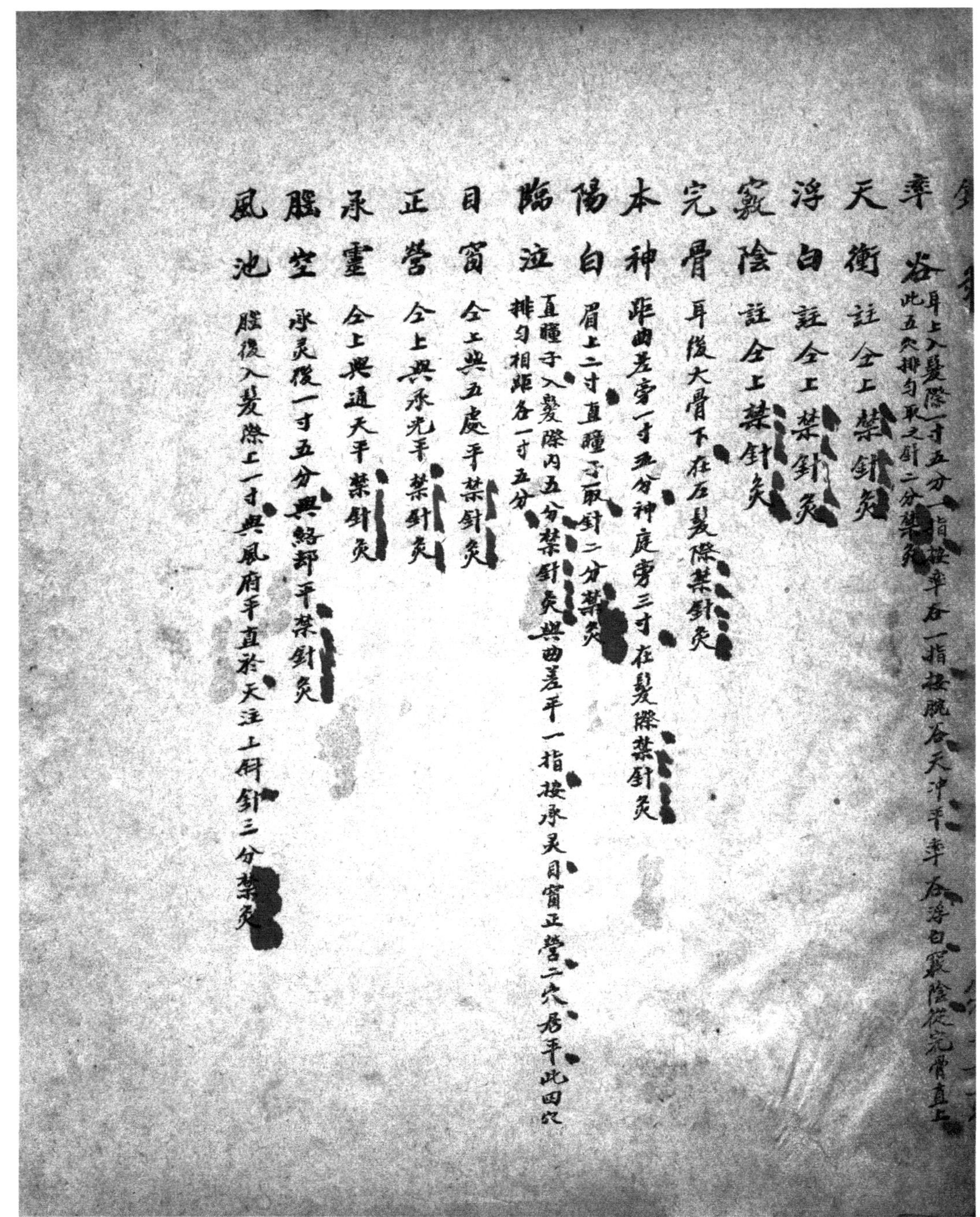

率谷　耳上入髮際一寸五分一指按率谷一指按腕谷天冲平率谷浮白竅陰從完骨直上此五穴排匀取之針二分禁灸

天衝　註仝上禁針灸

浮白　註仝上禁針灸

竅陰　註仝上禁針灸

完骨　耳後大骨下在左髮際禁針灸

本神　距曲差旁一寸五分神庭旁三寸在髮際禁針灸

陽白　眉上二寸直瞳子取針二分禁灸

臨泣　直瞳子入髮際內五分禁針灸與曲差平一指按承灵目窗正營二穴居平此四穴排匀相距各一寸五分

目窗　仝上與五處平禁針灸

正營　仝上與承光平禁針灸

承靈　仝上與通天平禁針灸

腦空　承灵後一寸五分與絡郄平禁針灸

風池　腦後入髮際上一寸與風府平直於天注上取針三分禁灸

肩井　肩中陷以三个指按肩上以中為主取之針五分 針深氣絶不針為妙

淵液　腋下三寸大包上三寸針三分禁灸

輒筋　腋下三寸向淵液内一寸針三分禁灸

日月　期门下一寸五分針五分灸三壮

京門　屈肘靠肚旁監骨下取之針五分灸三壮

帶脉　京门下一寸八分臍上二分旁七寸五分針二分灸三壮

五樞　帶脉下三寸京门下四寸八分針三分灸五壮

維道　五樞下五分京门下五寸三分針五分灸五壮

居髎　環跳上一寸京门下八寸三分針五分灸十四壮

環跳　腳根向後屈至股臀上大骨陷中伸腿則無穴切記不能伸腿針三分灸二十八壮

風市　手下垂挾腿旁中指尽頭處針一寸灸十四壮

中瀆　髀外膝旁上五寸針五分灸二十一壮

陽關　屈腿於膝旁橫紋頭邊用墨点記愛作記伸腿取穴陽陵泉上三寸犢鼻外陷中　針五分禁灸

針灸

陽陵泉　犢鼻下大骨大骨下小骨拐內靠斷骨外廉針二寸灸八壯

陽交　足外踝上七寸骨內筋中針一寸

外丘　足外踝上七寸陽交外一寸針一寸

光明　足外踝上五寸骨筋中針五分

陽輔　足外踝上四寸針五分

懸鐘　足外踝上三寸此處是絕骨有骨空抹之如骨斷無針三分

坵墟　足外踝內骨陷中與解谿一筋之隔針三分

臨泣　足小指與四指本節後筋外陷中與地五會一筋之隔針一分此穴刺時須仔細抹清切記勿誤刺地五會否則危矣

地五會　與臨泣同一筋之隔在筋內與俠谿一寸此穴切記針灸

俠谿　在四足指與小指岐骨內針一分

竅陰　足四指頭外韮菜寬許針一分

足厥陰肝經　十三穴

大敦　足大指毛叢中以手拿天足指往外一拉往下一按靠節前內外陷中針一分

行間　足大指與次指岐骨間針一分

大衝　由行間往上推不動陷骨中針三分　在行間後二寸

中封　與解谿一筋之隔在踝旁筋内在商邱前針三分

蠡溝　内踝上五寸由中封取靠胻骨針五分

中都　内踝上七寸靠胻骨内針五分

膝關　对犢鼻膝蓋内側骨陷中禁針灸五壮

曲泉　曲膝内横紋頭針一寸

陰包　曲泉上四寸大骨下針一寸

五里　氣衝下三寸禁針灸五壮

陰廉　氣衝下二寸禁針灸五壮

急脉　曲骨旁三寸與子宫離不多遠禁針灸剌婦人可十四壮生子

章門　平下脘外六寸針二寸灸七壮

期門　平巨闕外四寸五分針五分灸七壮

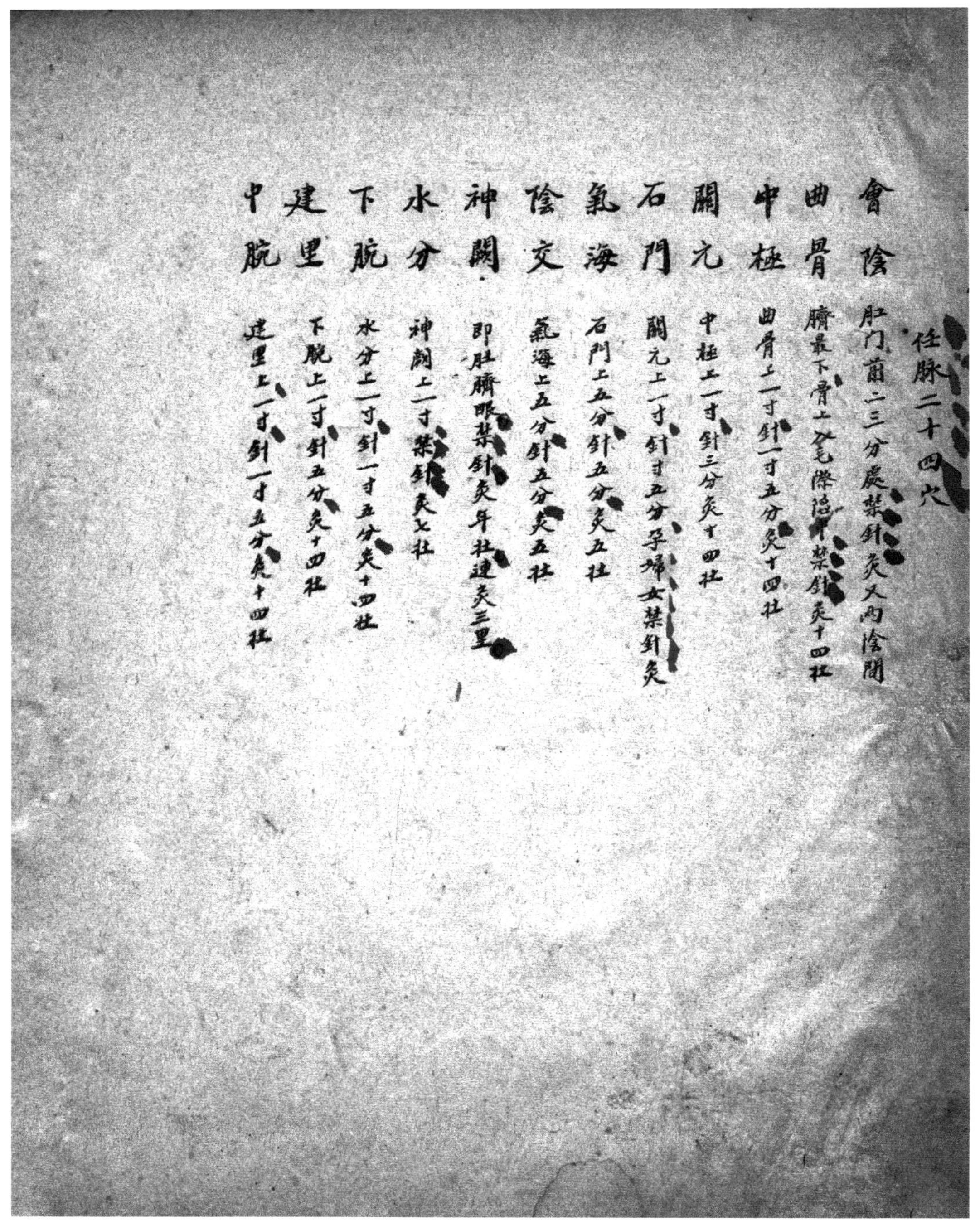

任脉二十四穴

會陰 肛门前二三分㞜禁針灸又两陰間

曲骨 臍最下骨上毛際陷中禁針灸十四壮

中極 曲骨上一寸針一寸五分灸十四壮

關元 中極上一寸針三分灸十四壮

石門 關元上一寸針寸五分孕婦女禁針灸

氣海 石門上五分針五分灸五壮

陰交 氣海上五分針五分灸五壮

神闕 即肚臍眼禁針灸年壮連灸三里

水分 神闕上一寸禁針灸七壮

下脘 水分上一寸針一寸五分灸十四壮

建里 下脘上一寸針五分灸十四壮

中脘 建里上一寸針一寸五分灸十四壮

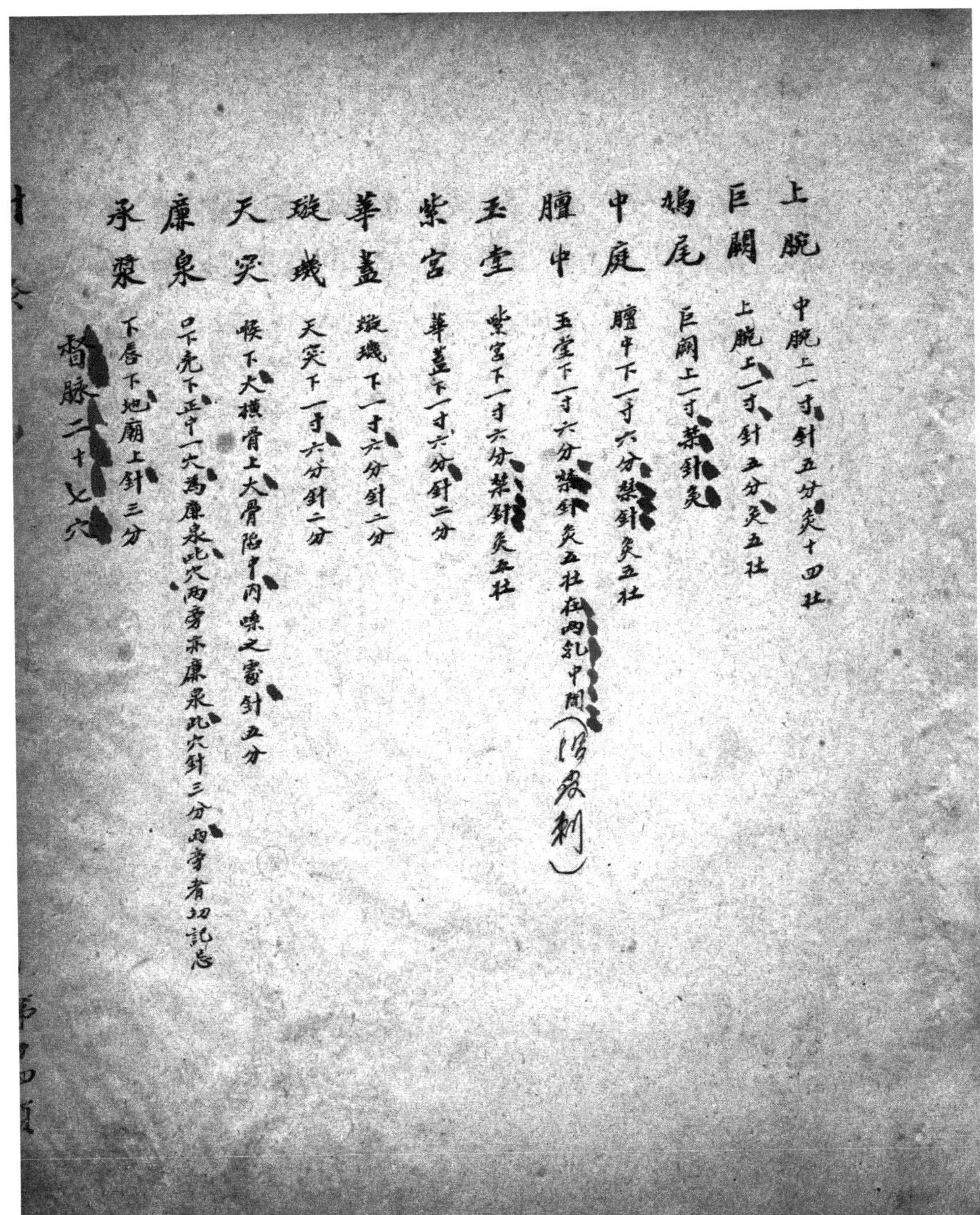

上脘　中脘上一寸針五分灸十四壮
巨闕　上脘上一寸針五分灸五壮
鳩尾　巨闕上一寸禁針灸
中庭　膻中下一寸六分禁針灸五壮
膻中　玉堂下一寸六分禁針灸五壮在两乳中間（[illegible]灸刺）
玉堂　紫宮下一寸六分禁針灸五壮
紫宮　華蓋下一寸六分針二分
華蓋　璇璣下一寸六分針二分
璇璣　天突下一寸六分針二分
天突　喉下大横骨上大骨陷中内喉之當針五分
廉泉　口下壳下正中一穴為廉泉此穴两旁亦廉泉此穴針三分两旁者切記忘
承漿　下唇下地廟上針三分
督脉二十七穴

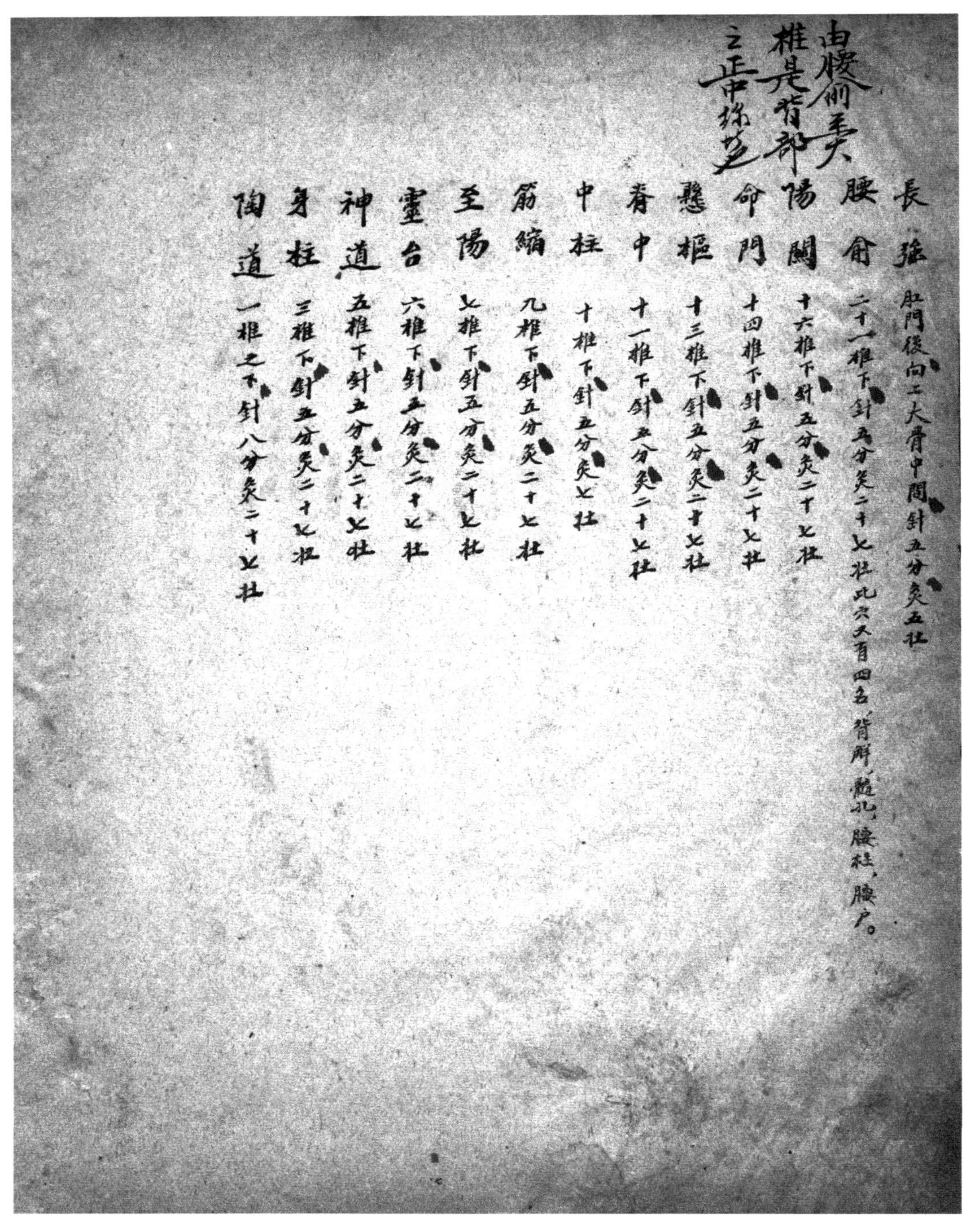

由腰俞至大椎是背部之正中線也

長強　肛門後向上大骨中間針五分灸五壯

腰俞　二十一椎下針五分灸二十七壯此穴又有四名，背解，髓孔，腰柱，腰户。

陽關　十六椎下針五分灸二十七壯

命門　十四椎下針五分灸二十七壯

懸樞　十三椎下針五分灸二十七壯

脊中　十一椎下針五分灸二十七壯

中柱　十椎下針五分灸七壯

筋縮　九椎下針五分灸二十七壯

至陽　七椎下針五分灸二十七壯

靈台　六椎下針五分灸二十七壯

神道　五椎下針五分灸二十七壯

身柱　三椎下針五分灸二十七壯

陶道　一椎之下針八分灸二十七壯

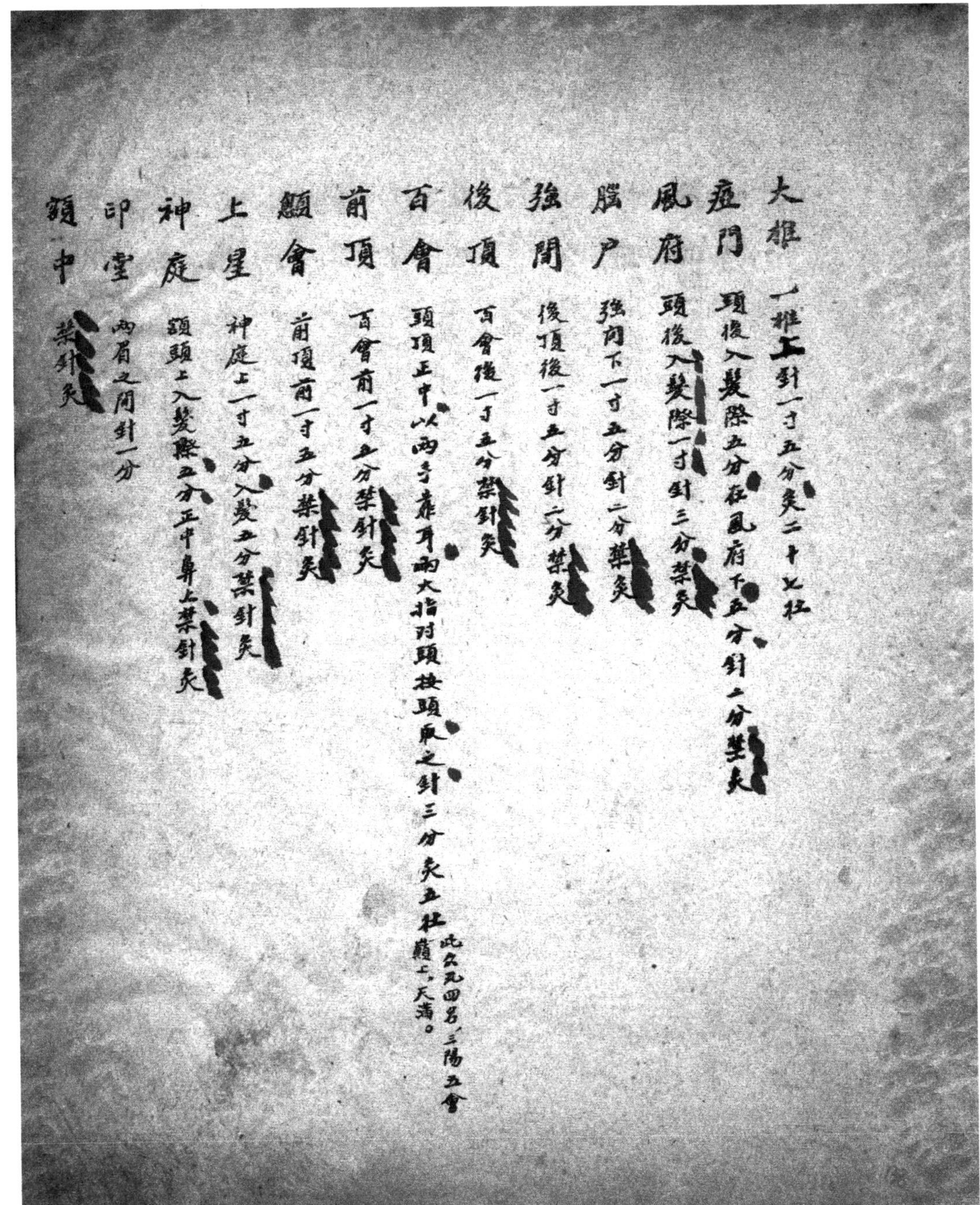

大椎 一椎上針一寸五分灸二十七壯

瘂門 項後入髮際五分在風府下五分針二分禁灸

風府 頭後入髮際一寸針三分禁灸

腦户 強間下一寸五分針二分禁灸

強間 後頂後一寸五分針二分禁灸

後頂 百會後一寸五分禁針灸

百會 頭頂正中以兩手靠耳兩大指对頭按頭取之針三分灸五壯 此穴凡四名，三陽五會，巔上，天滿。

前頂 百會前一寸五分禁針灸

顖會 前頂前一寸五分禁針灸

上星 神庭上一寸五分入髮五分禁針灸

神庭 額頭上入髮際五分正中鼻上禁針灸

印堂 兩眉之間針一分

額中 禁針灸

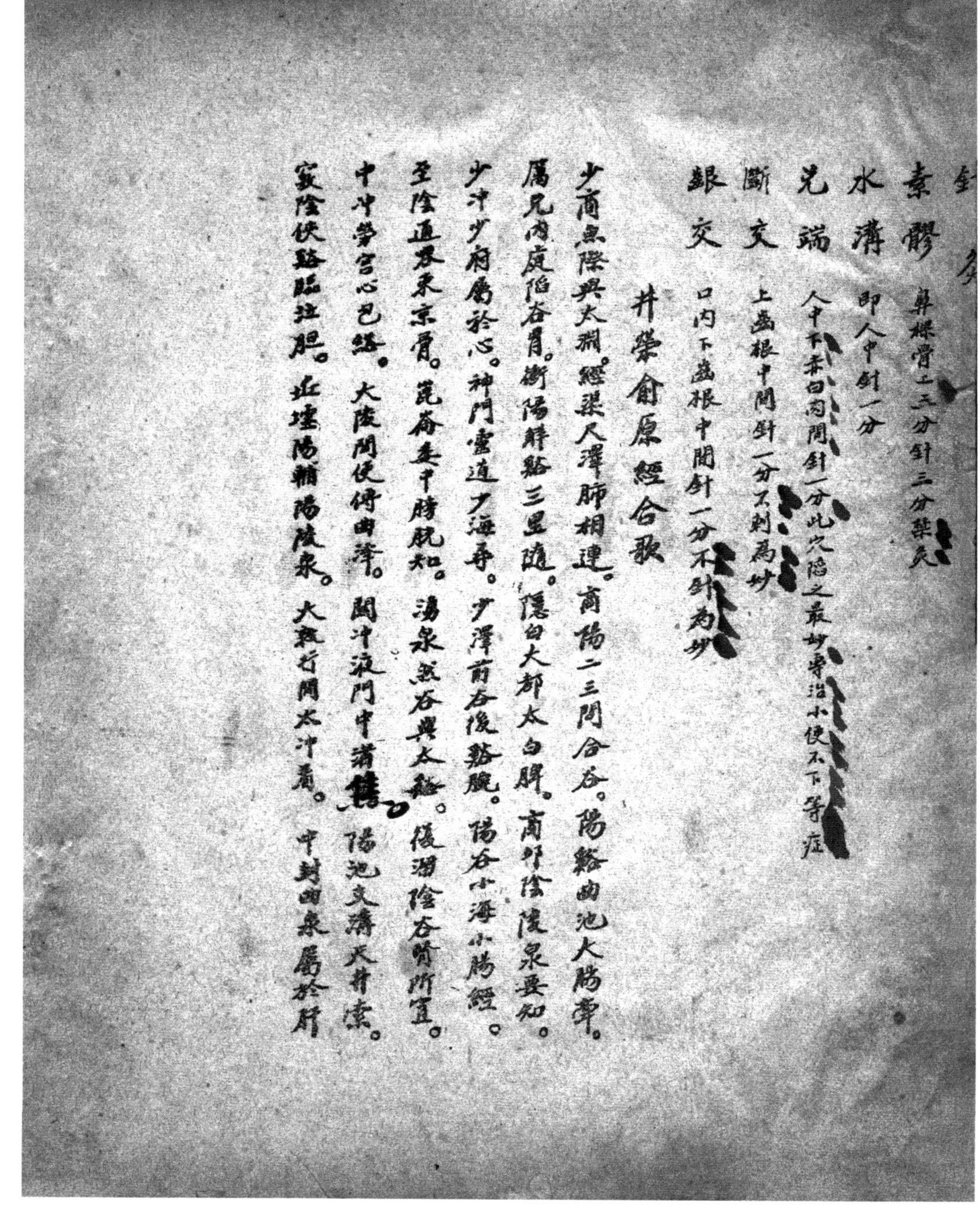

針灸

素髎 鼻梁骨上三分針三分禁灸

水溝 即人中針一分

兑端 人中下赤白肉間針一分此穴陷之最妙專治小便不下等症

齗交 上齒根中間針一分不刺為妙

齦交 口内下齒根中間針一分不針為妙

井滎俞原經合歌

少商魚際與太淵。經渠尺澤肺相連。商陽二三間合谷。陽谿曲池大腸牽。

厲兑内庭陷谷胃。衝陽解谿三里隨。隱白大都太白脾。商邱陰陵泉要知。

少沖少府屬於心。神門靈道少海尋。少澤前谷後谿腕。陽谷小海小腸經。

至陰通谷束京骨。崑崙委中膀胱知。湧泉然谷與太谿。復溜陰谷腎所宜。

中沖勞宮心包絡。大陵間使傳曲澤。關沖液門中渚焦。陽池支溝天井索。

竅陰俠谿臨泣膽。丘墟陽輔陽陵泉。大敦行間太沖看。中封曲泉屬於肝

少商　手太陰井木肺

喉閉心煩汗不乾。指疼攣熱手拘攣。中風不醒兼邪鬼，刺到少商病即安。

魚際　手太陰滎火肺

魚際牙痛灸自安。左疼灸右右同然。傷寒無汗能兼治，瘧疾方興陣陣寒。

太淵　手太陰俞土肺

太淵主刺牙中病。腕肘疼疼或痛疼。咳嗽風痰能立止，頭痛偏正效如神。

經渠　手太陰經金肺

經渠主治瘧寒纏。胸背拘攣脹滿堅。喉痹咳多兼數欠。心痛嘔吐亦能痊。

尺澤　手太陰合水肺

尺澤諸般病肺中。絞腸痧痛鎖喉風。傷寒熱病偏無汗。兼刺兒童急慢攻。

商陽　手陽明井金大腸

胸中氣滿刺商陽。汗閉耳聾瘧痰瘍。更有中風痰壅塞。三齋肺井即時康。

二間　手陽明滎水大腸

二間主治喉痹。頷腫肩疼更振寒。鼻衄目黃兼口齒，傷寒水結即安然。

三間　手陽明俞木大腸

三間效與二間同。氣熱身寒食不通，腹滿腸鳴兼洞泄，善驚多睡病無蹤

合谷　手陽明原大腸

面口病來合谷攻。難產急驚效兩通。諸般頭痛兼水腫。瘧疾急筋破傷風。

陽谿　手陽明經火大腸

陽谿主治諸般熱。癮疹能療痂疥炅。頭疼身痛喉又痛。驚狂眼見鬼和神。

曲池　手陽明合土大腸

曲池主治是中風。筋急手攣痹痛攻。一切瘡痹都治得。先寒後熱效如龍。

厲兌　足陽明經金胃

厲兌主療尸厥症。驚狂面腫痹喉風。足寒膝臏疼並腫。隱白相隨夢魘驚。

內庭　足陽明滎水胃

瘆灸內庭痞滿堅。但聞腹響效生焉。行經腹痛兼頭暈。婦女科中食蟲痊。

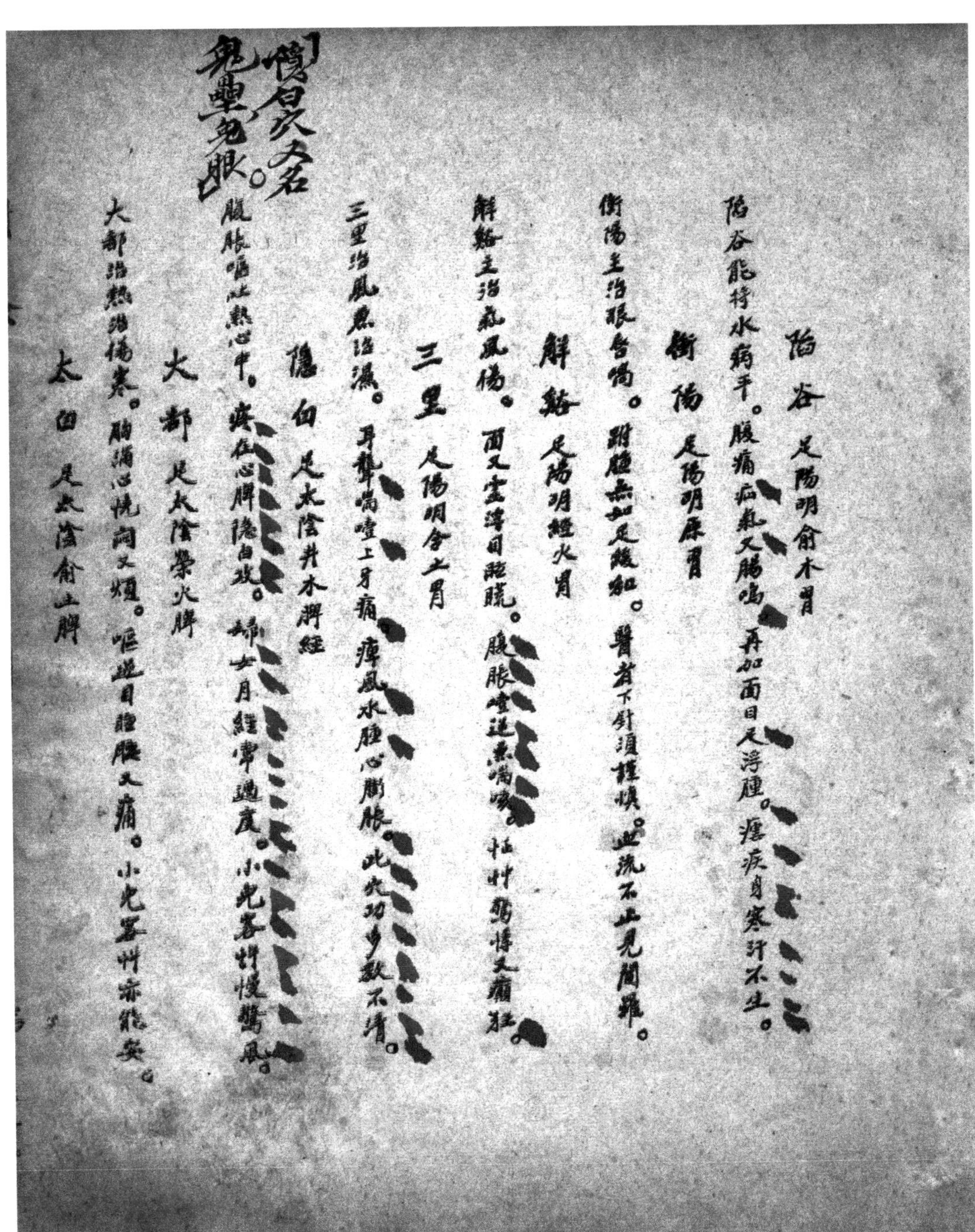

陷谷　足陽明俞木胃

陷谷能待水病平。腹痛疝氣又腸鳴。再加面目足浮腫。瘧疾身寒汗不生。

衝陽　足陽明原胃

衝陽主治眼含喎。跗腫無力足緩細。醫者下針須謹慎。血流不止見閻羅。

解谿　足陽明經火胃

解谿主治氣風傷。面又虛浮目眩眬。腹脹噎逆氣喘咳。怔忡驚悸又癲狂。

三里　足陽明合土胃

三里治風寒治濕。耳聾喘噎上牙痛。痺風水腫心腹脹。此穴功多數不清。

隱白　足太陰井木脾經

腹脹嘔吐熱心中。疾在心脾隱白攻。婦女月經常過度。小兒客忤慢驚風。

隱白灸又名鬼壘、鬼眼。

大都　足太陰榮火脾

大都治熱治傷寒。胸滿心悅悶又煩。嘔逆目眩腰又痛。小兒客忤亦能安。

太白　足太陰俞土脾

腹痛腸鳴太白求。膨脹泄瀉山漿流。轉筋霍亂身尤重。潮熱心煩不必憂。

商邱 足太陰經金脾

脾實不樂胝心中。痔痛陰痃悲氣癖。驚癇商邱神效著。婦人絕子換驚童。

陰陵泉 足太陰合水脾

陰陵泉主腹中寒。陰痛遺精氣淋癃。水脹腹堅氣喘逆。疝瘕霍亂暴發安。

少衝 手少陰井木心經

煩滿咽乾氣上攻。悲驚痰氣痛心胸。前陰臊臭傳良法。行間針還刺少衝。

少府 手少陰滎火心

少府主臂咳瘧傷。胸痛肘急臂瘦僵。婦人陰挺癢兼痛。男子遺尿偏墜當。

神門 手少陰俞土心

怔忡驚悸刺神門。中惡呆癡忧悲頻。兼治小兒癲癇症。金針補瀉疾安寧。

靈道 手少陰經金心

灵道心痛為主治。暴瘖瘈瘲不能聲。乾嘔悲恐兼羊癇。肘背拘攣功若神。

少海 手少陰合水心

四肢不舉肘拘攣。頭痛眩風蟲牙疼。手顫心疼憂瘰癧。針加少海自然安。

少澤 手太陽井金小腸

臂痛心煩少澤當。口乾喉痺舌還強。翳生鼻衄頭還痛。乳癰針時婦女康。

前谷 手太陽滎水小腸

前谷主療癲癇疾。臂肩頸項痛難舒。灸口咳嗽喉嚨痺。婦女針之乳自多。

後谿 手太陽俞木小腸

後谿治瘧寒還熱。鼻衄耳聾目翳遮。顛疾拘攣痂疥患。熏行督脈效尤奇。

腕骨 手太陽原小腸

指攣驚風腕骨求。偏枯頷腫肘難收。耳鳴冷淚睛生翳。無汗熏蒸熱不休。

陽谷 手太陽經火小腸

陽谷主治面與頸。痛加手腕不須憂。陰痿痔漏還癲癇。舌強兒童乳不求。

小海 手太陽合土小腸

鼽衄風眩頭項痛。瘧瘍癇發似羊鳴。肩外後廉頸項痛。肘端小海穴中尋

至陰 足太陽井金膀胱

頭項痛來尋至陰。風寒無汗又煩心。痛加胸脇無常處。小便淋漓又失精。

通谷 足太陽滎水膀胱

善驚項痛目䀮䀮。飲食留中胃不強。通谷能平五臟亂。大杼天柱取應當。

束骨 足太陽俞木膀胱

頭疼風寒內耳聾。腰痛項強腿難鬆。疔瘡發背癰疽毒。痔瘧癲狂束骨攻。

京骨 足太陽原 膀胱

目中白翳內眥連。發瘧善驚食不甘。項強傴僂難俯仰。須知京骨治拘攣。

崑崙 足太陽經火膀胱

崑崙不可治傴僂。發癇小兒瘈瘲收。能刺婦人胎不出。墮胎孕婦實堪憂。

委中 足太陽合土膀胱

腰脊沉沉刺委中。傷寒肢熱赤堪通。髀樞引痛何妨血。眉髮飄零愈大風。

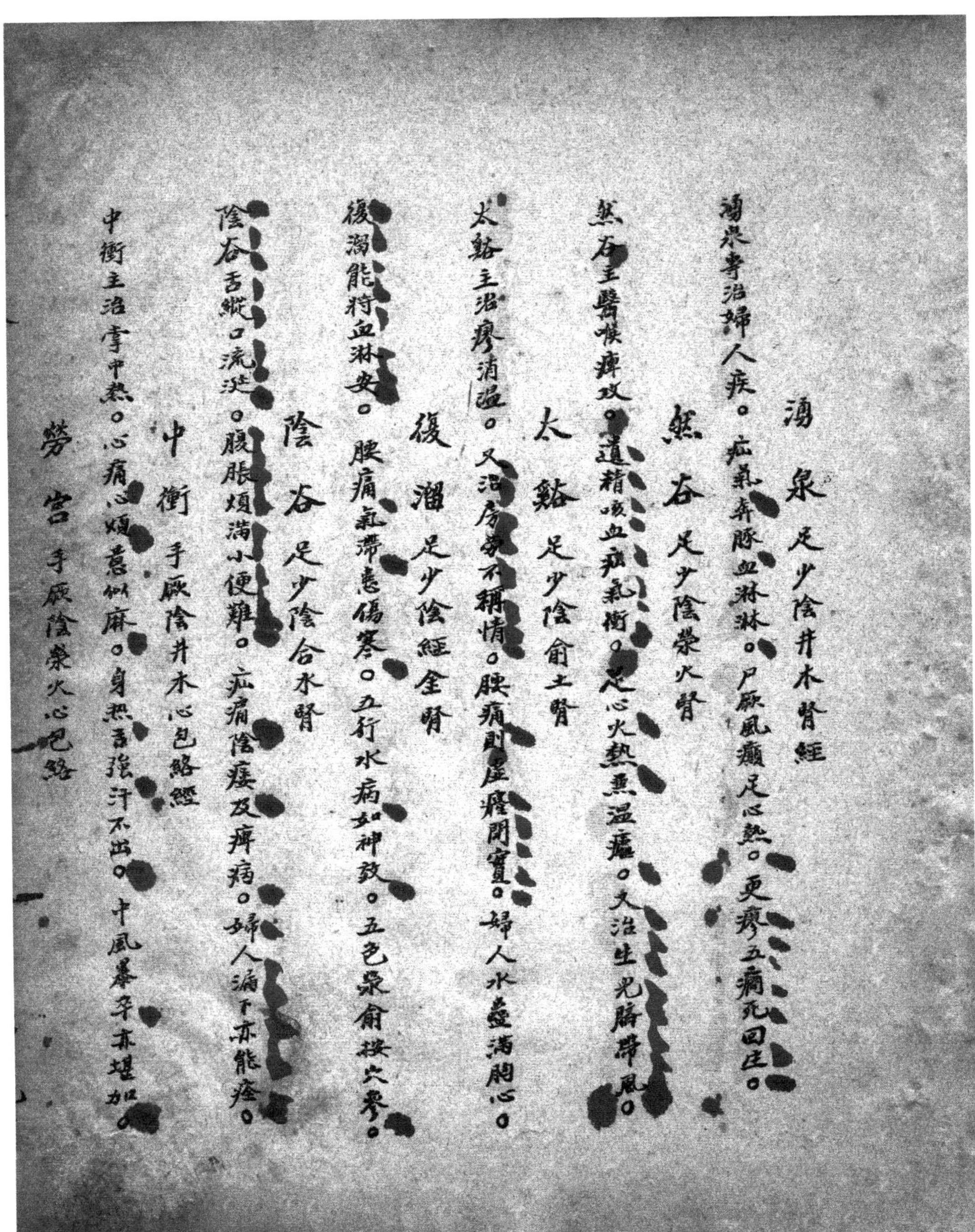

湧泉　足少陰井木腎經

湧泉專治婦人疾。疝氣奔豚血淋淋。尸厥風癲足心熱。更療五癇死回生。

然谷　足少陰滎火腎

然谷主醫喉痺攻。遺精咳血疝氣衝。足心火熱兼溫瘧。又治生兒臍帶風。

太谿　足少陰俞土腎

太谿主治療消渴。又治房勞不稱情。腰痛則虛癃閉塞。婦人水蠱滿胸心。

復溜　足少陰經金腎

復溜能將血淋安。腰痛氣滯悲傷寒。五行水病如神效。五色泉俞按穴參。

陰谷　足少陰合水腎

陰谷舌縱口流涎。腹脹煩滿小便難。疝痛陰痿及痺痛。婦人漏下亦能痊。

中衝　手厥陰井木心包絡經

中衝主治掌中熱。心痛心煩意似麻。身熱舌強汗不出。中風暴卒亦堪加。

勞宮　手厥陰滎火心包絡

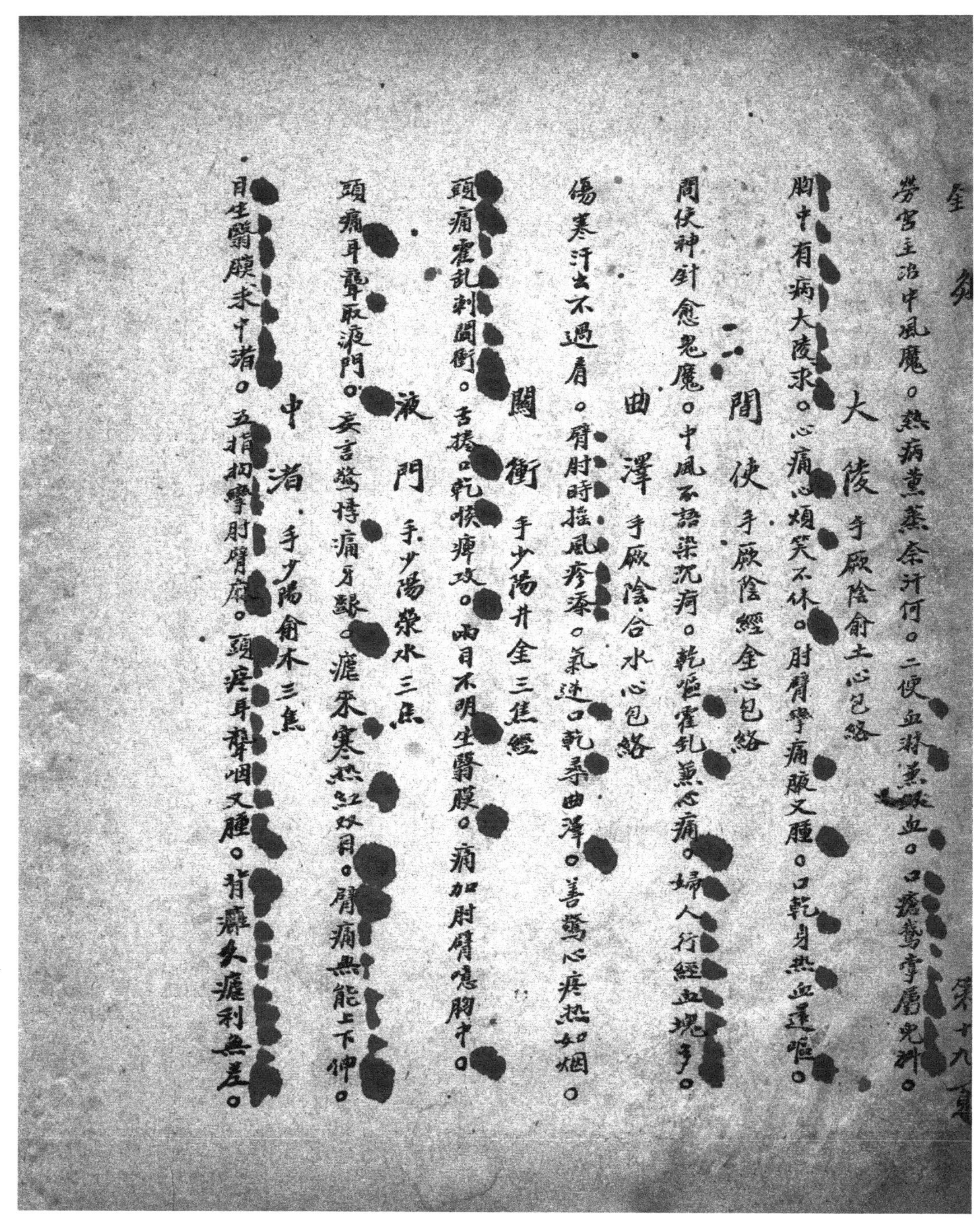

金針

勞宮主治中風魔。熱病薰蒸奈汗何。二便血滯薰嘔血。口瘡驚悸屢兇淋。

大陵　手厥陰俞土心包絡

胸中有病大陵求。心痛心煩笑不休。肘臂攣痛腋又腫。口乾身熱血逆嘔。

間使　手厥陰經金心包絡

間使神針愈鬼魔。中風不語染沉疴。乾嘔霍亂兼心痛。婦人行經血塊多。

曲澤　手厥陰合水心包絡

傷寒汗出不過肩。臂肘時搖風疹黍。氣逆口乾尋曲澤。善驚心疾熱如烟。

關衝　手少陽井金三焦經

頭痛霍亂刺關衝。舌捲口乾喉痺攻。兩目不明生翳膜。痛加肘臂憶胸中。

液門　手少陽滎水三焦

頭痛耳聾取液門。妄言驚悸痛牙齦。瘧來寒熱紅双目。臂痛無能上下伸。

中渚　手少陽俞木三焦

目生翳膜求中渚。五指拘攣肘臂痲。頭疼耳聾咽又腫。背癬久瘧利無差。

第十九頁

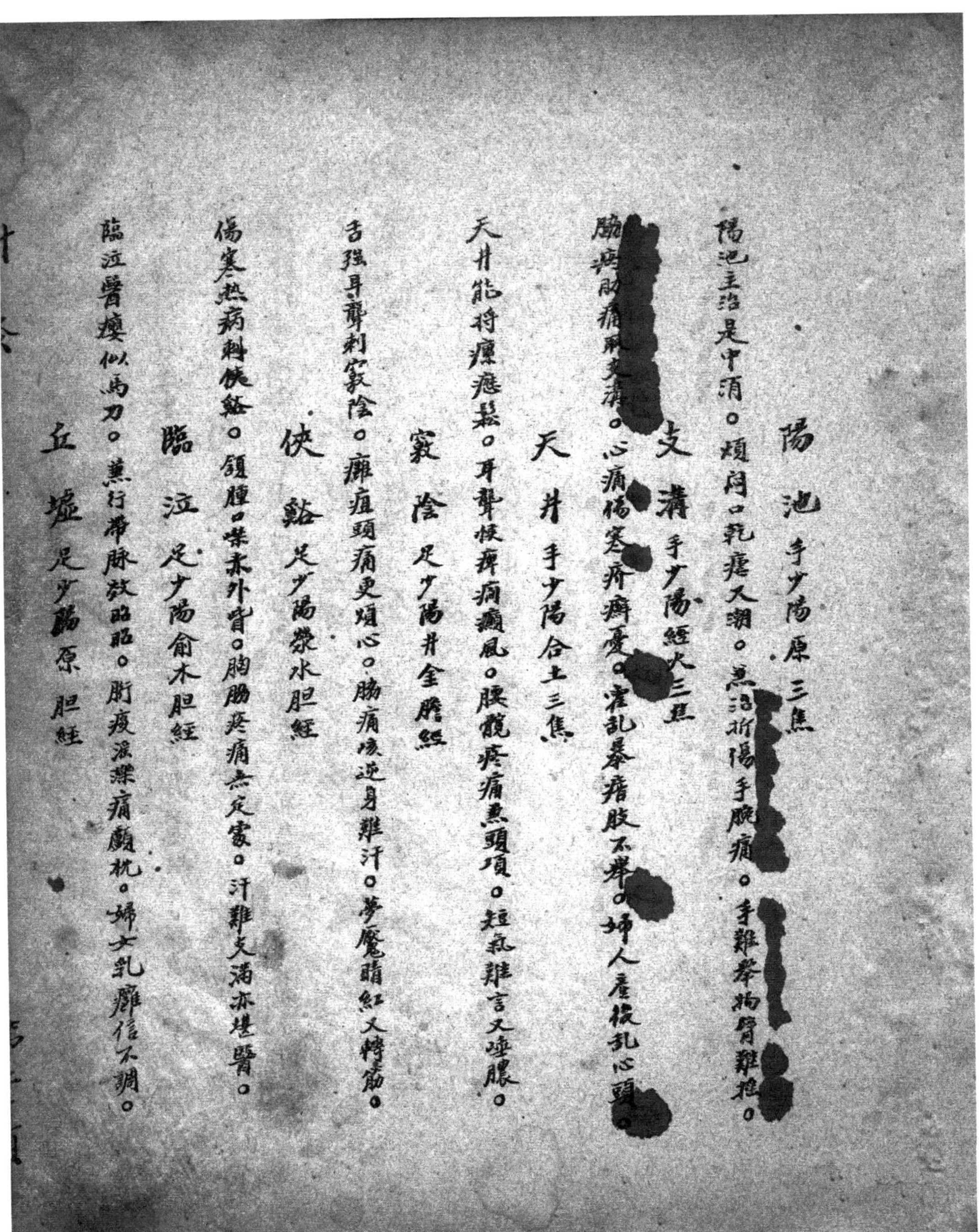

陽池 手少陽原 三焦

陽池主治是中消。煩悶口乾瘧又潮。兼治折傷手腕痛。手難拳物臂難抬。

支溝 手少陽經火 三焦

脇疼肋痛兩支痛。心痛傷寒疥癬憂。霍亂暴瘖肢不舉。婦人產後亂心頭。

天井 手少陽合土 三焦

天井能將瘰癧醫。耳聾喉痺痾癲風。腰髖疼痛兼頭項。短氣難言又唾膿。

竅陰 足少陽井金 膽經

舌強耳聾刺竅陰。癰疽頭痛更煩心。脇痛咳逆身難汗。夢魘目紅又轉筋。

俠谿 足少陽滎水 胆經

傷寒熱病刺俠谿。頷腫口噤赤外眥。胸脇疼痛無定處。汗難支滿亦堪醫。

臨泣 足少陽俞木 胆經

臨泣醫瘻似馬刀。兼行帶脈效昭昭。胕瘕淚渫痛巔枕。婦女乳癰信不調。

丘墟 足少陽原 胆經

鼻衄名曰腦衄

目生翳膜刺丘墟。腋腫腰疼帶髀樞。久瘧振寒蒸卒疝。腿胻痠痛轉筋除。

陽輔 足少陽經火胆經

百節痠痛陽輔迎。筋攣腿腫馬刀瘻。溶溶如在水中坐。痿痹偏風厥逆平。

陽陵泉 足少陽合土胆經

筋會陽陵功效宏。半身不遂患偏風。髀樞膝骨難伸屈。面腫筋攣苦嗌中。

大敦 足厥陰井木肝經

前陰諸病大敦求。七疝五淋繆刺收。腦衄破風尸厥愈。婦人陰挺血崩瘳。

行間 足厥陰滎火肝

腰疼莖疼行間針。蒼蒼如死痛肝心。婦人血蠱癥瘕腫。又治兒童急慢驚。

太衝 足厥陰俞土肝

馬黄瘟疫太衝安。少腹腰痛縮內丸。便血淋遺熏癀疝。婦人漏下致如殫。

中封 足厥陰經金肝

夢遺淋澀刺中封。痿厥前陰縮腹中。少腹繞臍疼不止。加針三里步如風

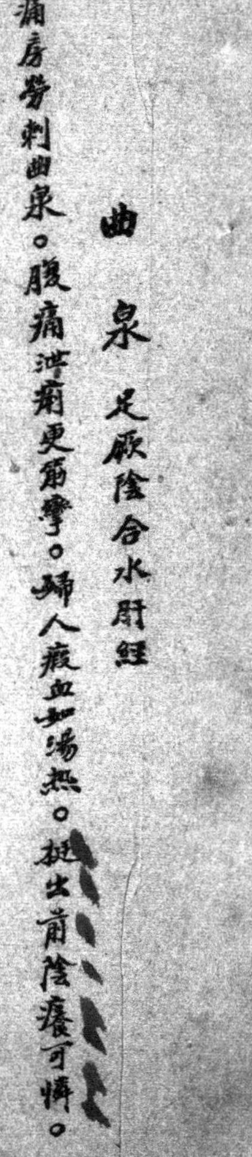

身痛房勞刺曲泉。腹痛泄痢更筋攣。婦人瘕血如湯熱。挺出前陰癢可憐。

曲　泉　足厥陰合水腧經

十五絡虛實主證歌

諸經沉伏絡當厚。絡淺現象各不伴。病若初來須刺絡。管教邪氣自然除。

手太陰絡列缺內。兩手交叉食指齊。實則光骨掌中熱。虛則數見小便遺。

手陽明絡偏歷觀。兩手交叉中指安。實則耳聾兼齲齒。虛則痺鬲齒牙寒。

足陽明絡是豐隆。去踝八寸可尋蹤。實則顛狂多譫語。虛必枯脛足又[illegible]。

足太陰絡是公孫。然谷之前仔細尋。實則腸中時切痛。虛則臌脹腹彭亨。

手少陰絡通里邊。陰郄穴後更通前。實則有病為支膈。虛則無聲不得言。

手太陽絡支正求。腕前五寸莫疑猶。實則筋弛兼肘廢。虛則疣疥又生胱。

足太陽絡是飛揚。去踝七寸崑山旁。實則鼻窒頭背痛。虛則鼽衄不堪當。

足少陰絡是大鍾。足跟之後太陽通。實則病淋為癃閉。虛則腰中痛尤充。

手厥陰絡是內關。去腕二寸兩筋間。實則有病為心疼。虛則心中覺悶頓。

手少陽絡是外關。去腕二寸外邊看。實則肘攣伸不開。虛則不收屈覺難。

足少陽絡是光明。去踝五寸不須論。實則兩足跗寒厥。虛則痿躄不能行。

足厥陰絡是蠡溝。踝上五寸可採求。實則挺長又覺熱。虛則睾丸癢難收。

督脈之絡是長強。尾閭骨下眼為方。實則脊強難彎曲。虛則頭重更能昂。

任脈之絡名屏翳。大成却指是會陰。實則腹皮痛難止。虛則搔癢不留停。

脾之大絡名大包。腋下六寸記須牢。實則一身無不痛。虛則百脈更難熱。

列缺 手太陰肺經

列缺主治嗽寒痰。偏正頭痛治自痊。男子五淋陰中痛。尿血精出灸便安。

偏歷 手陽明大腸經

實則耳聾兼齲齒。虛則痺鬲齒牙寒。

豐隆 足陽明胃經

實則癲狂多譫語。虛則脛枯足又鬆。

公孫 足太陰脾經

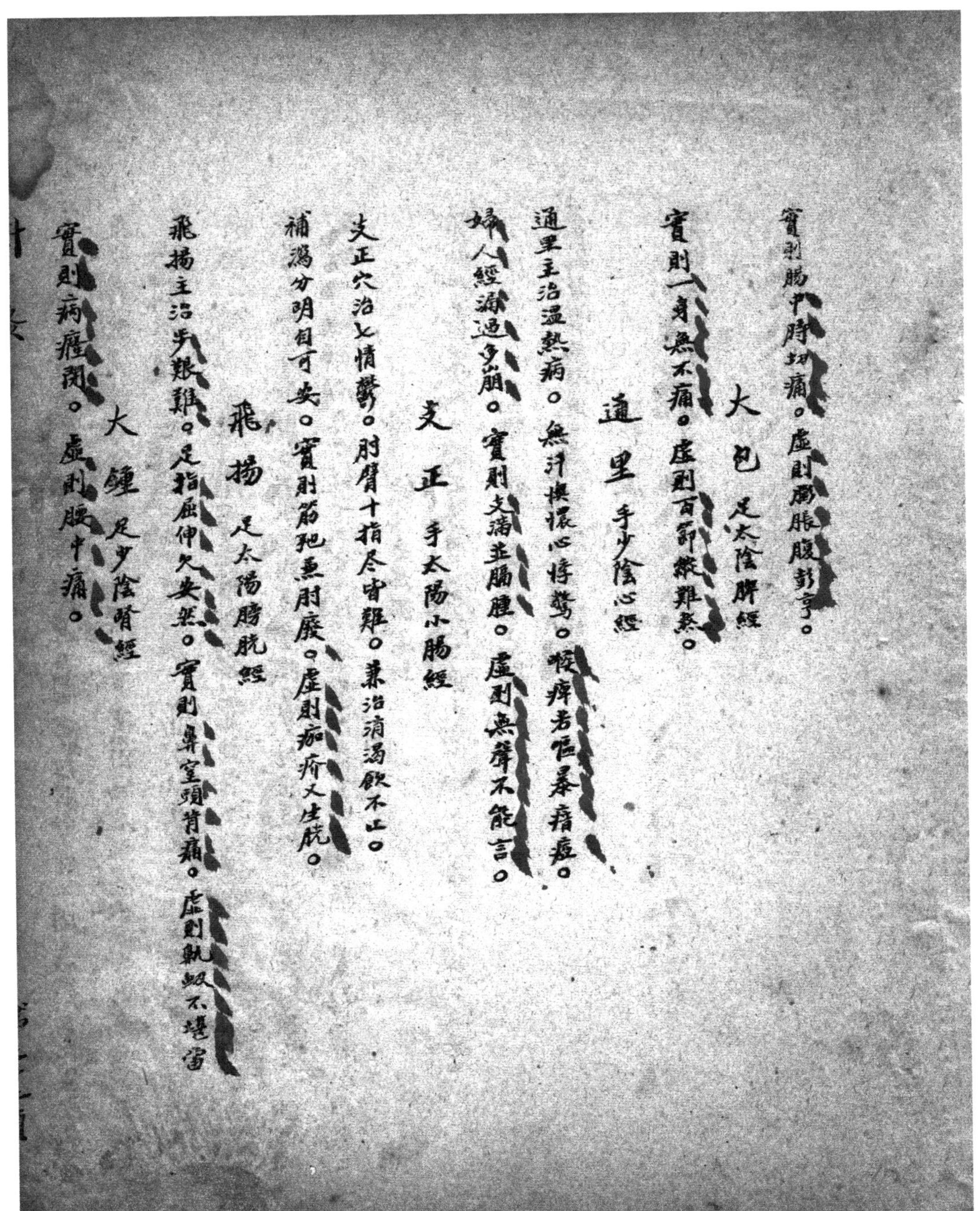

實則腸中時切痛。虛則膨脹腹彭亨。

大包 足太陰脾經

實則一身無不痛。虛則百節縱難熬。

通里 手少陰心經

通里主治溫熱病。無汗懊憹心悸驚。喉痺舌強暴瘖症。
婦人經漏過多崩。實則支滿並膈腫。虛則無聲不能言。

支正 手太陽小腸經

支正穴治七情鬱。肘臂十指盡皆難。兼治消渴飲不止。
補瀉分明自可安。實則節弛無肘廢。虛則痂疥又生疣。

飛揚 足太陽膀胱經

飛揚主治步艱難。足指屈伸久安然。實則鼻窒頭背痛。虛則鼽衄不堪當

大鍾 足少陰腎經

實則病癃閉。虛則腰中痛。

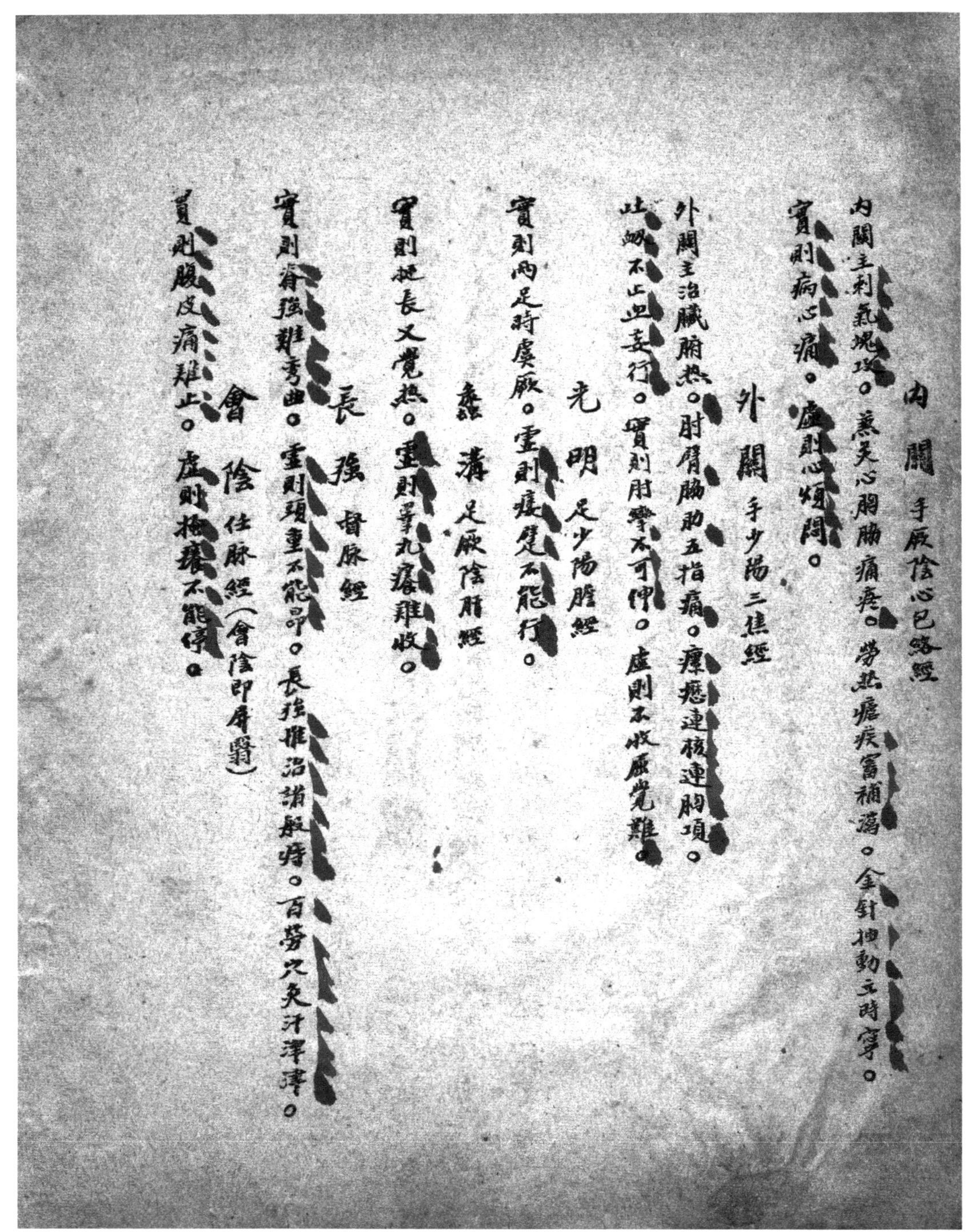

内關　手厥陰心包絡經

内關主利氣塊攻。蒸笑心胸脇痛疼。勞熱瘧疾當補瀉。金針抽動立時寧。

實則病心痛。虛則心煩悶。

外關　手少陽三焦經

外關主治臟腑熱。肘臂脇肋五指痛。瘰癧連核連胸項。吐衄不止血妄行。實則肘攣不可伸。虛則不收屈覺難。

光明　足少陽膽經

實則兩足時虞厥。虛則痿躄不能行。

蠡溝　足厥陰肝經

實則挺長又覺熱。虛則睪丸癢難收。

長強　督脈經

實則脊強難彎曲。虛則頭重不能昂。長強推治諸般痔。百勞穴灸汗津津。

會陰　任脈經（會陰即屏翳）

實則腹皮痛難止。虛則搔癢不能停。

十六郄穴總歌

井滎俞經合原絡。乚股之外增郄穴。十六經中有郄穴。甲乙經中分明說。
手太陰郄孔最知。手陽明郄溫溜宜。足陽明郄梁邱上。足太陰郄屬地機。
手少陰郄陰郄巧。手太陽郄名養老。足太陽郄即金門。足少陰郄水泉好。
手厥陰郄郄門量。手少陽郄尋會宗。足少陽郄外丘利。足厥陰郄中都中。
陽蹻之郄號附陽。陰蹻郄穴交信當。陽維郄在陽交穴。陰維郄維築賓場。
督任冲帶四等經。郄無郄穴見經文。學者欲能其中妙。還向經文郄處尋。

孔最 手太陰肺經

孔最能将熱病醫。灸将三壯淋汗滴。失音欬逆頭咽腫。臂厥難伸手不提。

溫溜 手陽明大腸經

溫溜能醫口不端。腸鳴手熱患傷寒。頭痛嗽逆肩難舉。癲疾狂言又吐涎。

梁丘 足陽明胃經

梁丘主治腳腰痛。膝不能伸痹不仁。又治大驚三壯愈。婦人乳腫痛難禁。

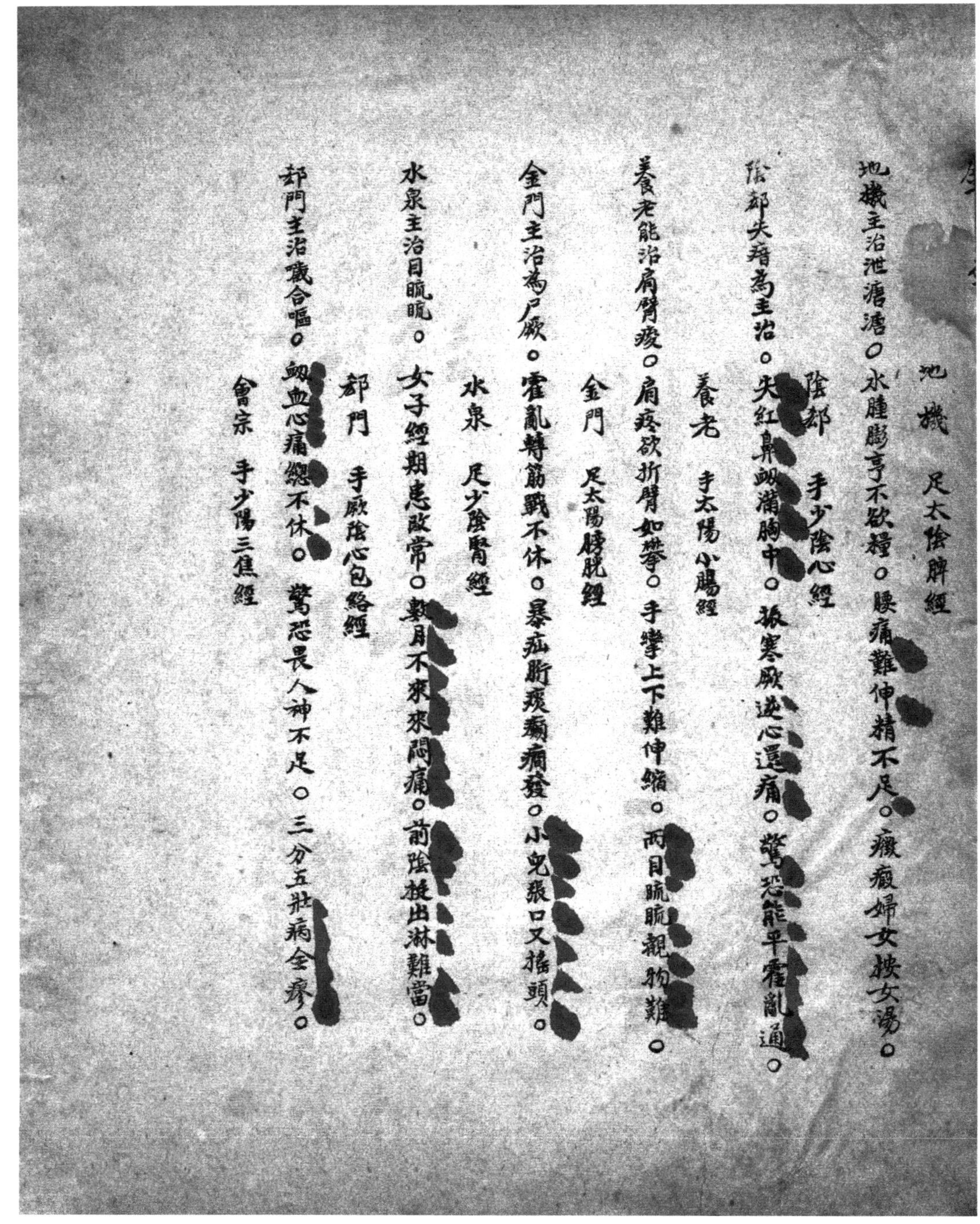

地機　足太陰脾經

地機主治泄溏溏○水腫膨亨不欲糧○腰痛難伸精不足○癥瘕婦女挾女湯○

陰郄　手少陰心經

陰郄失瘖為主治○失紅鼻衄滿胸中○振寒厥逆心還痛○驚恐能平霍亂通○

養老　手太陽小腸經

養老能治肩臂痠○肩疼欲折臂如攣○手攣上下難伸縮○兩目䀮䀮視物難○

金門　足太陽膀胱經

金門主治為尸厥○霍亂轉筋戰不休○暴疝斷痠癲癇發○小兒張口又搖頭○

水泉　足少陰腎經

水泉主治目䀮䀮○女子經期患改常○數月不來來悶痛○前陰挺出淋難當○

郄門　手厥陰心包絡經

郄門主治噦合嘔○衄血心痛總不休○驚恐畏人神不足○三分五壯病全瘳○

會宗　手少陽三焦經

痢疾。古名腸澼。又名滯下。

會宗主治五般癇。肌膚疼來耳又聾。獨有明堂言禁刺。三分甲乙刺經同。

外丘　足少陽膽經文

外丘主治懸風寒。胸脹腹痛痿痺纏。狗猘傷人嗟毒伏。灸加三壯患如彈。

中都　足厥陰肝經

中都主治是腸澼。癀疝脛寒少腹疼。婦女崩中血難止。產生惡露久淋淋。

附陽　陽蹻經

附陽主治為風痺。癱瘓胻疼痛髀樞。痿厥頄疼頭又重。四肢不舉戰斯斯。

交信　陰蹻經

交信主治二便難。氣淋癃疝熱痺纏。股樞內痛攣筋骨。女子經停漏血妥。

陽交　陽維經

陽交主治痺咽喉。胸滿胻疼足不收。面腫厥寒寒痺患。驚狂三壯六分瘳。

築賓　陰維經

築賓主治是癲狂。嫚罵狂言吐沫頻。足腨內疼須五壯。小兒胎疝痛難當。

針灸

第二十四頁

臟腑門海俞募

門海者章門氣海之類。俞者五臟六腑之俞，俱在背部二行。臟腑之募，肺募中府，心巨闕，肝期門，脾章門，腎京門，胃中脘，膽日月，大腸天樞，小腸關元，三焦石門，膀胱中極。此言五臟六腑之病，取門海俞募之妙。

中府（肺募）手太陰經

中府能將咳嗽收。飛尸遁疰患瘦瘤。胸衝肺急兼寒熱。風寒客薄痹苦喉。

巨闕（心募）任脉經

巨闕能將霍亂寧。顛狂尸厥卒心痛。蚘蟲蠱毒兼猴痧。子擱母心賊有痕。

期門（肝募）足厥陰

期門主治是傷寒。胸熱賁豚喘不安。霍乱腹堅頻瀉利。婦人血結口還乾。

章門（脾募）足厥陰

章门主治痞塊病。但灸左邊可拔根。若灸腎積臍下氣。两边齊灸自然平。

京門（腎募）足少陽

京門主治痛髀樞。水道難通小便徐。腰痛不能常俯仰。腸鳴洞泄可消除。

中脘（府會）任脉經

中脘能持脹滿醫。傷寒霍乱瘧來欺。賁豚氣上如梁伏。心下覆杯氣結時。

日月（胆募）足少陽經……此穴一名神光

日月能醫太息頻。善悲小腹热難禁。語言不止四肢縱。五壮灸之針七分。

天樞（大腸募）足陽明經……此穴一名長谿又名穀门

天樞治吐治心煩。痛切繞臍癥热寒。霍乱痢攻難化食。婦人血結不加餐。

關元（小腸募）任脉經……此穴一名大中極又名小腸募

關元治疝腹痛來。血結臍边如覆杯。婦女信違黑帶下。冷經惡露爲生胎。

石門（三焦募）任脉經……此穴一名機精露又名丹田命

石门主治腹中堅。婦女崩中漏下漆。惡露因胎成結塊。針加絶子斷香煙。

中極（膀胱募）任脉經……此穴一名玉泉又名氣原

中極醫淋又失精。疝瘕水腫且賁豚。婦人針下能生子。月信能調惡露清。

肺俞 足太陽膀胱經

肺俞主治骨蒸勞。支滿壅嗽口又焦。寒热肺痿頭目眩。背僂凸起似龜臌。

心俞 足太陽膀胱經

心俞主治癲瘋癇。心悶心煩汗不當。黃疸健忘頻失血。小兒數米不開言。

膈俞（血會）足太陽經

膈俞主治骨蒸傷。胃痛喉痰不飲糧。癖積腹中頻嗜吠。刺深中膈一年亡。

肝俞 足太陽

肝俞主治目䀮䀮。欬引胸中痛未當。脅脊相牽因反折。翳生衄吐又驚狂。

脾俞 足太陽

脾俞主治是中消。黃疸肢懸体重勞。痃癖上焦中積聚。腹痛泄痢瘧來潮。

膽俞 足太陽

胆俞主治脹胸膛。口苦咽乾目又黃。崔氏四花癆瘵治。刺深中胆一天亡。

胃俞 足太陽

胃俞主治胃中寒。腹脹腸鳴完食難。支滿筋攣兼脊痛。小兒羸瘦不能堪。

三焦俞　足太陽

三焦俞治腹腸鳴。水穀難消嘔吐頻。目眩頭痛兼吐逆。背拘脊強不能伸。

腎俞　足太陽

腎俞主治腎中虛。溺血流精淋濁除。五勞七損都治得。振寒溼欒腫如豬。

大腸俞　足太陽

大腸俞治痛繞臍。多食身羸脊強持。少腹疼絞難二便。東垣云中焠相宜。

小腸俞　足太陽

小腸俞主小便紅。赤痢紏纏便血膿。五痔能痊消渴愈。婦人帶下著神功。

膀胱俞　足太陽

膀胱俞主治風勞。瀉痢遺尿痛脊腰。陰上生瘡脐足急。婦人癥聚亦能消。

膏肓俞　足太陽

膏肓一穴針勞傷。諸虛百損無不良。此穴禁針惟宜艾。千金百壯效非常。

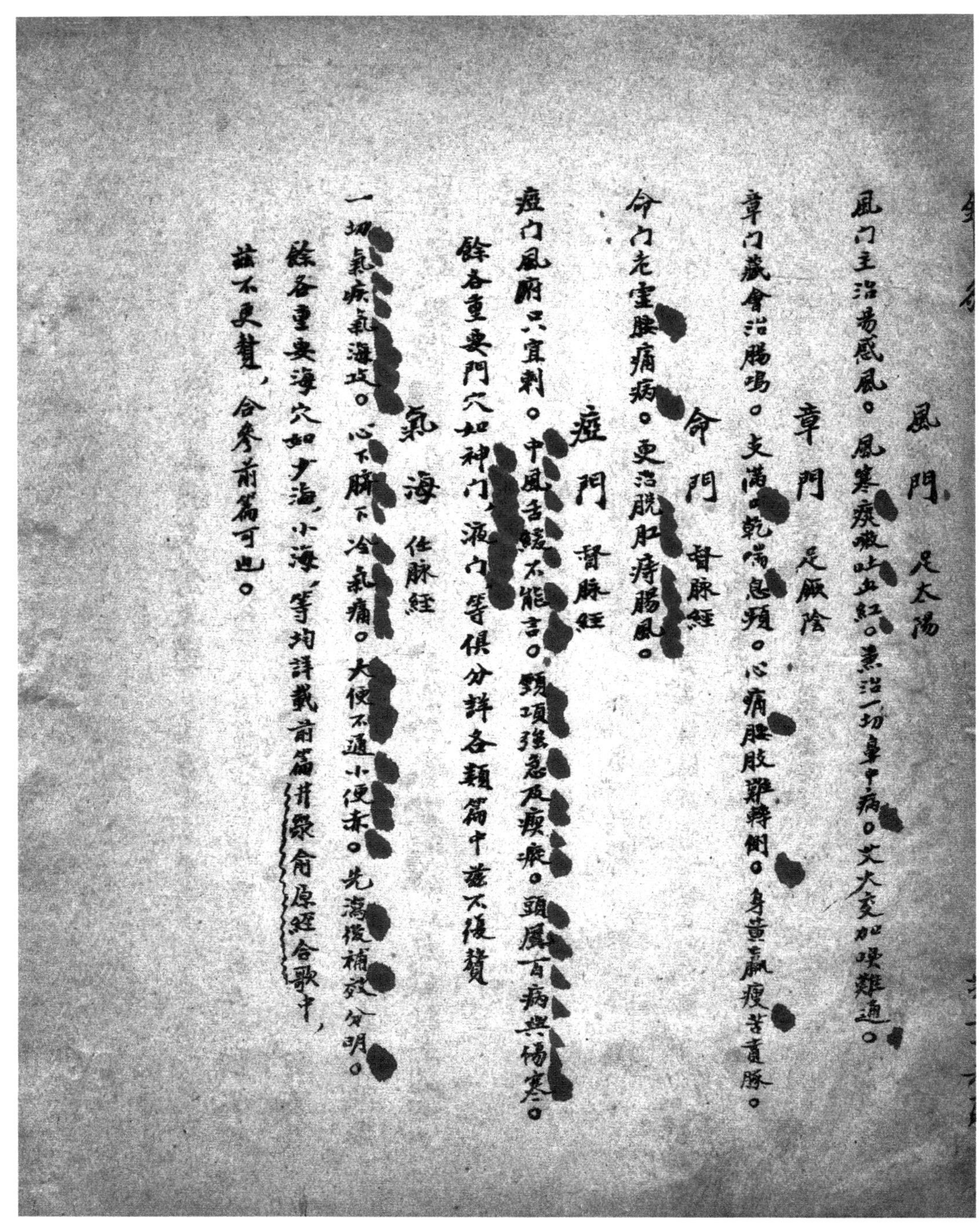

風門　足太陽

風門主治易感風。風寒痰嗽吐血紅。兼治一切鼻中病。艾火多加嗅難通。

章門　足厥陰

章門藏會治腸鳴。支滿。乾喘息頻。心痛脇肢難轉側。身黃羸瘦苦賁豚。

命門　督脉經

命门老虛腰痛病。更治脫肛痔腸風。

瘂門　督脉經

瘂门風府只宜刺。中風舌緩不能言。頸項強急及瘈瘲。頭風百病與傷寒。

餘各重要門穴如神门、液门等俱分詳各類篇中茲不復贅

氣海　任脉經

一切氣疾氣海攻。心下臍下冷氣痛。大便不通小便赤。先瀉後補效分明。

餘各重要海穴如少海、小海、等均詳載前篇并錄俞原經合歌中，茲不更贅，合參前篇可也。

經絡原別交會之道

原者，十二經之原。別，陽別、陰交。交會，八會。夫十二原者，膽原丘墟，肝太衝，小腸腕骨，心神門，胃衝陽，脾太白，大腸合谷，肺太淵，膀胱京骨，腎太谿，三焦陽池，包絡大陵等是也。八會者，血膈俞，氣膻中，脉太淵，筋陽陵泉，骨大杼，髓絕骨，臟章門，腑中脘等是也。蓋言經絡血氣凝結不通，必取原別交會之穴而刺之也。

丘墟（胆原）足少陽膽經

丘墟主治胸脇痛。牽引腰腿髀樞中。小腹外腎腳轉腕。痛筋足脛不能行。

太衝（肝原）足厥陰肝經

太衝主治腫脹滿。行動艱辛步履難。兼治霍乱吐瀉症。手足轉筋灸可痊。

腕骨（小腸原）手太陽小腸經

指攣驚風腕骨求。偏枯頸腫肘難收。耳鳴冷淚睛生翳。無汗黃疸熱不收。

神門（心原）手少陰心經

神门主治悸怔忡。呆痴中恶恍惚惊。兼治小儿惊痫症。金针补泻即安宁。

衝陽（胃原）足陽明胃經 按此穴注解列前篇井滎俞原經合歌中，字句全同，茲不再贅。

太白（脾原）足太陰脾經 按本穴注解列前篇井滎俞原經合歌中，字句完全相同，故不再贅。

合谷（大腸原）手陽明大腸經

面口病来合谷攻。痹痛急筋破傷風。諸般頭痛兼水腫。難產急驚救內通。

太淵（肺原）手太陰肺經 按本穴詳解列載於前篇井滎俞原經合歌中，字句純同，故不復贅。

京骨（膀胱原）足太陽膀胱經 按本穴詳註原文曾列前篇井滎俞原經合歌中，字句相同，故不復抄。

太谿（腎原）足少陰腎經

太谿主治消渴病。兼治房勞不稱情。婦人水蠱胸脇滿。金針刺後自安寧。

陽池（三焦原）手少陽三焦經

陽池主治消渴病。口乾煩悶瘧熱寒。兼治折傷手腕痛。持物不能舉臂難。

大陵（心包絡原）手厥陰心包絡經按本穴詳註原文列前篇

井滎俞原經合歌中，字句純同，故不復錄。

鬲俞（血會）足太陽膀胱經按此穴註文詳見上篇

臟腑門海俞募章中，亦不重錄。

膻中（氣會）任脈經

氣會膻中功效多。其如此穴禁針何。肺癰喘嗽膿痰吐。婦女加針乳自多。

太淵（脈會）手太陰肺經按此穴註文原載在前篇

井滎俞原經合歌中，故不再抄。

陽陵泉（筋會）足少陽胆經按本穴註文詳見前篇

井滎俞原經合歌中，故亦不錄。

大杼（骨會）足太陽膀胱經

大杼主背足項強。膝疼膝痛脊如傷。頭旋便似尤難立。身蜷筋攣俯不康。

絕骨—即懸鐘（髓會）足少陽胆經

髓會絕骨治中風。膝肘痠痛骨節鬆。虛勞氣逆兼寒損。胃热能消二便通。

章门（臟會）足厥陰肝經

章门臟會治肠鳴。支滿。氣喘息頭。心痛腹脹難轉側。身黃羸瘦苦賁豚。

章门主治痞塊病。但灸左邊可拔根。若灸腎積臍下氣。兩邊齊灸自然平。

中脘（腑會）任脈經

中脘能將脹滿醫。傷寒宿乳瘧來欺。賁豚氣上如梁伏。心下痞枯氣結時。

治虛損五勞七傷緊要穴（共六穴）

陶道　二椎下

身柱　三椎下

肺俞　二穴　三椎下兩旁一寸五分灸七七壯百壯

膏肓　二穴　四椎下一分五椎上二分兩旁去脊各三寸灸三七壯七七壯

綏遠豐鎮縣「鍼灸研摩傳習所」同學錄

職別	姓名	別號	年齡	籍貫	職業	通信處
教授	胡鈺	耀貞	三十八歲	晉榆次	醫	太原橋頭街德元堂
學員	梁爾勤	愚甫	四十二歲	晉離石	政界	臨時豐鎮統稅查驗所 永久離石城內郵政後院
仝	汪秉煒	筱庵	六十四歲	皖合肥	醫	豐鎮宝泉街八號
仝	楊承謨	丕顯	三十八歲	綏豐鎮	商	豐鎮本城油房巷
仝	王子和	子和	四十五歲	綏豐鎮	商	商務會
仝	張增智	慧卿	二十九歲	晉忻縣	商	本豐鎮滙豐源
仝	趙淑	善卿	三十九歲	晉忻縣	仝	仝
仝	胡文煋	晉垚	四十三歲	冀保定	政界	豐鎮保商團
仝	程崇祿	宜之	四十三歲	冀武清	商	豐鎮瑞昌永
仝	劉晏	壽彭	三十七歲	冀良鄉	商	豐鎮文華堂
仝	郝玉崑	峻峰	二十九歲	晉洪洞	政界	豐鎮統稅查驗所

娑婆世界。本非樂境。惟病極苦。雖醫可恨。臨床貪生。不逆轉嗔。因而放过時者有之。恐嚇心性者有之。更有意畜厚索。專心詐治。以致輕症加重。甚至隕命者亦有之。如苦于極苦。非斯人之可恨又誰與。若夫体上天好生之德。存悲憫之心。濟世活人。隨緣拯救。是當愛敬之不暇。又何可恨焉。胡君琪勇。予有舊識。岐黃學術。并门有為。針灸妙法。原得道内。近又經高明呂應韶先生傳授

尊儀古佛無極針。胡君融貫一体。洞澈始終。全豹得窺。藝術超群。前者過寺。同人請教。君不吝，将列门下者十人。予亦一人耳。今已畢教。講義成秩。其内容之美。列列有序。予不文，不敢序。亦不必序。祇願閲斯法，閲斯書者。共求世人愛敬。方不失古佛以針覆道。以遺護針之苦心。慈教也。數句閑話。聊作書末語。

天運甲戌九月華朔後旬日香西州望龍學子梁謹擬

針灸講義完

针灸择录讲义

提 要

一、作者小传

野叟，生卒年不详，广西省立梧州区医药研究所针灸教员，于民国二十七年（1938）撰《针灸择录讲义》。

二、版本说明

广西省立梧州区医药研究所油印本。

三、内容与特色

“该书书脊原题‘针灸择录讲义’，自朋友处购得之前，书名尚存。购至我处，书脊、书名破损（已不可补），内页可见‘针灸学纲要’。是为记。”（杨克卫，2015年8月）

该书为黑色油墨印刷，字迹尚可分辨。

全书分针灸治疗总诀、针灸学纲要、实用针灸学、针灸治疗分类摘要四部分。针灸治疗总诀后有“笛声吹不断，无奈明月高。民纪二十七年十一月二十日写于医研所，野叟”，并附油印山水一幅。

针灸治疗总诀部分包括《十二经井荥俞经合治症主要诀》《行针指要诀》《四总穴诀》《看部取穴诀》《八法诀》《八会诀》《马丹阳天星十二诀》《十二经主客原络诀》《百症赋》《席弘赋》《长桑君天星秘诀》《玉龙歌》《胜玉歌》《杂病穴法歌》《肘后歌》（15筒页）。

针灸学纲要部分，针灸上切要之经穴未按十二经十五络列穴，头面之经穴列头面部，手足之经穴列手足部；治门中不言针之深浅，治门中不言灸数，以随病轻重多寡也，间有灸数壮者，乃经验而得效也；出血法，试用之十之七八，出血多寡随病虚实轻重，治病之针乃毫针也（铁针），出血针乃三棱针也。其中针灸七十穴部分按头面部、肩背部、胸腹部、手足部分类介绍；治门部分介绍了中风、中暑、伤寒等70余种疾病的症状及针灸、出血等治疗取穴。此部分开始题有“摄都管周桂著，广西省立梧州区医药研究所印”字样，则知此部分乃转录日本摄都管周桂之《针灸学纲要》。

实用针灸学部分介绍了“大椎、合谷、曲池”“曲池、合谷”等29组腧穴的功用。

针灸治疗分类摘要中的内景篇介绍了关于精、气、神等的十三症，外景篇介绍了关于头、面、目等的二十五症，杂病篇介绍了关于风、寒等的十八病（中间缺1筒页，即十一至十四症）。

现将该书特色介绍如下。

（一）节录经典歌诀作为讲课素材

该书择录针灸古籍中脍炙人口之针灸歌诀，如《玉龙歌》《百症赋》等，方便读者记诵，便于读者学习研究。

（二）参考日本针灸著作

针灸学纲要部分择录日本针灸名家摄都管周桂的著作内容，使学生的视野更开阔。

此书书脊原题"针灸择录讲义"自朋友处购得之前、书名尚存、购至我处、书脊书名破损、内页可见"针灸学纲要"。是为记。

杨克卫

二〇一五年八月

此书内容分:1."针灸治疗学总诀"

2."针灸学纲要"

3."实用针灸学"

4."针灸治疗分类摘要"

书内"针灸治疗学总诀"后有、"笛声吹不断、无奈明月高

民纪二十七年十一月二十日写于医研所

一野叟、并附油印图一幅

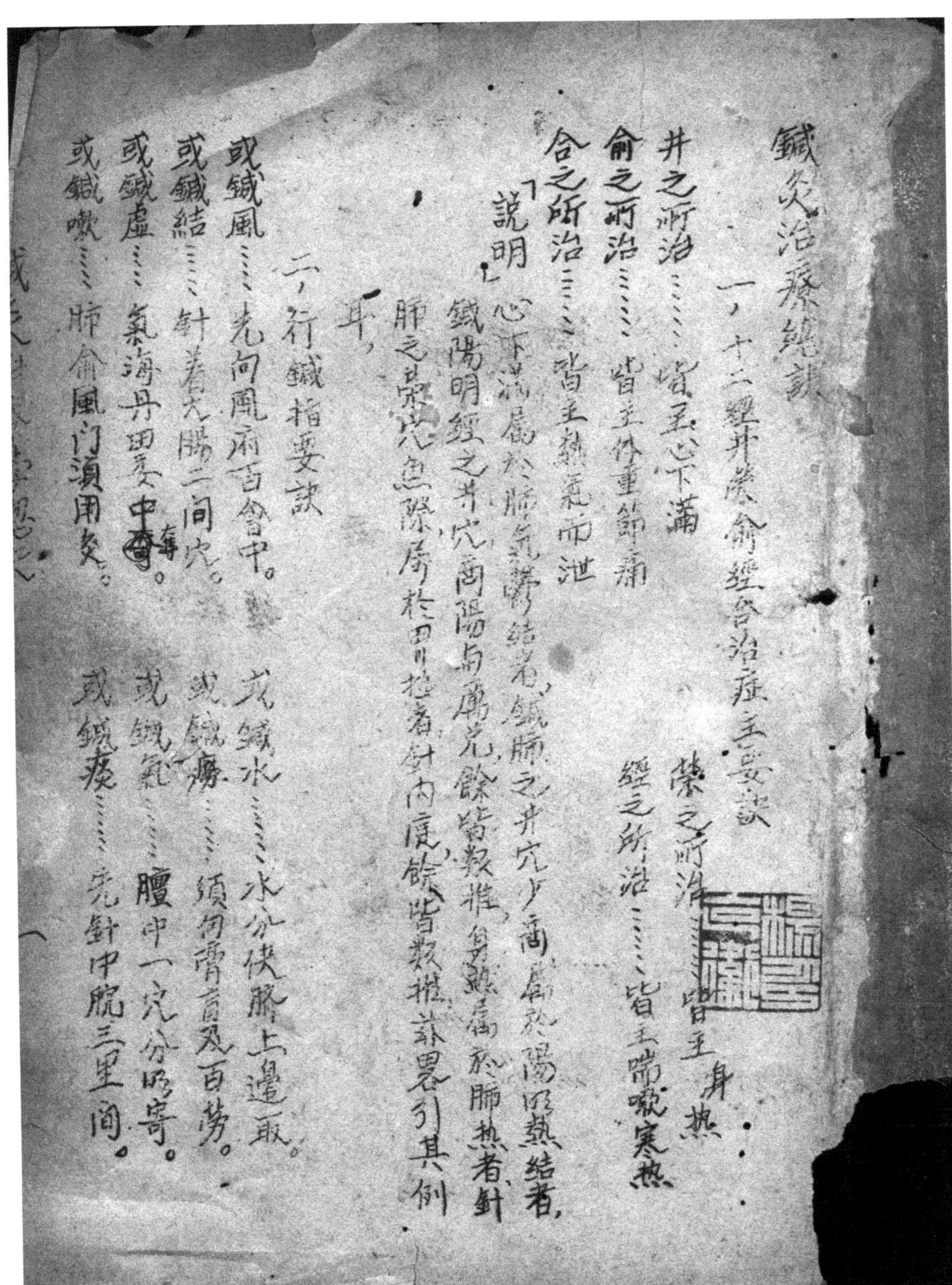

鍼灸治療總訣

一、十二經井滎俞經合治症主要訣

井之所治……皆主心下滿　滎之所治……皆主身熱

俞之所治……皆主体重節痛　經之所治……皆主喘嗽寒熱

合之所治……皆主熱氣而泄

「說明」心下滿屬於肺氣鬱結者，鍼肺之井穴少商，屬於陽明熱結者，鍼陽明經之井穴商陽，與滎穴餘皆數推，身熱屬於肺熱者，針肺之滎穴魚際，屬於胃熱者針内庭，餘皆數推，茲略引其例耳，

二、行鍼指要訣

或鍼風……先向風府百會中。　或鍼水……水分俠臍上邊取。

或鍼結……針着大腸二间穴。　或鍼勞……須向膏肓及百勞。

或鍼虛……氣海丹田委中奇。　或鍼氣……膻中一穴分明奇。

或鍼嗽……肺俞風门須用灸。　或鍼痰……先針中脘三里間。

或鍼吐……中脘氣海膻中補。 翻胃吐食一般醫。

「說明」針風病以風府百会為主，再針他穴，針水病以水分為主，再針他穴，餘皆數，

三、四總穴訣

肚腹三里求。 腰背委中留。 頭項尋列缺。 面口合谷收。

「說明」肚腹之病必針三里，繼針其他，腰背之病必針委中，餘及其他，餘皆数推，

四、看部取穴訣

人身上部病，取手陽明經，中部病取足太陰經，下足部病取足厥陰經，前膺病取足陽明經，後背病取足太陽經，

「說明」人身上部之病，多屬手陽明經病，多取其經穴針之，中部病屬足太陰經病多，則多取足經穴以針之，餘可類推，

五、八法訣

一、公孫

西江月 公孫乾六衝脈，九種心疼延悶，結胸翻胃難停。酒食積聚胃

腸鳴臍痛腹疼脇脹水食氣疾膈病腸風瘧疾心疼胎衣不下血迷心。
泄瀉公孫立應。

「說明」西江月係詞調，容易熟誦，八法者，奇經八脈之主要針穴也，凡有上列各痛，先針公孫，後刺他穴，易於收效，以下七穴，俱同此。前人以此八穴配八卦與九宮數，以公孫配乾卦合六，數對衝脈，故曰公孫乾六，衝脈以下七穴首句意皆本此。

2、內關

西江月 內關艮八陰維。中滿心胸痞脹。腸鳴泄瀉脫肛。食難下膈酒来傷。積塊堅橫脇撐。婦女脇疼心痛。結胸裏結難當。傷寒不解悶胸膛。瘧疾內關獨當。

3、後谿

西江月 後谿兌七督脈。手足拘攣戰掉。中風不已癲癇。頭疼眼腫淚漣漣。腿膝腰背痛遍。項強傷寒不解。牙齒腮腫喉咽。手麻足麻破傷牽。盜汗後谿先砭。

西江月　4、申脈

申脈坎一陽蹻。腰背屈強腿腫。惡風自汗頭疼。雷頭赤目痛眉稜，手足麻痺臂冷。吹乳耳聾鼻衄。癲癇肢節煩憎。偏身腫滿汗頭淋。申脈先針有應。

西江月　5、臨泣（足臨泣）

臨泣巽四帶脈。手足中風不舉。痛麻發熱拘攣。頭風痛腫項腮連。眼腫赤疼頭眩。齒痛耳聾咽腫。浮風搔痒筋牽。腿疼脇脹肋肢偏。臨泣針時有驗。

西江月　6、外關

外關震二陽維。肢節腫疼膝冷。四肢不遂頭風。背胯內外骨筋攻。頭項眉稜皆痛。手足熱麻盜汗。破傷眼腫睛紅。傷寒自汗表烘烘。獨會外關為重。

西江月　7、列缺

列缺離九任脈。痔瘧便腫泄痢。唾紅溺血咳痰。牙疼喉腫小便難。心胸腹疼噎嗽。産後發強不語。腰痛血疾臍疼。死胎不下膈中寒。列缺乳癰都散。

8、照海

照海陰蹻坤二五。喉塞小便淋澀。膀胱氣痛腸鳴。食黄、酒積腹臍并。嘔瀉胃翻便緊。産難昏迷積塊。腸風下血常頻。膈中快氣氣核侵。照海有功必定。

西胃

六、八會訣

腑會中脘　臟會章門　筋會陽陵　髓會絶骨　血會膈俞

骨會大杼　脉會太淵　氣會膻中

「說明」凡屬腑病先針中脘，继針别穴，臟病先針章門，继針他穴，餘数推会者言其氣之会於此也。

七、馬丹陽天星十二訣

1、三里

三里膝眼下。三寸两筋間。能通心腹脹。善治胃中寒。腸鳴并泄瀉。腿腫膝胻痠。傷寒羸瘦損。氣蠱及諸般。年過三旬後。針灸眼便

鍼灸治療歌訣

寬取穴當審的。八分三壯安。

「說明」凡另上病，須針或灸三里穴，馬丹陽之十二訣做為針灸之樞要，以下十一訣倣此不贅，

2，內庭

內庭次趾外。本屬足陽明。能治四肢厥。喜靜惡聞声。癮疹咽喉痛。數欠及牙疼。瘧疾不能食。針着便惺惺。

3.曲池

曲池拱手取。屈肘骨邊求。善治肘中痛。偏風手不收。挽弓開不得。筋緩莫梳頭。喉閉促欲死。發熱更無休。遍身風癬癩。針着即時瘳。

4 合谷

合谷在虎口。兩指岐骨間。頭疼并面腫。瘧病熱還寒。齒齲及衄血。口噤不開言。針入五分深。令人即便安。

5.委中

委中曲䐐裏。橫紋脈中央。腰痛不能舉。沉沉引脊梁。痠疼筋莫展。風痺復無常。膝頭難伸屈。針入即安康。

6.承山

承山名魚腹。腨腸分肉間。善治腰疼痛。痔疾大便難。腳氣并膝腫。展轉戰疼痠。霍亂及轉筋。穴中刺便安。

7.太衝

太衝足大指。節後二寸中。動脈知生死。能醫驚癇風。咽喉并心脹。兩足不能行。七疝偏墜腫。眼目似雲朦。亦能療腰痛。針下有神功。

8崑崙

崑崙足外踝。跟骨上邊尋。轉筋腰尻痛。暴喘滿中心。舉步行不得。一動即呻吟。若欲尋安樂。須於此穴針。

9.環跳

環跳在髀樞。側卧屈足取。折腰莫能顧。冷風并濕痹。腿胯連腨痛。轉側重欷歔。若人針灸後。頃刻便消除。

10.陽陵

陽陵居膝下。外廉一寸中。膝腫并麻木。冷痹及偏風。舉足不能起。坐卧似衰翁。針入六分止。神功妙不同。

11.通里

通里腕側後。去腕一寸中。欲言聲不出。懊憹及怔忡。實則四肢重。頭顋面頰紅。虛則不能食。暴瘖面無容。毫鍼微微刺。方信有神功。

12列缺

列缺腕側上。次指手交叉。善療偏頭患。遍身風痹麻。痰涎頻壅上。口噤不開牙。若能明補瀉。應手即如拏。

八、十二經主客原絡訣

1、肺主大腸客　肺經原……太淵……大腸絡……偏歷

太陰多氣而少血。心胸氣脹掌發熱。喘咳缺盆痛莫禁。咽中喉乾身汗越。肩內前廉兩乳疼。痰結膈中氣如缺。所生病者何穴求。太淵偏歷與君說。

「說明」主客者，主病與客病，何謂主病即是本經之主病，因本經之主病而涉及標病，標病即為客病，譬如太陰肺與陽明大腸為表裏，太陰肺之本病而牽及陽明大腸病，則肺為主病，大腸為客病，主病刺本經之原穴，客病刺其絡經之絡穴，治時感病，能識其主客，按穴施治，無不應手而愈者，下列各經主客解釋同，

2、大腸主肺客　大腸原……合谷　肺經絡……列缺

陽明大腸俠鼻孔。面痛齒疼顋頰腫。生疾目黃口赤乾。鼻流清涕及血湧。喉痹肩前痛莫當。大指次指為一統。合谷列缺取為奇二穴鍼之居病總。

3、脾主胃客　脾經原……太白　胃經絡……豐隆

脾經為病舌本強。嘔吐胃翻疼腹腸。陰氣上冲噫難瘳。體重脾搖心事妄。瘧生振慄兼体羸。秘結疸黄手執杖。股膝内腫厥而疼。太白豐隆取為尚。

4、胃主脾客　胃經原……衝陽　脾經絡……公孫

腹膜心悶意悽愴。悪人惡木惡燈光耳聞響動心中惕。鼻衄唇喎瘧又傷。棄衣驟步身中熱。痰多足痛与瘡瘍。氣蠱胸腿疼難止。冲陽公孫一刺康。

5、心主小腸客　心經原……神门　小腸絡……支正

少陰心痛并乾嗌。渴欲飲兮為臂厥。生病目黄口亦乾。脇臂疼兮掌發熱。若人欲治勿差求。專在醫人心審察。驚悸嘔血及怔忡。神门支正何堪缺。

6、小腸主心客　小腸原……腕骨　心經絡……通里

小腸之病豈為良。頰腫肩疼兩臂旁。項頸強疼難轉側。嗌頷腫痛甚非常。肩似拔兮臑似折。熱病耳聾及目黄。臑肘臂外後廉痛。腕

骨通里取為詳。

7、腎主膀胱客　腎經原……太谿　膀胱絡……飛揚

臉黑嗜卧不欲糧。目昏不分發熱狂。腰疼足痛步難履。若人捕獲難躲藏。心膽戰兢氣不足。更兼胸結與身黃。若欲治之無更法。太谿飛揚取最良。

8、膀胱主腎客　膀胱原……京骨　腎經絡……大鍾

膀胱顛病目中疼。項腰足腿痛難行。痢瘧狂癲心胆熱。背弓反手額眉稜。鼻衄目黃筋骨縮。脱肛痔漏腹心膨。若要治之無別法。京骨大鍾任顯能。

9、三焦主包絡客　三焦原……陽池　包絡絡……内関

三焦為疾耳中聾。喉痺咽乾目腫紅。耳後肘疼并出汗。背間心後痛相從。肩背風生連膊肘。大便堅（艱）閉及遺癃。前病治之何穴愈。陽池内関法理同。

10、包絡主三焦客　包絡原……大陵　三焦絡……外関

包絡為病手攣急。臂不能伸痛如屈。胸脅肠满腋腫平。心中澹澹面色赤。目黄善笑不肯休。心煩心痛掌熱極。良醫達士细推详。大陵外関病消失。

11、肝主胆客　肝經原……太衝　胆經絡……光明

氣少血多肝之經。丈夫㿗疝苦腰痛。婦人腹膨小腹腫。甚则咽乾面脱塵。所生病者胸满嘔。腹中泄瀉痛無停。癃閉遺溺疝瘕痛。太衝光明即安寧。

足胆主肝客　胆经原……丘墟　肝经络……蠡溝

膽经之穴何病主。胸脇肋疼足不舉。面体不澤頭目疼。缺盆腋腫汗如雨。頸項癭瘤堅似鐵。瘧生寒熱連骨髓。已上病症欲除之。須向丘墟蠡溝取。

九、百症賦

百症俞穴。再三用心。顖會連於玉枕。頭風療以金針。懸顱頷厭之中。偏頭痛止。強間豐隆之際。頭痛難禁。原夫面腫虚浮。須狀仗水溝

前頂。耳聾氣閉。全憑听會翳風。面上虫行有驗。迎香可取。耳中蟬鳴有聲。
听會可攻。目眩兮支正飛揚。目黃兮陽綱胆俞。攀睛攻肝俞少澤之所。淚出
刺臨泣頭維之處。目中漠漠。即尋攢竹三间。目覺䀮䀮。急取養老天柱。觀
其雀目肝氣。睛明行间而細推。審他項強傷寒。溫溜期门而主之。廉泉中
衝。舌下腫疼可取。天府合谷。鼻中衄血宜追。耳门絲竹空。住牙疼於頃
刻。頰車地倉穴。正口喎於片時。喉痛兮液门魚際去療。轉筋兮金门
邱墟来醫。陽谷俠谿。頷腫口噤並治。少商曲澤。血虛口渴同施。通天治
鼻内無聞之苦。復溜去舌乾口燥之悲。啞门關冲。舌緩不語而要緊。天
鼎间使。失音嗫嚅而休遲。太冲瀉唇喎以速定。承漿瀉牙疼而即移。項
強多惡風。束骨相連於天柱。熱病汗不出。大都更接於經渠。且如兩臂頑麻。
少海就傍於三里。半身不遂。陽陵遠達於曲池。建里内關。掃盡胸中之苦悶。
聽宮脾俞。祛殘心下之悲悽。從知脇肋疼痛。氣户華蓋有靈。腹内腸鳴。下脘
陷谷能平。胸脇支滿何療。章门不用細尋。膈痛飲蓄難禁。膻中巨闕便針。
胸滿更加噎塞。中府意舍所行。胸膈停留瘀血。腎俞巨髎宜徵。顋滿項強。

神藏璇璣宜試。背連腰痛，白環委中曾經。脊強兮水道筋縮。目眩兮顴髎大迎。痓病非顱顖而不愈，臍風須然谷而易醒。委陽天池，腋腫針而速散。後谿環跳，腿疼刺而即輕。夢魘不安，厲兌相諧於隱白；發狂奔走，上脘同起於神門。驚悸怔忡，取陽交解谿勿誤；反張悲哭，仗天衝大橫須精。癲疾必身柱本神之令；發熱仗少衝曲池之津。歲熱時行，陶道復求肺俞理；風癇常發，神道還須心俞寧。濕寒濕熱下髎定；厥寒厥熱湧泉清。寒慄惡寒，二間疏通陰郄暗；煩心嘔吐，幽門開徹玉堂明。行間湧泉，主消渴之腎竭；陰陵水分，去水腫之臍盈。癆瘵傳尸，趨魄戶膏肓之路；中邪霍亂，尋陰谷三里之程。治疸消黃，諧後谿勞宮而看；倦言嗜臥，往通里大鍾而明。咳嗽連聲，肺俞須迎天突穴；小便赤澀，兌端獨瀉太陽經（陽經之子穴）。刺長強於承山，善主腸風新下血；針三陰於氣海，專司白濁久遺精。且如肓俞橫骨，瀉五淋之久積；陰郄後谿，治盜汗之多出。脾虛穀以不消，脾俞膀胱俞覓；胃冷食而難化，魂門胃俞堪責。鼻痔必取齦交；癭氣須求浮白。大敦照海，患寒疝而善蠲；五里臂臑，生瘰癧而能治。至陰屋翳，療癢疾之疼多；肩髃陽谿，消癮風之熱極。抑又論婦人經事改常。自有地機血海。女子少氣漏血。不無交信合陽。帶下產崩。衝門氣衝宜審。月潮違限。天樞水泉須詳。肩井乳癰而極效。商丘痔瘤而最良。脫肛取百會尾翳之所。無子搜陰交石關之鄉。中脘主手積痢。外丘收乎大腸。寒瘧兮商陽太谿驗。痃癖兮衝門血海強。夫醫乃人之司命。非志士而莫為。針乃理之淵微。須至人之指教。先究其病源。後攻其穴道。隨手見功。應針取效。方知玄理之玄。始識妙中之妙。

十、席弘賦

凡欲行針須審穴。要明補瀉迎隨訣。胸背左右不相同。呼吸陰陽男女別。氣刺兩乳求太淵。未應之時瀉列缺。列缺頭痛及偏正。重瀉太淵無不應。耳聾氣閉聽會針。迎香穴瀉功如神。誰知天突治喉風。虛喘須尋三里中。手連肩脊痛難忍。合谷針時要太衝。曲池兩手不如意。合谷下針宜仔細。心疼手顫少海間。若要除根覓陰市。但患傷寒兩耳聾。金門聽會疾如風。五般肘痛尋尺澤。太淵針後卻收功。手足上下針三里。食癖氣塊憑此取。鳩尾能治五般癇。若下湧泉人不死。胃中有積刺璇璣。三里功多人不知。陰陵泉治心胸滿。

鍼到承山飲食思。大杼若連長強尋。小腸氣痛即行鍼。委中專治
腰脊痛。脚膝腫時尋至陰。氣滞腰痛疼不能立。横骨大都宜救急。
氣海專能治五淋。更鍼三里隨呼吸。期門穴主傷寒患。六日過經
猶未汗。但向乳根二肋間。又治女人生產難。耳內蟬鳴腰欲折。膝下
明存三里穴。若能補瀉五會間。且莫向人容易說。睛明治眼未效時。
合谷明光安可缺。人中治癲功最高。十三鬼穴不須饒。水腫水分兼氣
海。皮內隨鍼氣自消。冷嗽先宜補合谷。卻須鍼瀉三陰交。牙疼腰痛并
咽痹。二間陽谿疾怎逃。更有三間腎俞妙。善治肩背浮風勞。若鍼
肩井須三里。不刺之時氣未調。最是陽陵泉一穴。膝間疼用鍼燒。委中腰痛脚
攣急。取得其經血自調。脚痛膝腫鍼三里。懸鍾二陵三陰交。更向太衝須
引氣。指頭麻木自輕飄。轉筋目眩鍼魚腹。承山崑崙立便消。肚疼須是公孫
妙。內關相應必然瘳。冷風冷痹疾难愈。環跳腰俞鍼與燒。風府風池尋得
到。傷寒百病一時消。陽明二日尋風府。嘔吐还須上脘療。婦人心痛心俞穴。男
子痃癖三里高。小便不禁關元妙。大便閉塞大敦燒。髖骨腿疼三里瀉。復

溜氣滯便離腰。從來風府最難鍼。卻用功夫度淺深。倘若膀胱氣未散。便宜三里穴中尋。若是七疝小腹痛。照海陰交曲泉鍼。又不應求氣海。關元同瀉效如神。小腸氣撮痛連臍。速瀉陰交莫再遲。良久涌泉鍼取氣。此中玄妙少人知。小兒脫肛患多時。先灸百会及鳩尾。久患傷寒肩背痛。但鍼中渚得其宜。肩上痛連臍不休。手中三里便須求。下鍼麻重即須瀉。得氣之時不用留。腰連胯痛大便急。必於三里攻其隘。下鍼一瀉三補之。氣上攻噎只管住。噎不住時氣海灸。定瀉一時立便瘥。咽喉最急先百会。太冲照海及陰交。學者潛心宜熟讀。席弘治病名最高。

長桑君天星秘訣

天星秘訣少人知。此法專分先後施。若是胃中停宿食。後尋三里起璇璣。脾病氣痛先合谷。後鍼三陰交莫遲。如中鬼邪先間使。手臂攣痺取肩髃。脚若轉筋并眼花。先鍼承山次內踝。脚氣痠疼肩井先。次尋三里陽陵泉。如是小腸連臍痛。先刺陰陵後涌泉。耳鳴腰痛先五会。次鍼耳門三里內。小腸氣痛先長强。後刺大敦不用忙。足緩難行先絶骨。次尋條口及冲陽。牙疼頭痛兼喉痺。先刺三間後三里。胸膈痰涌先陰交。鍼到承山飲食喜。肚腹浮腫脹膨膨。先鍼水分瀉建里。傷寒過經不汗出。期門通里先後看。寒瘧面腫及腸鳴。先取合谷後內庭。冷风濕痺鍼何處。先取環跳次陽陵。指痛攣急少商好。依法施之無不靈。此是鍼家真口訣。時医莫作等閒輕。

玉龍歌

扁鵲授我玉龍歌。玉龍一試絕沉疴。玉龍之歌真罕得。流傳千載無差訛。我今歌此玉龍訣。玉龍一百二十穴。医者行鍼殊妙絕。但恐時人自差別。補瀉分明指下施。金鍼一刺顯明医。傴者立身僂者起。從此名揚天下知。「凡患傴者。補曲池瀉人中。患僂者。補风池瀉絕骨。」中风不語最難医。髮際頂門穴要知。更向百會明補瀉。即時甦醒免災危。鼻流清涕名鼻淵。先瀉後補疾可痊。若是頭风并眼痛。上星穴內刺無偏。頭风嘔吐眼昏花。穴內神庭始不差。孩子慢驚何可治。印堂刺入艾還加。頭項強痛難回顧。牙疼并作一般看。先向承漿明補瀉。後鍼风府即時安。偏正頭风痛難医。絲竹金鍼亦可施。沿皮向後透率谷一鍼兩穴世間稀。偏正頭风有兩般。有無痰飲細推觀。若然痰飲风池刺。

鍼灸玉龙歌注

倘若痰飲合当安。口眼喎斜最可嗟。地倉妙穴連頰車。喎左瀉右依師正。喎右瀉左莫令斜。不聞香臭從何治。迎香兩穴可堪攻。先補後瀉分明效。一鍼未出氣先通。耳聾氣閉痛难言。須知翳風穴始痊。亦治項上生瘰癧。下鍼瀉動即安然。耳聾之症不聞声。痛痒蟬鳴不快情。紅腫生瘡須用瀉。宜從聽会用鍼行。偶爾失音言語难。啞門一穴兩筋間。若知淺鍼莫深刺。言語音和照舊安。眉間疼痛苦难当。攢竹沿皮刺不妨。若是眼昏皆可治。更鍼頭維即安康。兩睛紅腫痛难熬。怕日羞明心自焦。只刺睛明魚尾穴。太陽出血自然消。眼痛忽然血貫睛。羞明更澀最难睁。須得太陽鍼出血。不用鍼刀疾自平。心火炎上兩眼紅。迎香穴內刺为通。若將毒血搐出後。目內清凉始見功。強痛脊背瀉人中。挫閃腰痠亦可攻。更有委中之一穴。腰間諸疾任君攻。腎弱腰疼不可当。施为行止甚非常。若知腎俞二穴处。艾火頻加体自康。環跳能治腿股風。居髎二穴認真攻。委中毒血更出尽。愈見医科聖神功。腿膝無力身立难。原因風湿致伤殘。倘知二市穴能灸。步履悠然漸自安。髖骨能医兩腿疼。膝頭紅腫不能行。必鍼膝眼膝関穴。功效須臾病不生。寒湿脚氣不可熱。先針三里及陰交。再將絕骨穴兼刺。腫痛頓時立見消。腫紅腿足草鞋风。須把崐崘二穴攻。申脈太谿如再刺，神医妙訣起疲癃。脚背疼起丘墟穴。斜針出血即時輕。解谿再與商丘識。補瀉行針要辨明。行步艱難疾轉加。太衝二穴效堪誇。更針三里中封穴，去病如同用手抓。膝蓋紅腫鶴膝风。陽陵二穴亦堪攻。陰陵針透尤收效。紅腫全消見異功。腕中無力痛艱难。握物难移体不安。腕骨一針雖見效，莫將補瀉等閒看。急疼兩臂氣攻胸。肩井分明穴可攻。此穴原來真氣聚，補多瀉少灸其中。肩背风氣連臂疼。背縫二穴用針明。五樞亦治腰間痛。得穴方知病頓輕。兩肘拘攣筋骨連。艱難動作欠安然，只將曲池針瀉動。尺澤兼行見聖傳。肩端紅腫痛難當。寒湿相爭氣血狂。若向肩髃明補瀉。請君多灸自安康。筋急不開手難伸。尺澤從來要認真。頭面縱有諸樣症。一針合谷效通神。腹中氣塊痛難當。穴法宜向內關防。八法有名陰維穴。腹中之疾永安康。腹中疼痛亦难當，大陵外關可消詳。若是脇疼并閉結。支溝奇妙效非常。

脾寒之症最可憐。有寒可熱兩相煎。間使二穴針瀉動。熱瀉寒補病
俱痊。九種心痛及脾疼。上脘穴内用針行。若还脾敗中脘補。兩針神
效免災侵。痔漏之疾亦可憎。表裏急重最難禁。或痛或痒或下
血。二白穴在掌後尋。三焦熱氣壅上焦。口苦咽乾豈易調。針刺関
冲去毒血。口生津液病俱消。手臂紅腫連腕疼。液門穴内用針明。更
將一穴名中渚。多瀉中間疾自輕。中風之症症非輕。中衝二穴可安寧。
先補後瀉如無應。再刺人中立便輕。胆寒心虛病如何。少衝二穴
功最多。刺入三分不着艾。金針用後自和平。時行瘧疾最難禁。穴
法由來未審詳。若把後谿穴尋得。多加艾火即時瘥。牙疼陣
陣苦相煎。穴在二間要得傳。若患翻胃並吐食。中魁奇穴莫教
偏。乳鵝之症少人医。必用金針疾始除。如若少商出血後。即時安穩
免災危。如今瘾疹疾多般。好手医人治亦難。天井二穴多着艾。
縱生瘰癧灸皆安。寒痰咳嗽更兼風。列缺二穴最可攻。先把太淵
一穴瀉。多加艾火即收功。癡呆之症不堪親。不識尊卑枉罵人。神

門獨治癡呆病，轉手骨開得穴真，連日虛煩面赤粧，心中驚悸亦難當，若須通里穴尋得，一用金針體便康，風眩目爛最堪憐，淚出汪汪不可言，大小骨空皆妙穴，多加艾火疾應痊，婦人吹乳痛難消，吐血風痰稠似膠，少澤穴內明補瀉，應時神效氣能調，滿身發熱痛為虛，盜汗淋淋漸損軀，須得百勞椎骨穴，金針一刺疾俱除，忽然咳嗽腰背痛，身柱由來灸便輕，至陽亦治黃疸病，先補後瀉效分明，腎敗腰虛小便頻，夜間起止苦勞神，命門若得金針助，腎俞艾灸起遭迍，九般痔漏最傷人，必刺承山效若神，更有長強一穴是，呻吟大痛穴為真，傷風不解嗽頻頻，久不醫時勞便成，咳嗽須針肺俞穴，痰多宜向豐隆尋，膏肓二穴治病強，此穴原來難度量，斯穴禁針多着艾，二十一壯亦無妨，膽寒由是怕驚心，遺精白濁實難禁，夜夢鬼交心俞治，白環俞治一般針，肝家血少目昏花，宜補肝俞力便加，更把三里頻瀉動，還光益血自無差，脾家之症有多般，致成翻胃吐食難，黃疸亦須尋腕骨，金針必定奪中脘，無汗傷寒瀉復溜，汗多宜將合谷收，若然六脈皆微細，金針一補脈還浮，大便秘結不能通，照海分明在足中、更補支溝來瀉動，方知妙穴有神功、小腹脹滿氣攻心、內庭二穴要先針、兩足有水臨泣瀉、無水方能病不侵、七般疝氣取大敦、穴法由來指側間。諸經俱載三毛處、不遇師傳隔萬山、傳尸痨病最難醫、涌泉出血免災危、痰多須向豐隆瀉、氣喘丹田亦可施、渾身疼痛疾非常、不定穴中細審詳、有筋有骨須淺刺、灼艾臨時要度量、勞宮穴在掌中尋、滿手生瘡痛不禁、心胸之病大陵瀉、氣攻胸腹一般針、哮喘之症最難當、夜間不睡氣遑遑、天突妙穴宜尋得、膻中着艾便安康、鳩尾獨治五般癇、此穴須當仔細觀、若然着艾宜七壯、多則傷人針亦難、奔豚疝氣甚頻頻、氣上攻心似死人、關元兼刺大敦穴、此法親傳始得真、水病之疾最難熬、腹滿虛脹不肯消、先灸水分併水道、後針三里及陰交、腎氣衝心得幾時、須用金針疾自除、若得關元并帶脈、四海誰不仰明醫、赤白婦人帶下難、只因虛敗不能安、中極補多宜瀉少、著艾還須着意看、吼喘之症嗽痰多、若用金針疾自和、俞府乳根一樣刺、氣喘風痰漸漸磨、傷寒过經猶未解、須向期門穴上針、忽然氣喘攻胸膈、三里瀉多須用心、脾泄之症別無他。天樞二穴刺休差。此是五臟脾虛疾。多艾火添病不加。口臭之疾最可憎。勞心只為苦多情。大陵穴內人中瀉。心得清涼氣自平。穴法深淺在指中。治病須臾顯妙功。

十三、勝玉歌

勝玉歌兮不虛言。此是楊家真秘傳。或鍼或灸依法語。補瀉迎隨隨手撚。頭痛眩暈百會好。心疼脾痛上脘先。後谿鳩尾及神門。治療五癇立便痊。髀痛要鍼肩井穴。耳閉聽會莫遲延。胃冷下脘却為良。眼痛須覓清冷淵。霍亂心疼吐痰涎。巨闕著艾便安然。脾疼背痛中渚瀉。頭風眼痛上星專。頭項強急承漿保。牙腮疼腫大迎前。行間可治膝腫病。尺澤能醫筋拘攣。若人行步苦艱難。中封太沖鍼便痊。腳背痛時商丘刺。瘰癧少海天井邊。筋疼閉結支溝穴。頷腫喉閉少商前。脾心痛急尋公孫。委中驅療腳風纏。瀉却人中及頰車。治療中風口吐涎。五瘧寒多熱更多。間使大杼真妙穴。經年或變勞怯者。痞滿臍旁章門決。噎氣吞酸食不投。膻中七壯除膈熱。目內紅腫苦皺眉。絲竹攒竹亦堪醫。若是痰涎并咳嗽。治却須当灸肺俞。更有天突与筋缩。小兒吼閉自然疏。两手痠重難執物。曲池合谷共肩髃。臂疼背痛鍼三里。頭痛頭暈灸風池。腸鳴大便時泄瀉。臍旁两寸灸天樞。諸般氣症從何治。氣海鍼之灸亦宜。小腸氣痛歸來治。腰痛中空穴最奇。腿股轉痠難移步。妙穴說与後人知。環跳風市及陰市。瀉却金針病自除。熱瘡臁內年年發。血海尋來可治之。兩膝無端腫如斗。膝眼三里艾當施。兩股轉筋承山刺。脚氣復溜不須疑。踝跟骨痛灸崑崙。更有絕骨共丘墟。灸罷大敦除疝氣。陰交針入下胎衣。遺精白濁心俞治。心熱口臭大陵驅。腹脹水分多得力。黄疸至陽便能離。肝血盛兮肝俞瀉。痔疾腸風長强欺。腎敗腰疼小便頻。督脈兩旁腎俞治。六十六穴施應驗。故成歌訣顯針奇。

十四、雜病穴法歌

傷寒一日刺風府。陰陽分經次第取。（傷寒一日刺太陽風府二日陽明之榮內庭三日少陽之俞臨泣四日太陰之井隱白五日少陰之俞太谿六日厥陰之經。中封在表刺三陽經穴。在裏刺三陰經穴。六日經過下未汗刺期门三里。古法也。惟陰經則灸関元。(切風寒濕邪。頭痛發熱外関起。頭面耳目口耳病。曲池合谷為之主。偏正頭疼左右針。列缺太淵不用補。頭風目眩項捩強。申脉金门手三里。赤眼迎香出血奇。臨泣太冲合谷侶。耳聾臨泣與金门。合谷針後聽人語。鼻塞鼻痔及鼻淵。合谷太冲隨手取。口噤喎斜流涎多。地倉頰車仍可舉。口舌生瘡舌下竅。三稜出血非粗魯。舌裂出血尋内関。太冲陰交走上部。舌上生苔合谷當。手三里治舌風舞。牙風面腫頰車神。合谷臨泣瀉不數。二陵二蹻與二交。頭項手足互相與。兩井兩商二三間。手上諸病得其所。手指連肩相引疼。合谷太冲能救苦。手三里治肩連臍。脊背心痛針中渚。冷嗽只宜補合谷。三陰交瀉即时住。霍乱中脘可入深。三里内庭瀉幾許。心痛翻胃刺勞宫。寒者大澤灸手指。心痛手戰少海求。若要除根陰市覩。太淵列缺穴相連。能住氣痛刺兩乳。脇痛只須陽陵泉。腹痛公孫内関尔。痢疾合谷三里宜。甚者必須兼中膂。(白痢合谷赤痢小腸俞。赤白痢足三

里中膂俞心胸痞滿陰陵泉。針到承山飲食美。泄瀉肚腹諸般疾。三里
內庭功無比。水腫水分與復溜。脹滿中脘三里揣。腰痛環跳委中求。若連
背痛崑崙武。腰連腿痛腕骨升。三里降下隨拜跪。腰連脚痛怎生醫。
環跳行間與風市。脚膝諸痛羨行間。三里申脈金門侈。脚若轉筋眼發
花。然谷承山法自古。兩足難移先懸鐘。條口針後能步履。兩足痠麻
補太谿。僕參內庭盤跟楚。脚連脇腋痛難當。環跳陽陵泉
內杵。冷風濕痺針環跳。陽陵三里燒針尾。七疝大敦與太冲。五
淋血海男女通。大便虛秘補支溝。瀉足三里效可擬。熱秘氣
閉先長強。大敦陽陵堪調護。小便不通陰陵泉。三里瀉下溺如注。內
傷食積針三里。璇璣相應塊亦消。脾病氣痛先合谷。後刺三陰針用燒。一
切內傷內關穴。痰火積塊退煩潮。吐血尺澤功無比。衄血上星與禾髎。
喘急列缺足三里。嘔噎陰交不可饒。勞宮能治五般癇。更刺湧泉疾若挑。
神門專治心痴呆。人中間使驅癲妖。尸厥百會一穴美。更針隱白效昭昭。
婦人通經瀉合谷。三里至陰催孕妝。死胎陰交不可緩。胎衣照海內關尋。小

兒驚風刺少商。人中湧泉瀉莫深。癰疽初起審其穴，則刺陽經莫刺陰。（癰疽從背出者太陽經，從鬚出者少陽經，從髭出者陽明經，以上俱以各經井荥俞经合五穴治之；從胸出者絶骨穴治之）熟此筌蹄手要活，得後方知度金針。

十五、肘後歌

頭面之疾針至陰，腿脚有疾風府尋。心胸有病少府瀉，臍腹有病曲泉針。肩背諸疾中渚下，腰膝強痛交信憑。脇肋腿疼後谿妙，股膝腫起瀉太沖。陰核發來如升大，百會妙穴真可駭。頂心頭痛眼不開，湧泉下針足安泰。鶴膝腫痛難移步，尺澤能舒筋骨疼。更有一穴曲池妙，根尋源流可調停，其患若要便安愈，加以風府多用針。更有手臂拘攣急，尺澤刺深去不仁。腰背若患攣急風，曲池一寸五分攻。五痔原因熱血作，承山須下病無蹤。哮喘發來寢不得，豐隆刺入三分深。狂言盜汗如見鬼，惺惺間使便下針。骨疼髓冷火來燒，靈道妙穴分明記。瘧疾寒熱真可畏，須知虛實可用意。間使宜透支溝中，大椎七壯如聖治。連日頻頻發不休，金門刺深七分是。瘧疾三日得一發。先寒後熱無他語。寒多熱少取復溜。
熱多寒少用間使。或患傷寒熱未收。牙關風壅藥難投。項強反張目直
視。金針用意列缺求。傷寒四肢厥逆冷。脈氣無時仔細尋。神奇妙穴真
有二。復溜二寸順骨行。四肢回還脈氣浮。須曉陰陽倒換求。寒則須補
絕骨是。熱則絕骨瀉無憂。脈若浮洪當瀉解。沉細之時補便瘳。百
合傷寒最難醫。妙法神針用意推。口噤眼合藥不下。合谷一針效甚奇。
狐惑傷寒滿口瘡。須下黃連犀角湯。虫在臟腑食肌肉。須要神針刺
地倉。傷寒腹痛虫尋食。吐蛔烏梅可用攻。十日九日必定死。中脘回還
胃氣通。傷寒痞氣結胸中。兩目昏黃汗不通。湧泉妙穴三分許。
速使周身汗自通。傷寒痞結脅積痛。宜用期門見深功。當汗不汗
合谷瀉。自汗發黃復溜憑。飛虎一穴通痞氣。祛風引氣使安寧。
剛柔二痓最乖張。口噤眼合面紅妝。熱血流入心肺腑。須要金針刺少
商。中滿如何去得根。陰包如刺效如神。不論老幼依法用。可教患
者便抬身。打撲損傷破傷風。先於痛處下針攻。後向承山立作效。

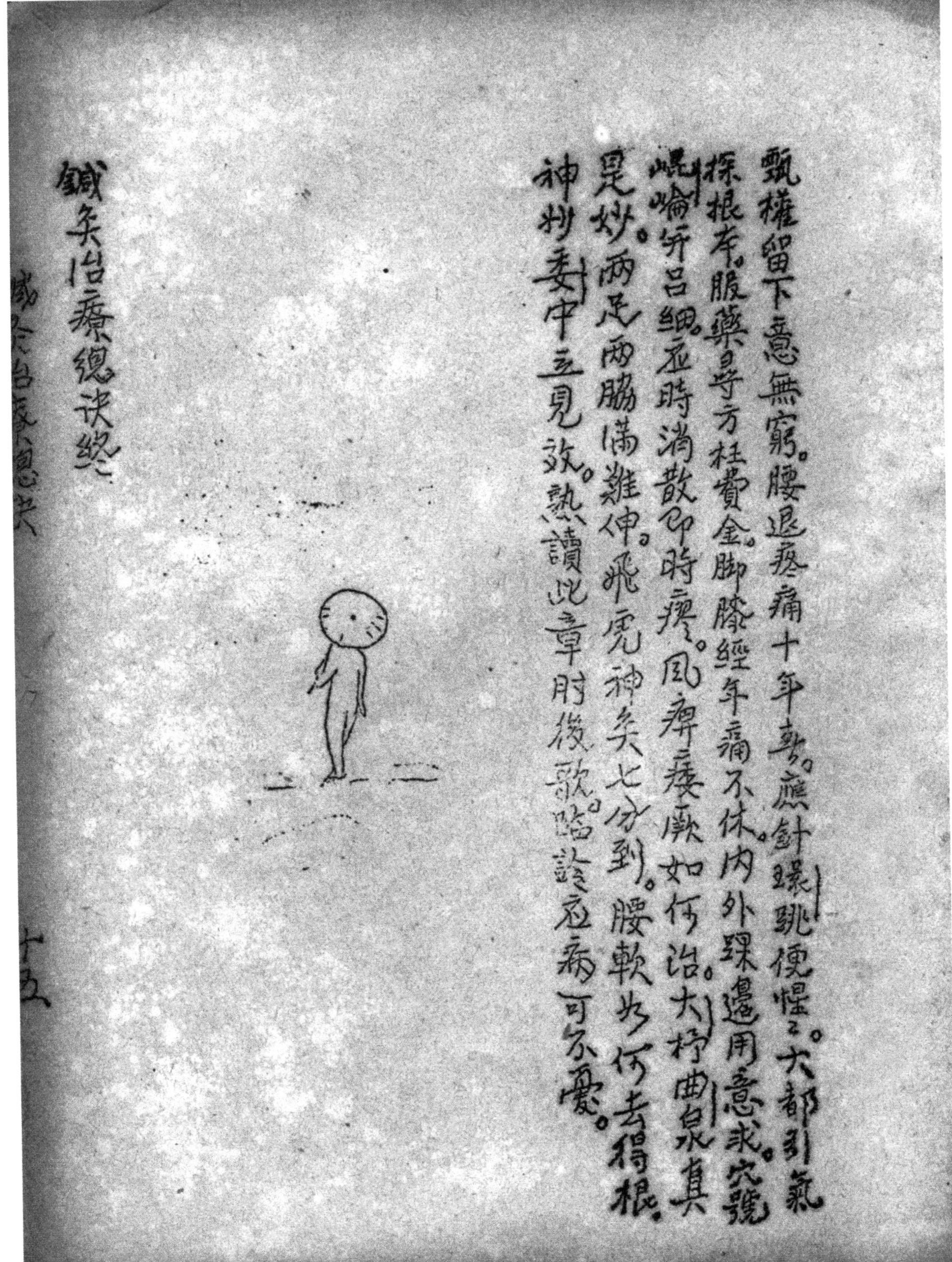

甄權留下意無窮。腰退疼痛十年[illegible]。應針躁跳便惺惺。大都引氣探根本。服藥尋方枉費金。腳膝經年痛不休。內外踝邊用意求。穴號崑崙并呂細。應時消散即時瘥。風痺痿厥如何治。大杼曲泉真是妙。兩足兩脇滿難伸。飛虎神灸七分到。腰軟如何去得根。神妙委中立見效。熟讀此章肘後歌。臨證危病可不憂。

鍼灸治療總诀終

鍼灸學綱要序

大凡豪傑之倡復古者，非墨守成法，作抱殘守缺之舉也。其始皆慮無於時師之門，鑽研揣摩，既尽其道，然有時疑慮橫生，不能越古人而問，而師之所傳者，是否合於實情，言而無徵，亦空言而已。儒家之術，苟非聖人其事業而言論，究否適當，未能使惑者信之也。譬諸兵家，雖飽嘗軍事學識，然昇平之世，未嘗臨陣，則其說之當否，亦未能使惑者信之也。醫術雖不然，病徵常臨於前，可以施諸實驗，其說之良拙，可以證之。然三豎不言，藥之偶中，而得名多矣，未必可以作證，而判其良拙，故醫學復古之說，亦以無博學之士，以證其虛妄，或說與術能合，而為之證驗，故採用古法，以古法為證耳。攝諸醫古籍周主，以鍼灸復古，良於其術也。本其經驗，著為是書，當其引證參攷，構心苦思之事，實不暇黜，既成，示其弟子，名曰鍼灸學綱要，蓋嘔心損血之作也。此書梓行，豈但為其弟子之南鍼，直濟世家之一古方則也，可謂豪傑之事業也已矣。

明和丙戌冬十一月東溟林義卿撰

凡例：

一、鍼灸上切要之經穴，予所恒用者，僅七十穴耳，以此七十穴，而療諸病，不複求他經穴，固違舊說，然用諸實驗，每奏奇效，以治百病，自游刃有餘焉。

一、舊本十二經十五絡，所生是動井滎俞經合八會，或刺中心一日死，其動為噫，刺中肝五日死，其動為語之類，或刺瘂門成瘂之說，一切不取，故不言太陽太陰經，別為頭面之經穴，列頭面部，手足之經穴，列手足部。

一、治門中，皆不言鍼深淺，宜從其病，醫者不分輕重，妄言深刺為害，或淺刺不治，難經所謂春夏淺秋冬深刺之說，一切不可從。

一、治門中，皆不言灸數者，以隨病輕重多寡也，間亦言數壯者，其所有經驗而得效者也。

一、是編之出血法，試用之十之七八，固不取奇驗，然出血有多寡，可隨病虛實輕重矣。

一余所用治諸病之鍼乃毫鍼也而世人好華以金銀作之余只用鐵鍼以覺其有奇效也是針刺皮肉甚亟而不傷氣血醫人謂銅鍼有毒以不用然鐵之有毒余亦未之見也

一予所用之出血鍼乃三稜針也和漢醫皆以和鋼鐵作之出血之後其創痛甚當以南蛮输入者為佳可選用之

目錄

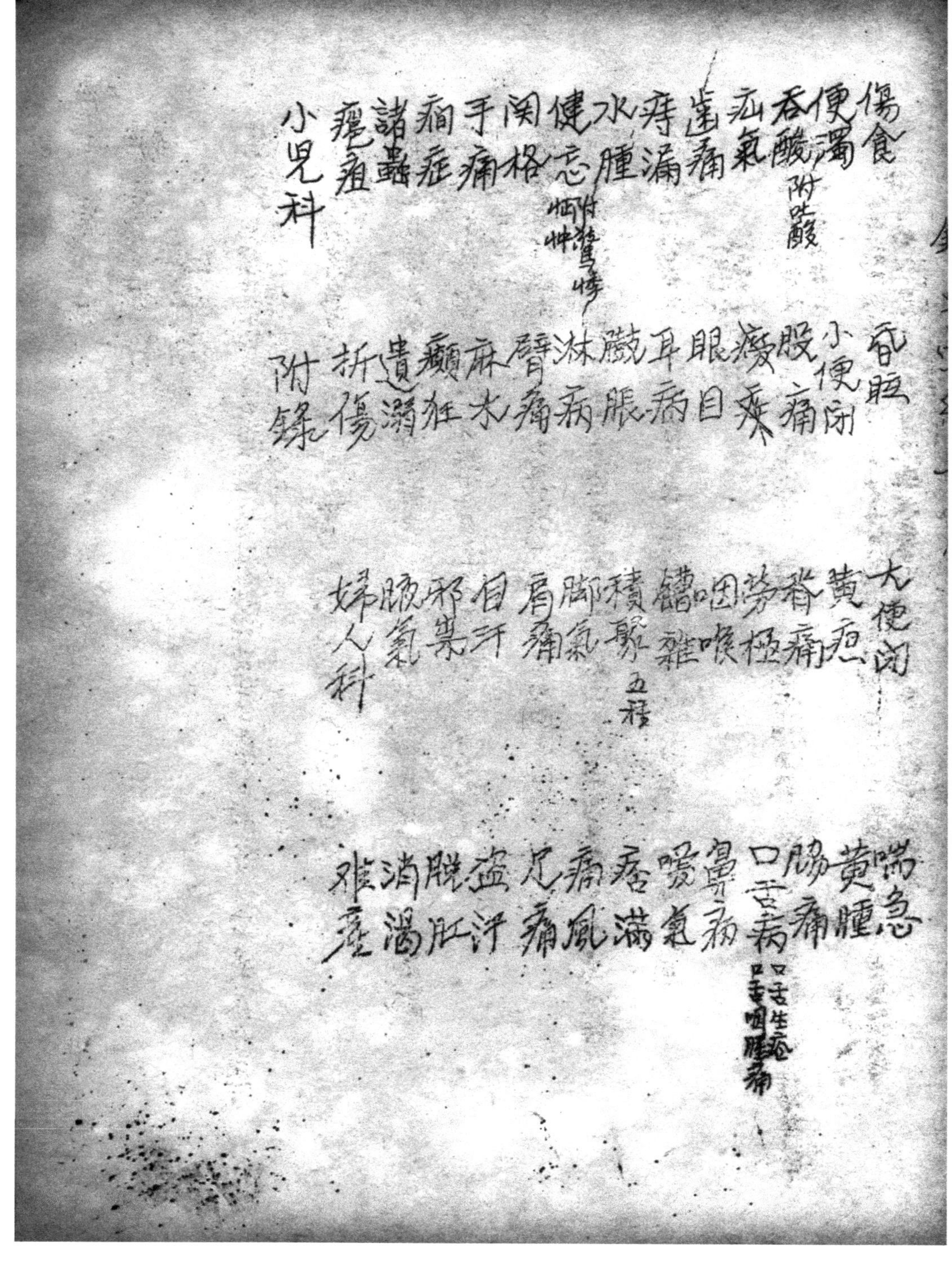

傷食
便濁
呑酸 附吐酸
疝氣
[illegible]痛
痔漏
水腫
健忘 附驚悸 怔忡
関格
手痛
癎症
諸蟲
癰疽
小兒科

霍亂
小便閉
股痛
痿痹
眼目
耳病
臌脹
淋病
臂痛
麻木
癲狂
遺溺
折傷
附錄

大便閉
黄疸
脊痛
勞極
咽喉
嘈雜
積聚 五積
腳氣
肩痛
自汗
邪祟
腋氣
婦人科

喘急
黄腫
腸痛
口舌病 口舌生瘡 口舌咽腫痛
鼻病
噯氣
痞滿
痛風
足痛
盜汗
脫肛
消渴
瘧疾

针灸七十穴

头面部

百會　在頂中陷中，容豆許，去前髮際五寸，後髮際七寸。○主治卒中惡，卒起僵卧，惡見風寒。

頭維　額角入髮際一寸五分，俠[illegible]。○主治頭痛[illegible]。

翳風　耳後尖角陷中，按之引耳中。○主治口噤不開，引鼻中，又治齒齲。

耳門　耳前起肉當耳缺者陷中。○主治耳鳴聾，齒齲痛。

風池　耳後顳顬後，腦空下髮際陷中。○主治[illegible]。

瘂門　在項入後髮際五分，項中央宛宛中，仰頭取之。○主治瘖不能言，舌急語難。

睛明　內眥頭外一分，宛宛中。○主治目[illegible]，遠視[illegible]，[illegible]。

肩背部

大椎　在脊骨第一椎上陷者宛宛中。○主治[illegible]不愈[illegible]，灸之[illegible]十壯，[illegible]。

肩井　肩上陷中，缺盆上大骨前一寸半，以三指按之，當中指下陷中。○主治頭項痛，臂不能舉，[illegible]。○又治乳癰極效。

肩髃 膊骨头肩端上，两骨罅间陷者，宛宛中，举臂取之有空。○主治瘫痪，筋骨疼痛，头颈拘急，不可回顾。

膏肓 四椎下近五椎上两旁，相去脊中各三寸，正坐曲脊伸两手，以臂着膝前，令端直，手大指与膝头齐，以物支肘，勿令摇动取之。○主治虚损劳伤，百病无所不疗。○此穴亢氏传亦载，医籍见晋侯病在膏之上，肓之下，针灸不可刺之，亦为有治之功，而有此名也。盖当和上焦心肺之阳气，心肺之阳弱气，当清气，营卫行而施之功矣，故曰百病无不所疗也。阳气虚损，神魂劳倦，气血衰弱，骨蒸，遗精，健忘百端病症，无不疗也，诚医家紧要之空穴也。

肺俞 第三椎下两旁，相去各一寸五分，《千金》曰：对乳引绳度之。○主治上气喘满，咳嗽。

膈俞 七椎下两旁，相去脊中一寸五分，正坐取之。○主治胸胁先满，噎食不下，咳嗽气痛。

肝俞 九椎下两旁，相去脊中，各一寸五分，正坐取之。○主治胸满，心腹积聚，疼痛，咳嗽引两胁。

脾俞 十一椎下两旁，相去脊中各一寸五分，正坐取之。○主治泄痢不止，饮食不化，肌瘦，黄疸，腹胀痞气。

胃俞 十二椎下，两旁相去脊中，各一寸五分，正坐取之。○主治胃寒吐逆，少食羸瘦，霍乱腹痛。

膀胱俞 十九椎下，两旁相去脊中，各一寸五分，伏取之。○主治小便不通，遗尿失禁，妇人带下病取效。

腰眼 令病人解去衣服，直身正立，于腰上脊骨两旁有微陷处，是为腰眼穴也。○主治传尸痨瘵，气门绝否，医者难治尤妙，尸虫从泄泻中而出，此此四花之穴，尤易且效，又常灸腰痛，满

瀉，且治婦人月事不定，赤白帶下，臍旁疝痛，下如冷湯淋，臍下冷之効，

胸腹部

天突 在頸結喉下四寸，宛宛中，○主治喘息痰涎咳嗽，○又主喉痺咽乾急，

中府 乳上三肋間，動脈應手陷中，去中行六寸，○主治胸肋疼痛、中風，

鳩尾 蔽骨之端，在臆前，蔽骨下五分，人無蔽骨者，從岐骨際下行一寸，曰鳩尾，言其骨垂下，如鳩尾形，○主治癲癇狂亂，神志昏昧者

巨闕 鳩尾下一寸，○主治心胸疼痛，膈中不利，

上脘 去蔽骨三寸，臍上五寸，○主治翻胃嘔吐，食不下，

中脘 上脘下一寸，臍上四寸，○主治胃脘痛有積，

梁門 中脘旁去中行，各二寸，○主治積聚疼痛，

陰都 夾中脘兩邊，相去五分，○主治噎膈不食急息，

建里 中脘下一寸，臍上三寸，○主治宿食嘔吐，

下脘 建里下一寸，臍上二寸，穴当胃下口，小腸上口，水穀於是入焉，○主治泄利，腹滿腸鳴，

水分 下脘下一寸，臍上一寸，穴当小腸下口，○主治水腫腹滿，水穀不分，小便不通，○灸功尤勝於鍼矣，

章門 大横外直，季脇肋端，臍上二寸，兩旁九寸，側卧屈上足，伸下足，舉臂取之，○主治胸脇支滿，痞氣食積，癥瘕痞塊，泄利，疝痛，

京門 監骨下，腰中季脇，本腎募，○主治小腹急痛，○此穴能利腰開之氣，通腹背之結，而升降之路，扶持脾腎之元氣，諸書不言，惟須每日用之，亦能有效，故記以傳之也，

神闕 当臍中，○主治卒中不省者，卒霍亂轉筋入腹，四肢厥冷欲绝者，

天樞 夾臍中兩旁，各二寸陷中，○主治賁豚脹疝，○甲乙經云，治氣疝，噦嘔，面腫，賁豚，

陰交 臍上一寸，当膀胱上口，○主治小腹冷痛，陰囊濕痒，

氣海 台蜀，臍下一寸半，宛宛中，男子生氣之海，○主治溫補下元不足，盛精氣，夢遺精滑，

石門 臍下二寸，○主治小腹疝痛，淋閉，

關元 臍下三寸，○主治臍下絞痛，遺精淋濁，月經不调，張介賓曰，此穴当人身上下四旁之中，故名，大中極，乃男子藏精，女子蓄血之處，

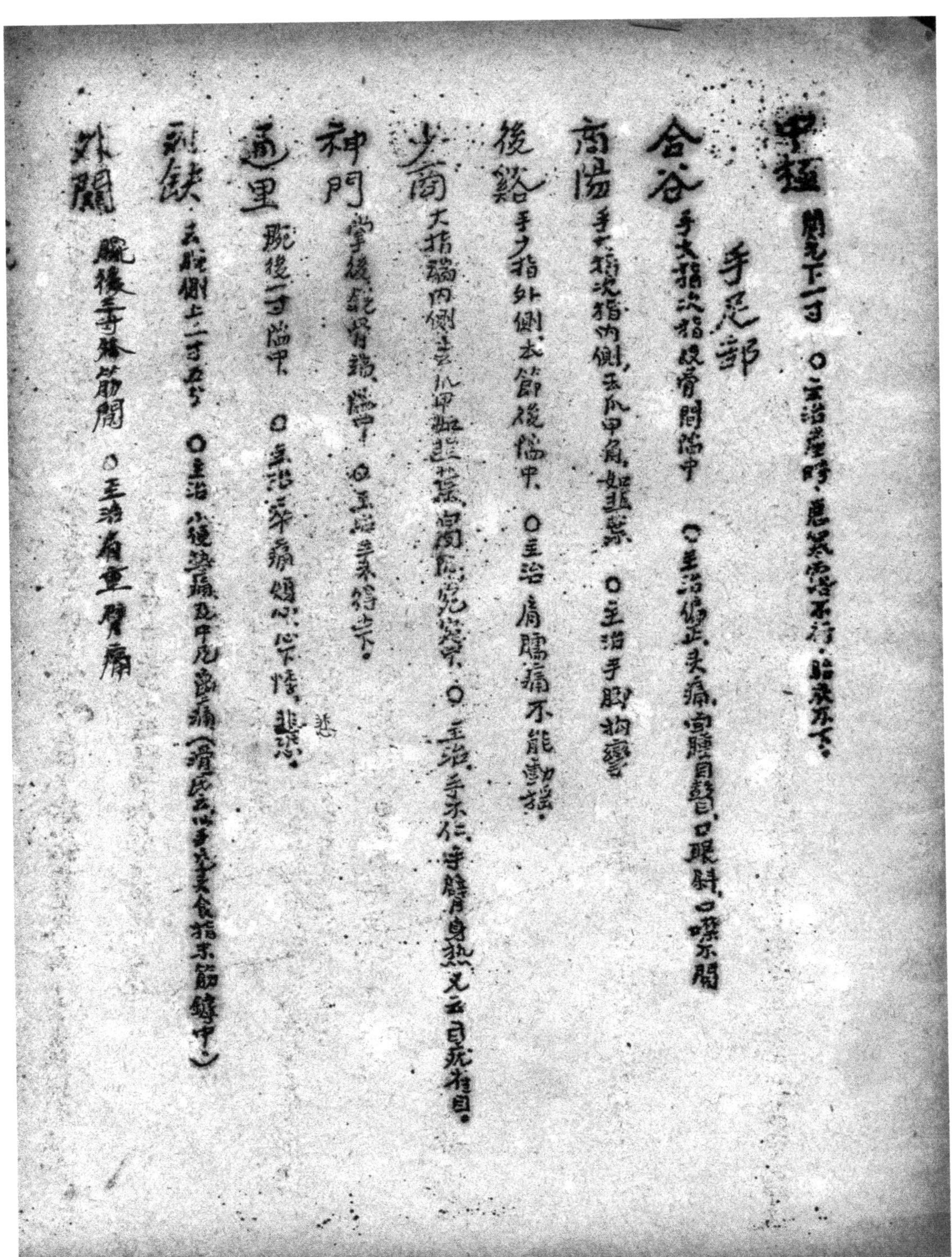

中極　關元下一寸　○主治産時、惡露不行、胎衣不下。

手足部

合谷　手大指次指岐骨間陷中　○主治偏正頭痛、耳聾目瞽、口眼斜、口噤不開

商陽　手大指次指內側，去爪甲角如韭葉　○主治手腳拘攣

後谿　手小指外側本節後陷中。○主治肩臑痛不能動搖。

少商　大指端內側去爪甲如韭葉，白肉際宛宛中。○主治手不仁、手臂身熱，又云目疾者目。

神門　掌後銳骨端陷中。○主治手不得安下。

通里　腕後一寸陷中　○主治癃痛、煩心、心下悸、悲恐。悲

列缺　去腕側上一寸五分　○主治小便淋痛及中風齒痛（滑氏云以手交叉食指末筋罅中）

外關　腕後二寸兩筋間　○主治肩重臂痛

温溜　腕後去五寸間，動脈中。○主治，瘧，面赤腫。○又云，瘰癧咽腫。

曲澤　肘內廉下陷中，屈肘得之。○主治腹脹喘，振慄。

曲池　肘外輔骨，屈肘曲骨之中，以手拱胸取之。○主治臂膊疼痛不能提物，不屈伸不便，手振不能舉物，及中風口喎斜。

內關　掌後去腕二寸，兩筋間。○主治，手中風熱，臂裏痛手急。

湧泉　足心陷中，屈足捲指宛宛中跪取之。○主治衄血不止。

太敦　足大趾端去爪甲如韭葉及三毛中。○主治大腹脹，腹痛，癇

隱白　足大趾端，內側去爪甲角，如韭葉。（側身大敦）○主治腹脹逆息。○又云，腹滿善嘔，（內側為隱白，外

內庭　足大趾次趾間陷中。○主治喜頻伸數欠，惡聞人音。

臨泣　足小趾次趾本節後，陷中。○主治支痛胸痹不得息。

申脈　外踝下五分，陷中，容爪甲，白肉際。○主治風眩癲疾氣麻木

二

公孫、足大趾本節後一寸、內踝前。〇主瘧治諸癥、惡寒、心痛、心煩。

三陰交、內踝上三寸骨下陷中。〇主治婦人月水不調，難產、死胎。〇此穴下三陰交經所交會。為治陰病血症、婦人之要穴也，故俗對婦人調之下三里也。

承山、兌腨腸下分肉間，陷中。〇主治大便秘不通、痔漏、腳氣。

陰陵泉、膝下內側，輔骨下，伸足取之，與陽陵泉穴相對。〇主治心下滿、寒中、小便不利。

陽陵泉、膝下一寸筋外廉陷中，蹲坐取之。〇主治足膝冷痹不仁、腳氣筋攣。〇此穴為筋會陽陵泉，故凡膝附足筋絡拘攣等，皆治此。

三里、膝下三寸，胻骨外廉，大筋內宛宛中，兩筋肉分間，舉足取之。〇主治逆氣上衝、頭痛目眩、眼蒙、耳鳴、鼻塞、口苦、咳嗽、痰喘、心痛、胸腹脹滿、食不化、腹內諸疾、氣塊、腹痛、大小便不調、腸炎下痢諸症。〇此穴能治諸上逆之濁氣、升下陷之清氣，故所治之諸病，皆是濁氣上逆、陰寒之症也。上焦有之因穴，升下陷清陽之氣，而升清之氣則濁氣降。此三里穴治上逆之氣，濁而濁氣降，則清氣升，陰陽升降，互為其用，以收同等之效。修今灸者有之，後日必灸三里，以宜治之者也。

委中、膕中央約紋，動脈陷中。〇主治腰脊重痛不可忍者，刺之出血頓愈。轉筋強直者，亦刺之立愈。

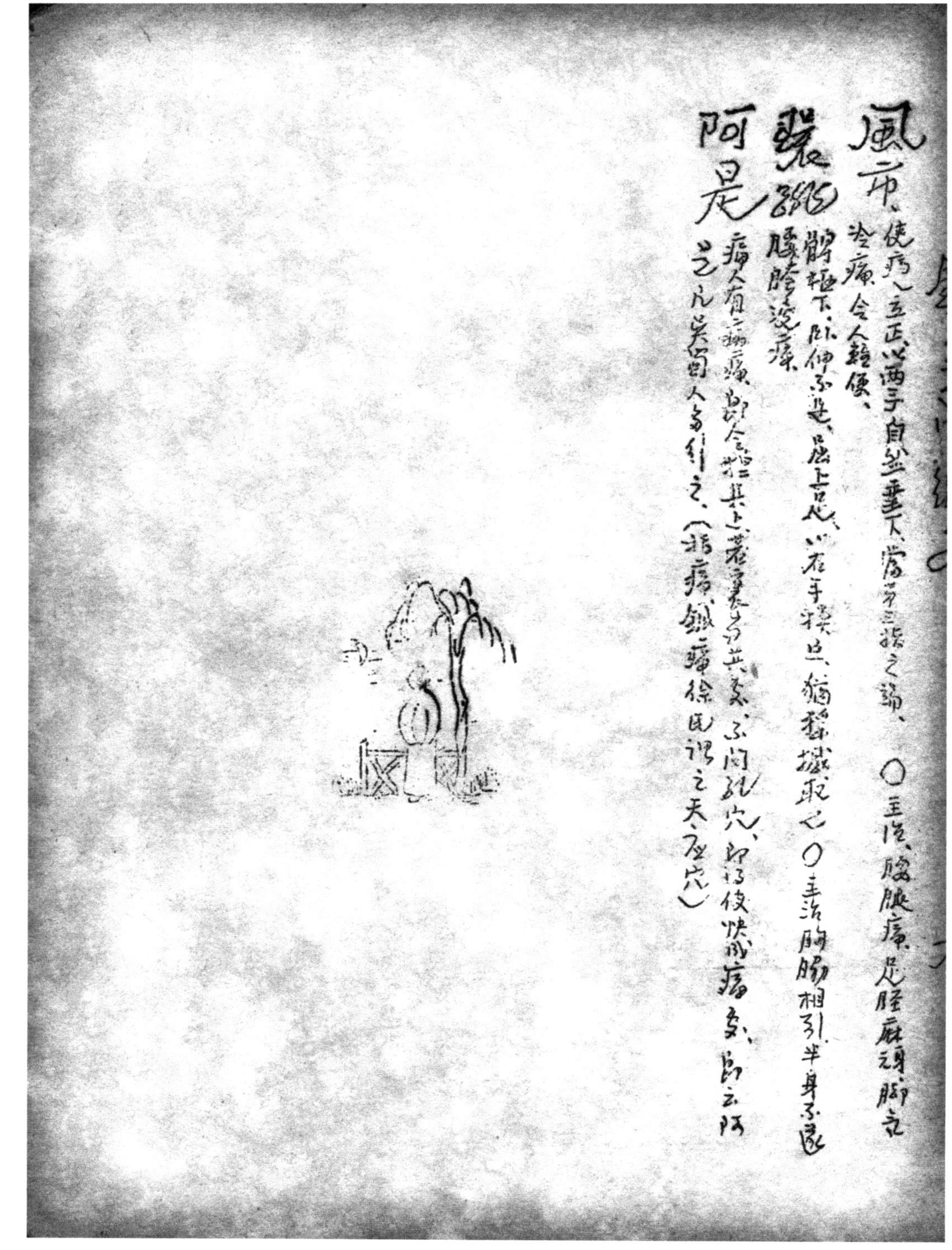

風市、使病人立正、以兩手自然垂下、當中指之端、○主治、腰腿痛、足脛麻痺、脚氣、冷痛、令人輕便、

環跳、髀樞下、臥伸下足、屈上足、以右手摸之、循摸撮取之○主治胸脇相引、半身不遂、腰胯酸疼、

阿是、病人有一種之病痛、即令指按其上、若果當其處、不問孔穴、即得便快成痛處、即云阿是之穴、吳蜀人多行之、（指痛處鍼之、徐氏謂之天應穴）

一、鍼灸學綱要

攝都管周桂 著
廣西省立梧州區醫藥研究所印

中風

經曰風之傷人也，或為寒熱，或為熱中，或為寒中，或為癘風，或為偏枯，是以古之名醫，皆以外中風邪立方，然河間主火，東垣主氣，丹溪主濕，三先生之論，使後學狐疑不決，故王安道有論三子，主氣主火主濕之不同，而前昔人主風之不合，而立真中為二途，

鍼　中脘　鳩尾　三里

灸　百會　大椎　風市　三里

出血　委中　合谷

預防中風　凡手十指麻痺者，中風漸也，速宜療治，薛立齋曰，預防之理當養氣血，節飲食，戒七情，遠幃幙可也，

鍼　風池　百会　翳風　合谷　鳩尾　幽門

灸　肩井　曲池　（此二穴，自百壯至三百壯，屢試屢效，）

傷寒　傷寒，一日刺太陽，二日刺陽明，陰陽分次第之說不可信，

鍼　期門　三里　風池

陰症傷寒

灸　關元　神闕

內傷

內傷者內傷脾其胃也

灸　胃俞　脾俞　腎俞

中寒

寒為天地殺厲之氣也，寒氣之傷人也，因陽氣虛也，凡傷寒，循六經，漸入中寒，不問冬夏，或坐地受冷，會逆膚卒入臟腑，而似中風，

灸　中脘　神闕　氣海（灸三次穴，灸到手足溫暖則生，如極冷，唇青，厥逆無脈囊縮者即死．）

中暑　有夏月四症，傷寒，傷風，中暑，熱病，疑似難明，當詳細診斷，以分辨之，

中暑者，熱中心脾二經也．

鍼　中脘　鸠尾

霍乱　霍乱已死，腹中尚煖而未绝气者，乃用盐纳脐中令满，大艾炷灸三五七壮愈。

霍亂有湿霍乱，乾霍乱，二種，心腹卒痛，先吐先泻，心腹俱痛，吐泻俱作者，湿霍乱也，凡吐泻时不可与食，乾霍乱，忽然心腹绞痛，手足厥冷，欲吐有声无物，欲泻不得泻，升降不通，而急死。

鍼　鸠尾　中脘　关元　三里

灸　神阙

出血　委中

轉筋　丹溪云，轉筋多属血热。

尋常轉筋，四时皆有，不因霍乱而發者，其發多于睡中，或伸欠而作。

出血　隐白

一方　每遇轉筋时，即以大指擦痛处，二三十匝，即虽皮破亦不妨。

湿症　湿症，虽有内外之不明同，從外感得之者少，從内傷得之多。

湿有自内外入者，長夏鬱熱，山澤蒸氣，冒雨行湿，動作辛苦人，汗透沾衣，多腰脚腫痛，有自内得者，生冷湿麵滞脾，生湿鬱熱，多肚腹腫脹。

鍼　阴元　石门

灸　胃俞

痰飲　痰之病，変百端，隨症可治療。

内经曰：諸氣膹鬱，皆属肺金，蓋肺氣鬱則成熱，熱盛則生痰，

鍼　幽门　中脘　上脘　阿是

灸　膈俞　膏肓

瘧

瘧之病，内经説之詳且尽矣，然後世之名醫，或为瘴瘧，為鬼瘧，為痰瘧，為食瘧，其因痰食瘴鬼而為瘧者，固有之，而千百十

一耳，然聾，延賢以瘧期時發為信。

鍼 大椎 章門 京門 胃俞

灸 章門—屢試屢驗

泄瀉 泄瀉之症，中脘陰都之兩穴不可刺，寧爾輕刺，此脾虛極矣。

泄瀉之症，只因脾胃饑寒、飲食過度，或為風寒暑濕所傷，皆令泄瀉。

鍼 關元 石門 三里

灸 天樞

咳嗽 欬者無痰而有声，嗽者無声而有痰。

内經曰，五臟六腑皆令人欬，非獨肺也，皮毛者肺之合也，皮毛先受邪氣，邪氣以從其合也，五臟之欬嗽，久乃移於六腑。

鍼 幽門 上脘 巨闕

灸 肺俞 肩井

出血 曲澤

痢疾 白痢針合谷，赤痢針小腸俞，赤白針裏內，此之說，毫無根據，余亦不取也，

原病式曰，痢為濕熱，甚於腸胃，怫鬱而成，其病皆熱症也，赤白相兼，膿血雜痢，皆因脾胃失調，飲食停滯，積於腸胃之間，多是暑濕傷脾，故作痢疾，

鍼　章門　天樞　関元　腎俞

灸　京门　腰眼

嘔吐

嘔吐者，有声有物，胃氣有所傷也，

鍼　章门　京門　水分　三陰交

灸　三里　自百壮至二百壮得效，

痿躄 手足痿軟而無力，百節緩縱而不收，症名曰痿，

五臟因肺氣热焦，發為痿躄

鍼　三里　大椎　膏肓　腎俞

灸　肺俞　膈俞

出血　大敦

頭痛　偏头風，大头風，雷头風，眉稜骨痛，真头痛，头重、头摇，内傷头痛，時作時止，外傷头痛，綿綿不已，氣虚头痛，耳鳴，九竅不利，濕熱头痛，头重如石，風寒头痛，身重惡寒，真头痛者，脑尽痛而手足冷至節者，不治。

統治一切頭痛症類

鍼　百會　風池　阿是　頭維　三里

灸　列缺　關元　瘂门

出血　頭維　百會

胃脘痛　俗呼為心痛

虞天民曰，經所謂胃脘當心而痛，今俗呼為心痛者，未達此義耳，雖曰運氣之勝復，未有不因清痰食積鬱于中，七情九氣觸于内之所致焉，

鍼　中脘　鳩尾　脾俞　内關

出血　膏肓

腹痛　大凡虚者喜按实者怕按

腹痛者，有因虚，因实，因傷寒，因痰火，因食積，因死血者，宜參考，

鍼　章门　中脘　天樞　氣海　三陰交　阿是

灸　天樞　京门　三里

出血　太敦

一方　以帛包塩熨臍小腹，是又良法也，

腰痛　腎虚而邪氣湊焉，故作痛，

丹溪曰，腎受病，故則腰滞而痛，

鍼　腰眼　三里　陽陵泉　阿是

灸　腎俞　陰陵泉

出血　委中

鬱症

夫人之氣血冲和，萬病不生，一有噎鬱，諸病生焉，故人之諸病，多生於鬱，

鍼 中脘 上脘

灸 脾俞 膏肓 三里

諸氣 鍼以導其氣

血則隨氣而行，氣載乎血也，是是氣必有是血，有是血必乘乎是氣，

二者引則俱行，一息有間則病矣，

氣虛 勞役傷氣，中氣不足，不可鍼，

灸 脾俞 胃俞

氣實 邪之氣也

鍼 上脘 梁門 下脘

氣滯 鬱而不伸也

鍼 中脘 陰都 梁門

氣寒 身受寒之氣也

灸 脾俞 肝俞

諸血

血為榮，氣為衛，心主血，肝藏血，脾為總管，血隨氣行，氣逆則血逆，臟得血而能津，腑得血而能潤，目得血而能視，舌得血而能言，手得血而能握，足得血而能踐，榮衛晝夜循環運行不息，若是榮衛火動，皆令失血焉，

欬血 嗽而血出也

鍼 幽門 三里 三陰交

咯血 痰中血痰痰也（而吐血顯不臭可治若臭者不治）

鍼 梁門 幽門 幾絡

吐血 呕全血也

鍼 脾俞 上脘 中脘 陰陵泉

衄血 鼻出血也

鍼 肝俞 瘂門 臨泣 內庭

灸　三里　涌泉

便血　大便血

鍼　隱白　三里　中脘

灸　三陰交　二百壮

溺血　小便血

鍼　関元　石門　天樞　臨泣

咳逆

夫欬者，氣逆也，氣自臍下直衝上出於口而作声之名也，古謂之噦，今謂之呃，乃胃寒所生，寒氣自逆而呃上也，有痰，有氣虛，有火，有因飲食太过，填塞胸中，而氣不得升降者，

鍼　中脘　陰都

灸　三里　屢試屢效

悪心　胃中有寒氣而作悪心者呃清水胃中有热氣而作悪心唖酸内作热

悪心者，無声無物，但心中欲吐不吐，欲嘔不嘔，雖曰悪心，非心经之病，其病皆在胃口上也，

鍼 中脘 上脘 梁門

灸 脾俞 胃俞

翻胃 一名反胃 謂食入反出也，故

大抵翻胃之症，未有不由膈噎而起也，其病皆因憂愁憤怒，思慮鬱結，痰飲滯於胸膈之間，使氣道噎塞也，

鍼 中脘 上脘 下脘 陰都

灸 膈俞 脾俞 膏肓

傷食 初起一吐即宽 若久不化成積食也

東垣曰胃中元氣盛，則能食而不傷，过时而不飢，脾胃俱壮，則能食而肥，也脾胃俱虚，則不能食而瘦，或少食而肥，而四肢不举，蓋実而邪氣盛也，又有善食而瘦者，胃強脾虚，胃强者，邪火殺穀，非真強也，脾虚則肌

肉削名曰食㑊

鍼 嘔瀉並作腹痛甚之時 中脘 鳩尾 章門

灸 不得吐不得瀉，腹痛甚而已欲絕之時，神闕

出血 百會

眩暈 病因有四，外邪、七情、腎虛、血虛，

夫眩者，言其昏黑，暈者言其旋轉，無痰不能作眩，此痰在上，火在下，火炎上而動其痰，

鍼 中脘 三里 承山 內庭

灸 三里 隱白

大便閉 一名秘結（有風燥、有熱燥、有陽結、有陰結、有氣滯結，或因有所脫血津液暴竭種種不同，固難一例而推之）

秘結之症，不問氣体實之人，攝養乖理，三焦氣澁，運掉不行，壅結於腸胃之間，皆有秘結之患，

鍼 承山 章門 膀胱俞

灸 中脘 腰眼

喘急

人之五臟，皆有上氣，而肺為之總，故經曰諸氣皆屬於肺，肺居五臟之上，而為華蓋，喜清虛而不欲窒礙，調攝失宜，或為風寒暑濕邪氣相干，則肺氣脹滿，發而為喘，呼吸坐卧迫促不安也

鍼 中府、幽门 中脘

灸 天突、

便濁

因脾胃之濕熱下流，滲入膀胱，故使便溲或白或赤，而渾濁不清也，

鍼 中府 石門 陰交

灸 腎俞

小便閉

天民曰，先哲以滴水之器譬之，上竅閉則下竅不出，此理甚明，故東垣使灸百会穴，提其氣，是開上竅之法也，

經曰，清陽出上竅，濁陰出下竅，故清陽不升，則濁陰不降，而成淋閉之患矣，

鍼 石門 關元 章門

灸 百會

黄疸

黄疸之病，皆濕熱所成，

出血 隱白 脾俞 胃俞

黄腫

人有病黄腫者，不可誤以為黄疸。蓋黄疸者，遍体如金，眼目皆黄，而面無腫狀，黄腫之黄，則其色帶白，而眼目如故，雖同出脾胃，而病形不同

鍼 中脘 三里 腎俞 脾俞

吞酸 附吐酸 吞酸吐酸雖有吞吐之不同而治法則一

内經曰，諸嘔吐酸，皆屬熱，惟李東垣獨以為寒，

鍼 章門 京門 天樞

灸 三里 百壯而有效

股痛

股居一身之下，厥陰之所歸，而其所以作痛者，三經（三經者，足太陰脾經、足厥陰肝經、足少陰腎經也，施治之時不必詳）分、受病也，

鍼　三陰交　陰陵泉　三里　阿是

灸　風市

出血　委中

脊痛（肩背痛不可回顧者，發氣之所鬱也）

背脊大者，膀胱、督脈、少陽經，其所以作痛者，乃房慾過度、不惜勞力，空虛所致，

鍼　肩髃　肩井　曲池

灸　肺俞　脾俞

出血　膏肓

脇痛

丹溪曰，屬肝木氣實，有死血，有痰流注，

鍼　章門　京門　阿是

灸 中府

出血 肝俞

疝氣

難經曰，任脈之為病，其内若結，男子者為七疝，七疝者，寒、水、筋、血、氣、狐、癩、是也，

鍼 天樞 関元 腰眼

灸 風市 阿是

出血 腎俞

勞極 勞瘵之一症，难治也，亟施以針，亦無大效

勞瘵者，元是虛損之極，二十四種，或三十六種，名雖不同，證亦少異，大抵不過欬嗽發熱咯血吐痰白濁白淫遺精盜汗，或心神恍惚夢與鬼交，婦人則月閉不通，日漸尪羸，漸成勞極之候，

灸 膈俞 肝俞 脾俞

一 口舌病

口者，脾之竅，舌者，心之苗也，

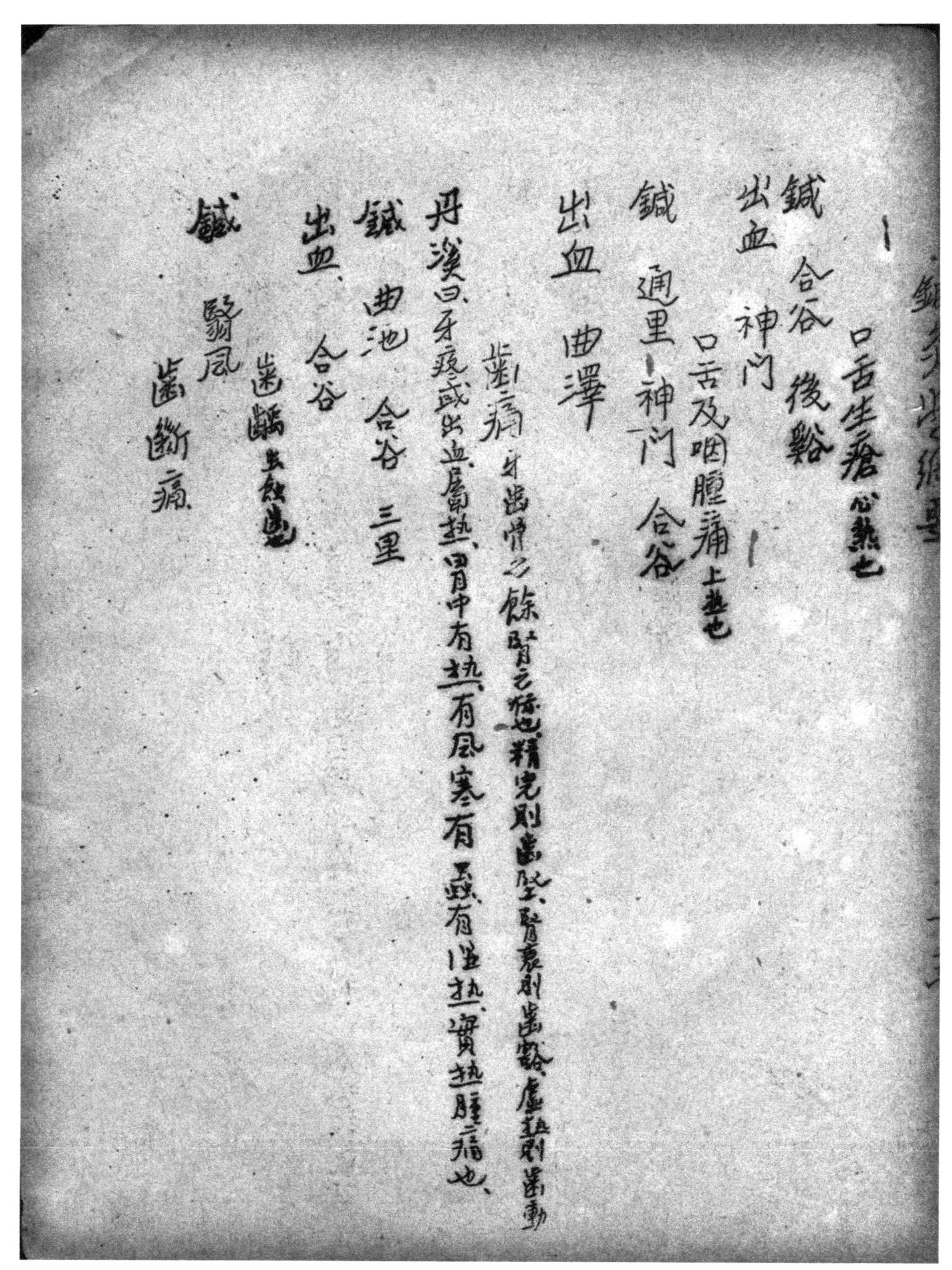

口舌生瘡心熱也
鍼　合谷　後谿
出血　神門
口舌及咽腫痛上熱也
鍼　通里　神門　合谷
出血　曲澤
齒痛　牙齒骨之餘，腎之標也，精完則齒堅，腎衰則齒豁，虛熱則齒動
丹溪曰，牙疼或出血屬熱，胃中有熱，有風寒，有蟲，有濕熱，實熱腫痛也，
鍼　曲池　合谷　三里
出血　合谷
齒齲虫蝕也
鍼　翳風
齒齗痛

鍼　列缺　神门

眼目　目之失明者，四氣七情之所害也。

陰陽應象論云，諸脈者，皆屬於目，又曰目得血而能視，五臟六府之精氣，皆上注於目，而為之睛，

風眼腫痛

鍼　睛明　三里　內庭

出血　頭維

肝經上壅目赤澀痛

鍼　合谷　睛明

灸　肝俞

萑目　肝虛之候也

鍼 百會 少商

出血 肝俞

眼眶腫痛

出血 合谷 少商

統治一切眼疾

鍼 睛明 合谷 三里 內庭 百會 少商

灸 肝俞 三里

出血 肝俞 三里 少商 頭維 百會

咽喉

咽喉腫痛者，或喉痛生瘡者，或喉痛閉塞不能言語者，俱是風熱發火所致也。

鍼 合谷 曲池 天突

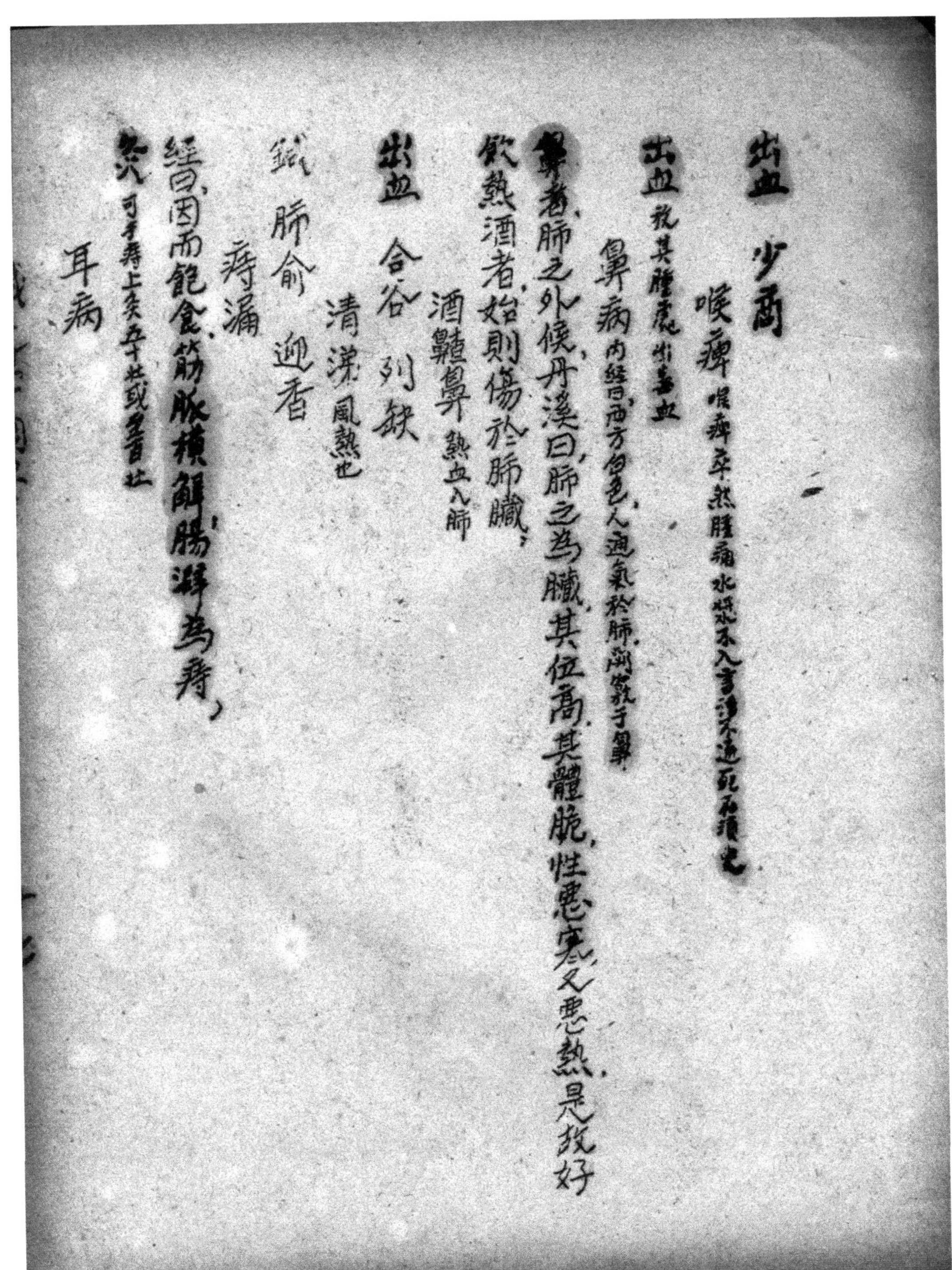

出血　少商

喉痺　喉痺卒熱腫痛水漿不入言語不通死不須臾

出血　救其腫處出惡血

鼻病　內經曰西方白色入通氣於肺開竅于鼻

鼻者，肺之外候，丹溪曰，肺之為臟，其位高，其體脆，性惡寒，又惡熱，是故好飲熱酒者，始則傷於肺臟，

酒皶鼻　熱血入肺

出血　合谷　列缺

清涕　風熱也

鍼　肺俞　迎香

痔漏

經曰，因而飽食，筋脈橫解，腸澼為痔，

灸穴　可于痔上灸五十壯或三百壯

耳病

耳者腎之竅，腎虛則耳聾鳴也，

聤耳 多是上焦火炎也，小兒多有之

鍼 翳風 外關

膿耳 風熱上壅流膿，耳聾新發者，多熱也，久聾者，多腎不足，

鍼 耳門 迎香 臨泣

右耳鳴聾者，相火也，

左耳鳴聾者，膽火也

左右俱耳腫痛者，胃火也，

統治一切耳病

鍼 外關 合谷 耳門 翳風 後谿 迎香 三里 臨泣

嘈雜

嘈雜者，俗謂之心嘈也，有胃中痰因火動而嘈者，又有因食鬱而嘈者，

鍼 中脘 幽門 胃俞

噯氣 胸膈之氣上升也，噯氣者多在食積，

鍼 中脘 下脘 天樞 神門 通里

水腫

水腫者，因脾虛不能運化水穀，停於三焦，注於肌肉，滲于皮膚，而發腫也，

鍼 關元 天樞 章門 三陰交

鼓脹 鼓脹之一症，針灸雖得效，須服藥，

夫脹者，飲食失節，不能調養，則清氣下降，濁氣填滿胸腹，湿熱相蒸，遂成脹滿，

鍼 中脘 石門 氣海

灸 水分 三陰交 五百壯

積聚

氣之所積名曰積，氣之所聚名曰聚，故積者，五藏所生，聚者，六府所成也，

肝積 名曰肥氣，在右脇下，如覆杯，

鍼 梁门 天樞 章门

灸 肝俞 章门

心積名曰伏梁，起臍上，大如臂，

鍼 中脘 鳩尾

灸 膏肓

脾積名曰痞氣，在胃脘右側，覆大如盤

鍼 中脘 梁门 陰都

灸 脾俞 腰眼

腎積名曰奔豚，在小腹上至心下，若豚狀，

灸 腎俞 京门

肺積名曰息奔，在右脇下，大如覆杯

灸 三里 肺俞

統治一切積聚

陽陵泉 中脘 天樞 梁门 章门 京门 脾俞 腰眼

痞满 大抵大便易者为虚，大便难者为实。

有气虚痞、血虚痞、食积痞、脾泄痞、痰膈痞。

针 梁门 天枢 幽门

灸 上脘

健忘 附惊悸怔忡 精神短少者，多主于痰，

有因思虑（过）度者，劳伤心脾忘事者。

灸 关元 天枢

惊悸 属血虚火动，

灸 神门 中脘

怔忡 心胸躁动，谓之怔忡。惊悸久则成怔忡，怔忡久则成健忘。

三症虽有浅深，然皆因心脾血少神亏，清气不足，痰火涌气上攻。

灸 神门 三里

淋病 气血炎石膏劳谓之五淋

凡淋病属热，（兼）间亦有冷淋，多忿怒房劳、忍小便，或酒肉湿热、

下流腎膀胱鬱结為淋．

鍼 天樞 關元 中脘 太敦

灸 三陰交 委中 膀胱俞

出血 三陰交 委中

脚氣 脚氣者，其初病之時，不知不覺，因他病誘發或奄然太洞，其症寒熱，全類傷寒．有從外感而得者，有從內傷而致者，所感雖有內外之殊，其為湿熱之患則一也．

鍼 風市 公孫 陰陵泉 環跳

灸 隔蒜灸痛處每二壯去蒜再換，灸自三十壯至五十壯，可依患人之輕重也．

出血 委中

痛風 古之痛痹者，即今之痛風也，諸方书又謂之白虎節風．

丹溪曰：因湿痰瘀血流注為痛．

鍼　百會　環跳　風池

出血　三陰交　膏肓

隔格

隔格者，升降不通，飲食不下，此因氣之橫格也，乃是痰格中焦。

鍼　中脘　鳩尾

出血　少商　太敦

臂痛

臂痛者，因濕痰橫行經絡也。

鍼　肩井　合谷　肩髃　曲池

灸　阿是

肩痛　痰濕者宜

鍼　肩井　風池　肩髃

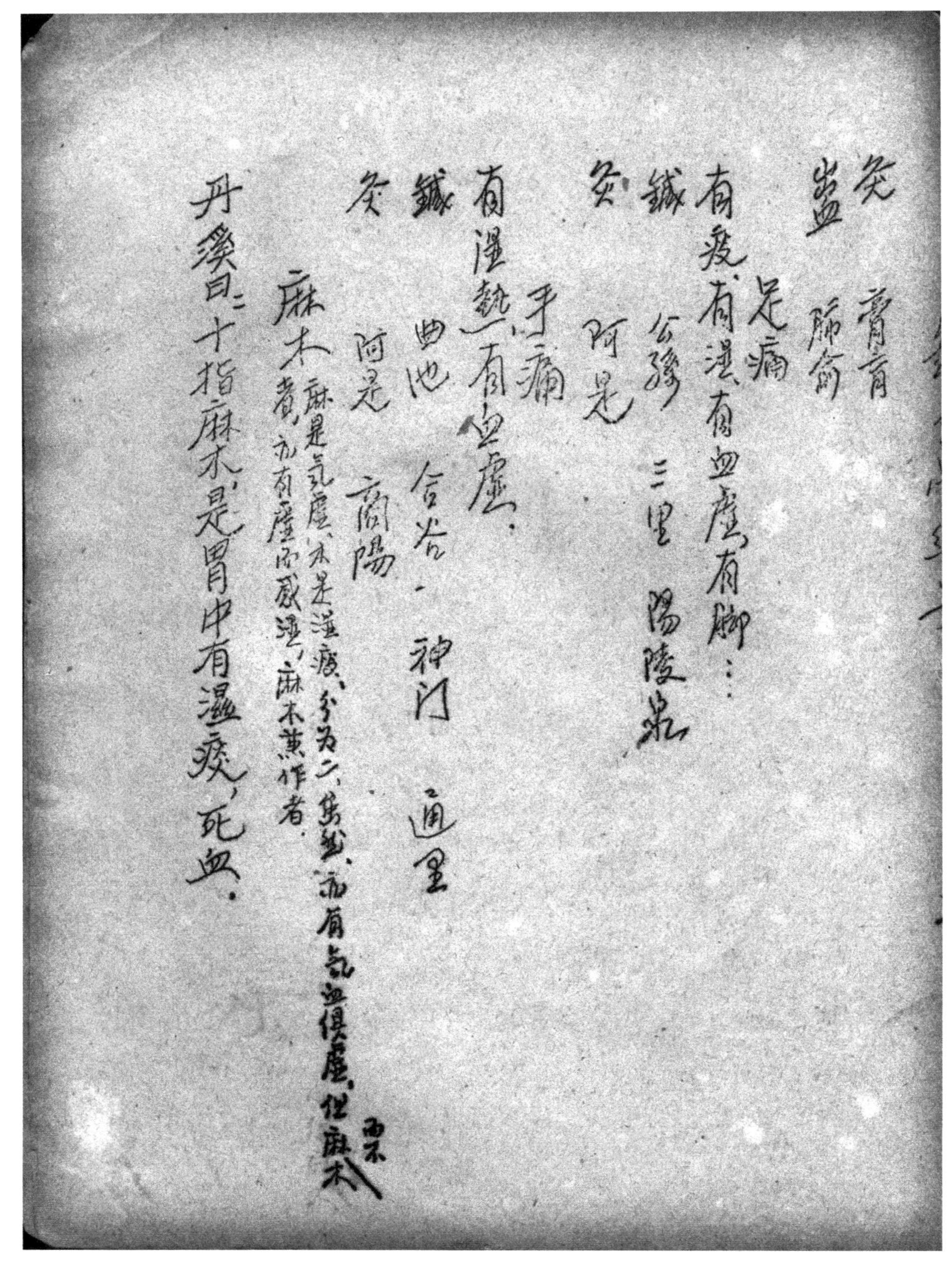
灸　膏肓
盐　肺俞

足痛
有痰、有湿、有血虚、有脚……
鍼　公孫　三里　陽陵泉
灸　阿是

手痛
有湿熱、有血虚。
鍼　曲池　合谷、神門　通里
灸　阿是　商陽

麻木　麻是氣虚、木是湿痰、分為二、共說、亦有氣血俱虚、但麻而不木
木者亦有虚而感湿、麻木兼作者。

丹溪曰：十指麻木，是胃中有湿痰，死血。

渾身麻木

鍼 環跳 陽陵泉 肩髃 三里 百會 池曲 合谷 肩井

出血 合谷 百會

手麻木

鍼 外關 曲池

出血 曲澤

足麻木

鍼 三里 環跳 風市

出血 曲澤 隱白

自汗 原病式曰，心熱則出汗

丹溪曰，自汗者屬氣虛亦屬濕與熱

鍼 列缺 少商 太敦 湧泉

盗汗

丹溪曰，盗汗屬血與陰虛，

灸 氣海 腎俞

鍼灸[illegible]

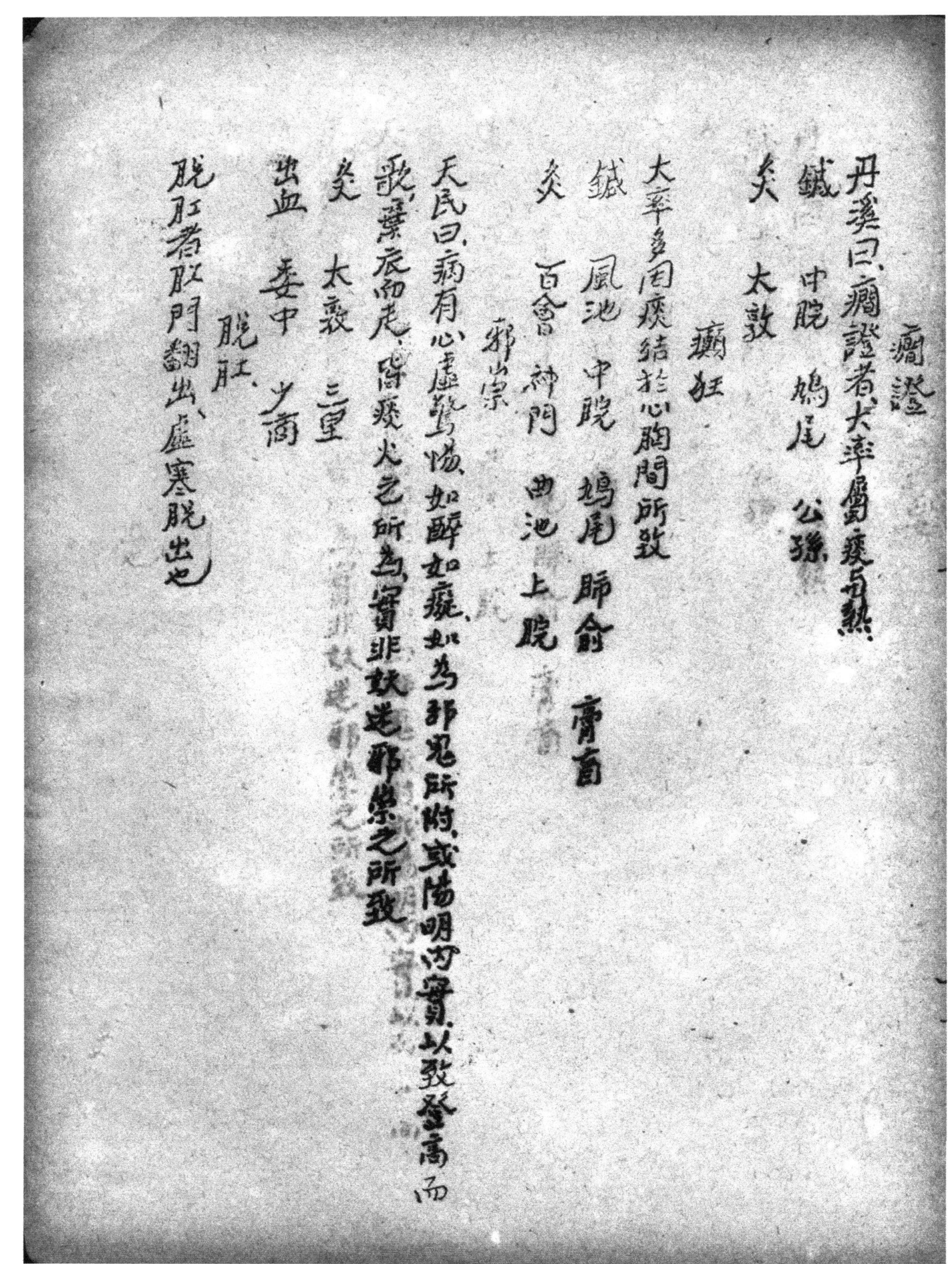

癇證

丹溪曰、癇證者、大率屬痰与熱、

鍼　中脘　鳩尾　公孫

灸　太敦

癲狂

大率多因痰結於心胸間所致

鍼　風池　中脘　鳩尾　肺俞　膏肓

灸　百會　神門　曲池　上脘

邪祟

天民曰、病有心虛驚惕、如醉如癡、如為邪鬼所附、或陽明內實、以致登高而歌、棄衣而走、皆痰火之所為、實非妖迷邪祟之所致

灸　太敦　三里

出血　委中　少商

脫肛

脫肛者、肛門翻出、虛寒脫出也

灸　腰眼　腎俞　脾俞　自二百壯至五百壯、

諸蟲　勞瘵蟲有十八種、其形狀各有異、詳見千金神書

諸蟲者、腸胃中濕熱所生也

鍼　京門　章門　天樞

灸　肝俞　脾俞

遺溺　遺溺者、老人溺多、有虛寒、壯人溺多者虛熱

小便失禁者、陽氣虛

灸　石門　腎俞　五十壯

液氣　一名腸風屬濕熱

灸　臍下存細小孔每次三壯、

消渴　大凡消渴俱屬內虛而有熱也、

因食甘美而多肥、故其氣上溢、轉為消渴

鍼　中脘　陰都

灸　三里

癥瘕　癥者大而高起、屬乎陽、六腑之氣所生也　瘕者平而內藏、屬乎陰、五臟之氣所成也

凡癰疽皆飲食七情、房勞損傷、脾腎肝所致也。癰疽有外邪相侵、及小瘡不知痛癢、亦皆因內有毒以召之也

灸　隔蒜灸，蒜片置患處，去蒜再換灸

折傷　附跌仆

折傷者，多有瘀血凝滯也。

出血　其患處多取血。

婦人科　婦人諸病，多是氣盛而血虛也。

婦人一切病，皆與男子同，惟經水帶下、血崩、胎產等病為異而已。

鍼　經閉　血熱也。

中脘　氣海　中極

灸　關元　天樞

月經常過期者，血少也。

鍼　石門　關元　三陰交

經水過期，臍下有塊作痛，血熱也。

鍼　三陰交　中脘　氣海

經水未行，臨經將來作痛，血實瘀滯也。

鍼　天樞　陰交　關元

經水後行而作痛　血俱虛也

鍼　三陰交　關元

經水欲行臍腹絞痛　血滯也

鍼　氣海　陰交　太谿

統治一切經水諸病生穴

三陰交　關元　石門　陰交　中極　氣海　中脘　太谿　天樞

三里　神闕　合谷

難產　刺合谷三陰交而隨胎之說不可信

難產之婦皆是產前恣欲所致非獨難產且產後諸疾皆由是而生

鍼　三陰交　合谷　石門　關元

產後血暈不識人

鍼　三陰交　關元　中極

灸　三里　太谿

產後手足厥逆

灸 肩井又壯有特效

胞衣不下 肩井穴不可深刺、刺之、宗須刺足三里

鍼 氣海 石門 陰交 肩井

灸 肩井 中極

橫產

鍼 三陰交 腎俞 合谷

橫產手先出、產門手出、以細鍼可刺掌中

逆產 足先出

鍼 關元 石門 三陰交

灸 右足小指尖三壯立產、炷如小麥大

懷姙

灸 胃俞 腰眼 血出產則安

產後腹痛 瘀血也

鍼 石門 關元

血崩 血行淋瀝不正、名血崩

鍼　氣海　天樞　三陰交　太谿

乳腫痛

灸　臨泣

出血　膏肓

血塊

鍼　氣海　三陰交　三里　丹田　阿是

出血　委中

帶下　肥人帶下多是濕痰，瘦人少有此病，有者是熱也。

丹溪曰，胃中痰積流下，滲入膀胱，當升之，無人如此。

鍼　肝俞　三陰交　氣海

灸　天樞　關元

小兒科

凡小兒諸病與大人無異，惟驚風、疳積、痘疹為異。

急慢驚　急驚屬肝，凡邪痰熱有餘之病也，錢仲陽曰，急者實熱，慢者虛熱。

鍼 中脘 鳩尾 百會 湧泉

灸 章門

慢驚 属脾，中氣虛損，不足之病也。

灸 章門 神闕

痞疾 痞疾、癖疾之病，肝俞 膈俞 脾俞 胃俞及至身柱腰眼而出血治之，尚有意不致焉。播州中野村之一医，引此法，最有經驗矣，俗稱中野之一本鍼焉。

虞摶曰：内經云，數食肥，令内熱，數食甘，令人中滿，蓋其病因肥甘所致，故命名曰痞。

鍼 中脘 鳩尾

灸 肝俞 脾俞 章門

出血 膈俞 胃俞 腎俞

癖疾

錢仲陽云：癖塊也，癖於兩脇，痞結也，痞於中脘，此因乳哺失調，飲食停滯，邪氣相搏而成，或乳母六淫七情所致也。

出血　肝俞　脾俞　腎俞

丹毒　丹毒者火行於外也

出血　委中　腸俞

吐瀉

小兒之吐瀉，皆乳食過度，傳化失常，蓋食積鬱則成熱，熱積鬱則成酸，而成吐成瀉，此必然之理也。

鍼　關元　天樞　鳩尾

腹脹　須察其虛實

灸　章門

腹痛　多是飲食所傷也

鍼　中脘　章門　關元

夜啼　錢氏曰：小兒夜啼者，脾臟冷而痛也，有欲飲乳，到口便啼，身額皆熱者，看其口，若無瘡，必腹有痛而啼也。

灸　脾俞

出血　有舌下紫脈，刺之出惡血

痘瘡　痘瘡者於昔不有、[illegible]從蠻發生之、本朝聖武天皇之世始流行、或曰痘瘡者人生不免危病也。初生時、含胎血、咽下至腎經、發痘也、或曰父母肆慾大毒、遺於精血之間、生兒發痘。

痘瘡黑頭研已欲絶

出血　委中　曲澤

附錄

一、舊書禁鍼穴二十二穴、禁灸穴四五穴、最忌刺合谷而孕婦墮胎、或灸石門則女子終身無娠、灸瘂門而成瘂、刺鳩尾則死、是說也。予頗疑之。一人患頭痛、其痛引腦、不可忍、至瘂門之穴、灸五壯、頓治。又中暑腹痛已欲絕、則刺鳩尾之一穴、而作吐即瘳。孕婦麻木、刺合谷之二穴而愈。所謂禁穴、未嘗見其害、反得奇效者、不可舉數焉。然則其為妄誕、可不辯而知矣。穴切以為對症而治、無所謂禁穴、治不对证、或治不得法、周身皆禁穴也。何者、雖至刺如中脘上脘之穴、不能手法、則或聚成塊、或腫痛、或出血不可忍、或發驚、或成眩暈、或針斷肉中、或針刺不拔、不禁而成禁穴矣。故但依病症、針刺有法、此說非入門同道、則難共論焉。

一、厥症頓死者、和医称氣付鍼者、即大鍼也、用之刺百會、人中、湧泉、足三里、而不甦、則或灸神闕、隱白者、二三壯不見呈狀、則束手无策、嗚呼、可悲哉。予於一切頓死者、以毫針先刺鳩尾、中脘、上脘、梁门、幽门、氣海、而後以大鍼刺百會、三里、膏肓、湧泉、而有效、灸神闕、

則至百壯，亦不限以二三壯，

一刺鍼之後，腫痛不可忍者，邪氣聚於其處，而作患耳，若欲治之，則當刺其所腫痛之經穴，亦有效．

一俗有言曰腫痛甚而时眼瞎，而強憎絕，是當尸厥疔腫，生口鼻，遏而如此，灸溫溜之二穴，而有實效，凡疔腫，灸者宜大，若不知穢，則宜及知熱，四國之民間有稱一瘡，其病周身生一瘡，集眼瞎而死，而灸溫溜乃于須臾之間，灸溫溜穴遏而獲治云，疑是疔瘡也．

一補瀉迎隨者，鍼家之所重也，雖多論說，刺而驅賊邪，去癥癖，則瀉也，驅去邪氣，正氣回復，即補也，若得補瀉迎隨，全在手法，並各別解，或有瀉而無補，或有補而無瀉，或瀉其子補補其母之說，一切愚所不取也，

一風眼至出膜，則手中指本節尖，灸五壯，左眼灸右，右眼灸左．

一臁瘡不愈，則其委土閉中灸三陰交裏者，七壯，則再不發，至二十壯，或三十壯，亦可也．

一下疳疮，三陰交之二穴，可大出血腫物，正中灸三壮，極有效。

一小兒慢脾风，目直視，手足搐，口吐沫，則章门二穴灸五壮，或至十壮，此從经验得之。

一动脹之一症，委中之二穴，可出血，照海之穴，民间用之甚效。

一五積氣塊，血瘕，可灸脾俞，肝俞，腎俞，大敦，照海，随病輕重，而自百壮至千壮。

一下血，可灸命门之穴，命门在十四椎下，與臍相對是也，令患人平身，垂手正立，手不石之上，目無斜視，身無偏倚，去上衣服，用直杖子，從地至臍，以此截断，却回杖子于背上，當脊骨中，杖尽处即是命门穴也。命门之灸，治淋痢腸癖，或治疝氣脚氣，無不取效。

千金云：凡言壮數者，若丁壮病根深笃，可倍於方數，老少羸弱，可減半，扁鵲灸法，有至百壮千壮，曾氏灸法有百壮大小，諸論不一，惟明堂本經多云，針入六分，灸三壮，更無餘論，故后人不革，惟以病之輕重而增損之。

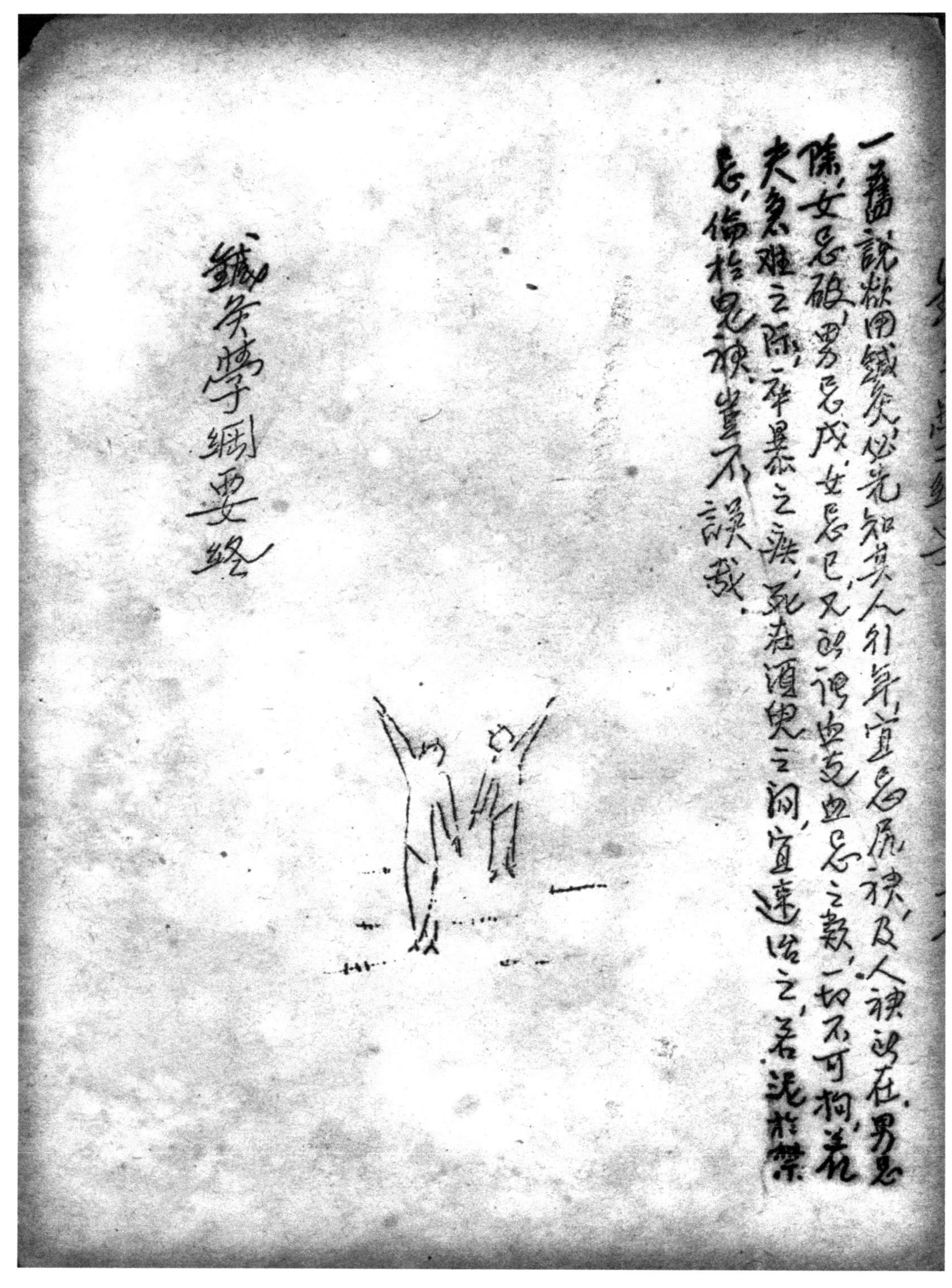

一舊說欲用鍼灸，必先知其人行年宜忌尻神，及人神所在，男忌除，女忌破，男忌戌，女忌巳，又所謂血支血忌之數，一切不可拘，若在夫急難之際，卒暴之疾，死在須臾之間，宜速治之，若泥於禁忌，偏拘鬼神，豈不誤哉

鍼灸學綱要終

①大椎曲池合谷

大椎乃手足三陽督脉之会，純陽主表，故凡外感六淫之在於表者，皆能疏解也，佐以曲池合谷者，以陽從陽，助大椎而斡旋營衛，清裏以達表也。若其身热自汗，則瀉大椎以解肌，無汗恶寒，則補大椎以發表，或先補而後瀉，或先瀉而後補，神而明之，存乎其人矣。至於外感变症，至繁且雜，兼他症者，必先兼而治之，是以邪在於經，頭項强痛者，則加風池，（透風府）热甚而心煩溺赤者，則加内関，譫語便燥胃家实者則加豐隆三里，脇痛嘔吐見少陽者，則加支溝陽陵泉，氣逆喘嗽，則加魚際，傷風鼻塞則加上星，又若瘧疾之病，雖有陰陽之别，而其寒往热来，無不関乎營衛，故是法亦能兼治，再如骨蒸潮热盗汗等症，雖係陰虛癆損之候，余採用此法，亦大有養陰清热之功，誰謂個中無活潑之天機耶。

二穴止汗發汗，書有明文，鍼家皆知之，而其所以能止汗發汗之理，則多未知也，試申言之，夫止汗補復溜者，以復溜屬腎，能溫腎中之陽，升膀胱之氣，便達於周身，而外衛自實也。瀉合谷者，即所以清氣分之热，热解則汗自止矣。發汗補合谷者，則以合谷屬陽，清輕走表，故能發表，託邪隨汗出而解也。佐以瀉復溜者，疎外衛之陽，而成其開皮毛之作用也。至若陽虛之自汗，陰虛之盜汗，固與外邪有別，而合谷復溜亦能止之者，蓋又以復溜匪特能溫腎中之陽，亦且以滋腎中之陰也。尤有進者，寒飲喘逆，水腫等症，余推詳其理，借用復溜以振陽行水，合谷以利氣降逆，頗有奇效，可見此中變化無窮，學者當觸反之。

2 曲池、合谷

二穴屬手陽明經，主氣，曲池走而不守，合谷升而能散，二穴相合，清熱散風，爲清理上焦之妙法，以清輕之氣上浮故也。頭者諸陽之會也，耳日口鼻咽喉者，清竅也，故稟清陽之氣者皆能上走頭面諸竅也。以合谷之輕，載曲池之走，上升於頭面諸竅，而奏行其清散作用，故能掃蕩一切邪穢，消弭一切障礙也。雖然二穴之上行也，漫無定所，苟欲其專達某處，勢必再取某穴以為嚮導，則其徑捷其收效亦速。故頭痛頭暈，取風池頭維；目赤目翳，加絲竹睛明；鼻痔鼻淵，配迎香禾髎；耳鳴耳聾，選聽會翳風；口鼻舌裂，水溝勞宮；咽腫喉痺，魚際頰車；齦腫齒痛則有下關；口眼喎斜則參地倉。君臣合力，標本兼施，何患疾之不瘳乎。

水溝風府

風者百病之長也，善行而數變。金匱曰：邪入於藏，舌即難言，口吐涎。蓋督脈俠舌本，脾絡舌本散舌下，心之別絡亦繫舌本，故風邪中於此三藏，則令人口強難言，口吐涎而神昏不省也。又三陽之經并絡入頷頰，挾於口，令諸陽為風寒所客，故經緊而口噤不開也。是法補水

實用鍼灸學

溝開關解噤，通陽安神，瀉風府，搜舌本之風，舒三陽之經，凡一切卒中急症，牙關不開，不省人事，施之關竅立開，隨即甦醒，語言自和，轉危為安，誠鍼科之首選，起死回生之寶筏也，他如口眼喎斜，偏枯不遂等症，雖有中絡中經之别，然異流同源，亦其所宜焉。

4 肩髃曲池

二穴皆屬於手陽明大腸經，大腸為肺之府，故是法有調理肺氣之特效，尤妙在肩髃卧針，有舒通之象，而曲池更走而不守，擅能宣氣行血，搜風逐邪，二者相配，真可謂之珠联璧合，舉凡一切經絡客邪氣血阻滞之病，無不能舒暢而調和之，而尤以中風偏枯諸痺七氣等症為对工，所謂一通百通也，昔仲景有云，客氣邪風，中人多死，預料此法風行後，其或能減少客氣邪風中人之死率歟。

5 環跳陽陵穴

二穴皆屬足少陽胆經，厥性舒通宣散，善能理氣調血，驅風祛濕，且陽陵泉又為筋之所会，尤有舒筋利節之功，故凡中風偏枯不遂，諸痺不仁，以及癱瘓筋攣腰痛痿痹等症，皆具傑奏，余嘗以環跳擬肩顒，陽陵泉擬曲池，以此彼上下相應，形性相彷，而功效又當同也者

6 曲池委中下廉

痺者，風寒濕三邪合而為病也，風氣勝者為行痺，以風性遊走也，寒氣勝者為痛痺，以寒性凝結也，濕氣勝者，為著痺，以濕性重著也，主以是法者，曲尺搜風以行濕，委中疎風以利濕，下廉通陽以滲濕，其寒氣勝，則補瀉兼行，散寒祛風而燥濕，再兼以谷舒其經，各通其絡，邪去而經絡亦通，何痺之有哉。

7 曲池陽陵泉

曲池居于肘內，陽陵泉位於膝下，同為大關節要，曲池行氣血通經絡，陽陵泉舒筋利節，皆具有宣通下降之功，以之配合，相得益彰，百症賦列其治半身不遂，是举要，其餘如癱瘓歷節諸痺等症，可一望而知矣

也，二穴尤有降濁瀉火之功，曲池清肺走表，陽陵泉瀉肝胆平裏，余因推廣其用，凡肝肺抑鬱，胸脇作痛，或熱結腸胃，腹脹便濁等症，借其清利疎泄之力，靡不獲效，由是可見穴法之妙，全在善用者之配合也。

8 曲池、三陰交

一陰一陽，恰相配偶，曲池性游走通導，擅能清熱搜風，三陰交乃三陰之会，為肝脾腎三經樞紐，亦即血科之主穴，二者相合，曲池入三陰之分，故能清血中之熱，搜血中之風，而瘀自行，血自通矣，是以諸般腫痛，得之而腫消痛止，花柳毒瘡，得之而毒消瘡平，餘如風湿諸痺，腰痛腳氣，癭瘕以及婦女崩帶，癥聚經閉等症，尤能著手成春也。

9 三里、三陰交

三里升陽益胃，三陰交滋陰健脾，陰陽相配，為脾胃虚寒，氣血虧薄之主法，虛損門所不可少者也，亦有胃濁脾弱，陽亢陰虧者，則補陰之中，勢并兼行清導，瀉三陰交，瀉三里是也，更有陽虛氣乏，濕温客邪成痺，腿肢麻木疼痛者，則以之振陽氣，一以和陰血，合而舒筋理痹，其功效尤卓著也。

10 陽陵泉三里

陽陵泉為胆經之關鍵，三里為胃腑樞紐，二穴相合，瀉陽陵泉以肅清淨之府，平肝火之橫，降上逆之勢，輸胆汁入胃，從木疏土以完成其中精之府之更能也，再瀉三里以導胃中之濁，通胃之陽，於是清陽得升，濁陰得降，凡水土不合之病，如中消停痰，吞酸口苦，泄瀉嘔吐等症，得之自然煙消瓦解，而飲食亦因之暢和矣，且陽陵泉為筋之所會，大有舒筋利節搜風祛濕之特力，三里亦有通陽活血，燥濕散寒之功能，再進而治諸痹膝痛，筋肋攣擘，歷節痿躄，腳氣等症，亦未始非針法之妙用也。

11 四關

四關者，合谷太衝四穴也，經外奇穴以之名關，蓋有精義存焉，夫合谷原穴也，太衝亦原穴也，以形勢言，合谷位於兩歧之間，而太衝亦位於兩歧之間，是二者相同之處也，再以性質言，合谷屬陽主氣，而太衝則屬陰交血，是二者同中之異也，然二者之同，正所以成其虎口衝要之名，二者之異，亦正所以竟其斬關破巢之功，觀其開闢節以搜風理痺，行氣血以通經，行瘀殺子，配豐隆陽陵泉以墜痰瀉火，而治癲狂，配百會神門以鎮頂安神，而療五癇，是明證也矣。

12 豐隆陽陵泉

二穴為通大便之主法，何以言之，夫豐隆為足陽明胃經之絡脈，別足太陽，其性通降，從陽明以下行也，得太陰濕土以潤下也，陽陵泉性亦沉降，斜針向下透三里，從木以疏土也，余嘗以是法擬承氣，有承氣之功，而不若承氣之猛峻，其治癲狂等症非但瀉其實，亦且折其爽矣。

13 氣海天樞

氣海者，氣血之會，呼吸之根，藏精之所，發氣之海，下焦主要之穴也，補之益藏真，回生氣，溫下元，振腎陽，有如釜底加薪，故能蒸發膀胱之水，使化氣上騰，而布於周身也，天樞乃大腸經之募，胃經之穴，其分利水穀糟粕。清道一切濁滯。實有特效。以之與氣海相配。取氣海振下焦之陽。以散群陰。取天樞調腸胃之氣。以利運行。故擅治腹寒疝瘕、賁豚、脫陽失精、陰縮、厥逆、脹滿、疠痛、氣喘、小便不利、婦女轉胞、崩帶、月事不調等症。為虛痨羸瘦積寒痼冷之首法。較之天雄散腎氣丸等方。猶且過之無不及也。

14 中脘 三里

經云陽明之上，燥氣治之。燥者陽明之本氣也。胃府此燥氣。故能消腐水穀。若此燥氣不足。則水穀停矣。太過則又為中消噎膈等症。燥氣之關乎胃者如此。是法專胃腑。兼治腹中一切疾病。君以中脘者。以中脘為六腑之會。胃之募也。臣以三里上正所以應中脘而安胃也。審其胃中虛寒。飲食不下。脹痛積聚。或停痰蓄飲者。則補中脘。即所以壯胃氣。散寒邪也。瀉三里者。引胃氣下行。降濁導滯。而裏助中脘。以利運行也。其或胃腑燥化太過。消穀引飲。嘔吐反胃者。則中脘亦可酌瀉也。至於霍亂為病。總由秋夏之時。飲食不節。暑濕污穢擾乱中宮。以至清濁不分。陰陽混淆。上吐下瀉。腹中㽲痛。而揮言变乱。治之先瀉刺出悪血。以去暑穢。然後補中脘以升清。瀉三里以降濁。中氣調暢。陰陽接續。斯愈矣。再者胃病兼有其他症候者。兼治必須加減。如下元虛寒補氣海。上焦鬱熱瀉通谷。臟氣微補章門。腸中滯瀉天樞。或取上脘。或去三里等是也。

15 合谷三里

二穴皆屬陽明。一手一足。上下相應。合谷為大腸經原穴。能升能降。能宣能通。三里為土中真土。補之益氣升清。瀉之通陽降濁。故二穴相合。腸胃并調。若清陽下陷。胃氣虛弱。納谷不暢者。則補三里應合谷以升下陷之陽。俾胃氣充而食自進。若濕熱壅塞。濁滯中宮。或蓄食停飲而痞脹噫噦者。則瀉三里引合谷下行。以導濁降逆。斯中宮利而氣自暢矣。昔賢調理中宮。以宣通為胃土立法。信不誣也。

16 三里 二穴

五臟六腑。皆賴胃氣以為營養。有胃氣則生。無胃氣則死。蓋以胃為後天之本。水谷之海。主消納者也。胃氣盛則納谷自暢。營養自周。否則臟腑失養而生氣絕矣。夫胃者戊土也。三里者合土也。是三里為土中真土。胃之樞紐。後天精華之所根也。秦承祖云：諸病皆治。蓋又以五藏六腑之海也。余取之以壯人身之元陽。補臟腑之虛損。凡寒氣積聚之癥瘕。皆得而溫之化之。濕濁瀰漫之腫脹。亦得而燥之消之。至其升清降濁之功。導痰行滯之力。補中升陽等方。不能擅美於前也。

17 勞宮 三里

勞宮屬心包絡。性清善降。功能理勞役氣滯。開七情鬱結。尤擅清胸膈之熱。導火府下行之路。與三里相合。大瀉心胃之火。挫上逆之勢。凡結胸、痞悶嘔吐、乾噦、噫氣吞酸、煩倦者臥等症。無不效若浮鼓。用針者其勿忽諸。

18 三陰交 二六

李東垣治病。以脾胃為主。宗之者頗不乏人。惟立方皆升提辛燥。由陰虛体質大相違背。自唐容川氏滋脾陰說。唱興以來。深得医林多數人之信仰。蓋脾陽虛陷。運化失司。誠宜益氣升陽。若脾陰枯槁、液不行者。則溫燥之法斷斷不可嘗試。而當滋陰潤燥者也。考三陰交為肝脾腎三經之交會。故其補脾之中。間接可肝陰腎陽。是三陰交獨有氣血兩補之功。不特為女科之主穴。亦且為內傷虛癆。雜病門中之要法也。其治腹痛、瀉痢、症瘕、轉胞、崩帶、經閉、絕嗣等症。較之理中建中八珍腎氣等方。實不可同日而語也。

隱白 二穴

脾主運化，全賴陽氣為之旋轉，苟脾陽不運，則腹脹瀉泄倦怠少氣，崩帶等症作矣，東垣立補中調中升陽等方，即本此意，余取隱白亦復如是，緣隱白為太陰之根，補之大益脾氣，升舉下陷之陽，溫散沉涸之寒，直如統馭中州之主帥，内傷虛勞門中之良相，所謂扶中央，即可固四外也。

17 大敦 二穴

肝主筋，前陰為宗筋所聚，而足厥陰之經，又環陰器抵小腹，故諸疝皆屬於肝，大敦為肝經井穴，余取其直接舒筋調肝祛邪，寒則補之，熱則瀉之，兼風濕者，加曲池委中，寒甚卵縮，引小腹痛者，加隱白，見效後，再取三陰交、太衝、行間、中封、蠡溝、曲泉，諸穴繼之，即可痊愈，又若婦女寒疝下墜痛引小腹，陰挺腫痛等症，與男子諸疝無異，故此法亦為對症，學者其細參可也。

20 大椎 內關

夫飲水邪也，水停於胸膈之間，氣道壅塞，則作喘咳胸滿吐逆等症，然水何以能停也，是又當責之於三焦，經云，三焦者決瀆之官，水道出焉，蓋三焦即人身之油膜，水之道路，全在油膜之中，人飲之水，由三焦而下膀胱，則決瀆通暢，水自無停留之患，如三焦之油膜不利，於是水道閉塞，氣化不行，而飲症作矣，此法大椎為督脈手足陰陽之會，余取之以調太陽之氣，氣行則水自利也。內關為手厥陰心主之絡，別走少陽三焦，余之宣心陽以退其陰翳，利油膜而通其痰塞，則決瀆暢而飲症自蠲矣，是說内自内經、參之唐氏、又與仲景青龍苓桂諸方吻合、眞亦愚者之十慮一淂歟。

21 内関 三陰交

内関手厥陰心主之絡、别走少陽三焦、能清心胸鬱熱、使從水、配以三陰交滋陰養血、交濟坎離、為陰勞損之要法、蓋下焦之陰一虧、則上焦之陽獨亢、而骨蒸盜汗咳嗽失血夢遺經閉等症作矣、内関清上、三陰交滋下、一以和陽、一以固陰、陰陽和合、斯可滋生化育矣。

22 魚際 太谿

虛勞之病、現咳嗽吐血、骨蒸潮熱者、十居七八、皆緣近世之人、溺於酒色、泥於思慮、脾腎兩虧、陰液枯涸、不能上滋心肺、以致火炎肺萎、更金魁遭遞現損症、施治大法、宜仿喻氏清燥救肺湯之意、清火熱以戢金刑、滋陰液以潤肺燥、水火交濟、子母相生、庶幾有一線生機也、是法君太谿補腎中之水、潤燥而生金、臣魚際瀉金中之火、逐邪而扶正、理腎者兼理色慾、清肺者亦清酒傷、絲絲入扣、宜其累奏奇功也。

23 天柱 大杼 二穴

東垣曰、五藏氣亂於頭者、取之天柱大杼。不補不瀉、以導氣而已旨哉斯言、夫膀胱者、州都之官、氣化所出、故統周身之陽氣、而名太陽經也、其五藏之俞穴、皆在於背、是五之氣、又皆通於太陽也、若夫氣乱於頭者、則頭暈目眩者有之、頭冒者有之、頭中鳴者有之、治者當然以導氣下行為定律、今考天柱大杼二穴皆屬足太陽經、而大杼更為督脉別走之絡、手足太陽少陽之會、其能調理氣道可知、經云不補不瀉者、蓋以氣既乱矣、補之瀉之、皆足益其乱、故不必操之過急、但宜得其頭緒、徐徐導之、使循太陽經而下、則無紊乱之弊矣、再如風寒客於太陽之經、頭項脊背強痛、是法亦當用、惟邪之在、勢不得不行瀉性、以舒經散邪也、

24 巨骨二穴

巨骨屬手足陽明太陽經、穴在肩端兩叉骨罅中、刺之居高臨下宛如左右各樹一鎮压物然、且其性沉降、尤能開胸鎮逆、宣肺利氣、舉凡胸中瘀滞及一切上逆之邪、均能推之使下、故為定喘之無上妙法、他如咳逆上氣、肝火上冲、嘔血吐血等症、亦能挫其上逆之勢、急切收效也、

26 俞府　雲門　二穴

咳嗽喘息，本至普通之症，而施治每多不効何也？一言蔽之，要皆未徹底認識其標本原因也，夫咳嗽喘息，固是肺病，然而近因也，標病也，其根本原因，固不在肺，而在腎也，以腎司收納，衝脈又交乎腎經，至胸中而散，若下元空虛，收納失司，則濁陰之氣，隨衝脈上逆入胸，鼓動肺葉，故咳嗽而喘息也，今人不問來源，只知治肺，一味宣散清利，輕者或可取効一時，重者則不啻隔靴搔癢，毫無所覺，良以肺納未遑廓清，而衝氣已復上逆，前仆後繼，而欲想咳止嗽寧喘定也，余取此法，君俞府以降衝氣之逆，理腎氣之源，佐雲門以開胸順氣，導痰理肺，標本兼施，則諸症悉愈矣，亦有陰火隨衝脈上逆，以致胸中結悶煩熱嗆咳者，此法亦有奇効，是又在學者之遴選耳。

26 氣海　關元　中極　子宮

方書求嗣之說不勝枚舉、而有應有不應者、何也、蓋未得癥結所在故耳、經云女子二七天癸至、任脈通、太衝脈盛、月事以時下、男子二八腎氣盛、天癸至、精氣溢瀉、又云陰陽和、故有子、夫其陰陽和始能有子、惟其女子月事以時下、男子精氣溢瀉、陰陽斯之調和、否則陰陽既不和、則子嗣又烏從而得哉、是以求嗣之道、男子首在調精、女子首在調經行、在男子有淫慾過度、陰精稀薄微淡者、亦有先天不足、腎氣不充、精不注射者、在女子則月經不調之外、更有子宮寒冷、胞門閉塞者、凡此等皆無成孕之可能、求嗣之上、可知着眼所在矣、余於男子之陽和者、取氣海以振陽氣、取關元以滋陰精、蓋以氣為男子生氣之海、關元為三陰任脈之會、藏精之所也。其於女子之陰不和者、則取中極以調經、以取子宮以開胞、蓋又以中極亦為三陰任脈之會、胞宮之門戶也、子宮二穴、在中極旁三寸、位居小腹、正當胞宮之處、胞宮今亦名子宮、此穴比名、其義可知、補之者、正所以煖胞開胞、俾其直積覺淫也，育嗣之穴，固不止此，然苟能於此法此理，貫通之，則求嗣之道，思過半矣。

21 合谷　三陰交

二穴安胎墮胎之理已詳於鍼灸大成中，故不再贅，茲所欲言者，不過引伸其義而已，夫三陰交補脾養血，固為妊娠要穴，然其安胎之力，尤賴於合谷之清熱也，何言之，觀乎徐靈胎先生之言曰：婦人懷孕中一點真陽，日吸母血以養，故陽日旺而陰日衰，凡半產滑胎，皆火盛陰衰，不能全賴其形体故也，又讀葉天士先生胎得涼而安一語，益信其真，故昔賢安胎，皆主黃芩以清熱也，脾主後天生化，故白朮（佐）以補脾而養胎也，再參之是法，合谷亦猶黃芩也，三陰交亦猶白朮也，白朮濾其燥也，而黃芩適以平之，三陰交濾其濕，而合谷亦適以和之，是法與是方吻合者如此，且三陰交為三陰之會，中寓肝陰腎陽，能溫補而又能滋潤者也，余常錯用是法，取合谷以清上中之熱，取三陰交以清中下之陰，故凡陽亢陰虧上熱下寒者，皆其宜也。

22 少商　商陽　合谷　衄出血

此二穴醫家多取以為喉科之主法，以其清肺瀉熱也。余因推廣其用，以為小兒之用，以小兒質禀純陽，內熱最盛，肺為嬌臟，首當其衝，且小兒衛氣未充，感邪尤易，肺合皮毛，故見症輒多咳嗽喘逆發，由是觀之，余主此法，不無相當理由也。惟加減之法，他書未詳，茲將分別述之。夫咽喉見症，固由內熱蟠結，然熱有藏府之殊，輕重之別，取之必絲絲入扣，方能有效。今是法僅瀉太陰陽明之熱，為力有　故必再取其衝少衝中衝少澤等穴配之，以竟全功。至於小兒外感時邪，兼停食滯，以致吐瀉者，加四縫四穴。腹痛者加隱白厲兌、大敦。熱甚喘逆煩躁者，酌加少衝中衝少澤。熱極生風，驚搐瘈瘲，目直色青或角弓反張者，必再取手足諸井十穴應之。若邪熾病危，除水當取生，諸法不效者，則必及水溝風府百會前頂素髎、瘈脈湧泉、崑崙身柱命門等穴盡取之，庶幾能挽回一二也。尤有進者，此法不特為兒科之主，即成人內熱外感見症，先刺之出血，重者亦可見效，輕者能使立愈。余經此有素，裨益殊多也。

曲澤　委中

二穴皆大經動脈所在，故能出血，為霍亂吐泄之妙法。其出血之能力，非只放出暑溼風熱毒穢即已，他如暴絕厥逆、陰陽氣不相接續等閉症，亦有起死回生之功，蓋邪之卒中於人也，內外為之閉絕，有如河道為淤泥阻塞，則水無出路，上下斷隔，苟決以出口，則河道通行，淤塞自通也。且曲澤通於心，有煩清熱滌邪瀉之力，故凡心亂神昏，皆其所宜，委中位於下，有祛風濕解暑瀉清心毒之功，故善治瀉痢，而花柳毒之未清者，刺之血出即清，尤其特效也，惟金鑑鍼科，以曲澤誤為尺澤，未免差之毫厘，謬以千里，以尺澤既無大經可以出血，亦無清心安神之能力也，甚有更誤為曲池者，尤為風馬牛之不相及，宜其傳為笑柄也，要於加減之法，亦當審慎，如霍亂嘔吐不止者，可加金津玉液少商商陽合谷，心煩亂者，再加中沖少沖百會，不瀉利者，去委中，如刺之後，腹痛吐痢仍不止者，可再取中脘天樞三里留鍼以繼之，始克竟其全功也。

針灸治療分類摘要

十、內景篇

1.精 「夢遺泄精」心俞、白環俞、膏肓俞、腎俞、中極、關元、三陰交，或針或灸。「無夢泄精」腎俞、關元、中極灸之。「精滑失精」中極、大赫、然谷、太衝針之。「精溺白流」中極、關元、三陰交、腎俞灸之。「虛勞失精」大赫、中封灸之。

2.氣 「一切氣疾」氣海，或針或灸。「氣逆」尺澤、商丘、太白、三陰交針之。「噫氣上逆」太淵、神門針之。「短氣」大陵、尺澤針之（實氣實者），大椎、肺俞、神闕、肝俞、魚際灸之（虛氣虛者）。「少氣」間使、神門、大陵、少衝、足三里、下廉、行間、然谷、三陰、肝俞、氣海，或針或灸之。「上氣」太衝灸之。「欠氣」通里、內庭針之。「氣多食不消」大倉灸之。「冷氣臍下痛」關元灸百壯。

3.神 「精神萎靡」關元、膏肓灸之。「善恐心惕惕」然谷、內關、陰陵泉、俠谿、行間，針灸之。「心澹澹大動」大陵、三里針之。「健忘」列缺、心俞、神門、中脘、三里、少海、百會，或針或灸。「失志癡呆」神門、中衝、鬼眼、鳩尾、百會、後

絡、大陵灸之、「喜怒、喜笑」神門、內關、鳩尾、通里、陰郄針之、

七、血

「經血吐血下血」隱白、大陵、神門、大絡針之、「經血不止」顖會、上星、大椎、啞門俱灸之，或以三稜針於委中出血之，再針內庭、合谷、三里、照海、「吐血」針孔最、大椎、膈俞、上脘、中脘、氣海、關元、三里或灸大陵、「嘔血」上脘、大陵、曲澤、神門、魚際灸之、「大便血」肝俞、太衝、大便出血數斗者灸膈俞、「咳血」列缺、三里、肺俞、百勞、乳根、風門、針之、「虛勞吐血」中脘、肺俞、三里、灸之、「口鼻出血不止」上星灸之、「下血不止」與臍對過脊骨上灸七壯、

八、夢

「驚悸不眠」陰交針之、「煩不得眠」浮郄針之、「沉困睡多」無名指第三節尖屈指取之灸一壯、「膽寒不得睡」竅陰針灸之、「多夢善驚」神門、心俞、內庭針之、

九、聾瘖

「卒然無音」天突針之、「厥氣走喉不能言」照海針之、「喉痹卒瘖」豐隆針之、「暴瘖」合谷針之、天鼎、間使亦針之、

十、言語

「瘖不能言」合谷、湧泉、陽交、通谷、大椎、支溝針之、「舌強難言」通里灸之、「舌緩不能言」啞門針之、「舌下腫難言」廉泉刺之。

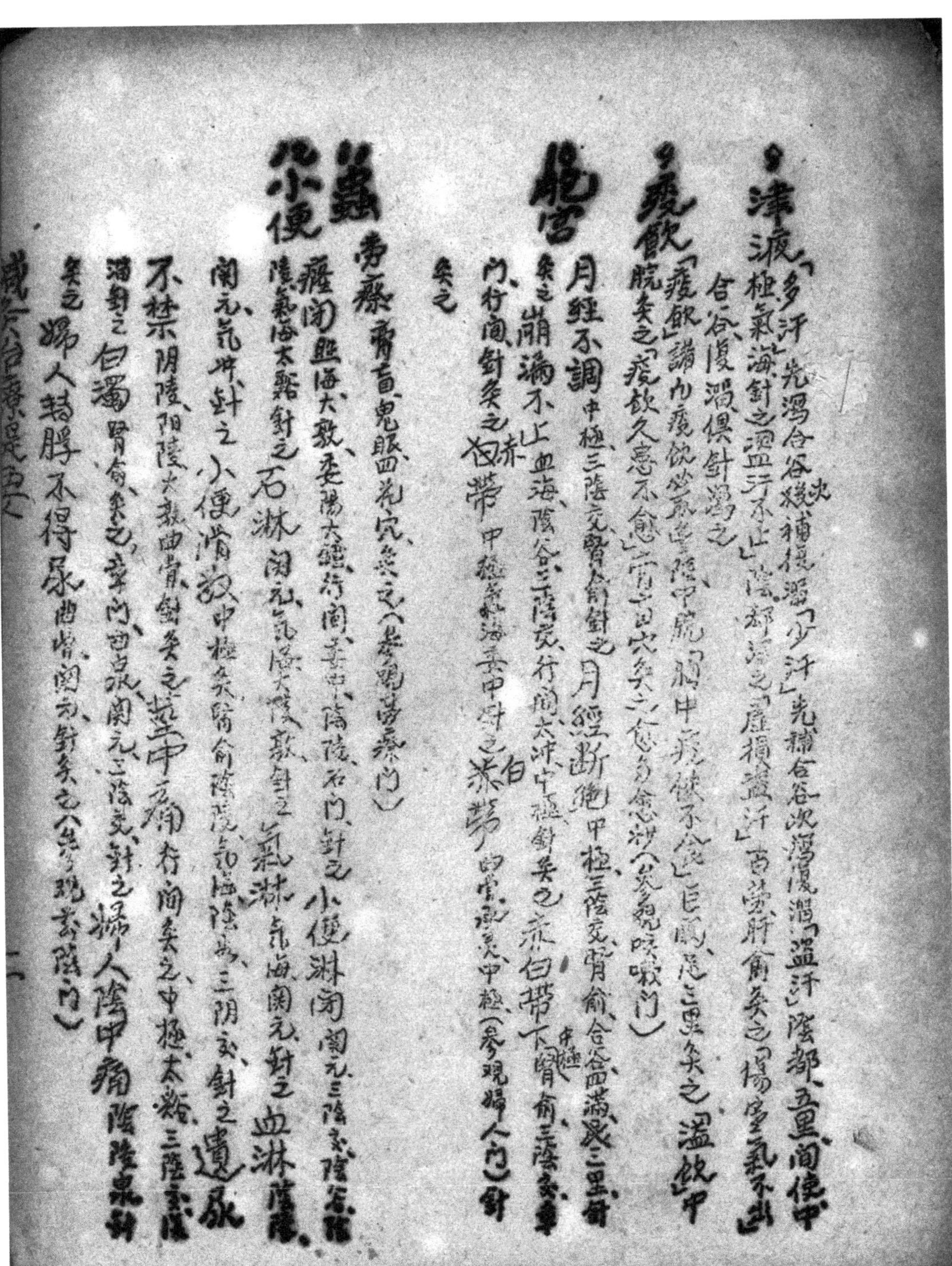

津液「多汗」先泻合谷，次补复溜「少汗」先补合谷，次泻复溜「溢汗」阴郄、五里、间使、中极、气海，针之「盗汗不止」阴郄，泻之「虚损盗汗」百劳、肝俞，灸之「阳虚气不足」合谷、复溜，俱针泻之

痰饮「痰饮」诸内痰饮，必取丰隆、中脘「胸中痰饮不食」巨阙、足三里，灸之「溢饮」中脘，灸之「痰饮久患不愈」膏肓穴灸之，愈多愈妙（参观咳嗽门）

胞宫 月经不调 中极、三阴交、肾俞，针之 月经断绝 中极、三阴交、肾俞、合谷、血海、足三里，针灸之 崩漏不止 血海、阴谷、三阴交、行间、太冲、中极，针灸之 赤白带下 中极、肾俞、三阴交、章门、行间，针灸之 白带 中极、气海，灸中极，针之 赤带 内关、气海，灸中极（参观妇人门）针灸之

虫 劳瘵 膏肓、鬼眼、四花穴，灸之（参观劳瘵门）

小便 癃闭 照海、大敦、委阳、大钟、行间、委中、阴陵、石门，针之 小便淋闭 关元、三阴交、阴谷、阴陵、气海、太溪，针之 石淋 关元、气海、大陵，灸，针之 气淋 气海、关元，针之 血淋 阴陵、关元、气冲，针之 小便滑数 中极，灸肾俞、阴陵、气海、阴谷、三阴交，针之 遗尿不禁 阴陵、阳陵、大敦、曲骨，针灸之 茎中痛 行间，灸之，中极、太溪、三阴交、阴溺，针之 白浊 肾俞，灸之，章门、曲泉、关元、三阴交，针之 妇人阴中痛 阴陵泉，针灸之 妇人转脬不得尿 曲骨、关元，针灸之（参观妇人门）

感冒六（台寮吴五）

三

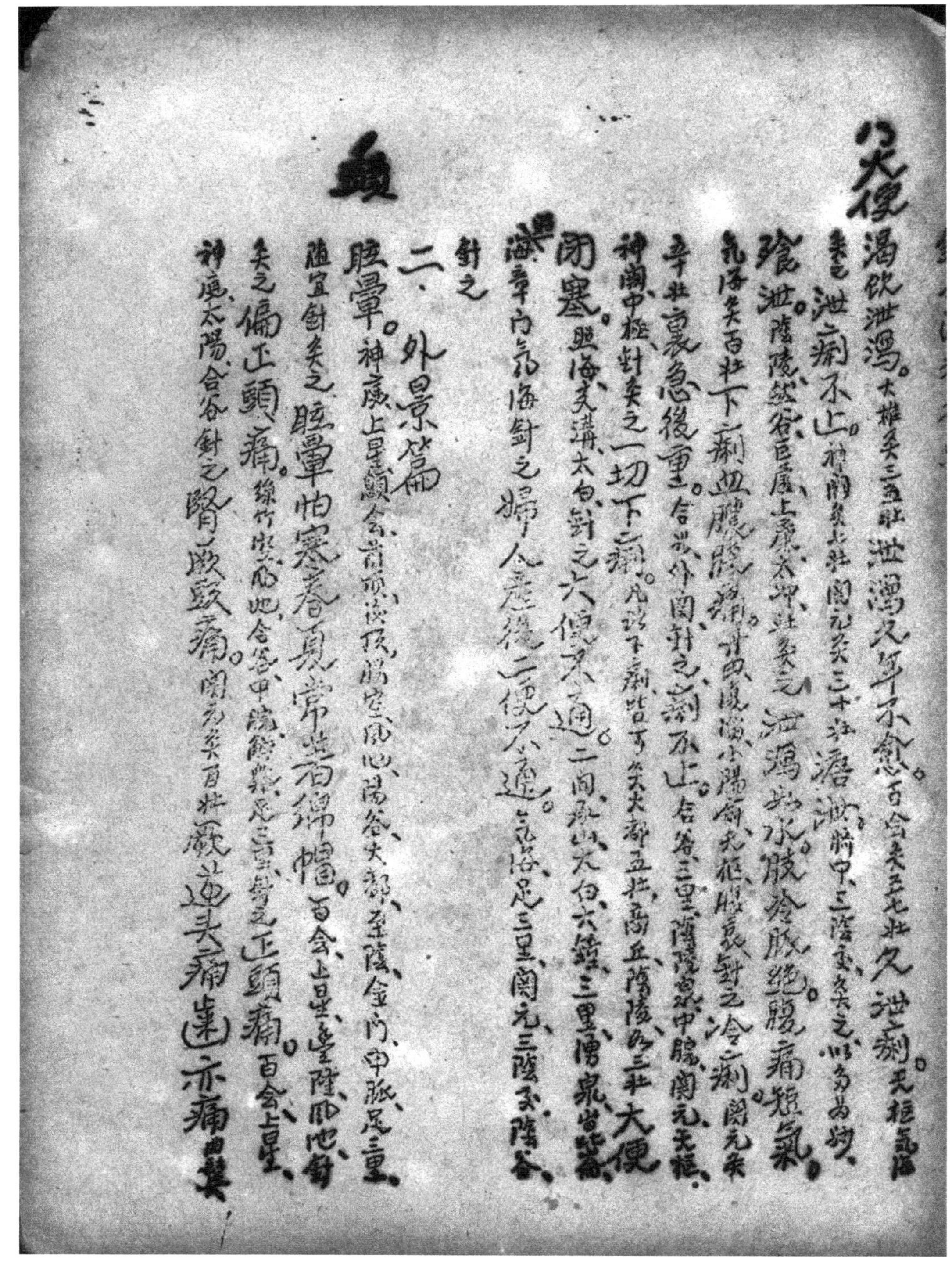

八、大便渴饮泄泻。大椎灸三五壮。泄泻久年不愈。百会灸五七壮。久泄痢。天枢、气海灸之。泄痢不止。神阙灸七壮，关元灸三十壮。溏泄。脐中、三阴交，灸之，以多为妙。飧泄。阴陵、然谷、巨虚上廉、太冲，针灸之。泄泻如水，手足厥冷，脉绝，脐腹痛，短气。气海灸百壮。下痢血、腥、腹痛。曲泉、复溜、小肠俞、天枢、腹哀，针之。冷痢。关元灸七壮。里急后重。合谷、外关，针之。痢不止。合谷、三里、阴陵泉、中脘、关元、天枢、神阙、中极，针灸之。一切下痢。凡诸下痢，皆可灸大都五壮，商丘、阴陵各三壮。大便闭塞。照海、支沟、太白，针之。大便不通。二间、承山、太白、大钟、三里、涌泉、昆仑、照海、章门、气海，针之。妇人产后二便不通。气海、足三里、关元、三阴交、阴谷、针之

二、外景篇

眩晕。神庭、上星、囟会、前顶、后顶、脑空、风池、阳谷、大都、至阴、金门、申脉、足三里、随宜针灸之。眩晕怕寒，春夏常着绵帽。百会、上星、[illegible]、风池，针灸之。偏正头痛。丝竹空、风池、合谷、中脘、解溪、足三里，针之。正头痛。百会、上星、神庭、太阳、合谷，针之。肾厥头痛。关元灸百壮。厥逆头痛，齿亦痛。曲鬓、

面目

灸七壮之痰厥头痛。丰隆针之头风头痛。百会针，颔厌、前顶、上星、百会灸之头风。上星、前顶、百会、阳谷、合谷、关冲、昆仑，针灸之头痛项强脊反折。承浆先泻后补，风府针之头风面目赤。通里、解溪针之头风眩晕。合谷、丰隆、解溪、风池头项强痛。风府针之头项俱痛。百会、后顶、合谷针之眉棱骨痛。攒竹、合谷、神庭、头维、解溪针之脑痛脑冷脑旋。顖会针之面肿。水分灸之面痒肿。迎香、合谷针之颊肿。颊车、合谷针之面目痈肿。肘内血络及阳谷多刺出血

眼睛痛。风府、风池、通里、合谷、申脉、照海、大敦、窍阴、至阴针之目赤肿翳羞明隐涩。上星、百会、攒竹、丝竹空、睛明、瞳子髎、太阳、合谷针之，内迎香（即鼻孔以草茎刺出血）刺出血。目暴赤肿痛。睛明、合谷、太阳（出血）、上星、光明、地五会，诸障翳。睛明、四白、太阳、百会、商阳、厉兑、光明，各出血，合谷、三里、光明、肝俞，各灸之胬肉攀睛。睛明、风池、期门、太阳针出血烂弦风。大小骨空各灸七壮，以口吹火灭，於弦睑刺出血迎风冷泪。临泣、合谷针之，大小骨空各灸七壮，以口吹火灭，青盲。巨髎灸之，肝俞、命门、商阳针之目昏暗。三里灸之，承泣、肝俞、瞳子髎针之雀目。神庭、上星、前顶、百会、睛明出血，或灸肝俞、照海，目暴盲

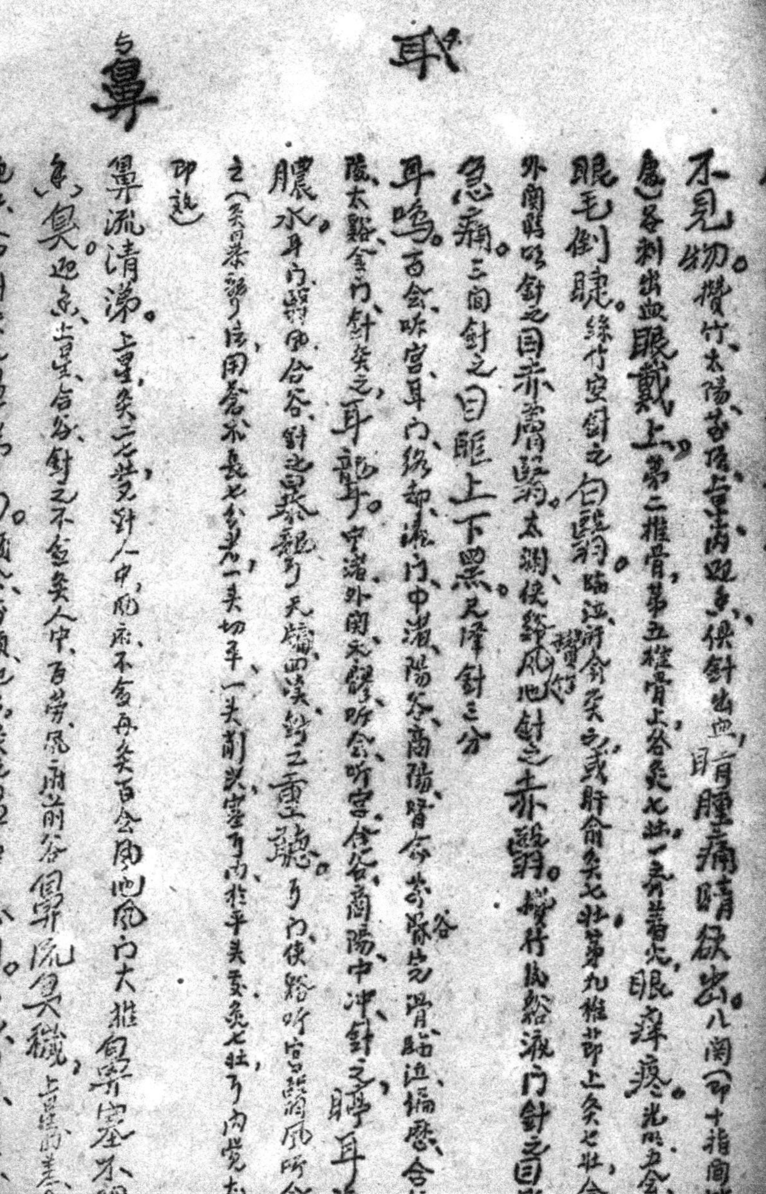

耳

不見物。攢竹、太陽、當陽、上星、內迎香、俠谿出血。目腫痛睛欲出。八關（即十指間歧縫處）各刺出血。眼戴上。第二椎骨、第五椎骨上各灸七壯，一齊着火。眼痒疼。光明、五會針之。眼毛倒睫。絲竹空針之。白翳。臨泣、肝俞灸之，或肝俞灸七壯，第九椎節上灸七壯，合谷、外關、睛明針之。目赤膚翳。太淵、俠谿、攢竹、風池針之。赤翳。攢竹、後谿、液門針之。目昏急痛。三間針之。目眶上下黑。尺澤針三分。

耳鳴。百會、聽宮、耳門、絡却、液門、中渚、陽谷、商陽、腎俞、前谷、後谿、臨泣、偏歷、合谷、太谿、太谿、金門針灸之。耳聾。中渚、外關、禾髎、聽會、聽宮、合谷、商陽、中冲針之。聤耳流膿水。耳門、翳風、合谷針之。暴聾。天牖、四瀆針之。重聽。耳門、俠谿、聽宮、翳風、聽會針之（灸用蒼术法：用蒼术長七分，一頭切平，一頭削尖，塞耳內，於平頭灸七壯，耳內覺熱即止）。

鼻

鼻流清涕。上星灸二七壯，又針人中、風府，不愈再灸百會、風池、風門、大椎。鼻塞不聞香臭。迎香、上星、合谷針之，不愈灸人中、百勞、風府、前谷。鼻流臭穢。上星、曲差、合谷、迎香、人中針灸之。鼻涕多。顖會、前頂、迎香灸之。鼻中瘜肉。風池、風府、禾髎、迎香、人中針灸之。久病流涕不禁。百會灸之。鼻衄。參現內景篇血部。

口

口乾。尺泽、曲泽、大陵、二间、少商、商阳，针之。消渴。水沟、承浆、金津、玉液、曲池、劳宫、太冲、行间、商丘、然谷、隐白，针灸之。唇乾有涎。下廉针之。唇乾咽不下。三间、少商针之。唇动如虫行。水沟针灸之。唇肿。迎香针之。口噤不开。颊车针之，支沟、外关、列缺、厉兑，灸针之。

舌

舌肿难言。廉泉、金津、玉液，各以三棱针出血，天突、少商、然谷、风府、阴郄，针之。舌卷。液门、二间针之。舌纵涎下。阴谷针灸之。舌急。哑门针之，少商、鱼际、中冲、阴谷、然谷针之。舌缓。风府针之，太渊、内庭、合谷、冲阳、三阴交针之。舌如猪胞。舌下两旁针出血，以蒲黄末满搽舌上。

齿

齿痛。合谷针之。上齿痛。人中、太渊、吕细、足三里、内庭针之。下齿痛。承浆、合谷、颊车针之。

咽喉

喉闭。少商、合谷、尺泽针之，关冲、窍阴亦针之。咽痒。内有恶血者，砭出恶血自愈。缠喉风。少商、合谷、风府、上星针之。喉痹。神门、尺泽、大陵、前谷针之，丰隆、涌泉、关冲、少商、隐白针之。咽喉闭塞。照海、曲池、合谷针之。乳蛾。少商、合谷、玉液、金津，针出血。喉痛。风府针之。累年喉痹。男左女右大指甲第一节灸之三壮。咽食不下。膻中灸之。咽外肿。液门针之。喉中如梗。间使、三间针之。咽肿。中渚、太溪针之。

八 頸項

項強。承漿、風府、針之頸項強痛。通天、百會、風池、完骨、啞門、大杼、針之頸項痛。以絡卻之頸腫。合谷、曲池、針之項強反折。合谷、承漿、風府、針之

11 背

脊膂強痛。人中針之肩背痛。手三里針之肩髃、天井、曲池、陽谷、針之背痛連髀。五樞、崑崙、懸鐘、肩井、胛縫、針之脊強渾身痛。啞門針灸之背痛。膏肓、肩井、針之背肩痠疼。風門、肩井、中渚、支溝、後谿、腕骨、委中針之背強直。人中、風府、肺俞針灸之背拘急。經渠針之背肩相引。二間、商陽、委中、崑崙針灸之脇與脊引痛。肝俞針灸之

10 胸

九種心痛。間使、靈道、公孫、太沖、足三里、陰陵、針灸之卒心痛。然谷、上脘、氣海、湧泉、間使、支溝、足三里、大敦、獨陰、針灸之胃脘痛。足三里針灸之脅脹痛。魂門針灸之心中痛。內關針灸之心痛引背。京骨、崑崙、針之不已,再針然谷、委陽、心痺痛。巨闕、上脘、中脘、針灸之厥心痛。京骨、崑崙、針灸之不已,再針灸然谷、大都、太白、太谿、行間、太沖、魚際、蟲心痛。上脘、中脘、陰都灸之血心痛。期門針灸之傷寒結胸。支溝、間使、行間、阿是穴針之(附結胸灸法,用巴豆十粒去皮研細,黃連末一分,以津唾和成餅,填臍中,以艾灸其上,俟腹中有聲,其病去矣,不拘壯數,灸了以手帕浸溫湯

拭之，以免生瘡。胸痞滿。湧泉、太谿、中沖、大陵、隱白、太白、少沖、神門，針灸之。缺盆痛。太淵、商陽、足臨泣，針灸之。胸滿。經渠、陽谿、後谿、三間、間使、陽陵、三里、曲泉、足臨泣，針灸之。胸痺。太淵，針灸之。~~胸滿支腫~~。胸脇痛。天井、支溝、間使、大陵、三里、太白、邱墟、陽輔。胸中澹澹。間使，針灸之。胸滿支腫。內關，針之；膈俞，灸之。腫脹滿引腹。下廉、邱墟、俠谿、腎俞，針灸之。胸中寒。亶中，灸之。心胸痛。曲澤、內關、大陵，針灸之（一切胸脅心腹腰背苦痛，川椒為細末，醋和作餅貼患痛處，用艾燒之，至痛而止）

13 脇

脇痛。懸鐘、竅陰、外關、三里、支溝、章門、中封、陽陵、行間、期門、陰陵，針灸之。脇引胸痛不可忍。期門、章門、行間、丘墟、湧泉、支溝、膽俞，針灸之。脇胸脹痛。公孫、三里、太沖、三陰交，針灸之。腰脇痛。環跳、至陰、太白、陽輔，針灸之。脇肋痛。支溝、外關、曲池，針之。兩脇痛。竅陰、大敦、行間，針灸之。脇滿。章門、陽谷、腕骨、支溝、膈俞、申脈，針灸之。脇與脊引。肝俞，針灸之

14 乳

妒乳。太淵，針之。乳癰。膺窗、乳根、巨虛、下廉、復溜、太衝，針之。乳癰痛。足三里，針之。無乳。亶中，灸之；少澤，針之。引腫痛。足臨泣，針之

15 腹

腹痛。內關、支溝、照海、巨闕、足三里，針之。臍腹痛。陰陵、太沖、足三里、支溝、中脘、關元、天樞、公孫、

三陰交、陰谷、針灸之腹中切痛。公孫針灸之臍中痛溏泄。神闕灸之積痛。氣海中脘隱白針灸之腸鳴泄瀉。水分、天樞、神闕灸之小腹痛。陰市、承山、下廉、復溜、中封、大敦、敦、關元、腎俞等穴針灸之小腹急痛不可忍。灸足第二指中節下橫紋當中灸五壯。小腸氣、外腎吊、疝氣、卒心痛，皆宜之。

腰

腰痛。腎俞灸之腰屈不能伸。委中針之出血腰痛不得俯仰。人中、環跳、委中針之腎虛腰痛。腎俞灸之肩井委中針之挫閃腰痛。環跳、委中、崑崙、天澤、陽陵、下髎、針之腰強痛。命門、崑崙、志室、行間、復溜、針之腰如坐水中。陽輔灸之腰疼難動。委中、行間、風市針之

手

五指拘攣。二間、前谷、針灸之五指痛。陽池、外關、合谷、針灸之兩手拘攣偏枯。大陵灸之肘攣筋急。尺澤針刺之手臂痛不能舉動。曲池、尺澤、肩髃、手三里、少海、太淵、陽谿、陽谷、陽池、前谷、合谷、液門、外關、腕骨、針之臂寒。尺澤神門灸之臂內廉痛。太淵針之臂腕側痛。陽谷針之手腕動搖。曲澤針灸之手腕無力。列缺針灸之肘臂手指不能屈。曲池、三里、外關、中渚、針灸之手臂冷痛。肩井曲池、下廉、灸之手臂麻木不仁。天井、曲池、外關、經渠、支溝、陽谿、腕骨、上廉、合谷針灸之

手指拘急（曲池、陽谷、合谷，針灸之）、手熱（勞宮、曲池、曲澤、内關、列缺、經渠、太淵、中沖、少沖，針之）、手臂紅腫（曲池、通里、中渚、合谷、手三里、液門，針之）、掌中熱（列缺、經渠、太淵、勞宮，針之）、肩臂不可舉動（曲池、肩髃、巨骨、清冷淵、關衝，針灸之）、腋肘腫（尺澤、小海、间使、大陵，針之）、腋下腫（陽輔、丘墟、臨泣，針之）、肩膊煩疼（肩髃、肩井、曲池，針之）、臂痠攣（肘髎、前谷、後谿，針灸之）、兩腋肩痛（肩井、支溝，針灸之）、腕痛（陽谿、曲池、腕骨，針灸之）、肘臂腕痛（前谷、液門、中渚，針之）、

13. 足

腿膝攣痛（風市、陽陵、曲泉、崑崙，針灸之）、髀腰急痛（風市、中瀆、陽關、懸鐘，針灸之）、足痿不收（復溜，針灸之）、膝痛足厥（環跳、懸鐘、居髎、委中，針灸之）、髀痛脛痠（陽陵泉、絕骨、中封、臨泣、足三里、陽輔，針之）、膝内廉痛（膝關、太沖、中封，針之）、膝外廉痛（俠谿、陽關、陽陵，針之）、足腕痛（崑崙、太谿、申脈、丘墟、商丘、照海、太沖、解谿，針之、灸之）、足指尽痛（湧泉、然谷，針灸之）、膝中痛（犢鼻，針之）、膝腫（足三里、陽交，針刺之，再針行間）、腳弱瘦削（三里、絕骨，針灸之）、兩腿如冰（陰市，灸之）、腰腳痛（環跳、風市、陰市、委中、承山、崑崙、申脈，針灸之）、股膝内痛（委中、三里、三陰交，針之）、腿膝痠疼（環跳、肩井、三里、

陽陵、邱墟、針之、脚膝痛、委中、三里、曲泉、陽陵、風市、崑崙、解谿、針之、脚跗麻木、環跳、風市、針灸之、足麻痺、環跳、陽陵、陽輔、太谿、至陰、針灸之、髀樞痛、環跳、陽陵、邱墟、針之、足寒熱、三里、委中、陽陵、復溜、然谷、行間、中封、大都、隱白、針之、足寒如冰、腎俞灸之、跗腫、承山、金門、灸之、足跗寒、復溜、申脈、厲兌、灸之、足攣、腎俞、陽陵、陽輔、絕骨、針灸之、脚腫、承山、崑崙、然谷、委中、下廉、風市、灸針之、足腫、承山、崑崙、針灸之、足緩、陽陵、絕骨、太沖、丘墟、針灸之、足弱、委中、三里、承山、針灸之、兩膝紅腫痛、膝關、委中、三里、陰市、針之、穿跟草鞋風、崑崙、丘墟、商丘、照海、針之、足不能行、三里、曲泉、委中、陽輔、三陰交、復溜、沖陽、然谷、申脈、行間、脾俞、針灸之、脚腕痠、委中、崑崙、針灸之、足心痛、崑崙、針灸之、脚轉筋、承山、針灸之、脚氣、風府、伏兔、犢鼻、三里、上廉、下廉、絕骨、依次針灸之、

19. 皮

癜瘋、左右手中指節宛宛中灸三五壯、癧瘍、仝上、遍身如蟲行、肘尖七壯、曲池、神門、合谷、三陰交、針之、

20. 肉

贅疣、左右手中指節宛宛中灸三五壯、支正亦灸之、作其上亦灸三五壯、

21.脉 伤寒六脉俱無、復溜、合谷、中極、支溝、巨闕、氣沖、各灸五壮、乾嘔不止、四肢厥冷脉絶、间使灸三十壮、

22.筋 筋攣骨痛、魂门針灸之、膝曲筋急不能舒、曲泉針灸之、筋急不能行、内筋踝急灸内踝三十壮、外踝筋急灸外踝三十壮、膝筋攣急不開、委陽灸二七壮、筋痿由於肝熱、針於蠡溝、太冲、筋縮于陰器痛、中封灸五十壮、

23.骨 脊膂膝痛、人中針之、筋攣骨痛、魂门針灸之、骨軟無力、大杼灸之、

24.前陰：寒疝腹痛、陰市、太谿、肝俞灸之、疝瘕痛、照海灸三五壮、陰陵、太谿、丘墟針灸之、卒疝、丘墟、大敦、陰市、照海、針灸之、癩疝、曲泉、中封、商丘、太冲、針灸之、痃癖小腹下痛、太谿、三里、陰陵、曲泉、肝俞、三陰交、針灸之、腸癖癩疝小腸痛、通谷灸五十壮、束骨、大腸俞、針灸之、偏墜木腎、歸来、大敦、三陰交灸之、陰疝、太冲、大敦灸之、陰入腹、大敦、関元灸之、小便數、腎俞、関元灸之、陰腫、曲泉、太谿、腎俞、三陰交、針灸之、陰莖痛、陰陵、曲泉、行間、太冲、陰谷、腎俞、中極、三陰交、大敦、太谿、各針灸之、遺精、腎俞灸之、

轉胞不溺或淋瀝，關元針灸之。白濁：腎俞、關元、三陰交，針灸之。寒、熱

氣淋：陰陵泉針之。小便黃赤：三陰交、太谿、腎俞、氣海、膀胱俞、關元針之。

小便赤如血：大陵、關元針之。陰縮痛：中封灸之。膀胱氣：委中、委陽針灸之。

小腸氣上衝欲死：風府、氣海、独陰灸之，各七壯。木腎大如升不痛：

大敦、三陰交針灸之。木腎紅腫痛：然谷、闌門針之。諸疝：關元灸三七壯，

大敦灸七壯（灸疝法：以草稈量患人口兩角長，折如三角形，以一角當臍心，兩角在臍

之下傍角處是穴，左灸右，右灸左，四十壯）

25. 後陰

痔疾：承山、長強針灸之。痔痛：承筋、飛揚、委中、承扶、攢竹、會陰、商丘

針灸之。脫肛：大腸俞、百会、長強、肩井、合谷、氣衝，針灸之。痔漏：以附子末

津唾和作餅子如錢大，安漏上以艾火灸，令微熱，乾則易新餅，日灸數枚，至肉

平始已。暴泄：隱白針灸之。洞泄：腎俞、天枢灸之。溏泄：三陰交、太冲針之。

神門灸之。泄不止：神闕灸之。痢疾：曲泉、太谿、太冲、太白、脾俞、小腸俞針之。

便血：承山、復溜、太衝、太白，針灸之。大便不禁：大腸俞、關元灸之。大便

下重：承山、解谿、太白、帶脈，針灸之。腸風：閭尾尖骨處灸百壯。肛脫不收

百会、尾闾，灸七壮，脐中灸随年数血痔。承山、复溜灸之久痔。二白、承山、長强、灸之（灸脐法除上法以外，于对脐脊中灸七壮，多阅一寸再灸七壮）

1. 風　第二　雜病篇

中風痰盛，声如曳鋸。气海、关元灸二三百壮或能救之。卒中風喎斜涎塞不省。听會、頰車、地倉、百会、肩髃、曲池、風市、三里、绝骨、耳前、髮際、大椎、風池等，灸之。中風目戴上視。丝竹空灸之，第二椎骨、第五椎骨上各灸七壮，一齐下火，口眼喎斜。听会、頰車、地倉，灸之，向右喎者於左喎陷中灸之，反者反之。半身不遂。百会、顖会、風池、肩髃、曲池、合谷、環跳、三里、風市、绝骨灸之。口噤不開。人中、合谷、頰車、百会，針之或灸。翳風失音不語。哑门、人中、天突、涌泉、神门、支溝、風府等，針之。瘠反折。哑门、風府針之。風癇驚癇。風池、百会、尺澤、少冲，針灸之。

中風宜灸各經之井穴

中風中府之預兆　手足或麻或疼，良久乃已，此將中府之候，宜灸百會、曲鬓、肩髃、曲池、風市、三里、绝骨。

中風中臟之預兆　凡覺心中憒乱，神思不怡，或手足麻痺，此將中臟之候，宜灸

乙 寒

百会、风池、大椎、肩井、曲池、间使、三里、

骨痹。太谿、委中、針灸之筋痹。太衝、陽陵、針灸之脈痹。大陵、少海、針灸之

肉痹。太白、三里、針灸之皮痹。太渊、合谷、針灸之

傷寒头痛寒热，一日針風府，二日針內庭，三日針足臨泣，四日針隱白，五日針

太谿，六日針中封，在表刺三陽经穴，在裏刺三陰穴，六日过经未汗刺期门，

「注意」一日二日等，非一定指日数言，實在太陽经則刺風府，在陽明经則刺內庭，在少陽经則刺臨泣，惟將滿一週，尚未得汗，則刺期门，治傷寒不外汗吐下三大法，今述

寫於下

汗法　針合谷入二三分，行九九之數，稍定，再行之，俟汗出而止，始出針，

吐法　針內關入二三分，先行九數六次，再行六六數三次，再行子午搗臼法三次，治病人呼氣綿綿次，提氣上行而吐之，

瀉法　針三陰交入三分，行六六之數，使病人秘口鼻氣，鼓腹，使氣下行而瀉之，

傷寒大熱不止。曲池、绝骨、陷谷針之，又二間、內庭、前谷、通谷、液门、俠谿、針之，

傷寒頭痛。合谷、攢竹、針之，傷寒汗不出。合谷針之，又風池、魚際、经渠二

間、針之。傷寒汗多：內庭、合谷、復溜針之。傷寒頭痛太陽症：完骨、京骨針之。傷寒頭痛陽明證：合谷、衝陽針之。傷寒頭痛少陽證：陽池、丘墟、風府、風池針之。傷寒結胸：先使人拈心蔽骨下正痛處左畔揉之，以毫針刺左畔，再針右邊，瀉左間使，次行間，右亦依上法刺之，緩緩呼吸，漸漸停針立愈。傷寒胸痛：期門、大陵針之。傷寒脇痛：支溝、陽陵針之。傷寒身熱：陷谷、吕細、三里、復溜、俠谿、公孫、太白、委中、涌泉針之。傷寒之熱退：風池、少海、魚際、少沖、合谷、復溜、臨泣、太白針之。傷寒餘熱不盡：曲池、三里、合谷、內庭、太沖針之。傷寒大便秘：照海、章門針之。傷寒小便不通：陰谷、陰陵泉針之。傷寒發狂：百勞、間使、合谷、復溜針之。傷寒不省人事：中渚、三里針之。傷寒陰毒危極：臍中灸二三百壯，氣海、關元亦灸二三百壯。傷寒陰證囊縮：令人提住於囊口與三針。傷寒六脈俱無：復溜、合谷、中極、支溝、巨闕、氣海灸之。傷寒[illegible]噦逆：大都灸之。傷寒熱退後再熱：風門、合谷、行間針之。傷寒驚恐：太沖、內庭、少沖、通里針之。傷寒[illegible]目眩：風門、[illegible]、太沖、內庭、三里、陷谷針之。角弓反張：天突先針，次針膻中

3 濕 火

大杼崑崙肝俞委中大椎百會

濕病用艾灸，惟濕痺及濕熱脚氣痿證宜施針，由佳，絡之氣血佳

骨蒸勞熱 膏肓灸之 骨蒸勞熱形象未脫者 四花穴灸

之 咳 骨熱勞嗽 魄戶灸之 兩手大熱如在火中 湧泉灸三五百壯 骨

蒸熱板燥 大椎灸之 身熱如火 足冷如冰 陽輔灸之 心煩

神門陽谿魚際腕骨少商解谿公孫太白至陰針之 煩渴心熱 曲澤針之

心煩怔忡 魚際針之 虛煩口乾 肺俞針灸之 煩悶不卧 太淵公孫隱

白肺俞陰陵三陰交針灸之 胃熱不良 下廉針灸之 嗜卧不言 膈

俞針灸之 胃熱 絶骨針灸之

4 內傷

胃弱不思飲食 三里三陰交針灸之 三焦邪熱不嗜食 關元灸之

全不思食 然谷針出血 肌不能食 飲食不下 章門期門針灸之 飲

食不多 心腹膨脹 面色痿黃 中脘灸之 食多如身瘦 先取脾俞

後取章門太倉針灸之 飲食不下 膈塞不通 邪在胃脘 上脘下脘

針灸之 胃病飲食不下 三里針灸之 嘔吐宿汁 吞酸嘈雜 章門神闕

針灸之

虚勞

五勞羸瘦 足三里針灸之 体热劳嗽 魄户針灸之 虚勞骨蒸盗汗 陰郄針灸之 真氣不足 氣海灸之 虚勞百證 膏肓四花腰俞皆宜灸之 皆由於陽虛证

咳喘

咳嗽有痰 天突肺俞丰隆針灸之 咳嗽上氣多吐冷痰 肺俞灸五十壯 咳嗽聲破喉嘶 天突針灸之 久患喘嗽夜不得卧 膏肓灸之 久嗽 膏肓肺俞灸之 傷寒咳嗽甚 天突灸二七壯 喘急 肺俞天突足三里灸之 哮喘 肺俞天突亶中璇璣俞府乳根氣海針之 咳喘 不得卧 雲门太淵針之 喘滿痰實 太谿豐隆針之 氣逆發噦 亶中中脘肺俞三里行间針灸之 呃逆 中脘亶中期门関元灸之 直骨穴灸之 欬逆不止 乳根二穴灸之或氣海灸之或灸大椎如年壮（肺脹痰嗽不得卧但可一边眠者左侧灸右足三陰右側灸左足三陰）咳嗽 列缺經渠尺澤三里崑崙肺俞等針灸之 咳引兩脇痛 肝俞針之 咳引腰尻痛 魚際針之（附哮喘断根法）以細索套頸量至鳩尾骨尖其兩端旋後脊骨上索尽處是穴灸七壮

鍼灸治療分類摘要

或三七壯

8 嘔吐 善嘔有苦水 三里陽陵泉針之 吐食不化 上脘中脘下脘針灸之 反胃
膏肓灸百壯 膻中三里灸七壯，又灸肩井五七壯 朝食暮吐 心俞膈俞膻
中巨闕中脘灸之、 五噎五膈 天突膻中心俞上脘中脘下脘脾俞胃俞通關
中魁大陵三里崑崙肺俞等針灸之 嘔吐不納 曲澤通里勞宮陽陵太谿照
海太冲大都隱白通谷胃俞肺俞等或穴針之灸之 嘔逆 大陵針灸之 嘔噦 太淵
針之 乾嘔無度不止肢厥脈絕 尺澤大陵灸三壯 乳下一寸三十壯 間使三壯

9 脹滿 腹中膨脹 內庭針灸之 單膨脹 水分針一寸五分復灸五十壯 三陰交灸復溜
中封公孫太白針之 脹滿 中脘三里針灸之、 心腹脹滿 絕骨內庭針灸之 胃腹膨脹氣
鳴 合谷三里期門針之 腹堅大 三里陰陵丘墟解谿期門冲陽水分神闕膀胱
俞針灸之 小腹脹滿 中封然谷內庭大敦針之（參觀腹部門）

10 浮腫 渾身卒腫面浮洪大 曲池合谷三里內庭行間三陰交針之 內踝下白肉際灸
三壯 四肢面目浮腫 照海人中合谷三里絕骨曲池中脘腕骨脾俞胃俞
三陰交針之 浮腫膨脹 脾俞胃俞大腸俞膀胱俞水分中脘三里 小

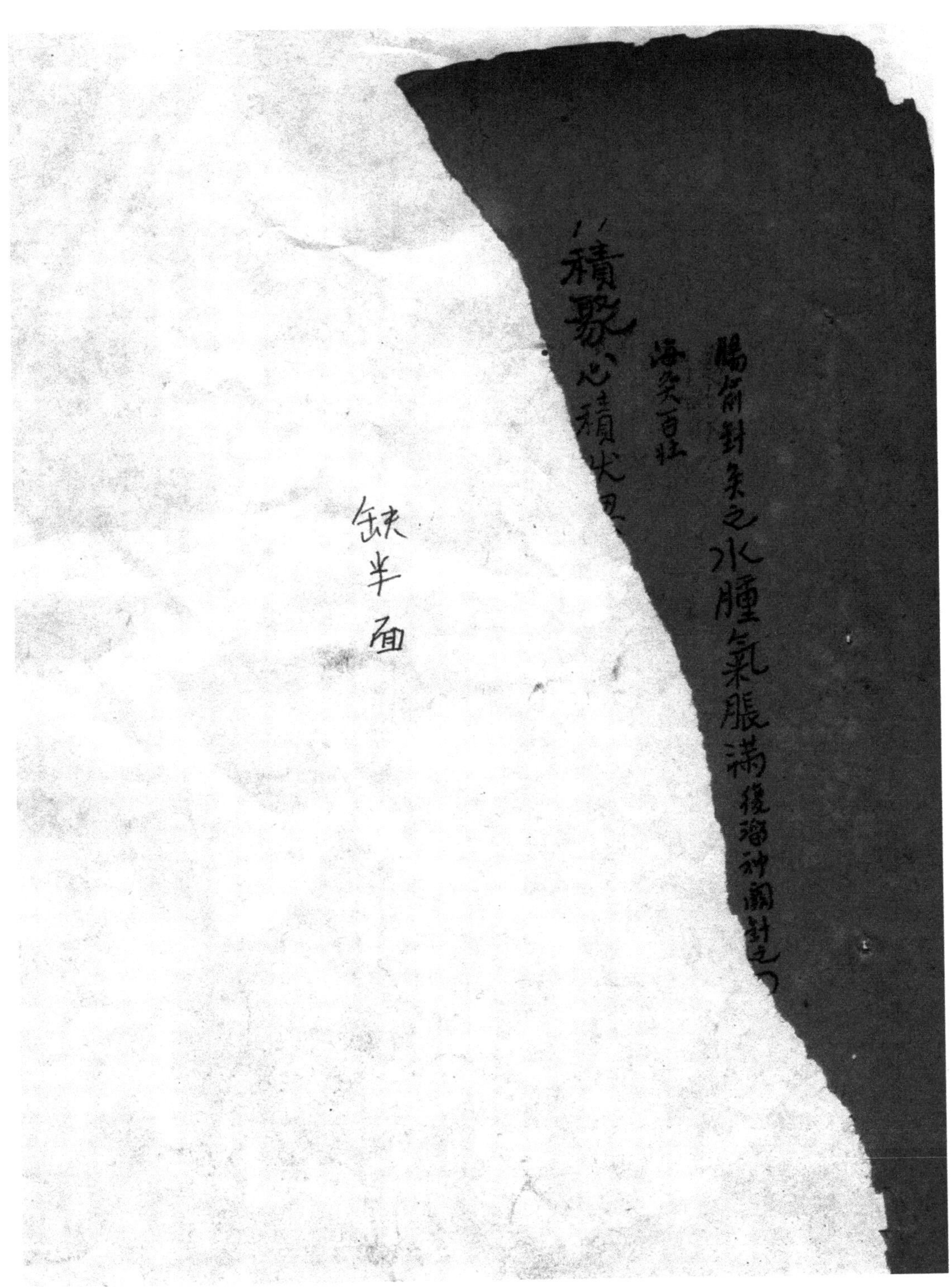

积聚，心积状见
海灸百壮
肠俞对灸之水肿气胀满后留神阙对之
缺半面

期門陰陵

二七壯氣海百壯大敦

心癲癇心邪癲狂攢竹尺澤間使陽谿針

缺半面

陽谿陽谷大陵合谷魚際腕骨神门液门肺俞行间京骨各灸之冲陽灸百
壮 癫癇 百会神门各灸七壮鬼眼三壮陽谿间使三十壮神门心俞百壮肺俞百
壮申脈尺泽太冲曲池各七壮 狂言 太渊陽谿下廉昆仑针灸之 狂言不
樂 大陵针灸之 多言 百会针灸之 喜笑 水海列缺陽谿大陵针之 善
哭 百会水海针之 卒狂 间使合谷後谿针之 狂走 风府陽谷针之
发狂 少海间使神门合谷後谿復溜丝竹空针之 呆痴 神门少商涌泉
心俞针灸之 發狂登高而歌弃衣而走 神门後谿冲陽针之 羊
癇 天井巨阙百会神庭涌泉大椎各灸之又在背第九椎下灸三壮 牛痫 鸠尾
大椎各灸三壮 马痫 仆参风府脐中金门百会神庭各灸之 犬痫 劳宫申脈灸三壮 鸡
痫 灵道灸三壮金门针之足臨泣内庭各灸三壮 猪痫 崑崙仆参涌泉劳宫
水海百会率谷腕骨内踝崑崙各灸三壮 五痫 吐沫 目後谿神门心俞鬼眼灸百壮
间使灸三壮 目戴上视不识 颅会巨阙行间灸之

婦人门

月经不调 气海中极带脉肾俞三阴交针灸之 月经过时不止 隐白针之
下经如冰来去定时间之灸之 漏下不止 太冲三阴交针灸之 血崩气

[illegible]

海大敦隐白大冲并二右三阴交中极针之 无嗣 阴交灸二十壮或交阴交 石门
关元中极三商丘涌泉筑宾 滑胎 阴交左右各开二寸灸五十壮或中极旁各开
三寸灸之 难产 横生及下死胎 太冲补合谷补三阴交泻之 横生手
先出 足小指灸三壮 包衣不下 三阴交中极照海内关昆仑针之 产
后血晕 三里三阴交支沟神门关元针之 赤白带下 曲骨灸七壮
太冲关元复溜天枢灸百壮 乾血痨 曲池支沟三里三阴交针灸之 产
后痨 百劳肾俞风门中极气海三阴交针灸之 无乳 膻中灸之少泽
补之 产后血块痛 曲泉复溜三里气海关元针之

18

小儿

脐风撮口口禁 然谷针三分灸三壮 惊痫 鬼眼穴灸之（即二手足大
拇指相并缚之於爪甲下灸之 少商隐白灸之）筋缩灸 癫痫 囟门 惊风 腕骨
针之 脱肛 百会灸七壮长强灸三壮 惊风 [illegible] 鸡胸 两乳头黑肉上
三壮 泻痢 神阙灸之 冷痢 脐下寸灸之 吐乳 膻中下一寸六分名中
庭灸五壮 吐沫尸厥 巨阙七壮中脘五十壮灸之 角弓反张 百会
灸七壮天突灸三壮 夜啼 百会灸三壮 脐肿 对脐脊骨上灸三壮或七壮

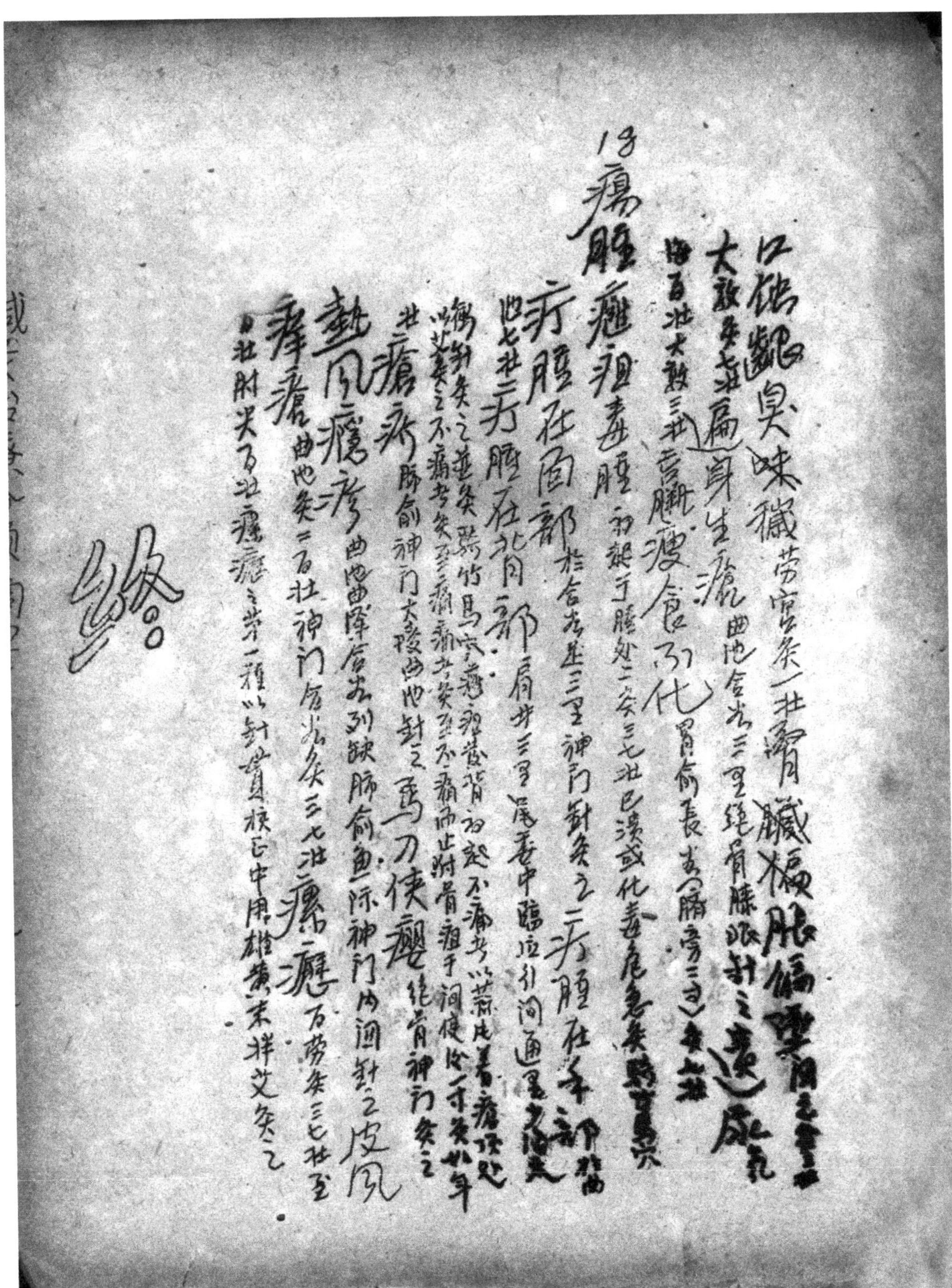

口不能辨臭味 劳宫灸一壮 脾胃脏腑偏虚[illegible]

大敦灸五壮 遍身生疮 曲池合谷三里绝骨膝眼针之速愈

百壮 大敦三壮 脾胃腹胀食不化 胃俞长强（脐旁三寸）灸七壮

18 痈肿 痈疽毒肿 初起于肿处二穴三七壮 已溃或化毒危急灸骑竹马穴

疔肿在面部 于合谷足三里神门针灸之 二疔肿在手部 [illegible]

曲池七壮 三疔肿在背部 肩井三里委中临泣行间通里[illegible]

瘰疬针灸之并灸骑竹马穴 痈疽发背初起不痛者 以蒜片着疮顶处

以艾灸之 不痛者灸至痛 痛者灸至不痛而止 附骨疽手问使ㄑ一寸灸廿年

壮 疥疮 肺俞神门大陵曲池针之 马刀侠瘿 绝骨神门灸之

热风瘾疹 曲池曲泽合谷列缺肺俞鱼际神门内关针之 皮风

疥疮 曲池灸二百壮 神门合谷灸三七壮 瘰疬 百劳灸三七壮至

百壮 肘尖百壮 瘰疬之第一种以针灸其核正中 用雄黄末拌艾灸之

终。

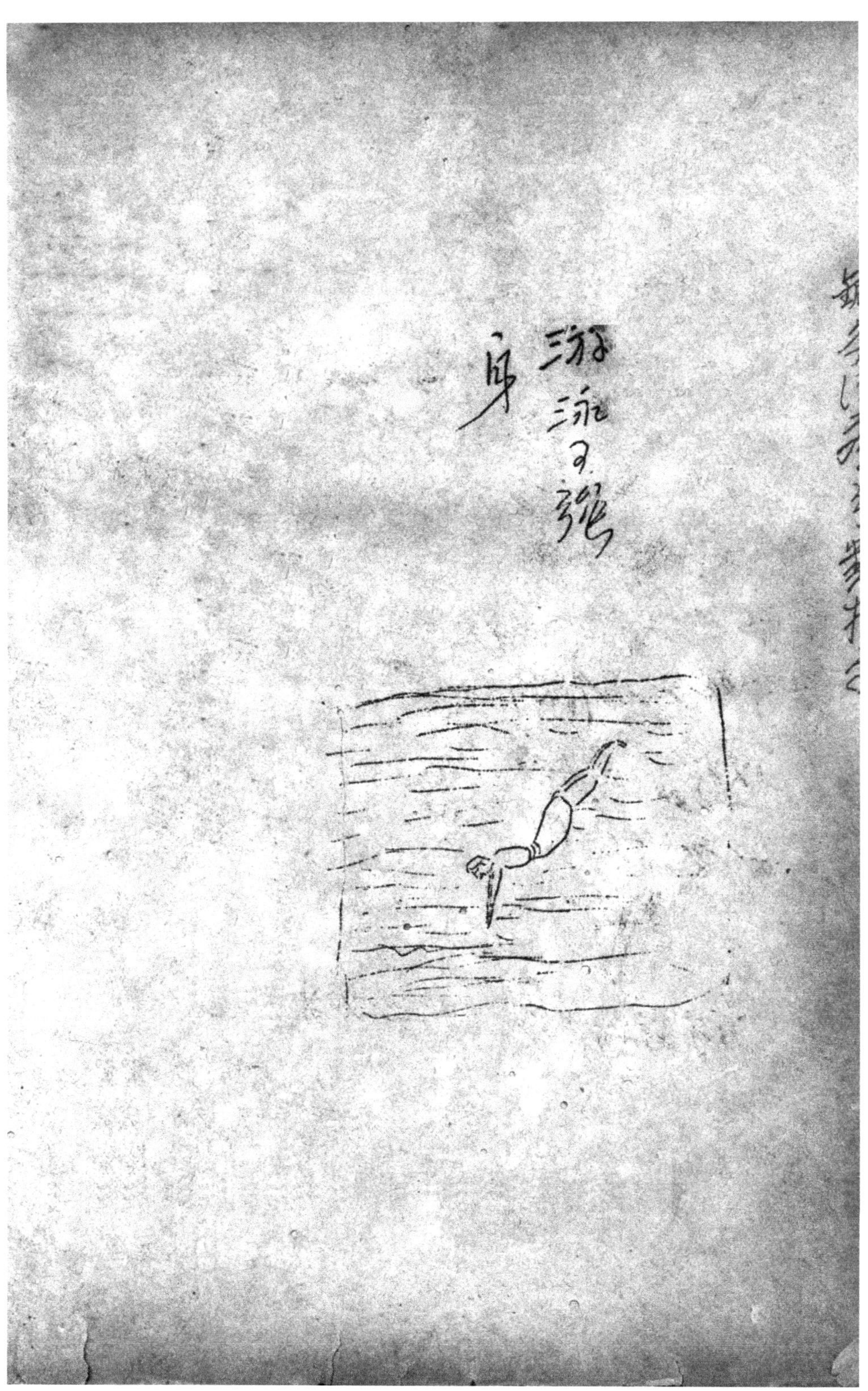

广西省立医药研究所针灸学讲义

提　要

一、作者小传

陈鉴冰，生卒年不详，原为1934年秋成立的广西省立梧州区医药研究所工作人员。1934年3月广西省立南宁区医药研究所成立，同年秋广西省立梧州区医药研究所成立，1936年广西省立桂林区医药研究所成立。1941年秋，南宁区、梧州区、桂林区3个医药研究所合并，合并之后陈鉴冰仍然留在研究所任教。陈鉴冰为澄江针灸学派承淡安之弟子。

二、版本说明

《广西省立医药研究所针灸学讲义》（据书口内容定书名），约成书于民国三十一年（1942），为广西省立医药研究所成立以来的第一批教材。

三、内容与特色

该书由陈鉴冰根据承淡安和邱茂良编写的教材整理而成。

该书第一部分为针灸手术篇，书口题“广西省立医药研究所针灸学手术篇”。从内容上看，该篇又分针术和灸法。针术部分具体包括针术的由来、定义，针之构造、种类、制法，针具长短大小与应用，针尖形状，针具选择、修理与保存，针刺的练习、方式（打入法、扫入法、捻入法）、方向、目的、感通作用、禁忌，患者、医者体位，针刺异常情况的处理等内容，并有少量配图，便于读者理解。灸法部分具体包括灸法的起源、定义、原料、目的，艾绒的制法、保存法，艾灸的特殊作用，艾炷的大小、壮数、刺激强弱，灸法的种类、现象、应用、医治作用、健体作用，各类灸法（隔姜灸、隔蒜灸、豉饼灸、附子灸、雷火针灸法、太乙神针灸法、温针灸、艾炷灸），施灸的方法、注意、禁忌，灸痕化脓的理由、防治法等内容。

该书第二部分为针灸治疗篇，书口题“广西省立医药研究所针灸学治疗篇”。该篇共载中风、咳嗽、痰饮、哮喘、呕吐、癥瘕、三消、黄疸、汗病、瘖痱、疝气、遗精、手足病等43门疾病，又从疾病名称、症状、病因、治疗、治理方面对每个疾病进行详细论述。该部分开始题有“中国针灸讲习所治疗学原本，浙江龙游邱茂良撰稿，广西省立医药研究所讲义，藤邑陈鉴冰讲述”。由此可推测，该时期广西省立医药研究所所用讲义的原本是邱茂良所撰《中国针灸治疗学》，讲授此讲义的教师应为陈鉴冰。

该书书末记载：“针灸治疗，民国三十一年四月廿八写终。以针代药品，应验如仙丹。”可见在战乱时期，在缺少药物等医疗物资的背景下，针灸起到了极大的治疗作用，为广大人民的健康做出了巨大贡献。

现将该书特色介绍如下。

（一）摘录医家经典，内容完备

该书第一部分择录《黄帝内经》等经典著作中的针灸原文，并做出注释，融会贯通古今精粹。该部分还将近代诸位医家的补泻手法单列一章，详细讲解了操作方法、适应证等内容。

（二）重视科学研究，分类明确

该书灸法部分提到原田、青地、逸智、时枝等多位博士对灸法的研究结论，从科学角度解释了艾灸的合理性。

（三）注重歌赋诵读，分门论治

第二部分开篇即是《百症赋》《玉龙歌》，可见作者对歌赋的重视程度。该书讲究分门取穴，分为气门、血门、虚门、实门、寒门、热门等，将经络与脏腑紧密相连。

廣西省立醫藥研究所鍼灸學手術篇

江蘇江陰承淡盦編

一 鍼術之由來

鍼醫一科，夫人而皆知為我中華最古之醫療學術。靈樞篇九鍼十二原曰：黃帝問於岐伯曰：余子萬民，養百姓，而收其租税，余哀其不給，而屬有疾病，余欲勿使被毒藥，無用砭石，欲以微鍼，通其經脈，調其血氣，營其逆順出入之會，令可傳於後世，……先立鍼經。觀乎此，可知鍼學肇始於軒岐。漢藝文志曰：黃帝內經十八卷。後人謂即靈樞九卷、素問九卷。夫內經為黃帝與其臣屬岐伯等相互問難，辨別臟腑陰陽時序攝生療治之法，為中華醫學最早之著作，而為中華醫學之基礎，但稽乎實際，黃帝時代，文字尚簡，冶金術尚未大成，故劉向指內經為諸韓公子所著，程子謂出戰國之末，是非無因。黃帝岐伯為著者所假托，可以無疑。然則針術之發明，當在戰國時期。考之山海經有云：高氏之山，有石如玉，可以為鍼，則古代之鍼先肆石，鍼即砭石。素問異法方宜論曰：其治宜砭石。閱上文勿使被毒藥，毋用砭石，而針為砭石之遞變。由石刺衣而改為鍼刺衣。漢服虔云：石砭也。季世無復佳石，故以鐵鍼代之，則鐵製衣之鍼，秦漢而通用。上文推想鍼術之發明，在戰國時期，或許無誤。

[illegible]當先究靈樞素問之創作時代，漢志載黃帝

廣西省立醫藥研究所　鍼灸手術學講義　一

内經十八篇，無素問之名，後漢張機傷寒論序，始有撰用素問之語，晉皇甫謐甲乙經序，稱鍼經九卷，皆為内經與漢志十八篇之數，合則素問之名起於漢晉之間，至於靈樞，漢隋唐志，皆無此名，至宋紹興中，錦官史崧乃云家藏舊本靈樞九卷，是此言至宋中世而始出，又杭世駿道古堂集靈樞經跋，謂文義淺短，知其素問不類，其十二經水篇，乃王冰時之水名，黃帝尚時無此名，是此書乃王冰所僞而託名於古人者，觀乎此，素問靈樞之著，又在戰國時代之後，鍼術或發明於戰國時期，必先有鍼術而後乃記其法則，列為章節，成最後之内經。

總之鍼學為砭石之遺法，由石鍼而改進，可以無疑，鍼學之有文可稽，有法循至千萬世而不泯滅者，皆為内經之功也。

二　鍼術之定義

鍼術者，以一定之法則，用金屬所製之鍼，於身體一定之部位，如關節之間，筋肉之處而刺入之，施一定之手法，以戟刺内部之各組織，各神經係統，整其生活机能之変調，達療病治癒之目的之一種醫術也。

三　鍼之構造

砭石也。説文砭以石刺病也。素問異法方宜論曰：東方之民，病皆為癰瘍，其治宜砭石。是古昔之針以石製者。本草綱目中有曰：古昔以石為針，季世以鐵代石。是石針之後改為鐵製。觀楊繼洲針灸大成，製針法，以馬嚼鐵為之。蓋用金針更佳。則鐵針之外，在明時已有以金製者。近百年海運開放，外貨充斥，以馬嚼鐵製針，又易生鏽蝕，且易損折。利用德國鋼絲，以為之堅韌不折，又勝鐵針多矣。然以其銹，有以金針為之者，特無鋼針之犀利耳。

四　鍼之種類

古昔之針，分為九種，名曰九針。九針之意，古人以應九數。一曰鑱針，取法於巾針，去末寸半，卒銳之，長一寸六分，主熱在頭身也。二曰圓針，取法於絮針，筩其身而卵其鋒，長一寸六分，主治分肉間氣。三曰鍉針，取法於黍粟之銳，長三寸半，主按脈取氣，令邪出。四曰鋒針，取法於絮針，筩其身鋒其末，長一寸六分，主癰熱出血。五曰鈹針，取法於劍鋒，廣二分半，長四寸，主大癰膿，兩熱爭者也。六曰圓利針，取法於氂，針微大其末，反小其身，令可深内也，長一寸六分，主取癰痹者也。七曰毫針，取法於毫毛，長一寸六分，主寒熱痛痹在絡者

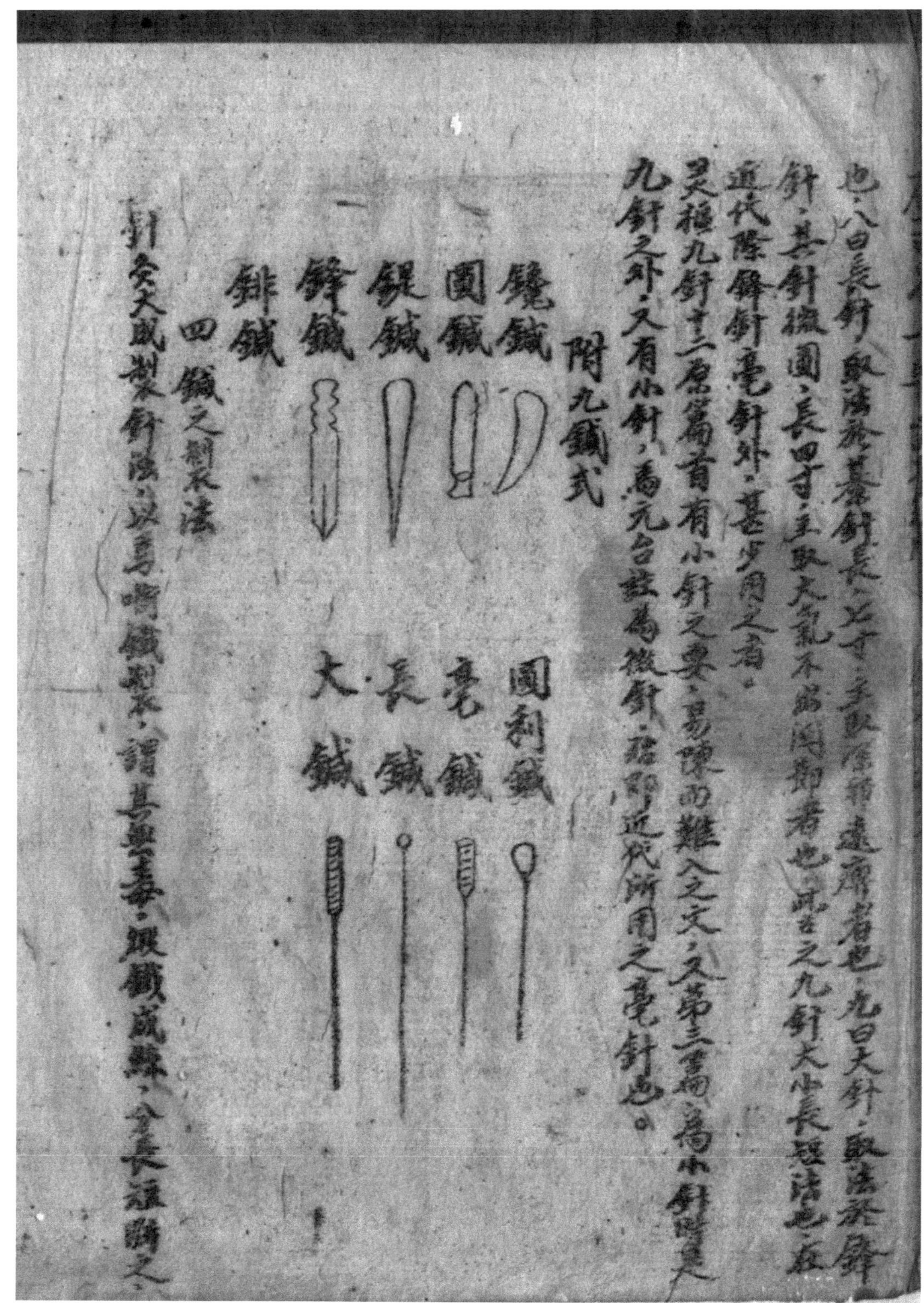

也。八曰長針，取法於綦針，長七寸，主取深邪遠痹者也。九曰大針，取法於鋒針，其鋒微圓，長四寸，主取大氣不能過於關節者也。此古之九針大小長短法也。在近代除鋒針、毫針外，甚少用之者。

靈樞九針十二原篇首有小針之要，易陳而難入之文，又第三篇爲小針解，是九針之外，又有小針，馬元台註爲微針，殆即近代所用之毫針也。

附九鍼式

四 鍼之製法

針灸大成製針法，以馬嚼鐵製之，謂其無毒。但鐵或鏽，今長短隨之外塗，蟾酥再煅之，亦可止痛。然後經以銅絲為柄，磨其一端為針尖，再入芳香理氣辛溫和血之藥品中煮之，謂藥可入於鍼質內，其意為施針時，藉針內之藥氣，以助運血行氣也。實則針質堅緻，吸收藥力極微，且煮後復須以瓦礪磨擦之，使之光潔滑利，即能吸收藥力，一經磨擦，亦已泯失，古人之用心，亦奇似是而非者矣。

近年工藝，突飛猛進，鋼鐵皆可細絲，勻而堅韌，針家採為製鍼，製針之時，太剛，且脆而易折，致多以鐵煉鋼條為之，惟仍入藥煮過，然後一經磨銳，成為鍼尖，一端繞以銅絲，成為針柄，繼以細砂擦磨鍼尖，使其利而不銳，圓而不鈍，再擦針身，務宜光滑細緻，於是乃應用於人身，自無痛澀之弊矣。鋼絲之鍼，堅韌適中，有彈力而不易折，較之鳥嘴鐵製成者，不可同日語矣，然易起養化作用而生銹，為一大缺點，金銀絲製成者，雖不生銹而柔軟易曲，美中尚有不足，今有一種不起養化作用之素金，然彈力亦不及鋼絲，以之為鍼則甚相宜也。

六　鍼之長短大小與應用

[illegible]

人之肌肉有肥瘦，部位有厚薄，下針有淺深，刺戟有強弱，欲適應其刺針之深淺，則針之長短，不可不分也，為適應刺戟強弱，則針之大小，亦不可不分也，就歷來經驗以定之，長者須三寸五分，短者為五分，從五分至三寸五分之間，為之分設一寸、一寸五、二寸、二寸五、三寸共針五類，於臨床應用深淺加減，隨機識度如指掌，四肢腹背厚薄深淺，無往而非宜矣，惟是針之大者，雖確實有效於刺也，且刺深者，大抵深刺神經幹，針小則力不足，而效不甚見也，針長者宜小刺於皮下之輕刺，皆以養神行氣行血之作用。

七、鍼尖之形狀

用針之目的，在刺激其神經，發揮其行氣行血之機能也，神經機能之活力，固在神經細胞，而傳導之功，乃在神經纖維，纖維細而柔嫩，不堪受重大損傷，故針刺祇可刺戟神經，不能刺傷神經，針與神經之接觸，嚴忌針尖，欲其盡刺戟之功，而無刺傷之弊，則針鋒不宜銳而宜圓，前人謂針頭圓者，血管遇之可以過，蓋亦經歷之談，然針頭太圓者，其面積較大，肌肉之抵抗力亦強，下針較為困難，病者感到痛苦亦重，故針鋒尖銳，固不可太圓而非宜，当於尖銳之中帶有圓形，於圓形之中，須存銳利，總之能利而不銳，圓而不鈍，斯為上品。

八 鍼之选擇修理與保存

我國針醫用針，大都為鋼鐵所製，間有以金銀為之，鋼鐵富於彈力，製針最宜，惟易生銹，因銹而發生斑痕，苟不注意，小之筋纖維纏繞針身，發生刺痛，不易脫出，大則為之斷折，故針身之有無斑痕，為選擇上之應注意之一，金銀針雖不生銹，無蝕痕可慮，惟質柔軟，針鋒易毛，且易成鉤形，鋼針亦時有之，其弊同於鋼針，故針尖之良否，亦為选擇上应注意之一。

不論金銀鋼針，愈用愈熟，熟則滑利而少痛苦，若一旦臨症應用，病家因得位移動，數針身屈曲，或針鋒成鉤，棄之似甚可惜，再用有所不能，如能善為修理，屈者直之，鉤者正之，則仍不失為一枚良針也。

鋼針易銹，宜每日拭擦，若藏而不用，則塗以油質，可久藏不變，金銀針雖不生銹，用時亦必拭擦，貯針之器，普通都用針管，但針鋒易受損傷，最宜用針包，使針固定不移，則針鋒針身可無受損之慮矣。

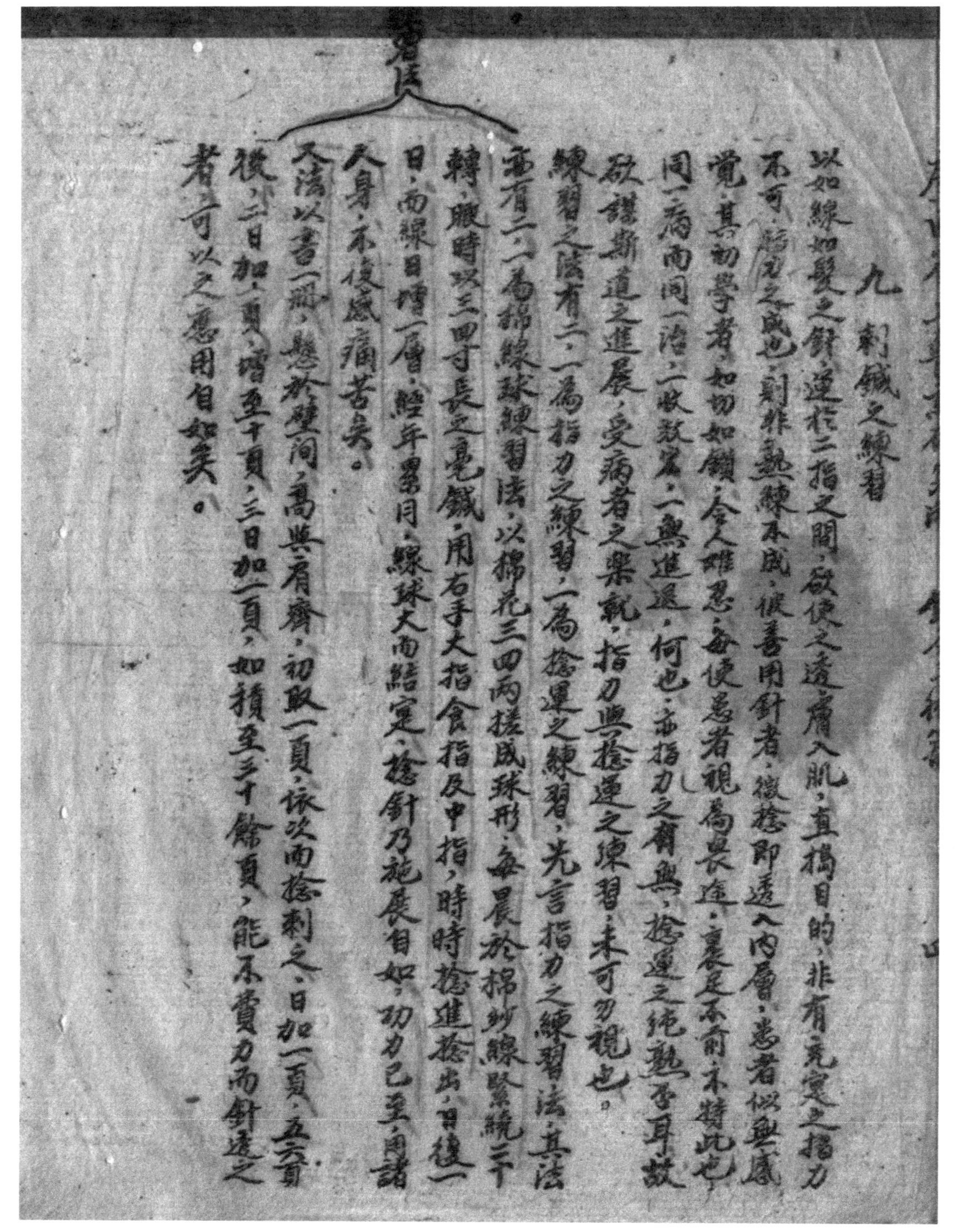

九　刺鍼之練習

以如線如髮之針，運於二指之間，欲使之透膚入肌，直搗目的，非有充實之指力不可。（指力之成也）則非熟練不成。彼善用針者，微捻即透入內層，患者似無感覺。其初學者，如切如鋸，令人難忍，每使患者視為畏途，豈足示範。不特此也，同一病而同一治，一收效宏，一無進退，何也。蓋指力之有無，捻運之純熟否耳。故欲謀斯道之進展，受病者之樂就，指力與捻運之練習，未可忽視也。

練習之法有二：一為指力之練習，一為捻運之練習。先言指力之練習法。其法蓋有二：一為棉線球練習法，以棉花三四兩搓成球形，每晨於棉紗線緊繞二十轉，暇時以三四寸長之毫鍼，用右手大指食指及中指，時時捻進捻出，日復一日，而線目增一層，經年累月，線球大而結實，捻針乃施展自如，功力已至，用諸人身，不復感痛苦矣。

又法以書一冊，懸於壁間，高與肩齊，初取一頁，依次而捻刺之，日加一頁，五六頁後，二日加一頁，增至十頁，三日加一頁，如積至三十餘頁，能不費力而針透之者，可以之應用自如矣。

老法

及至捻針之練習，捻運之主要技術，在乎提插捻撚，左發右轉，進退疾徐，各有法度，彼手技嫻熟者，與未經練習者，於病之療治，其功效相去倍蓰，故初學者應有多相之練習，練習之法，先以針插入棉被中，爲提針插捻動之練習，繼爲左發右轉之捻撚，再進爲進退疾徐之修習，能心有所欲而手應之，圓轉自如，然後登之臨症，可謂得心而應手，要無不利矣。

十　刺鍼之方式（一爲打入法　二爲插入法　三爲捻入法）

刺鍼方式，專言進針時應用之手法，就所知所見者有三法，一爲打入法，二爲插入法，三爲捻入法，打入法今已不行，插入法兼有行之者，最流行而最普遍者，爲捻入法。

打入法，其針短而粗，針尖鈍，非左手拇指食指之間，插於穴上，尖與膚二指保持其針尖與針體之角度，然後以右手食指和打而入穴，約二三分深，然後以左之拇食中三指扶持鍼柄而捻運之，此法今已不行，聞從北而南有行之者，自入番有打針法，惟不用指打，而用鎚打，其技不及我國多矣。

插入法，今日有所謂達摩針法者，其針本粗，類似九針中之圓利針，進針皆固持入法，先以右手拇食二指，固定穴位，右手持針，拇食二指挾持針尖，露出尖端約一二分，針柄固定於虎口，然後以針尖當按穴上，準定入針角度，二指不待覺彼痛苦而已，憑腕之力，直插入穴，一二分或三四分，稍轉另行爪搯指循提插等法。

捻入法，爲普通之下針法，亦爲下針法中之最簡便法，手技分長針下法，與短針下法二種。先言短針下法：凡短針下之處，大都屬頭部、臉末、筋肉淺薄、知覺神經末梢分佈最密之部。下針捻入之時，先以左手拇指爪切上，右手拇食中三指，挾持針柄，無名指旁挾針身，針尖看穴，於是挾持或針柄之指，捻轉送下至應入之目的而止。長針之挾持法，同於短針，針尖看穴之後，左手拇食二指，即挾持針身，當右手捻動針柄送下之時，左手拇食二指，一方挾持，不使針身偏側，一方助針體送下，至應深之目的而止，然後行捻動運之手術。

又有針管法者，盛行於日本，以圓形或六角形之細針管，較針柄短二分，應用時以針插入管內，針尖一端，按於穴上，左手拇食二指挾持之，右手

短針下法：先以左手拇指爪切上，右手拇食中三指挾持針柄，無名指旁挾針身，針尖看穴，用力 捻轉送下至入目的而止

之食指，扣打針柄，針即入穴，然後將針管上提，拔管之一指，則移扶針身，保持原有之角度，針管既去，乃以右手捻動針柄而下，此法雖手術較煩，如術者指力不足，與婦女膽怯者用之，亦免痛之一法也。

十一 刺鍼之方向

刺針之方向者，言刺針入穴時所向對之角度也，約分之可別為直針，横針，斜針三種，

直針者，不論直下或平進，皆保持其九十度之直角，所謂直角，向皮膚面與針尖相接合，其兩方作成各個的直角是也，人身經穴大部分皆從直角下針。

横針者，即沿皮下針，不入筋肉，針從脫角刺入之謂也，所謂銳角，針尖與皮膚斜針面相會，大約成為廿五度角度是也，横針之穴甚少，針灸家曰斜刺，針從銳角刺入之謂也，鈍角者，針尖與皮膚成九十度以上之角度是也，如針風池太谿崑崙之穴應用亦甚少。

十二 刺鍼之目的

目的

内經有曰：欲以微針通其經脈，調其血氣。又曰：虛則實之，滿則泄之，菀陳則除之，邪勝則虛之。此古人用針之目的也。但今日科學目光觀察之，通經脈，調血氣，即為刺戟其神經與血管，使血行流暢也。虛則實之，滿則泄之，即近代術語謂之虛則補之，實則瀉之是也。而謂虛乃某組織機能之減退也，所謂實乃某組織之機能之亢奮也。菀陳則除之，邪勝則虛之，無非散其鬱血充血而已。

内經又曰：氣之勝也，微者隨之，甚者制之，氣之復也，和者平之，暴者奪之，安其屈伏，無問其數，以平為期。夫氣之勝，彼屬神經之興奮過甚也，如肺之咳，胃之痛，病因無多，總屬勝氣之勝，亦即某部之神經太興奮也。隨之制之平之奪之者，無所以制其興奮，和其血而平其氣耳。

内經又曰：頭有疾取之足，足有疾取之上。又曰：病在上取之下，病在下取之上，病在中傍取之。此即遠道取針之施灸之法也。綜上之觀察，而歸納之，刺針會的，一使神經起興奮，一制止其興奮，一誘導其充血鬱血及病之產出物是

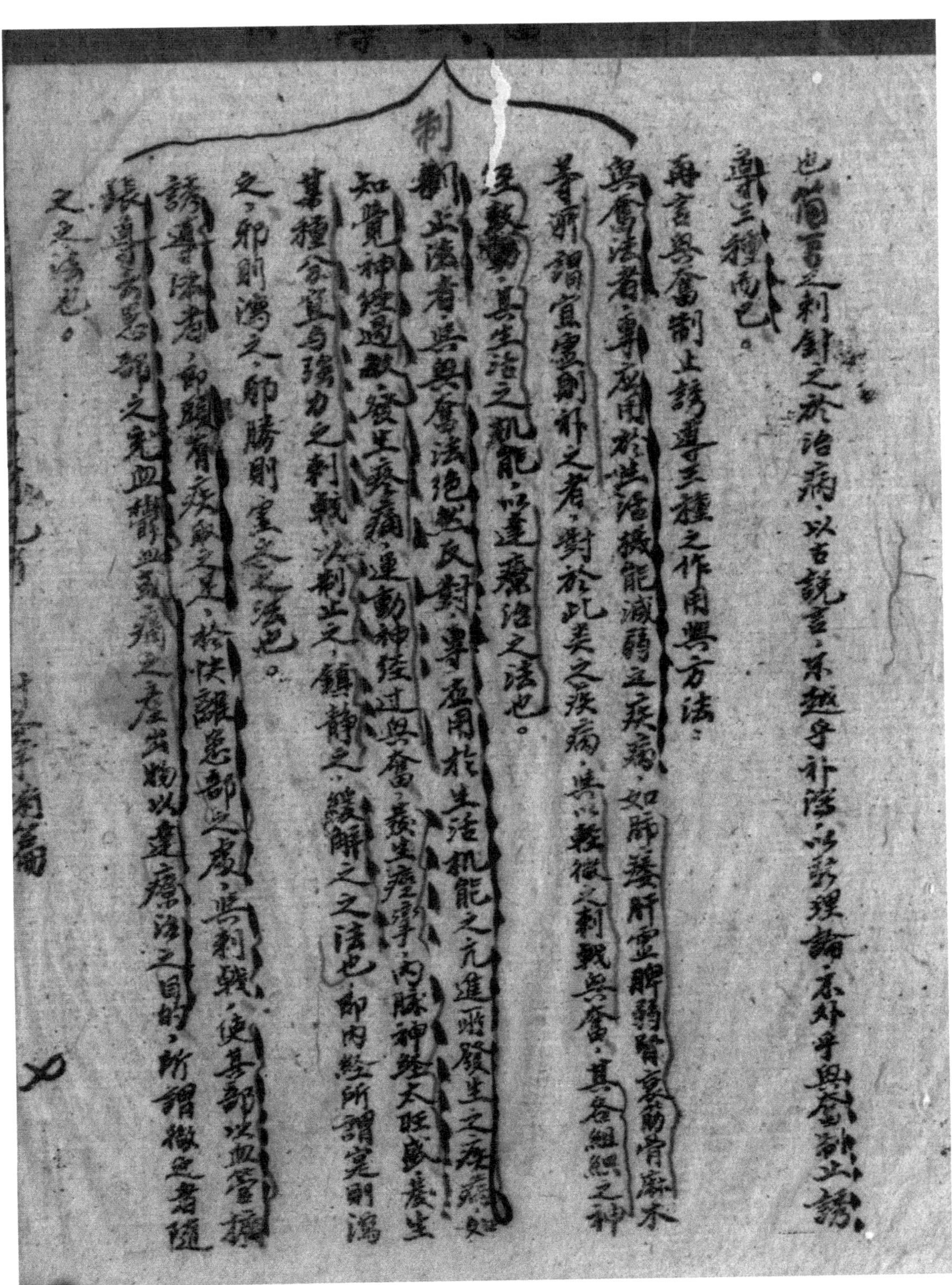

也。簡言之，刺針之於治病，以古說言，不越乎補瀉，以新理論，不外乎興奮、制止、誘導三種而已。

再言興奮、制止、誘導三種之作用與方法：

興奮法者，專應用於生活機能減弱之疾病，如肺萎、肝虛、脾弱、腎衰、筋骨麻木，素所謂宜灸刺補之者，對於此類之疾病，與以輕微之刺戟興奮，其各組織之神經機能，其生活之機能，以達療治之法也。

制

制止法者，與興奮法絕然反對，專應用於生活機能之亢進所發生之疾病，如知覺神經過敏，發生疼痛，運動神經過興奮，發生痙攣，內臟神經太旺盛，發生某種分泌過多，與強力之刺戟，以制止之，鎮靜之，緩解之之法也。即內經所謂實則瀉之，邪則瀉之，邪勝則虛之之法也。

誘導法者，即離有疾病之處，於健康部位之處，與刺戟，使其部以血管擴張，導病患部之充血鬱血或痛之產出物，以達療治之目的，所謂微逆者隨之之法也。

其他如盈者寫之，菀陳者則除之，即今之放血治刺血法也。

十三　直接的刺戟與間接之刺戟

上面述針治之目的，吾人已知，不外施刺止誘導與恩膏三種作用，但刺戟亦須直接刺其患處之深層神經管之血管，使其發起作用，以達到其目的，或而在皮表淺層知覺神經之末端，利用反射作用，其以刺戟，亦能達到其目的。反之深刺戟，反覺為優良，以末稍之反射範較廣，惟以類推之，夏疾刺戟較其反射而發揮其作用，可名之曰間接刺戟。其直接刺其患部，有關於神經筋肉或血管深部者，名之曰直接刺戟。

十三　鍼刺之感通作用

當針刺入身體之時，恰如電氣之感傳，或發生一種如麻痺酸之刺戟，亦有始終感如痠如痛者，皆名之曰針感通，針醫名之曰得氣針氣，其感通之範圍不一，有在一部者，有沿其神經所經過之區域而發感通者，如針腰部時，感傳至下肢其足趾，如針指部能波及上膊其肩胛，亦有不循神經之經路，感傳者，如鍼足部而感傳至頭，針胸部而感傳至足，良由神經交錯聯絡，某處不適，自某部之刺戟，其神經興奮，傳至中樞，起反射之效，其作用，使該處之神經細胞，亦起興奮，從而波及其他之知覺神經，發生感通，亦未可知。

從麻痺疼痛之感通，亦能推知其病之輕重，下針而即發感通者，其病輕，久而始發者，其病重，感傳遠，其病輕，限於一部者，其病重。

術者指覺之敏銳者，亦能知其感覺之有無與其輕重，鍼書有云，針下得氣如魚吞鉤餌之狀，邪氣之來也，緊而急，穀氣之至也，和而緩，是皆術者之指覺敏銳也，指覺非人人所能，非鍛鍊不可，亦非細心體會不可，殆非筆墨之可以形容者也。

十五　刺針時之準備

吾人在臨床施術之時，宜如何準備，曰第一步清潔，術者之手掌手指，與其針常上之用具，然後診察病人，審明症狀，以定治療之方針，確定應取之經穴，而出耀目之針，揀取適於其經穴深淺之長度，即以潔布勤擦之，如用棉花蘸酒精拭擦之尤佳，針既擦定，乃使被術者坐正其位，安其心志，毋稍動搖，術者

[illegible]

經為之覺針滑動，於是徐徐出之，下針待隨之手放焉。

臨床施術，亦不必拘上節之先，只消毒而已也，於針身針鋒之是否彎損，應有輕細之審察，若發現疑點，宜以薄布拭之，全針刺過，絶無聲息，則針身不損，退出無音，患者無礙，則針鋒亦良，以之應用，可以無憂。

針既良矣，而患者面無血色，目瞪少神，仍未可以下針也，必詢其有無受針之經驗，如其未也，宜緩辞之，必欲針治，必先告以暈針之情狀，其不驚駭，徐徐下針，緩運即退，長時之強刺戟，絶對禁忌，當下針捻運之時，必十分注意其面部之顏色，稍有變動，即停針，且二三次後，亦不發生暈針，亦宜停止，使其翌日再針，萬不可以其不暈而針多也，患起極度腦貧血，則危險無及矣。

於普通病者，亦不需暈針之發生，然於下針之時，若發生肌肉痙攣而不可施力刺下，宜直即停止，以手循之，待其痙攣緩解，然後徐徐下針，否則未有不發生屈針者也。

肌膚過于緊張者，刺下每感劇烈疼痛，皮膚十分弛緩者，易于移動，最以至取而不利人，故痛感每較常人為甚，凡遇此等患者，緊張者先施揉捏之，按摩，使緩和，左手輕按二指，緊張其肌膚，然後為之進針，可免若干痛苦矣。疲疾不易移動，尤在其後。

其他固於小兒婦女之針刺，尤宜注意其移動，不針宜淺而速，不能久留，否則折針屈針，久留不濟出痛也。

至若病勢衰弱已極，脈微神散，氣短欲絕，當此之時，萬不能輕易下針，妄思救治矣。根經素曰：用針者，觀察病人之態，以知精神魂魄之存亡，得失之意，五者已傷，針不可以治之。蓋精氣已衰竭，則根本不存，油乾燈熄，針豈萬能而難免再造之功矣。然医者急性病症，而形似虛脫，若其強刺針之反射，每有因此而復更生也，豈以業能想多鄙諺之議而袖手旁觀也。

十六　刺鍼時医者與病者之部位

凡術施術之先，医者與患者，須有一定之部位，苟患者之體位不正，則取穴不確，尋且神經、經絡、筋脈、骨骼之位置，微有不同，欲其針經行氣，不可得矣，即医者之部位不正，而草率施術，往往亦能發生偏側，難於進針，或屈針之變，此部位之所以宜

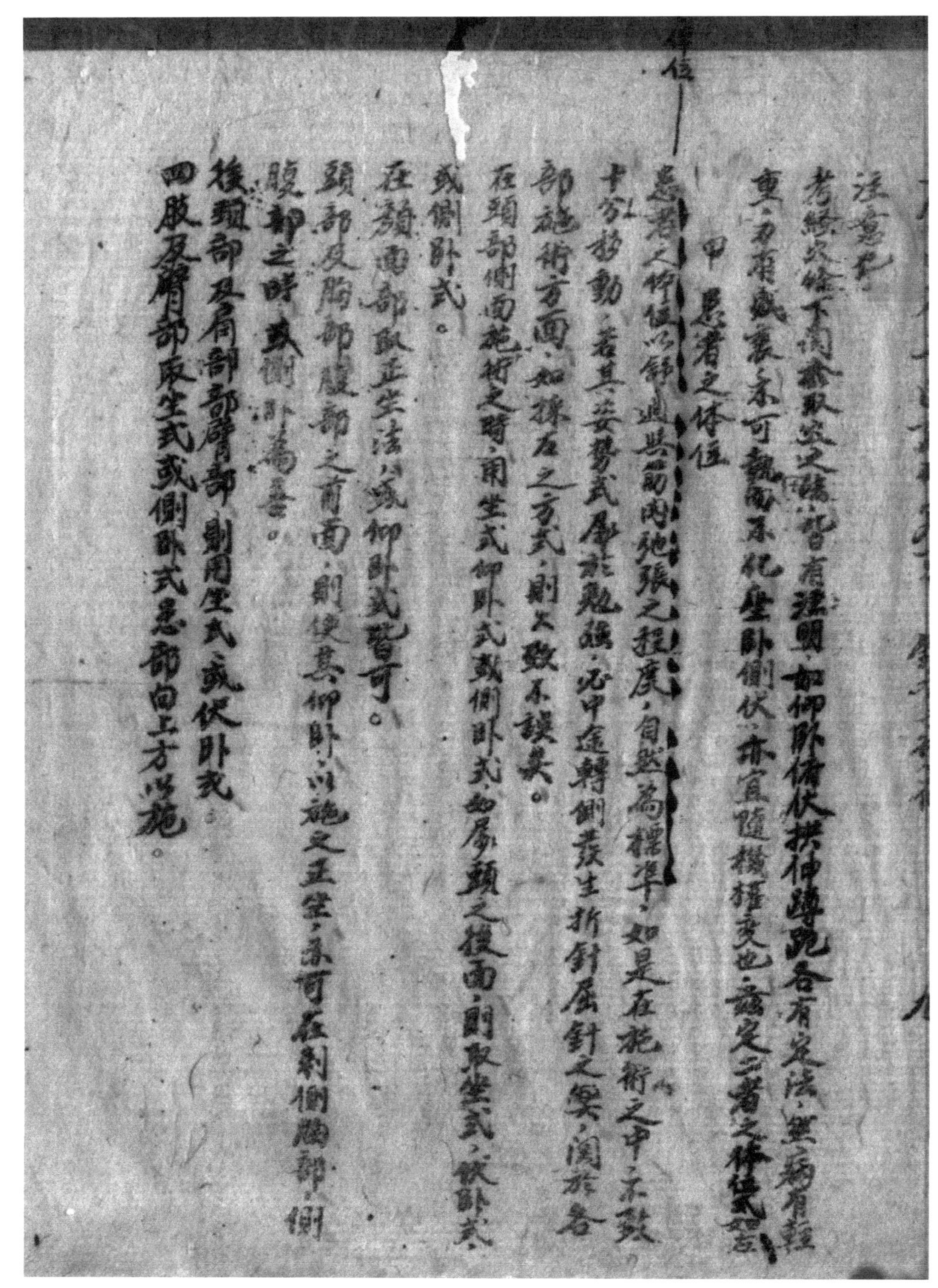

注意！

考經穴從下開取定之法，皆有註明，如仰臥俯伏拱伸蹲跪各有定法，無病有輕重，或衰羸，不可執而不化，坐臥側伏，亦宜隨機權變也，茲定之者之体位式如左。

位

甲 患者之体位

患者之体位以舒適其筋肉弛張之程度，自然為標準，如是在施術之中，不致十分移動，若其姿勢式屢屢勉強，必中途轉側發生折針屈針之患，関於各部施術方面，如採左之方式，則大致不誤矣。

在頭部側面施術之時，用坐式仰臥式或側臥式，如屬頭之後面，則取坐式，或伏臥式或側臥式。

在顏面部取正坐法，或仰臥式皆可。

頸部及胸部腹部之前面，則使其仰臥，以施之正坐，亦可在剌側胸部，側腹部之時，或側臥為妥。

後頸部及肩部背部臀部，則用坐式，或伏臥式。

四肢及臂部取坐式或側臥式，患部向上方以施。

乙　醫者之體位

醫者之體位無定，隨患者體位如何而採取其適當之位置，總以易於施術，易於發揮腕力與彈力為原則。

十八　進鍼時之程序（一、爪切　二、持針　三、進針）

進針之時，其先決之條件，為消毒與刺針之準備一節，已言之矣。準備已畢，即為刺鍼之實施，其程有三：一曰爪切，二曰持針，三曰進針，為分述之。

爪切：難經曰：知為針者信其左，不知為針者信其右。當刺之時，必先以左手壓按其所鍼榮俞之處，彈而努之，爪而下之，其氣之來如動脈之狀，順針而刺之云云。即言進針之時，宜先彈努爪下而進針也。雖彈努爪下而後進針，即按摩爪切非徒使其皮下知覺神經麻木，進針減少痛感已也，主要在探尋穴位，以準下穴門，下針不致偏倚也。按摩爪切之法奈何？初於其應刺之部位，以左食指或拇指微為按摩，探索其實際穴位，確位以爪下壓成十字紋，或一字紋，然後以針尖置於紋之中央而下，直達應刺之目的，當無阻無碍矣。若不按切，便事持針即刺，雖依其分寸而不按切，刺未有能中的者，故善針者信其左也。

持針，持針之道，亦甚重要，內經有云：持針之道，堅者為寶，正指針刺，無鍼左右，神在秋毫，屬意病者，審視血脈，刺之無殆。又曰持針之道，欲端以正，安以靜。明李鍼灸聚英曰：持針者，手如握虎，勢若擒龍，心無他慕，若待貴人。以上所言持針之必端正而心靜，聚精會神，屬意如指端與針端，直刺橫刺斜刺均持善角度，而後下針，斯克盡持針之法也。

進針：古人於進針之時，亦是非常重要，擬行進針之法，是極繁，本篇曰凡瀉者，必先吸入針，凡補者，必先呼入針，後之學者，令人咳嗽一聲，以代呼，或口中收氣以代吸，惡意氣之呼氣，或吸氣之中而下鍼，其規則雖屬慎重從事，亦屬一派，自今日人偉生理解剖之學，明知所古人之所謂營氣衛血者，一為血液之流行，一為神經生理之現象，針之之補虛瀉實，亦繫乎無奮制止之作用，對於其補瀉之手技，僅屬於一種刺戟法之強度，進針緩急對呼吸上實無注意之必要，而心之靜手要訣之穩捺，捻撚而下，一方視其局部之表情，隨進針而捻撚之緩急，面色不變，口眼不緊皺者，進針可逐而下，反之宜輕微捻進，是乃進針之要訣也。

十九、進針後之手技

針既進之矣，即為撚運，就其法言，目的在乎補瀉，以新理論，則不越乎制止與奮誘導三者，目的不全，手技遂異，考之內經，徵之近賢，名目繁多，心目為亂，大都標新立異，不切實際，在作者不外求以廣博，且炯灼其詞，未肯明言，以顯其神秘，而從學者，苦其艱奧莫測，繁解要理，遂視為畏途，針道之不明，寔斯輩為厲階，毋怪有人目針家為草澤鈴醫之流也，編者不才，於古人手技神秘處，未敢遂為附從，如內經針法，尚有可取之處，特錄其要者，為之註釋，以供同志之參考。為從科學之立場，吾人對於針法應取之途徑，覶列於后。

自從針術肇始軒岐，歷今數千餘年，閱於用針法，則以及手技，有不少變更，更因多家穿鑿附會之處，益相沿已有千百年之歷史，吾人既研究針術，亦不可不知其概要，因亦附錄於後。

甲、內經之鍼法

「九針十二原」小針之要，易陳而難入，粗守形，上守神，神乎神，客在門，未覩其疾，惡知其原，刺之微在速遲，粗守關，上守機，機之動，不離其空，空中之機，清靜而微，其來不可逢，其往不可追，知機之道者，不可掛以髮，不知機道，扣之不發，知其往來，要與之期，粗之閒乎妙哉工獨有之。往者爲逆，來者爲順，明知逆順，正行無問，迎而奪之，惡得無虛，隨而濟之，惡得無實，迎之隨之，以意和之，針道畢矣。

編者按曰：本節著重小針之不易施，故曰易陳而難入也。説明粗工上工之所異，守，一徒守形跡，象不諳妙機，一知守神，能觀病源而知其虛實，故曰粗守形而上守神也。其得神之妙者，知病之在何經，如客之在門，、、照其出入之道也。不觀其病，不知其原，言施針不可不先審其病也。次言刺針之其詳在乎遲速，守其中之妙机，以適應病体之虛實，即上守机之動，不離其空也。夫空者，關節之空間也，即神經出入之處也。神經因受刺戟而發生反射，其局部筋肉收縮，是即机之動也。粗工不知，僅按其關節而刺之，以爲盡針之能事也，此其所名粗工下工也。神經之机能微妙，不可思議，因神細胞之活潑與否，發生反射机能有强弱之分。如其强也，不能使其更强；如其弱也，不能使其再弱。故曰：其來不可逢，其往不可追也。故知反射强弱之妙机乃在指端，非可得聞而可息也。惟有熟練之上工，乃能之。察其反射力之如何，而應以適當之手技，所謂知机之道者也。粗工不知此妙机，即不知其

虛退即補
實進屬泄

往來，經曰澗也，所謂往來者，指神機氣勢盛衰之起止，往來時机已去矣，而欲寫之，故曰往者爲逆，上工能察其起而應用其手技，故曰來者爲順也，能明往來，即知順逆，所謂應其衰而補之，因其實而虛之，調整其机能之盛衰，達疾病之驅除，迎而奪之，即實而虛之也，追而濟之，即衰而補之也，迎奪追濟，能隨己意而和之，所謂得心血應手，盡用針之能事矣。

凡用針者，虛則實之，滿則泄之，菀陳則除之，邪勝則虛之，大要曰，徐而疾則實，疾而徐則虛，言實與虛，若有若無，察後與先，若存若亡，爲虛爲實，若得若失。

編者按曰：本節言用針之大綱，經曰：凡欲用針，必先按脈，脈之虛而無力者，氣不弱也，當補之，即虛則實之之謂也，脈之盛者，氣之盛也，當瀉之，所謂則泄之之謂也，見其有絡脈張方甚[illegible]也，則刺而去之，即菀陳則除之之謂也，病痛尚甚起之暴者，則解散之，制[illegible]之，即邪勝則虛之之謂也，徐而疾則實，凡言手技，徐入其針而疾出也，謂之實，謂之補，疾而徐則虛，言疾入其針而徐出也，謂之虛，謂之瀉是也，所謂實與虛者，一使爲神經與奮，謂之有氣，一為使神經安靜，謂之無氣，此若有若無之釋也。審證興奮，若存若亡者，就因初期其氣虛而實之，乃謂若亡而若存，初因其實氣實而瀉之，乃謂之兼存而若亡也，為虛為實，若得若失者，言瀉而虛之，若有所失，补之而實，若有所得也，本節不肯定曰，有無存亡得失，而曰若有若無，若存若亡，若得若失，足佩古人之卓見，而体会入微，何也，盖本節之补瀉虛實，指氣來之虛實言也，古人之所謂氣，固有其義，如本節之所指，乃神經之活力，神經興奮太盛，而使之安靜，即古人謂實則瀉之，意為瀉者其氣也，氣已瀉而不曰氣已無，氣已亡，氣已失，而曰若無若亡，若失，神經因活力衰弱而使之興奮，即虛則补之是也，但不曰已有已存已得，而曰若有，若存，若得，此非古人之卓識，曷克臻此。

虛實之要，九針最妙，补瀉之時，以針為之，瀉曰必持內之，放而出之，排陽得針，邪氣得泄，按而引針，是謂內溫，血不得散，氣不得出也，补曰隨之，隨之意若妄之，若行若按，如蚊虻止，如留而還，去如弦絕，令左屬右，其氣故止，外門已閉，中氣乃實，必無留血，急取誅之。

補瀉之義

補者使神經活潑興奮也

瀉者排除神經過敏刺，止其興奮，伏之而靜也

編者按曰：本節首言補虛瀉實，以九針為最妙，繼言補虛瀉實之方法，瀉曰必持內之，言必持針以入之也，放而出之，言提針以泄出邪氣也，排陽得針者，得以針推大其孔，排散衛陽，使邪氣可得而泄也，按而引針，是謂內溫，此言補之法也，按而引針者，亦即引針以按入之，名曰內溫，內溫者，和其內部之氣血也，故曰血不得散，氣不得出也，自補曰隨之，以下專言補之手術，隨者意若妄之，若行若按，如蚊虻止，如留而還，去如弦絕，詠形容補法，絕妙好詞也，吾今為之分解之，一語道破，不如含其意深長，耐人尋味矣，隨之意若妄之者，隨順也，妄無也，言針之捻撥，順手所至，若有意若無意也，若行若按，行動也，按下也，言針似動而似按也，如蚊虻止，如留而還也者，以蚊虻之吸血情狀為譬喻也，去如弦絕者，言緩緩出針，似弦絕之情狀為譬也，旨令左屬右而下，方言出針後之手技，令左屬右者，屬從也，隨也，言令左手從右手出針之時，按其穴孔，則內之氣止，外門閉而氣不泄，於是中氣實矣，如有流血，急除(去)之，即必無留血，急取誅之之意也。

編者復不嫌詞費，而重申其義，補者，使神經活潑興奮也，瀉者，排除

神經障碍或制止其興奮使之安靜也，編者所言之使神經興奮之手技必須輕微之刺戟，欲制止而使之安靜，必用强之刺戟，学者試一思之，本節補（言）瀉之手技，雖寥寥之數字，深合今之新理，已無遺義，誰謂古人之学識不科学也耶。

刺之而氣不至，無問其數，刺之而氣至，乃去之，勿復針。

編者按，本節示人以針貴得氣，氣至即已，不至則候之運之，不問其數，識開宗明義如何明且盡也，不知後人，為何復演出六陰九陽，子午搗臼等種種駭人名目，殆未觀內經針法之真義也歟。

徐入徐出，謂之導氣，補瀉無形，謂之同精，是非有餘不足也，亂氣之相逆也，

編者按，本節之針法，不分補瀉手技，但徐入徐出，以鼓動其氣，所謂不虛不實，以經取之之法也，補瀉無形者，不拘補瀉之手技，形式，但徐入徐出，以和其氣與，故謂之同精，精指榮衛氣血也，榮衛同生於水穀之精氣，故本節，簡稱為之精，清者為榮，濁者為衛，清濁相干，乃生亂氣而為病，非氣血之有餘或不足也，故以針徐出徐入以導之。

病之始起也，可刺而已，其盛可待衰而已，因其輕而揚之，因其重而減之，因其衰而彰之。

編者按：本節言刺法之因病制宜也，病之始起也，輕而微，刺入即可出針，故曰不可刺而已，病之盛者，宜久留其針，以待其病勢衰而後已也，故曰，其盛可待衰而已，因其輕而揚之三句，乃言因病施技之法也，病之輕者，所爲徐出徐入，揚其氣而已，蓋輕刺法也，病之重而屬實者，所謂用實則瀉之之法而減之也，即重刺瀉法也，因其衰而彰之者，補法也，亦即輕刺法也。

刺虛者，須其實，刺實者，須其虛，經氣已至，慎守勿失，深淺其志，遠近若一，如臨深淵，手如握虎，神無營於衆物。

編者按：本節言刺虛刺實之必要條件，刺虛者，須實而後已，所謂必待其陽氣隆至，針下覺熱而後去針也，刺實者，所謂陰氣隆至，鍼下覺寒而後去針也，經氣已至以下，言運針之宜專心一意，始終不懈，即如臨深淵，手如握虎，神無營於衆物也，深淺在志，遠近若一者，乃言運針深淺，氣行遠近，取其志也。

廣西省立医藥研究所　針灸手術篇　十四

瀉必用方，方者以氣方盛也，以月方滿也，以日方溫也，以身方定也，以息方吸而納針，乃復其方吸而轉針，乃復候其方呼而徐引針，故曰瀉必用方，其氣而行焉。補必用員，員者行也，行者移也，刺必中其榮，復以吸排針也，故員與方非針也。

編者按，本節言补瀉之貴乎適中其度也，瀉必用方，方者適當也，以氣方盛者所謂適當其氣盛而瀉之，以月方滿，以日方溫者，古人用針每擇日擇時，擇人之精神充滿之時也，以身方定者，擇其氣血和平之時也，以息方吸而納針以下，至其氣而行焉，則言針之出入，必當其吸氣呼之時而爲之，於是其邪氣出而正氣行也，补必用員，員者行也，行者移也，其意頗費解，吾推其意，补者补虛也，古人之所謂每指氣虛言，氣虛者，氣不行也，今之所謂神經不活潑而無力以動也，补之使其氣行，使其移動，故曰員者行也，行者移也，則补必用員者，即补必須使氣圓轉活動而流行也，刺必中其榮者，針必達其內也，張隱菴曰，必中榮者刺血脈也，刺血脈則出血，出血之針爲瀉針，补法使其出血理不可通，古人以衛主乎外，榮主乎內，此刺必中[illegible]者，殆刺必達於榮之部分也，復以吸排針者，隨其吸氣而出針也，故員其此方非針也。
乃取其意也。

吸則納針，無令氣忤，靜以久留，無令邪布，吸則轉針，以得氣為故，候呼引針，呼盡乃去，大氣皆出，故名曰瀉。

編者按：本節專言瀉針之手技，下針必乘其吸氣之時，不其其氣逆，下針之後，仍乘其吸而轉針，時留若干時，候其氣至，於是乘其呼而出針，邪氣皆出，故名曰瀉，夫所謂靜以久留者，有二解，一說是氣非，不能起古人而問之，但求理之可通，余之有疑焉，前謂之解者之，針入穴中，留置不動，以靈其神，候之與會，可收止痛止痙之效果，一為靜其其心意，鍼留穴中，而稍遲之，於經因氣血鬱而發之疼痛症者，有絕大之效果，張隱二家，依其字意義而解，僅知一也耳。

吸必先捫而循之，切而散之，推而按之，彈而怒之，抓而下之，通而取之，外引其門，而閉其神，呼盡內鍼，靜以久留，以氣至為故，如待所貴，不知日暮，其氣已至，適而自護，候吸引鍼，氣不得出，各在其處，推闔其門，令神

[illegible]八正神明論[illegible]

氣存，天氣留止，故命曰補。

編者按：本節專言补針之手技，爲前章之註疏，隨文解釋，顧明補瀉以下此言补虛之法也。言未用針之時，必先捫而循之，謂以指捫循其穴，使氣之舒緩也。切而散之，謂之以指切掐按其穴，使其氣之布散也。推而按之，謂以指推其穴，即排魘其皮也。彈而怒之，謂以指爪輕彈之，使病者覺有經脉怒張之意，使之脉氣填滿也。抓而下之，謂以左手之爪甲，掐其正穴，而右手方下針也。斯時也，針始入矣，必適而收之，以致其氣，候氣已至，外引其針以至於門，門者穴門也，即推闔以閉其神氣，此乃始終用針之法，而其間尤有節要，不可不知也。方其爪而下之之時，使病人呼以出氣，而吾納其針，必靜以久留，候正氣已至，爲復其舊，無使心，如待所貴，要緊也，不知日暮。其氣已至，又必調攝適而護守之，又使病人吸入其氣，而吾方引針，正氣不不得與針皆出，正因氣在内而針在外，各在其處，遂推闔穴門，令神氣内存，正氣之大者，爲之留止，故名曰補。

編者謹按：本節言静以久留，無之留，皆不同焉，以編者之推測，上節揆以久習可為二解。一為針法，一為強刺戟法，就其收效言。甚合鴻之本義，也。今稍稍之手技中，雖似有不合，以其效用言，不合稍之本義也。故本節之靜以久留，當另有一種手技，所謂諸法於往古，驗於未今，從稍字之意義推之，必為徐徐之捻之一種輕微刺戟，是耶非耶，尚待考證。

乙、科學觀點之鍼法

(一)單刺術

單刺術者，鍼之目的，刺達筋膚間，主即以鍼拔去之法，屬於極輕微之刺激，此法應用於小兒，或婦女之畏受鍼施驗者，或身体衰弱極度之症候。

(二)旋撚術

旋撚術者，針在身体刺入中，或刺入後，或拔針之際，右手之拇指食指以針左右撚旋之一種稍強刺戟之手技，適用於刺止或興奮為目的之鍼法。

(三)雀啄術

雀啄術者，針尖到達其一定之目的後，針體恰如雀之啄食，頻頻急速上下運用之，專用於強刺為目的之一種手技，然而其緩急強弱，不僅為制止作用以能應用於以興奮為目之一種鍼法。

(四)屋漏術

屋漏術者，與雀啄術之行用少有些微不同，即針體三分之一刺入後，行雀啄術，再進三分之一，仍行雀啄術，更以將刺之三分之一進，仍行雀啄術，在退針之際，亦以刺入時每回行雀啄術而出針，此為專用於一種強刺戟為目的之手段，適用於刺以誘導之一種目的。

(五)置針術

置針術者，乃以一針乃至數針刺入身体經穴，靜留不動，放置五分鐘乃至十分鐘，並俟拔針之手技，適用於刺止或靜鎮為目的之法。

(六)間歇術

間歇術者，為針刺入一定度數之後，於此中間，任意引拔，放置，更數回反復行同一之手技，應用於血管擴張，或筋肉弛緩時，為興奮目的之良鍼法。

(七)振顫術

振顫術者，針刺入後，行一種輕微上下振顫手技，或於針柄上以爪搔數回，或以食指伏於針柄之上端，頻頻輕打之，搖撼之，專為用於血管筋肉神經之弛緩不振者，即所謂之興奮法補法者是也。

（八）亂鍼術

亂針術者，針刺一定之度立，技至反而，直行刺入，或快或遲，或向前向後向左向右而運用之。此亂針法，專用於強刺戟，因用於誘導瀉散充血鬱血之鍼法。

上述八法，為手技中之簡單明瞭，而易於實施之手法。普通經針者，繁複而有功效，且百病悉可以此八法應付之。

丙　近代諸賢補瀉之鍼法

四明陳會之鍼法，隨咳進針，至適度後，微停少時，用右手大指食指持針細細搖動，進退搓捻，其針如手顫之狀，謂之吹氣，約行五六次，覺針下氣緊，乃行補瀉之法。以右手大指食指持針，以大指向前，食指向後，以針頭輕提往左轉，食指連搓三下，略進出半分許，謂之三飛一退行五六次，如覚針下沉緊，是氣至極矣，再輕提左轉一二次，令人咳嗽一聲，隨聲出針。如針瀉右邊，則以左手持針，捻運大指向前，食指向後，針頭轉向右邊，依前法行之。若為補法，隨病人吸氣轉針，其手技却與瀉法相反。針左邊之補法，以右手大指食指持針，食指向前，大指向後，捻針頭向左邊，針深入一二分，停少時，以指輕彈三下，連用三次，於是大指連捻三下，針頭轉向左，深進三分，謂之一進三飛，連行五六次，覺針下沉緊，或針下氣熱，是氣至已足，令病人吸氣一口，隨吸出針，急以手按其穴。如針右邊，則以右手大捻攆食指向前，大指向後，依前法行之。

如為腹背中行，在男子則左轉為補，右轉為瀉；腹上中行，則右轉為補，左轉為瀉。女人反之，背中行向右轉為補，左轉為瀉；腹中行左轉為補，右轉為瀉。

南豐李梴之補瀉法，針男子者病左手陽經，以醫者右手大指進前呼之為迎，右手陽經，以大指退後吸之為隨，進前呼之為迎，右手為陰經，以大指進前呼之為隨，退後吸之為迎。右足陰經，以大指退後吸之為隨，進前呼之為迎，左足陽經，以大指退後吸之

言大指 氣補 前食指 為瀉

為隨進前呼之為迎左足陰經以大指進前呼之為隨退後吸之為迎男子午前實熱午後反之女人與男人又反之。

三衢楊繼洲氏行鍼之八法

一曰揣　揣而循之，凡點穴以手揣摩其處，在陽部筋骨之側陷者為真，在陰部郄膕之間，動脈相應，其肉厚薄，或伸或屈，或平或直，以法取之，按而正之，以大指爪切掐其穴，於中庶得進退，難經曰刺榮毋傷衛，刺衛毋傷榮，又曰刺榮毋傷衛者，乃溫按其穴，令氣散，以鍼而刺，是不傷其衛氣也，刺衛毋傷榮者，乃撮起其穴，以鍼卧而刺之，是不傷其榮血也，此乃陰陽補瀉之大法也。

二曰爪　爪而下之，此則鍼賦曰左手重而切按，欲令氣血得以宣散，是不傷於榮衛也，右手輕而徐入，欲不痛之因，此乃下鍼之秘法也。

三曰搓　搓而轉者，如搓線之貌，勿轉太緊，轉者左補右瀉，以大指食指相合，大指往上進為之左，大指往下退為之右，此則隨迎之法也。故經迎奪右而瀉涼，隨濟左而補暖，此則補瀉之大法也。

四曰彈　彈而努之，此則先彈針頭，待氣至，却進一豆許，先淺而後深，自外推內，補針之法也。

五曰搖　搖而伸之，此乃先搖動針頭，待氣至，却退一豆許，乃先深而後淺，自內引外，瀉針之法也。

六曰捫　捫而閉之，凡補必捫而出之，故補欲出針時，就捫閉其穴，不令氣出，使氣血不泄，乃為真補。

七曰循　循而通之，經曰凡瀉針，必用手指於穴上四旁循之，令氣血宣散，方可下針，故出針時不閉其穴，乃為真瀉。

此提按補瀉之法，男女補瀉，左右反之。

八曰撚　撚者，治上大指向外撚，治下大指向內撚，外撚者，令氣向上而治病，內撚者，令氣向下而治病，如出針，內撚者，令氣行至病所；外撚者，令邪氣至針下而出也。此下手八法口訣也。

燒山火

治冷患癱瘓，頑麻冷痺，遍身走痛，及癩風寒瘧，一切冷症，用針之時，撚運入五分之中，行九陽之數，其一寸者，即先淺後深也。若得氣，便行運針之道。運者男左女右，漸漸運入一寸之內，（三進一退）三出三入，慢提緊按，若覺針頭沉緊，其針插之時，老氣復生，冷氣自除，未效，依前再施。

透天涼（一身渾似冰燒，不住之時，惡上激，差能加入清冷泉，須臾毫寒無漬）

治風痰壅盛，中風，喉風，癲狂，瘧疾，渾熱，一切熱症，凡用針時，進入一寸內，行六陰之數，其五分者，即先深後淺也。若得氣，便退而伸之，退至五分之中，三入三出，緊提慢按，若覺針頭沉緊，徐徐舉之，則涼氣自生，熱病自除，如不效，依前法再施。

陽中隱陰（陽中隱陰，先寒後熱，人五分陽九數，一寸六陰行）

治瘧疾，先寒後熱，一切上盛下虛等症，用針之時，先運入五分，行九陽之數三畢，（四九三十六數）如覺微熱，便運入一寸之內，卻行六陰之數三畢，（三六一十八數）以得氣，此乃先淺後深，先補後瀉法也。

陰中隱陽（先熱後寒，如瘧疾，先陰後陽，後運天針，陽運起雲雨，滂潑調和自然）

治先熱後寒，一切半虛半實等症，凡用針之時，先運一寸，乃行六陰之數，如覺微涼，即退至五分之中，卻行九陽之數，以得氣，此乃先深後淺，先瀉後補法也。

[illegible]

留氣法（留氣運針先七分，純陰得氣十分深，伸時見氣提時大，癥瘕須憑氣總匀）
治痃癖癥瘕氣塊，用針之時，先運入七分之中，行純陽之數，若得氣便深刺一寸中，微伸提之，卻退至原處，若未得氣，依前法再行。

運氣法（運氣用純陽，氣來便倒針，令人吸五口，疼痛即除根）
治疼痛之法，用針之時，先行純陰之數，若覺針氣滿，便倒其針，令患人吸氣五口，使針力至病所，此乃運氣之法，可治疼痛之病。

提氣法（提氣從陰六數同，堪除頑痺有奇功，欲知奥妙真機訣，東垣杭閣一瞬中。痛痹不適的歌訣，是江湖醫生捏造，所以如此。）
治冷麻之症，用針之時，先行陰數，微微以覺氣至，微微輕提其針，使針下經絡氣聚，可治冷麻之症。

中氣法（中氣須知運氣同，一般造化兩般功，手中運氣叮嚀使，妙理玄機起痪瘫）
治積用針之時，先行運氣之法，或陽或陰，便卧其針，向外至疼痛，立起其針，不與內氣同也，若關節阻澁，氣不通者，以龍虎交戰之法，通經接氣，大段而行之，仍以循攝切摩，無不應矣，又接按摩導引之法而行。

蒼龍擺尾手法（蒼龍擺尾行關節，回撥將針慢慢扶，一似船中擺舵，身周身徧体氣流通。）

下針之時，我氣至關節去處，便使回撥者，兩指夾倒針尖，將針慢慢扶之，如船之舵，左右隨其氣而撥之，其氣自然交感，左右慢慢撥動，九數或三九二十七數，其氣隨体交流矣。

赤鳳搖頭手法（針以船中之櫓，又如赤凤搖頭，辨别迎隨順逆，不可恢胡道

胡求？）

凡下針得氣，如要使之上，須關其下，要下須關其上，連連進針，從食至已退針，從已至午，撥左而左矣，撥右而右矣，其實只在左右動，似手搖鈴，退方進圓，兼之左右搖而振之（退方即提起之義，進圓即捻進之義。）

附白虎搖頭

以兩指扶起針尾，以肉內針頭輕轉，如下水船中之櫓，搖振六數，或三六一十八數，如欲氣前行，按之在後，欲氣後行，按之在前。

（所謂前後者，以經脈之起止為根據）

廣西省立醫藥研究所　針灸學講義　二

龍虎交戰手法（龍虎交戰爭，龍虎左右施，陰陽二相號，九六住疼時。

用針時先行左龍則左撚，凡得九數，陽奇零也，却行右虎則右撚，凡得六數，陰偶對也，乃先龍後虎而戰之，以得氣補之三部俱，一補一瀉，故陽中隱陰，陰中隱陽，左撚九而右撚六，是亦住痛之針，乃得陰陽反復之道，號曰龍虎交戰。

龍虎升降手法（龍虎升降玄妙法，氣行上下合交遷，依師口訣分明說，目下較君疾病瘥。）

用針之法，先以左手大指向前，撚之入穴，後以左手大指向前，撚經絡得氣行時，其針向左向右，引起陽氣，按而提之，其氣自行，如氣未至，再依前法再施。

五臟交經（五臟交經須氣溢，候他氣血過散時，蒼龍擺尾東西撥，定穴又付在記之。）

下針之時，氣行至溢，須要經血宣散，乃施蒼龍左右擺之，氣至血可以經橫。

通關交經（先用蒼龍來擺尾，後行赤鳳却搖頭，再行上下八指法，關節宣通氣自流。）

先用蒼龍擺尾，後用赤鳳搖頭，再入關節之中，後以補則用補中手法，瀉則用瀉中手法，使氣於其經便。

膀胱交經（膀胱要穴委中，在膝後窩正中取，其病在中府，仰卧須待氣至，法須氣調勻，然後入針，便是一提針。）

凡用針之時，欲得氣調，生得先者，欲先補後瀉，或先瀉後補，隨其疾之虛實，病之寒熱，其邪氣自除，真氣自補生。

關節交經（關節交經其大功，必須氣走關節中，必流通之，至於外，須知其氣自旋通。）

凡下針之時，走氣至關節者多，或是經者，每施中氣，該則之。

子午搗臼（凡用針，後針刺時，病用補針，以用左手按穴，穴下針之外，隨而吸之，本而切之，指而循之，通而取之，却令病人咳嗽一聲，左右轉針而刺之，春夏二十四息，秋冬三十六息，徐出徐入。）

治水蠱膈氣，下針之時，調氣得均，以針行上下，九入六出，左右轉之不已，必按陰陽之道，其病即愈。

編者按：本節錄自針灸大成，為明代諸針家之運針手技，其原因本說於內經，惟風於陰陽男女之說，附會於針法之中，於是玄誕易明之技藝而為神秘玄奧矣，處現代革新之秋，神奇古說，本宜刪節，惟研究斯學者，

廣西省立醫藥研究所　針灸手術篇　二一

莫不知有此法，故录出以供参考。

二十、晕针之处置

神经质之患者或身体衰弱者，下针之后往往神经因受刺戟起剧烈反射，发生急性脑贫血症（名曰晕针），危险殊甚，故下针前后应有深切之注意，在十六部刺针刺之注意要项中已述之，如不慎而发生晕针时，宜急速与以救治，务不可仓皇失措，忽以处置也。

在未述处置诸之前，且当述晕针之病理与情状，即可知处置挽救之途径矣。

先言病理，神经衰弱者与贫血者，下针后，神经锐受刺戟，其脑髓部全身微血管络缩，尤以头部为甚，血压急速下降，脑髓遂形成急性贫血，于是大脑之机能衰退，甚至全失，于是心脏机能亦急遽减退，或竟停止跳动矣。

言其晕针情状，轻者头晕眼花，恶心呕吐，心悸亢进，重者面色苍白，四肢厥冷，汗出淋漓，甚至脉伏心停，知觉全失，呈发为人之危状。

以言救治，则不外更复刺戟其知觉神经，唤醒脑髓神经，而复其机能，继枢两百机能动矣，其法为何，俟觉患者已呈晕针状态，立即停针退出，如坐者將其臥倒，一寸鍼其中衝或人中，不停撚使之感受劇痛，一手按其脈搏，此脈搏尚有些，但猶中衝無效，以艾火或葯熨稍，而脈搏已伏，心脈欲停時，則以針入人中、中衝無效者，人工呼吸法，至嘔出而止，若針時先時暈欲逆端，不久即可恢復常態矣。

二十一　出針困難之處置

鍼稍中時有發生出針困難之事，其理由不外三点：（一）為修復肌肉緊縮，針體屈曲，（二）為針身有傷痕，筋纖維纏繞不脫，（三）為內部運動神經，纖維與組織，起筋肉痙攣急縮，但針身有人數，解決出針困難，必先識別其為何種原因而致，於是另以適當之處置，皆不顧其因而歡然用力拔出，徒使病者感受劇痛，非惟仍不能拔出，且有折針之慮。

識別原因處置之法如何？曰：針體屈曲，燥進不能，退出亦不能者，應旁左之針身傷痕，急轉正其傾位，再探求其屈度與方向，此針柄屈度之變，乃為小屈，以右手拇食二指重按針下肌肉，右手持針柄，輕微用力提出之，若針柄偏倒甚側屈者，按其左手二指，不可重按，右手捉針，須順其偏側之方向輕提輕拔，起一寸，兩手互相呼應，則針可得出矣，用力強拔是乃大忌。

针身可以捻转，而提起或深，不觉痛者，系第二㈡之针有伪痕，宜反其方向而捻转之，于捻转之中，上提下插，反复行之，觉针下疏松，即可出针，若较前仅可反退缩，不能全部提出者，再依前法施之，如引出时痛感较前大减者，可如第一㈠法拟前方提出之。

如觉针下沉紧，捻动困难，按其肌肉急硬者，系第三㈢之筋肉痉挛所致，当将针身深入二三分，行强雀啄术，以防筋肉之挛缩，继以一针或数针，于其附近下之行中等度之刺戟，则出针之围或揉按之，使其常与夺之运动神经镇静，缓解其强直之筋肉，其针自易出矣。

二十二、折针之处置

折针之事，不常有，以其针甚坚韧，不易折也，偶或有之，必针体已有伤痕，医者疏忽，不检出，病者复不守医戒，而移动体位，或医者用强刺戟时，病者之筋肉，突起强度之挛缩强直，遂致针折于中，此际医者之态度，宜镇静，医者病家不必心慌，嘱守其体位，不稍移，医者左手指压针孔之周围，使折针外边，如见折针在皮肤内面发现时，以钳或小镊夹之，如在皮下，可按得而不外露者，以指按压针体以前消毒，嚴剖開其皮，檢視針頭，以箝摘出之。若折在深層時，則任其自消，不為害。然雖有時在一二日中發生疼痛者，然經過三四日，即平安無事矣。就日人之實地研究，謂斷針在筋肉中，經過相當時日，自然消滅，或行移別部，其消滅與移行之說如左：

一、酸化說：由體溫之關係，鐵身起酸化而自行消滅。

二、移動說：折針因筋肉之運動而遊走，其比較運動稍鈍之部則久停留，而後消滅。

又三浦博士與大久保醫學士，曾以動物試驗之，得結果如左說：三浦博士在澤兔之腹腔內，以大號針刺三密達而切斷之，另以一枝刺入臀筋而切斷之，經過三周間，其部呈紫色，雖大豆大之腫瘍，顯著細胞浸潤，但無化膿之傾向，於飲食運動，更尾不見障礙，八個月之後，解剖檢視，刺針部之針，不得從各臟器及筋肉，以精密之檢查，亦始終不得發現，此由腸之蠕動而脫出體外耶，抑由酸化而消滅耶，不能下確切之斷定矣。

大久保醫學士，以七個月之雌兔，在左側腹部之橫突起與第一腰椎橫突起之中間，用大號針刺八分，左右折斷之，其第二日運動仍活潑，奔走跳躍如前，第二日漸見萎靡萎靡，剝外表觸動之，則跳躍。第三日，觸其刺處，亦無異常，重壓之，稍呈□惕之狀。第四日亦然。第五日後，雖重壓之，似無異感，復仍壯健，更無甚變化，和無小兒亦復全，此後經六個月而解剖之，在針入之外，針及裡面及皮下組織組織呈長三分闊三厘之青藍色素，其下層之筋鞘亦然，在鞘內之筋質及腹膣壁面之漿液膜處，不見刺點之瘢跡，在筋層間，亦不見折針通過之瘢跡，因此在內臟各精密檢查，又切斷筋肉檢之，亦不見折針之瘢跡。

又刺在椎之左側第二腰椎与第三腰椎之横突起間，以六分餘之針插入之，經八個月之剖驗，亦不見折針之瘢跡，因此推想針端鋭利，在運動之際，因筋肉收縮之移動而脱出，但時以蛙之針尖在椎之右側在第一腰椎与第二腰椎之横突起間，刺入而切折之，在十四月後剖驗之，在刺入之外局部，不見異狀，折針插入至肝臓之左葉，從後方插入前方，平而滑在，而其周圍亦無見存之炎症，其折針現存之狀，与新刺之狀相同，而針体已呈酸化為黑色矣，針之重量，初為○．○三五瓦，已減輕○．○二瓦，因思此所減之量，不外為酸化溶解。

更且恐為針体之容易移轉，而比以針為二屈曲，在皮下結締組織与筋鞘鞘之間平刺入而切斷之，至第八日檢剖之，針之周圍緻密之苞狀，即毛細管怒張，靜脈鬱血，漿液囊生滲漏，而第一屈曲至第二屈曲之中間，与結締組織緊密纏絡，不易拔出。

由上試驗結果，針尖之銳鈍，与運動之緊關，似有異趣，針尖銳利，刺入局部運動之劇烈部位則移轉之遲速，不留蹤跡，其針尖鈍而所刺之部位在運動遲緩之外，則經年之久，由酸化而溶解消滅，又不移動，不消滅者則新生結締組織以包裹之，而無関於身体与運動之健全。

二十三．出針後之遺感覺之處置

通常針刺之中，發生酸痛感應，即小曲節刺針之感通作用，出時後，立即消失，然有時發生酸痛，持續一二日始有失者，此為之鐵遺感覺，此由於醫者手術粗劣，而以極強之刺戟，或以施術中患者發生動搖，知覺神經鍼難受過度之刺戟，致神經發生異常之興奮所致，其遺感往往經一二日後漸消失。於斯場合，於斯鍼後在局部或附近處以按摩輕擦，或於其相距尺許處針之，其遺感即消。

二十四、出鍼後皮膚變色，高腫之處置法

出鍼之後，時有小血赤點在鍼孔部位發現，或皮膚呈青色，而高腫者，感覺痠重，不舒。此乃血管之所致，在十數小時後，自然平復。但吾人欲促其速愈時，可局輕按揉，在數小時中可消散無形。

二十五、鍼尖刺達骨時之處置

在刺針時，鍼刺針尖觸達骨節時，宜急速提起數分，或提至皮下，延將其方向而入之。否則針尖蹉曲不能出針，且傷骨膜，有傷骨膜炎之虞。施針時不可不細心注意之也。

二十六、鍼治之禁忌

古鍼家，於治上有時日之禁忌，甲不治頭，乙不治喉，子丑腰，一臍二心等時日之禁忌也，謂有人神相值犯之不利云。編者以其涉於迷信，未為

研究故愚而不遮照穴之禁忌頗適合於現代解剖觀点上之重要部位故錄附於後

腦户 顖會 神庭 玉枕 絡却 承靈 顱息 角孫 承泣

神道 靈台 膻中 水分 神闕 會陰 横骨 氣衝 箕門

承筋 手五里 三陽絡 青靈

諸穴禁止鍼刺，其他雲門 鳩尾 客主人 肩井 血海等穴針不能過深 合谷 三陰交 石門 妊婦婦人亦宜避忌。

就臨床之經驗而言，今日針家所用之針細如髮，古人之所謂禁針穴，每有行者反得良好之效果者，亦有不發生惡影响者，故日本有若干醫家謂今日之針甚細，不論如何之部位，皆可針刺云。

雖然古人之認為禁穴，悉從經驗而來，决非向壁虛造，吾人苟手術不精經驗未富，総宜慎重避免，蓋是其他関於身体之重要器官部分，如延髓部、肺尖眼球、心臟、肺臟、睾丸、陰核、乳頭等部，雖手術精熟者，亦宜禁針深刺，勿冒險以蹈危機也可。

結論

結論講義編者憑數年之臨床觀察，及參酌日人鍼學講義而著手，所得共二十六節，大概於針學古今中西之學識，古今之異同，今西之疑應趨之途徑，已略明發，俾使讀者能因此而循序漸進，使針道前途日趨光明，則編者之所望於下，庶矣。今得日針師叔本貢氏鍼刺之關於健体病体之作用一文，述針刺與神經之影響，特譯出作針刺之學理研究，為本編之結論也。

鍼刺為一種之器械的刺戟，由種々手術發生制止、興奮、誘導之三種作用，即神經刺戟，由一定之刺戟起興奮，或以強刺戟之太過而減衰其機能，且引起神經因受刺戟而發生傳導於中樞，或由中樞傳導於末梢之作用，故不問健体與病体，由針刺戟神經之種類，與刺戟之強弱，而呈不同之作用，茲分別述之。

(一)健体之刺戟影響

人知當神經干受刺戟時，發生如通電之感覺，鍼技談者，謂其感覺達即消失，若有短時間輕刺之刺戟，從求心傳達之中樞，從此中樞神經之細胞，起興奮而泛發，由其興奮向遠心性末梢傳佈，於此謂之起反射運動，使其部之筋肉起收縮或弛緩，而血管則亦爲收縮，雖有擴張，俾血液循環之旺盛，反而若以長時間之強刺戟，神經興奮性反形減衰，甚至完全消失，遂至傳導机能亦消失。

2、運動神經枝——於此刺鍼之時，其部之筋發生痙攣，若即去鍼，痙攣立止，此種現象與知覺神經之發現著明之作用相同，與以短時間之輕刺，起興奮作用，長時間之強刺則興奮性完全消失，反陷於弛緩麻痺狀態。

3、大感神經枝——刺鍼之時，其部神經所分佈之臟器，起索引樣之感覺，去鍼後臟器之機能有若干時之旺盛，故為健体常行此种針刺，於体內益能使抵抗力之增加，以養身之目的。

(二) 病体之刺戟影響

1、知覺神經枝——知覺神經枝起有異狀之興奮，其結果發為神經痛或知覺過敏知覺麻痺，欲使其調節時，宜以鍼為持續之強刺戟以制止之，如對於机能減弱之疾患，由以輕而且短之刺戟，使其興奮，可回復其固有之机能。

2、運動神經枝——運動神經枝有異狀，興奮之時，其神經所分佈之領域內之

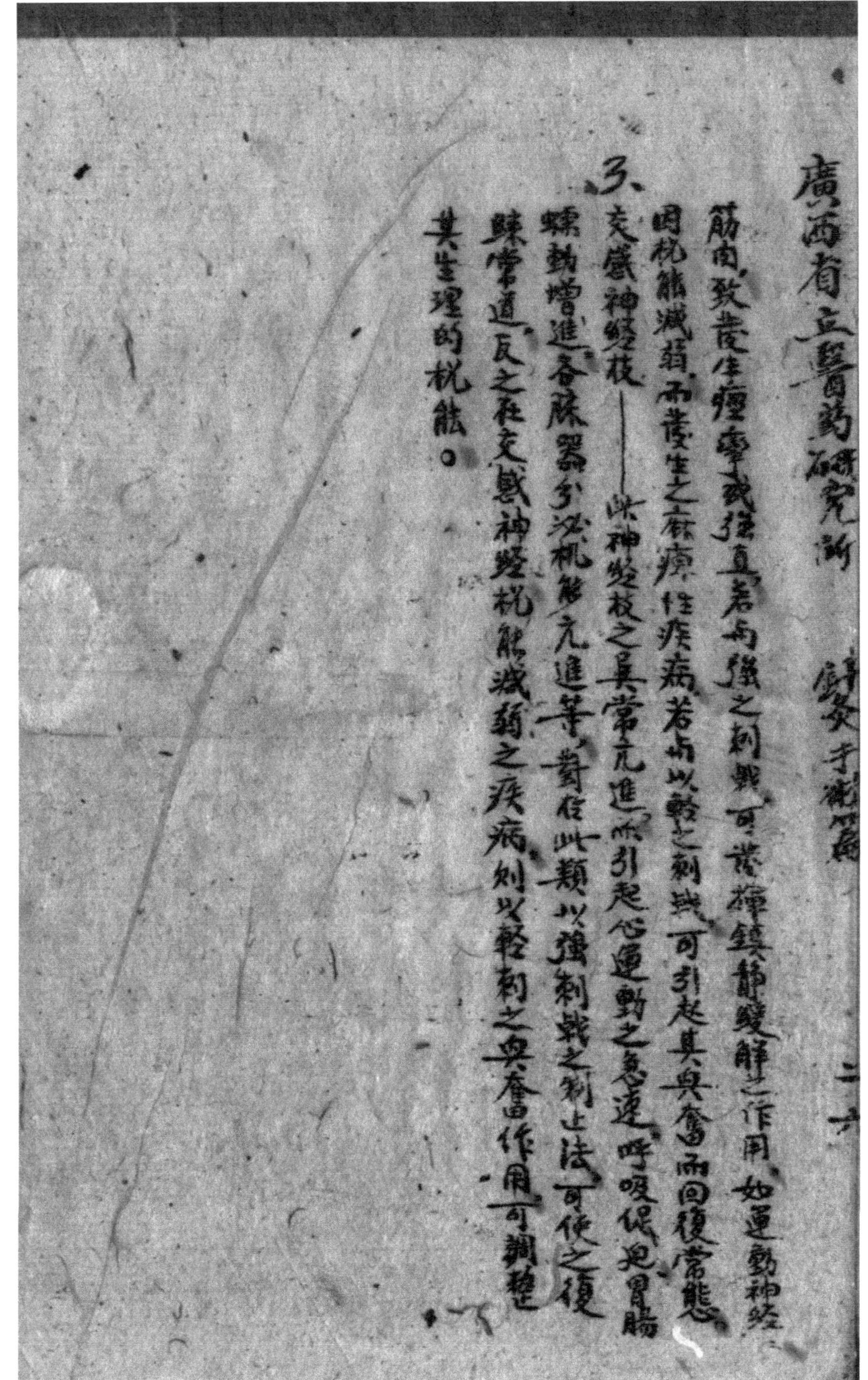

筋肉，致發生痙攣或強直；若與強之刺戟，可發揮鎮靜緩解之作用。如運動神經因機能減弱，而發生之麻痹性疾病，若與以輕之刺戟，可引起其興奮而回復常態。

3、交感神經枝——此神經枝之異常亢進，所引起心運動之急速、呼吸促迫、胃腸蠕動增進、各腺器分泌機能亢進等，對於此類，以強刺戟之制止法，可使之復歸常道；反之，在交感神經機能減弱之疾病，則以輕刺之興奮作用，可調整其生理的機能。

一　灸法之起源

江蘇江陰承澹安編

灸法之起源渺不可考在文字之可稽者厥為内經異法方宜論曰北方者天地所閉藏之域也其地高陵居風寒凍冽其民樂野處而乳食藏寒生滿病其治宜艾焫艾焫即灸法按内經之文灸之發源當在北方究其發明之時期則可得矣以推想之目光測之當在鍼術之前發明取火之後與砭石之應用或在同時何以言之石器時代民皆穴居野處病多創傷與風寒侵病多筋攣痹痛則宜灸焫蓋得溫則舒得熱則和也當其發明砭石艾焫之法殆皆出於自然人為最靈天動有天然之自衛自救本能如身體有痠麻疼痛自然以手按壓或取石片以行擊刺或就火熱以熏灼或置燃燒物於皮膚為種種之嘗試求病痛之免除或在無意識之中獲得療疾之發見其中有不少天才者積甚多之經驗知何種病苦宜砭石刺擊且知何部為良何種疾患宜用火熱熏灼施何處為愈流傳而下於是成為砭石之法灸焫之方及有文字乃記之為文載之於簡傳之數千百年而至今成為重要之學科。

二　灸術之定義

何謂灸術曰以精製之艾在身体表皮一定之部位所謂一定之經穴點上燃燒之

發生艾特有之氣味與溫熱之刺激，調整生活機能之變調，且增進身体之抵抗，而與病之預防及病之治療之一種醫術也。

三　施灸之原料

灸必用艾，以其性溫而降，能通經絡，治百病也。然則古人早知艾之功用，始以之作灸炷歟？曰：是又不然。艾爲遍地皆有可爲燃料，引火最易，且氣味芬芳，聞之可清心醒腦。古人取火不易，當時以之爲火種，因其芬芳而易燃，於是用之灸炷，試之久而驗之效，乃成爲灸治之要品。後之學者乃就其功效而推測其性狀，如上也。

就學者之推測與研究，艾屬菊科植物，爲多年生草，我國全部皆產生，春日生苗，高二三尺，葉形似菊，表面生綠色，背面爲灰白色，有絨，葉與莖中有數個之細腺，其有油腺發特有香氣，夏秋之候於稍上開淡褐色花，爲筒狀花冠，作小頭狀花序排列，微有氣息。但上入藥用或作艾炷者，乃爲艾葉，每於舊曆五月中採而用之。

關於艾之性能，應就權威藥性本草，謂止崩血、腸痔血，止腹痛，安胎明瞭希癱疥。草經疏謂味苦微溫，熟則大熱，可升可降，其氣芳烈，純陽之草也，故無毒，入足太陰厥陰少陰三經，燒則熱氣內炷，通經入骨，灸百病。和漢藥考曰：熟艾灸之，能透諸經，治百病云：「今為之分別，內服則為溫中逐冷，安胎止血；外用則通經絡而治百病，其效用較內服多矣。」故本草別錄，稱為醫草，日人稱為神草，亦能以灸百病而獲此名也。

四 艾之製法

艾雖遍地皆有，而以蘄縣產者更良，以其得土之宜，葉厚而絨毛多，性質濃厚，功力較大，稱為蘄艾。於五月中採其葉而曬之，充分乾燥，於石臼中反復篩搗，去其粗糠塵屑，存其灰白色之纖維如綿花者用之，稱為艾絨，亦稱熟艾，為灸之無上妙品。

艾絨愈陳愈佳，孟子曰：「七年之病，必求三年之艾。」識者謂：「艾愈陳愈良，其氣味愈厚，灸病亦愈見效，」則似是而非矣。艾葉中含有一種帶黃綠色之揮發性油，新製之艾絨，其油質尚存，灸之其火力強而經燃，病者之痛苦較多；苟久經日曬，油質揮發已淨，質更柔軟，灸之則火力柔和，痛苦較少，反覺快感，精神為之一振，病魔自退避三舍矣。

五 艾絨之保存法

艾絨易吸收空中之溼氣，灸時不覺其大，而痛增，故取得艾絨之後，置於乾燥器中，而密蓋之，於烈日曝晒之天，取出晒之，約二日一次，晒過復密蓋之，日常應用者，取出一部份，置於緊密之小盒中，用罄再取，則大部份不致有發潮溼之慮矣。

六、艾灸之特殊作用

日本東京鍼灸學院院長坂本貢氏曰：「在人体上以溫熱之刺激，其最適宜之燃燒料，莫如艾葉，因其有種種特長也，茲就艾灸言之，艾炷燃燒時緩，在瞬時間，艾之溫熱直入深部，感覺上似有一種物質直刺之，且發生暢快之感覺，若試以燃熱之火香或烟草，祇覺表皮灼熱痛，此等感覺，且艾灸點在同一點上，不論何狀，皆有快感，其灸跡與以燃之發壓或水浸或熱蒸，皆不變若何異狀，如斯效處，實為艾灸特有之作用，甚明用艾灸治鍼，古人之卓見也」云，據氏之說，與中國本草所謂性溫而下降之說相合，編者以為艾灸之特殊作用，不在熱而在其特具之芳香與苦味，中國對於芳香性之藥，每謂其行氣散氣，夫行氣散氣，乃神經之一種異常傳達現象，與神經細胞活潑現象，艾灸後之得覺恢復，即艾之芳香氣味，由淋巴液之吸收而滲透皮下諸組織，於是神經因熱與芳香之兩重刺戟，起特殊異常活力增加之所致，因而發揮其固有之作用，而病即解矣。

七 艾炷之大小

艾炷大小，稽之書冊，各從灸之部而定，頭部肢末為小，胸腹背部為大，小者如雀糞如麥粒，大者如筋頭如棗核，明堂下經云：凡灸欲炷下廣三分，若不三分，則火氣不達，病未能愈，是炷之欲其大也，其上經則曰：艾炷依小筋頭作，其病脈粗細，狀如細線，但令當脈灸之，雀糞大者亦能愈疾，是炷之小者，皆古灸法也。有清末葉，灸法不講久矣，古法之灸幾乎失傳，申戌之秋，考諸扶桑鍼灸復灸炷之大小，大者如麥，小者如糯，如飯米大者甚少見矣，如麥枝者，間亦施用，但須病家許可而後行之。

余以為灸炷大小，不但以其部位而有不同，大人小兒壯体及羸軀，當各有別：大者壯者炷如菉豆，小如鼠糞，幼弱者，如麥粒，如雀糞足矣，灸炷過大，不免焦骨傷筋，致益雖有，而害亦隨之，古法灸之不能盛傳於今，雖因火灼苦痛，人所具遲之，以炷大則刺激重，有一不為人依，亦主因也。

八、灸炷之壯數

燃燒艾炷一枚，謂之一壯。凡灸少則三、五壯，多則灸數百壯者，如千金有灸至三百壯者，扁鵲灸法有三五百壯，更千壯者，未免閑大太過。吾人施灸數宜適當，古人遺規，然亂度有更，近人係有偏勝，係稟有大小強弱，疾病有輕重久新，既有不同，壯數宜殊，豈墨守一說，而不異變通，則有太過與不及矣。不及則不足以驅病，太過則終有不勝也。

九、灸刺激之強弱與溫度

灸之術，係為一種溫熱性之刺激療法，病有輕重，體有強弱，刺法療時所與之刺激，當分別刺激之強弱，以適應其症狀，此炷之所以分大小與壯數之多寡也。就大体之標準可分強中弱三種之刺激。

強刺激之標準　其艾炷如棗豆大，捻成為硬丸，自十五壯至三十壯。

中刺激之標準　炷如鼠糞大，捻成為中等硬，自七壯至十壯。

弱刺激之標準　炷如麥粒大，宜鬆軟而不宜緊結。

因艾炷之大小並其軟硬，其燃燒之溫度，亦有高低，日人樫田原田，在東京帝國大學醫學部，就動物屍体及患者，行學理之試驗以各種大小之艾炷，測計其溫度之結果下列之報告：

在空氣中以寒暑表之水銀柱，裹以鴉卵大乃至鴿卵大之艾絨，鉄周圍燃燒之，發生（攝氏）六百四十度之高熱，且送以風助其燃燒，則達至六百七十度，又以電溫計測量之，巨大艾（栗核大）之熱度，在三百五十度上下，大切艾（黑豆大）為百三十度，中切艾（大米粒大）為百度，小切艾（麥粒大）為六十度，曾於家兔之腹壁上以寒暑計測之，大艾平均為二百度，大切艾為九十三度半，中切艾為八十二度半，中小切艾為六十二度半，小切艾為六十一度。

於生体之灸其溫度較低以血液不絕流行奪去其熱也。

十 灸法之種類

以艾灼肉，為達療病或防病之目的，是謂灸法，後人以其灼膚傷肌，痛苦難堪，既變其法，下襯薑蒜附子餅等，以冀其減少痛楚，名曰隔薑灸法，或隔蒜灸法，在中國有五六種之多，如隔薑灸，隔蒜灸，附子灸，豉餅灸，按鹽灸，黃土灸等，日本

廣西省立醫藥研究所　鍼灸手術篇　四

灸法尤多，有二十餘種之多，為我國古昔所流入，但在我國如上述數種外，已失傳矣。

又有名雷火針及太乙神針者，以艾絨與其他藥料捲成紙卷，着火隔布，按於肌肉以取病，為灸法中之特致者，通經舒絡，效果頗佳。

近年日人後藤道雄發明溫灸，灸不着肉，隔器發熏，以無瘢痕為標榜，但費時費藥，既不經濟，而效力亦微，較之雷火針太乙神針相去不可以道里計矣。

十一 灸術之現象

不論何種之灸術，於皮膚上必現火傷狀態，是謂灸術現象，但火傷狀態，因灸法輕重不同，其發現之狀態亦有不同，關於輕度之施灸，其局部發現赤暈，且感灼痛，待灸後赤暈漸即消失，經數小時後，留一黃色之斑痕，如稍強之灸，則表皮隆起成一水泡，經數日結痂而愈，其最強度之灸，皮下肌肉成壞死狀態，表皮起大水泡，卽陷於化膿而潰爛，周圍擴大，經若干之時日，新肌生長，表面結成痂皮而愈，但留一点黑色之斑痕，經一二年後，黑色漸退，惟灸痕則永不消滅。

十二　灸術之應用

不論何種灸法，當應用於臨床之時，於病者必先有一番之考察，男女年齡體質，疾病輕重，及受灸之有與經驗等，然後定灸炷之大小軟硬壯數，與以適度之刺激，不使太過，不致不及，若太過之度，不特效果不奏，及病亦成惡化，故為便於學計，定其適度標準如右：

一、小兒與衰弱者——炷如雀糞大，十歲前後之小兒，以五壯至十壯為度，大人灸炷如米，以五壯至十壯為度，灸穴以五穴或七穴為適當，多則灸多，反令發生疲勞。

二、男女之分別——男子灸炷與壯數，可以稍多，普通男子勝任力較女子為大也。

三、肥瘦之不同——肥人脂肪較多，肌厚膚膩，傳熱不易，感少又氣不足，壯炷宜較瘦者為多，炷大如米粒足矣。

四、感敏性者與遲鈍性者——對於感受性之敏感者，當灸炷燃至中途時，即移去之，重更一炷，待燃近皮膚再去之，反覆更換，至患者膚為止，灸大小兒亦宜知此，蓋強壯者，炷宜稍大。

五、施灸經驗之有無——關於未經施灸者，初起亦宜小炷，壯數亦宜少，以後逐日增加。

六、病症之狀況——凡病屬亢進性疾患，如疼痛、痙攣、搐搦攣等，炷宜稍大，壯數宜多，虛弱症候，機能減退，痲痺不仁，痿弛無力，宜小炷而壯多。

七、筋肉勞働者——筋肉勞働者，比精神勞働者，其炷宜大，壯數宜亦多。

八、營養不良者——炷宜小而壯數適中，大炷則難耐禁忌之。

左列八條係參考日人所定者不能云爲詳盡，灸炷大小，施灸壯數，必須視病之種類與病者之環境及精神而變通之。

十三、灸術之醫治作用

靈樞經曰：陷下則灸之，是灸可以起陽之陷也；醫學入門曰：虛者灸之，使火氣以助元陽也；實者灸之，使實邪隨火氣而發散也；寒者灸之，使其氣之復溫也；熱者灸之，引鬱熱之氣外發也。此皆言灸之醫治作用也，寥寥之數語，雖簡要亦詳，已括盡灸法在醫治上之功能也，但吾人欲明其如何能助之飛陽復氣盈，散寒邪，表鬱熱，則須研究灸之作用安在，然以醫學上之儀器不備，亦無從入手作研究，惟有借鏡他山，引日人之研究作參考焉。

日本樫田原田兩醫學士之研究，謂施灸後，白血球顯著增加，幾達平時之倍，時後藤博士研究白血球之增加，至第九日達最高度，以後能持續至一個月間，原博士之研究，謂施灸之初期 嗜好性白血球增加，後淋巴性白血球亦增加，同時赤血球赤血球素亦增加旺盛為最良之榮養食。入氏之研究謂與紫外線有共通作用。

從諸氏研究之結論施灸後有害物及細菌之捕食作用與免疫體血液之新陳代謝一致旺盛，因此關於生活機能之諸種病變，如疼痛痙攣，能復之鎮靜緩解，屬於生活機能之衰弱不振，能促之亢奮興奮，關於充血貧血能使之解散調節，其他因營養增加，能抵抗一切病變，而恢復健康。

復綜合日人之研究，證明灸有消炎，鎮痛，鼓舞營養諸作用，殊合古人之散寒解鬱起陷復盈之理，識古人之卓識，後之人不能闡明而光大之者，有愧焉。

廣西省立醫藥研究所　鍼灸學術講義　六

十四　灸術之健体作用

諺云：若要安，三里不乾，是言常灸足三里，可免除一切疾病也，千金方云：宦遊吳蜀，体上常須三兩處灸之，勿令瘡暫瘥，則瘴癘瘟瘧毒不能着，是灸之能預防毒癘也，預防疾病，亦是健体作用，觀手上節灸能增加血球，活潑纖胞，旺盛營養，則其有健体作用，可待研究矣，深佩古人之卓識，用足灸治之病外，又能利用以防病，今人識不如古人多矣，該日本帝國文庫，名家漫筆十載，灸足三里，壽長至二百四十餘歲，則足灸又能益壽延年矣，記中有灸足三里法，則可保吾人之壽考，因錄其全文如下：

三河之百姓名滿平者慶長（壬寅）七年生至寬政（丙辰）八年百九十四歲，享保年間，因其々之慶賀，徵往江府，金其獻白髮，賜御米若干石，（一號賜月俸）今茲丙辰，又復重逢，如享保之故事，惟前後之日期則已忘，吏人問滿平汝家有何術得此長生，自無他道，惟從先祖相傳之足三里灸，其灸法每由朔日至八日不輟，年中月別，從不間斷，其數不同如左：

男一朔九壯　二日十壯　三日十一壯　四日十一壯　五日十壯　六日九壯　七日九壯　八日八壯

女——朔八壯 二日九壯 三日十一壯 四日十一壯 五日九壯 六日九壯 七日八壯 八日八壯

寬政八年滿平百九十四歲，妻名伏百七十三歲，子名伏百五十三歲，孫名伏百五歲，曾孫以下不滿百歲者甚多云。

又元保十五年九月十日，永代橋架改築竣工，滿平之一門三夫婦，先為初度試，其時之年齡已可驚，每人之高齡錄於后。

滿平二百四十二歲（慶長七年生）

妻久二百二十一歲（元和九年生）

子滿吉百九十六歲（慶安二年生）

妻戈ル百九十三歲（承慶元年生）

孫萬藏百五十一歲（元祿八年生）

妻又乃百三十八歲（寶永四年生）

以上之虛實，雖不能証然世之希有長壽，為吾人可驗之事，而每月不間斷為三里之灸，說有相當之效，蓋既能防病，則病不生而壽必長也。

十五、施灸之目的

灸術應用於臨床時，關於所取之部位，必從疾病之狀態，而定治療法之目的，內經有病在上取之下，病在下取之上，病在中旁取之，深合今日之所謂誘導法、反射法。醫學入門：謂灸人多行灸法，當病痛之處取穴，名曰阿是穴，而灸之即快得，此所謂之直接灸法是也。茲將其接灸、誘導灸、反射灸，其學理如何，分述於后。

1.直接灸——直接者灸，於病苦之局部，直接施灸，以刺戟其內部之知覺神經，使其傳達中樞，更由中樞發行於運動神經，使之興奮，使其部之血管擴張，血流暢行，促進產物滲出物之吸收，以達消腫痊等疼痛知覺異常之治愈。

2.誘導灸——誘導灸者，因於患部充血，或鬱血而起之炎症，疼痛等疾患，從其有關係之遠隔部位施灸，刺激其部之血管神經，而誘導其血液流散，以調整其神經之失調，達治療之目的之一種方法也。

3.反射法——其病變屬於內臟諸器官，或在深層時，非直接刺激所能達其目的者，於是擇其神經幹或神經枝之相當要穴，利用生理反射機能，為間接之刺激，以達療治之目的，是曰反射灸法。

十六　各種灸法

隔薑灸法：：以薑一切片，約三分厚，針刺數孔，置於應灸之穴上，上置艾炷如豆大燃之，覺神灼痛，則以薑一片微稍提起，待稍和仍放置之，或將薑片覆往移之，視其膚上汗溼紅潤，按之灼熱即可上灸，如不知火熱之程度，任其灸燃，亦能發其水泡，處置水泡之方法，以微針在水泡边刺入貫透之，压去其水液，以脫脂綿拭乾，外以生肌玉紅膏敷於紗布蓋之，外襯棉花，為之包紮，每日更換至愈而已。

隔蒜灸法：：與薑灸相同，惟覺灼痛時，不與移動為異，薑灸適用於經絡疑寒，血滯氣阻之疾，蒜灸則適應於癰瘍初起之症，醫學入門，謂隔蒜灸法，治癰疽腫毒大痛，或不痛麻木，先以溼紙覆其上，候先乾處為瘡，以獨頭大蒜切片三分厚，按瘡頭上艾炷灸之，每五炷換蒜片，如瘡大有十餘頭作一処生者，以蒜搗爛攤患処，鋪艾灸之，若痛灸至不痛，不痛灸至痛，若瘡色白不起發，不作膿，不問日期，最宜多灸灸之。

豉餅灸法：治疽瘡不起，以豆豉和椒薑鹽葱搗爛，作成餅，厚三分，置其瘡上灸之，覺太熱稍離起，復置於上灸至內部覺熱外肌紅活爲止。如膿已成者不可灸。

附子灸法：治諸瘡成瘻，以附子研極細加白麵粉，以口唾和之成爲餅，約厚三分，覆瘻孔上，以艾灸之，使熱氣入內，附餅乾復易一餅，至內部覺熱爲止。

雷火鍼灸法：以沉香木乳香茵陳羌活乾薑川山甲各三錢，麝香少許，蘄艾二兩，以棉紙二方，一薄一厚，重疊几上，先鋪艾茵於其上，然後將藥末摻勻，乃捲之如爆竹，外以鷄子清塗之，再糊一層薄紙，防其散開，應用時二端着火燃紅，另以紅布一尺，摺成六層，或八層墊於穴上，燃紅之艾鍼，即按於布上，隨按隨離，隨離隨按，如鍼端火熄，即另換一枝，總之當按時熱氣藥氣俱從布孔中直透肌膚，每穴按數十次，內部覺熱而後止，另按他穴治兩臂痠痛，經絡不舒，氣血積壅，厥功甚偉。

太乙神鍼灸法：

是法為雷火鍼藥方加味所製者，製法用法俱相同，效亦無甚上下。其藥方如左：

雄黃二錢 艾絨三兩 硫黃二錢 麝香一錢 乳香一錢 沒藥一錢 丁香一錢 松香一錢 桂枝一錢 白芷一錢 川芎一錢 杜仲一錢 枳殼一錢 皂角刺一錢 獨活一錢 細辛一錢 穿山甲一錢

按此方與原方已更動，原方有人參、千年健、鑽地風、山羊血等，立方者取參與血無非為其能補氣補血，千年健、鑽地風不識為何藥，顧名思義，無非取其健筋骨通經絡之意，安知參與血二種力在質地，宜乎內服，斷非薰其氣味能得功效者，因去之。餘二藥，此間藥舖不備，亦為刪去。

溫鍼灸法：

鍼留穴內，外以艾絨綁於鍼柄上燃之，為今日最普行者，俗稱燒鍼。以艾火之熱，借鍼體之媒介，傳達於內，亦有微功。

溫灸法：：以金屬或陶器之圓筒，下置耳木製之圓圈，筒中另有小圓筒，兩裝艾絨與藥物燃燒之，筒外置木製之圓圈，圓筒中另有小圓筒，外置一木柄，手持之而按於穴上，艾之燃燒熱即傳於皮膚，發生療治之功能。

艾炷灸法：：以艾作炷，直接燃灼皮膚，一炷謂之一壯，為中國最古之灸法，亦為灸術之正統，本編所講之灸，即本此法灸立論，上述數種灸法，僅錄供考，惟雷火鍼灸、太乙神鍼灸，尚有偉大之價值，較之今日流行之溫灸，相去不可以道里計矣。

十七　施灸之方法

灸法與鍼法，手術不同，灸必先以墨點穴，然後行灸，坐點則坐灸，立點則立灸，取穴既正，萬不能移動姿式，明堂云：：坐點毋令俯仰，立點毋令傾側，千金方云：：若傾側則穴不正，徒破好肉耳，余謂好肉雖傷，於體亦有小益，惟與灸之目的，不能直接達到耳，灸與鍼其方法不同，手術互異，而目的則殊途同歸也。

十八　施灸之前後

十九世紀之前，顯微鏡未發明，細菌未發見，不甚注意消毒，近年醫學進步甚速，凡百病症，殆乎無不有病原菌所感染而成，消毒之學，清潔之法，乃為世所注意，鍼灸之術，可謂屬於創傷治療，亦不能廢消毒，雖免細菌不來侵進攻，故當施灸之前，應有二種之預備。

甲：：施灸用具之預備，坐則須椅，卧則須床，「點穴之筆」，燃燒之艾，引火之香，皆不能有缺一。

乙：：消毒之預備，從最簡單方面言之，棉花石炭酸水為必具之品，預備既竟，術者手指，應先自消毒，然後為之點穴，施灸，灸畢之後，以棉花拭去其灰燼，復以棉花蘸石炭酸水，在灸處上及其周圍拭之，可防止細菌乘其創傷之處侵入也。

十九　施灸上之注意

施灸之際，患者之姿式既正，而醫者為施術上之便利，亦須擇取適當之位置，且施灸直接着於肉体，不若鍼之尚可隔衣施術，故醫者之態度，亦宜謹嚴沉着，乃為最要，施灸之時，初灸二三壯，艾炷宜小，与大將着肉時，按壓其周圍以減少其灼熱痛感，復數壯，以右手中指輕揉其周圍即可。

施灸室之選擇上，亦有注意者二，一為光線充足，窗明几淨，與室外有隔隔避免外人之窺視，非有諱秘，蓋不可宣洩也，我國重禮貌，以袒裼裸裎為可羞，為病者設想，不能不如是也，二為室內之溫度，夏秋之間，氣候溫暖，裸裎受灸，原無感寒受風之虞，若在春冬，氣候寒冷，解衣不慎，即患感冒，若為長時間之裸背袒胸，則一病未去，一病又起矣，故宜有火炉以調節室內之溫度，決不可草率為之也。

二〇 灸痕化膿之理由

直接施灸，不論壯數之多寡，必起一水泡，不論水泡之大小，而以其有痒感而搔破之，化膿菌而潛入，遂起化膿作用，此為化膿理之一，如灸後水泡之大者，雖不搔破，亦必化膿，乃以其內部組織，為灸火所傷，惹起炎症，產生許多之分泌物，則溜積泡皮之下，一時不易乾燥，兼人以行動上之差失，偶易使其破壞，引起化膿之症狀也，此為化膿理由之二，水泡之小者，似乎不會化膿，蓋以其範圍小，而未深及皮膚，出物甚少，容易乾燥，而結硬痂，肉芽之形成，可以迅速也。

二十八、灸後罨具法

因灸所起之水泡，如為米粒大或麻實大者，苟注意不其擦破，則不易化膿，自然乾燥而愈。若水泡如飯粒大或指頭大者，當以微針將膿透之，使水液外流，然後以硼酸軟膏敷於紗布上蓋之，若水泡之大者，內部起糜腐之狀，當剪去其泡皮，而後蓋藥，每日更換二次，見其炎性已退，水液之分泌已無，乃以鋅養粉軟膏蓋之至愈為止。如因灸傷過重，發生化膿潰爛時，先去其泡皮，以黃碘軟膏蓋之，待膿腐已盡，呈露粉紅色之肉芽時，換以鋅養粉軟膏，以竟其功。

二十二、灸痕化膿之防止法

灸痕之所以化膿者，二十八節已言之，吾人既其原因為抓搔破後，而感染化膿菌之故，灸與火傷範圍過大易於搔破之，灸苟就其原因而加以防範，則化膿潰爛之事，使之不發生者甚易易。

一、避免大炷，凡宜以強刺戟為目的者，則不妨多加其壯數，注意灸痕之不使擴大，則火傷之範圍小而水泡亦小，灸痂性分泌之液汁亦少，痂皮易於乾燥而成硬蓋。

二、於灸後注意消毒，發生癢感時絕對不要抓搔，倘因不慎而搔破時，即重行嚴密消毒裹紮，如是決無化膿潰爛之事發生矣。

二十三、灸瘡之洗滌法

直接施灸不論灸炷大小皆有灸痕，如灸炷大者，則灸痕大而皮之組織傷，往往發生潰爛疼痛不易收功，善後之法，古人有藥湯淋洗法，大炷灸後，以赤皮葱薄荷等分煎湯，淋洗瘡之周圍，約一時之久，謂可使風邪從瘡口出，更令經脈往來不澀，自然疾愈。若灸瘡愈後，顯黑色不退，可以取東南向之桃枝嫩皮煎湯溫洗之，若灸瘡黑爛，用桃枝柳枝胡荽等分煎湯淋洗之，如灸瘡發生疼痛者，再加當歸煎湯淋洗之，亦可止痛，此皆古之法也，惟施治嫌不便利，簡單而有效之法，宜從二十一節之灸後處置法，惟於天熱之時，灸瘡之分泌液較多，宜常以淨棉或綿花紗布裁剪之，不宜用涼水洗滌，天寒時肉芽不易生長，宜常以葱湯淋洗其周圍以助藥膏之不及，如是瘡痕之收斂甚速矣。

二十四　於灸痕上續行施灸之方法

灸大都適於慢性病症，宜連續施灸，方收功效，施灸之後必有灸痕，於必續行施灸之時，宜以繳針貫通之，去其水液，痂皮上塗以黑汁，然後置灸，如灸痕之痂皮已不慎撥去，亦可以墨汁塗上而後灸之，不但不再化膿且痊癒甚速，雖然此指灸炷之小者而言，若大炷而以隊如龍眼核大之灸痕，則不宜再灸矣。

二十五　灸與攝生

古人對於施灸，異常慎重，於施灸之前三日，止房事，避勞役，節飲食，戒憂愁忿怒，灸後戒立刻飲茶，進食，宜入室靜臥片刻，遠人事，忌色慾，平心靜氣，凡百寬解，尤忌大怒大勞大飢大飽，受熱冒寒，飲食務宜清淡，而禁厚味生冷，蓋所以養氣和胃也，蓋因飲食無制，房事不節，為致病之總因，固不必因灸而宜如此也，今之人每多縱如古人之訓戒，惟節飲食，慎事務，則不可再忽也。

二十六 施灸之禁忌

古法施灸，関於月日，每多禁忌，千金方言之最詳，不能以科學解釋，似未可以置信，故略而不述，其他関於風雨雷電大霧大雪，初寒盛暑，亦在禁忌之列，此由於氣候暴變，氣壓轉移變化不適於病体，而禁止施灸，理有可通，吾人可以參酌採擇之，而對於病症上應何禁忌，則甚少涉及，今採日人之研究，以補古人之未及，今舉其大要如左：

腸窒扶斯（傷寒之一種）赤痢　痧疹　鼠疫　天花　白喉　腦脊髓膜炎（驚風剛痙之類）猩紅熱（喉痧）丹毒　急性腫瘍（疔疽癰腫之類）急性盲腸炎（縮腳小腸癰）心臟瓣膜病（心悸怔忡）急性纖維素性肺炎（肺風痰喘）急性腹膜炎（腸腹絞痛症候）傳染性皮膚病（瘡疥之類）肺結核之末期（肺癆）四肢高度症，高度貧血（失血症）

上述各症俱不適用灸治，吾人遇此類病症，當慎重警戒，未可貿然嘗試也，其於病症之宜禁者如彼，而於部位上亦有不適合施灸者，古法有禁灸之穴如

瘂門　風府　天柱　承光　臨泣　頭維　攢竹　睛明　素髎　禾髎　迎香　顴髎　下関

人迎　天牖　天府　周榮　淵腋　乳中　鳩尾　腹哀　肩貞　陽池　中衝　少商　魚際　經渠　陽關　脊中　隱白　漏谷　條口　犢鼻　陰市　伏兔　髀關　申脈　委中　殷門　心俞　承泣　承扶　瘈脈　耳門　石門　腦戶　絲竹空　地五會　白環俞等穴雖未說明灸之必發生何種危害，然經古人之經驗未可忽視，吾人當從生理解剖之學上推測之，確有可信之處，不能妄以全非，即捨去禁不灸穴而言，凡顏面有關美觀，絕對禁止大炷，而眼球與近眼之部亦在禁止施灸之列，其他如心臟部、睾丸、婦人局部、妊娠後之下腹部、血管及神經之淺在部，亦應列入禁止施灸之行，而酒醉之後身心過度衰疲之時，皆絕對禁忌施灸者也，學者其三注意焉。

二十七　灸之科學的研究

灸法發明於我國，周秦之前，迄今五千餘年，其於灸之應用於病，如明堂灸經、千金方、扁鵲新書等可謂詳且盡矣，於學理方面，似僅其治療之成績而推測之，謂能助元陽，通經絡，溫中逐水，補虛瀉實，發散邪

廣西省立醫藥研究所　鍼灸手術篇　十三

壓數千百年傳統一貫，未嘗有一進步之新理發見，斯道乃不爲今世所重視，幾將湮沒而無聞，距今三十餘年前，日本明治三十五年，醫學博士三浦謹之助氏，並医学士大久保適齋等，出而爲鍼灸医術之科学的原理之研究，其成績發表之後，医界医者爲之震動，日醫界之註而爲繼續研究者甚多，屢有新發見發表，於是一般士民咸大覺悟，不再以其学說陳腐而輕視之，灸術之在今日，彼歐美醫者，一致推崇，日人之以科學的研究，實開其端，回顧我國医家，殊不知有是法，人則視爲至寶，我則鄙棄之若他，未識其真理，不知真之学之可貴也，今摘錄日人之研究，以爲借鑑，若謂日人已洞明灸之真理則尤未也，吾人當更努力，爲進一步之研究乃可。

二十八　樫田・原田・兩博士之灸之研究

樫田原田兩博士，關於灸者研究之題，如艾炷之大小，艾之重量，艾之燃燒，溫度各種艾炷之度下深達作用，灸關於血液之影响，疲勞曲線之影响，及組織学的關係等，爲斯法研究之先驅的重要問進，今舉兩氏研究之成績，概要如右：

一、灸之皮下深達作用——由施灸之溫熱達至皮下之深度，以普通切艾〇·四種在同體上灸之於其皮下，僅得寒暖計上一度以下之上昇為止，反之以巨大艾（蠶豆大）在家兔身上灸之，以寒暖計在其皮下〇·四種測之有三八至度之上昇，以電溫度計測定法在皮下二、三種見五度以下之上昇，尚在二、七種相近處可認出有若干熱量之深達。

二、灸之關於血球之影響——施灸後血多數即增加，赤血球有時反而減少，然當白球數之在施灸後多至二倍以上，血在至少之時，亦有百分之三四之增加。

三、灸之關於血管之影響——在身体之一部份施灸時，當初為反射的使動脈管縮小，後則擴張，尤其在施灸部之近旁，有顯著之影響。

四、施灸關於血壓之影響——兩氏欲確知灸之關於血壓之影響，先以五頭之家兔實驗，在於施灸之部位，在施灸後其感溫痛時，血壓急速上昇，刺激之感去後，即漸次下降，而恢復常態。

且於以上之實驗中，上昇最高時為百種，最低為一種之水銀壓在血壓之上昇中，呼吸深而怠之搏動緩。
其次發雖知灸之在人体之血压，從十二種名之患者，應用リワロッチ氏血压計檢查，各見多少之上昇，其最高爲三二耗，最低爲五耗。
五、灸之關於腸蠕動之影響——剔去家兎腹部之毛，可見其部之蠕動狀態，在腹中央置一点之灸而注意之，大部多一回之引續蠕動，其蠕動小時，同時可見其腹部昇高、呼吸數增加，而施灸後之蠕動，間隔一二回，概須長時間，其後平均每十分鍾間歇十八回乎（施灸前）之蠕動，在施灸後減少至十五回。又攝取食餌後，明知蠕動增加，若施灸之，與前同樣施灸後，多一回之蠕動，而施灸後一二回之間隔，須經長時間，其後亦蠕動減少，殊灸在家兎食後之蠕動，雖通常增高，亦能見多少之減少，不但如此，其已比通常高之蠕動，當然能一定可以減少，然而在後藤博士之研究，則反對之，其發表爲前者是減少，後者爲增加云。
六、施灸之關於腹腸曲線之影響——其試驗在蛙之皮下，注射クラーレ而固定之，於一面之腳之アヒリス腱之皮膚，切開一部，用感傳電

器刺戟之其筋肉使其疲劳，于是以小切艾施灸时，其疲劳迅速回复。

在之前之报告，与原博士之灸热研究结果相同。

七、灸之于皮肤组织学之影响——施灸之局部皮肤，初呈赤色，发热增感，而呈黑色，且发隆起，于是成为痂皮，且数日之后，痂皮剥离，新成肉芽，肉芽成瘢之瘢痕，然而有时起成水泡，此应由温度之关系，今以其火之感度，及皮肤之变化，状况示之如下：

一、火热四十五度时，不过数小时即充血。

二、火热在五十度时，则起水泡。

三、火热在五十五度时，皮肤即起坏死。

四、火热在六十度时，坏死及于深部。

以上之瘢痕，初期呈赤褐色，经时日之经过，渐次成为灰白色，或发为暗面

其部之皮肤细微戟乱，以镜检之，表皮真皮间之精液，或被其侵袭，表面萎缩

之乳头、毛囊及汗腺之排泄管等已被破坏消灭，唯于深部之……

神經末梢一時亡失全消失，知覺之麻痺者，不覺痛矣。雖然能行之鍼，迎神經纖維，而再能恢復知覺，且可減輕纖維，害於之患者。

元　遠智博士之灸之研究

日本近之有遠野真逸氏者（一氏之）發表其「關於灸治之於腎臟機能影響之實驗」如下一題，其大要如左：

以灸術為與腎臟有關係之經穴，對胃俞、三焦俞、腎俞、氣海俞、大腸俞、關元俞、小腸俞、膀胱俞、當門志室等之點，各施於於家兔之身，為察其之發腎臟衰灸於利尿作用起變化，惟有蛋白尿之發現，其結論於腎臟之疾患之施灸，不但無效，且為有害。然而據原博士之實驗，本表所列，其結果互相相反，卽腎臟疾患施灸時，亢進腎臟之利尿作用甚顯明，有良好之結果。此其不效與有害之理由：

實驗日	尿量	尿之性質	摘要
第一例 小白家兔 重一二〇〇瓦			
第二例 中黑家兔 兔重一五七五瓦			
第三例 中等家兔 家兔重一三三五瓦			
第四例 中白家兔 重一五〇〇瓦			

第一日	三〇〇	正常		二八〇	正常		三〇〇	正常		一二〇〇	正常	
第二日	三〇〇	正常		二八〇	正常	个灸	一三〇〇	正常	个灸	一二〇〇	正常	胸背及後肢外側各灸十
第三日	三七〇	正常	[illegible]	二五〇	正常		二〇〇	正常	个灸	二六〇	正常	
第四日	三〇〇	不变		三〇〇	蛋白微量	个灸	二一〇	蛋白微量	个灸	二五五	正常	
第五日	二九〇	正常	个灸	二七〇	蛋白微量		二五〇	蛋白微量		一七〇	正常	胸背及後肢外側灸十壯
第六日	二七〇	正常		二九〇	蛋白微量		二八〇	蛋白微量		一八〇	正常	
第七日	二三〇	蛋白微量	个灸	三三〇	蛋白消失	个灸	三六〇	蛋白微量		三一〇	正常	胸背及後肢外側灸十壯
第八日	二五〇	蛋白微量元氣增加		三三〇	正常		三二〇	正常		二〇〇	正常	
第九日	三〇〇	蛋白微量元氣增加		三三〇	正常		三〇〇	正常		二二〇	正常	
第十日	四〇〇	蛋白消失	个灸	三〇〇	正常		二八〇	正常		二三〇	蛋白微量	
第十一日	三二〇	正常		三〇〇	正常		二八〇			二三〇		
第十二日	三二〇	正常		三〇〇			二八〇			二三〇		
第十三日	三五〇	正常		三〇〇			二八〇			二三〇		

本表為原博士之灸與利尿之实驗例第三四日有顯著之利尿作用与督邊氏之研究成績大違

愛薩如而氏之研究成績，坂本氏曾有實驗，對於二十八名之腎臟患者之施灸成績，與原博士之實驗，雖有利尿作用之説，甚符合，惟對於急性慢性之腎臟患者，其灸法與取穴微有不同，坂本氏対於急性腎臟患者（風水病）取下肢之三陰交、水泉，及腰部之腎臟俞、大腸俞，及下腹部之關元等，施機械的放射溫灸，認利尿作用有著效，其對於慢性之腎臟炎（水腫）則有瘢灸，在胃俞、三焦俞、腎俞、氣海俞、大腸俞、關元俞、小腸俞、膀胱俞、盲門、志室、三陰交等，施灸之大收，其效果焉施以上之實驗觀之，德逸醫氏研究，謂僂有蛋白尿出現，其時間或猶未熟。

三十

五博士之灸之研究總括

五博士為：樫田、原田、青地、時枝、原博士

第一：灸之關於赤血球及血色素之影响

（一）堅田原田兩博士之研究，已如上述，赤血球之增減，為不能必定之報告。

（二）青地博士之研究，謂施灸後，從十五分鐘至三日間調驗，其赤血球與赤血素，斷定皆無大影响。

三、時枝博士之研究，與青地氏之說大致相同。

四、原博士之研究，其發表之結果，與青地時之兩氏之結論適反對。即原氏以赤血球與白血球共同研究，為六週間之長期施灸，行每日檢查在施灸中，赤血球赤血素雖不起著明之變化，而施灸終止後，從第一週中漸漸增加，平均至第八週間而達頂點，是後有持續十週間之效果，以後乃復舊狀。原博士之由實驗七名（男子四名，女子三名）之人體中，其結果平均血色素凡百分之十六，內外赤血球在一立方粍中，有五十萬個，乃至百萬個之增加云。

第二　灸之關於白血球之影響

一、樫田原田兩博士之研究報告，在家兔施灸於二分鐘內，採其血而檢驗之，白血球常見增多，最多時約為平均之二倍，少時亦有百分之二十四之增加。

二、青地博士更以兩氏之說為詳細之觀察，從時間上計算之，在家兔之實驗，從施灸十五壯分鐘，漸漸著明，在一二時間達平常之二倍，至四五時間略減，稍稍減少至八時間，短者二日，長者一週間，平均為四五日。對於人體亦好同樣之實驗，所得成績與家兔之試驗相同，施灸後，白血球立即開始增加，在一二時間,已達于平常之二倍,至二十四五時間後,尚可認出其在增多中云。

四、時枝博士之實驗,白血球之增多在施灸後二至四時間為最平常,約達二倍乃至三倍,其後即漸次減少,在二十四小時復舊狀云。

四、康博士之報告,與以上四氏之報告,有若干異趣之点,即博士在施灸後,要證知白血球之增減,對於家兔,一回施行十点七壯之灸,灸後直即在一定時間採血,繼續一週間,檢索其數之消長,由施灸之後,多少增加在八時間前後達至最高,滿二十四時間,持續其高值,雖在第三日認有多少減少,但數日間,又繼續增加,更在同点同壯數,每日反復在四日間施灸之動物,認為繼續此以上之日數為多,又在十点内外各七壯,在六週間,連續施灸之動物施灸中止後,約十三週間,持續的白血球增多,而在人体大略亦為同一之成績。如茲要注意者,在連續施灸之場合,有多少之相差,施術後頗佳工才以之為好,白血球之增加,雖此一回施灸時,其程度低,而淋巴細胞則著明增加,為白血球增數之主因,而大單核細胞及移行型,施灸後一時減少,於一定時間後,復舊,而塩基性嗜好細胞則不定。

以上諸說夫，關於白血球之增多，二者之意見大畧一致，在時間的關係，亦大致相同，惟關於白血球之種類，時枝、青地兩博士，斷定其增多之主因，為中性多核白血球之增加，原博士則謂初為中性多核白血球增多，後為淋巴細胞之增多。

第三　灸之關於殺菌作用

白血球之作用，為殺菌作用，所謂殺菌作用者，存在血液中之白血球與調理素共同協力吸食從体外侵入之細菌、或異物而殺滅之，或運移至無害之場所之現象也。故殺菌作用乃為人体之自然抵抗力甚為重要，據青地博士之實驗，殺菌作用在施灸後十五分間始亢進，二至三時間，平常增達至二倍乃至三倍，而其持續之時間約為二週以上之試驗，專從家兔之胸腹背腰部等隨意選定左右各二個，合計四点，各点三回，乃至四回，施灸之後，在種種之時間（三十分乃至六十分）体血分離，其血清而後測知之，又博士在人体為同樣之實驗，其結果與前之場合略同，平常增進至一、五倍，乃至二倍，在最近之灸過之人体，亦認為有亢進之效果。

第四　灸之關於補體影响

溶血補体者，存在血漿中之殺菌性物質。有溶菌性補体，有溶血性補体之二種，青地博士，關於溶血性補体，数検索之影响，為多数實驗之結果報告，謂為補体量之增加為適確。

時枝博士亦為與青地博士同樣之實驗補体量，在施灸後第二天開始增量第一日達至最高度，以後漸次減少約至一個月後恢復舊狀云。

第五　灸之關於免疫性之發生之影响

免疫体者，從其他之免疫需置而異，要從中新產生之抵抗是也，時枝博士之研究，灸之關於免疫產生有良好之實現，以傷寒桿菌免疫家兔，至一回之免疫後，約略至四日免疫，凝集素稍稍微越上昇，第二回註射後約七日左右達最高度，而施灸之家兔之，血清稀釋度為四九〇〇倍，以時最之普通家兔為一二〇〇倍，表示四分之一之凝集，關於此，可知免疫家兔從施灸之影响所產生之凝集素，比普通家兔有顯明之增加。

第六　施灸之關於血液之凝固時間

就時枝博士之實驗，施灸之家兔，免於三十分鐘後，認為有顯著之血液凝固時間短縮，更大時間後而不能復其常態，二十四時間後漸恢復常態但有一例，向認為有多少短縮。

要之依灸之作用，以明瞭血之凝固時間短縮，且其經過，與血糖量之變化平衡。

第七 施灸關於血糖量之影響

時枝博士更以研究之關於血糖量之影響，發表其成績，謂以家兎施灸後，血糖量立即增加，在多數之場合，於二十分鐘間，達於高度，其量約二倍，或至二倍半。從此漸成減少之傾向，至翌日較施灸前減少，或反形增加，再至翌立而復舊，亦有不復舊者，其得三種之結果，要之，家兎之血糖量，由施灸而得確實著明之增量，可以無疑。

第八 灸法之本態

原博士從研究灸之本態，觀察施灸後之皮膚組織，灸痕之狀態，不但為一種熱之刺戟，反應，或許為何種物質溶於入血液中，為第二次之長時間發揮作用，如是繼從內外科諸學者之研究，被闡明為大傷之關係從古來諸説，紛紛之火傷死之真原因，然火之真實所發生和熱蛋白体之異常分解產物（火傷毒素）之毒素，為其起因，急博士研究灸作用之本態以後據來火傷，及火傷毒素與血球之影响，即以火傷家兔及施灸之家兔血色素量，關於赤血白球之影响，系與純為熱刺戟之結果，且得推斷為血清中火傷毒素，轉劇刺戟造血器之作用為起因，更從灸之分量察之，過度施灸之動物，旅旅憔悴，食慾減少，体重減輕，而不活潑，其狀態恰與誤用蛋白之分量時之副作用，現蛋白体中毒相似，若即中止施灸或減少壯數、與回數，即漸漸恢或回數，即漸漸恢復其元氣，於此足奚察知灸法之本態，得謂到為一種蛋白体之作用。

結論

本編自第一節灸法之起源，至二十六節施灸之禁忌，且關於灸法之應用諸[illegible]未敢云詳盡，然已提其大概，苟皆印入心腦，以之應付臨床，或不致有所債事矣。二十七節以下，介紹日人之以科學方法研究所得之醫學理，亦皆舉其概要，以其屬於灸之普通之一般學說，不適合於臨來研究者十人，如其梗概，蓋亦足矣，灸科學理之真面目，編者尚認為自數重函四罩，層層包裹，日人之研究，雖窺見豹之一斑耳，如百會之治脫肛，刺尖之治腸癰，彼日人均認為有特殊效果，然未能以前者之所以可釋而解釋之也，灸之於疾病，有成效者，何止數百種，治脫肛腸癰，僅其一端，如其一一釋其真理之要在，庶可云已識得廬山之真像矣，然而千百年流傳之學術，希一旦而盡抉其蘊，夫豈易言，一人之學識有限，即兀兀窮年以赴之，恐未必能盡，是希望有志者共襄進行，引為己任，庶真理明而道長存矣。

灸科學講義終

中國鍼灸學證[illegible]所治療學原本

廣西省立醫藥研究所講義

浙江龍游黃良撰稿
鬱邑陳鐵咏撰述

第一章 緒論

疾病為人身生所難免，救治之道，全賴乎醫，所以治療疾病，乃醫學之正鵠也，術之精者，可以療疾苦，濟生民，故范文正公有言，不為良相，便為良醫，良相良醫，同所以濟生民也，然業而不精，則反為殺人之利器，比之鋒刃，尤有甚焉，此所謂庸醫殺人者是也，又嘗聞古人有云，醫卜二道，君子不為，蓋医有操生命之權，能治得失，生死繫之，非醫學之不足貴，乃醫學之可危也，然爾吾儕既從事研究醫學，俾將來壽世壽民，非有深刻研究，曷敢率意從事者乎，欲研究醫學，自當生理病理診斷等科入手，而療治一科，尤不可缺，考國醫治療疾病之法頗多，如推拿祝由鍼灸湯藥等等，各科皆有所長，而其中最長，而其中最便利敏捷，效宏功偉者，莫如鍼灸若焉，蓋鍼灸治病，認症既明，取穴準確，竟能以一鍼一艾之微，起沉疴於俄頃之間，如扁鵲

廣西省立醫藥研究所

鍼灸學講義

之創始會，先化之鍼針體空，後世視為奇蹟，傳為美談者也，且湯藥治病，偶有不慎，致有差謬，則輕病轉重，重病轉危，世之為藥誤者多矣。鍼灸治病，取穴不準，則為效而已，絕無增病之敝也，觀乎此，則鍼灸學術，甚貴重，可概見矣，無如後學之士，以其理深義奧，手術煩難，於是研究者日鮮，斯道遂日形凌替，洎乎歐風東漸，西學盛興，國人喜新厭故，不特不將固有之國粹，發揚光大，且有倡言廢除者，良可慨也，試觀日德諸邦，為西醫學發達之地，近尤潛心研究漢醫之鍼灸學，足見此道於治療上之價值矣，而反視我國，則以敝屣目之，此無異舍璧玉而求敝絮也，茲以古人所言，參以拙見，撰成此篇，與諸同學共研究之，則互切磋，不特有益於學問之進步，且於鍼灸學之前程，有厚望焉。

百症賦

百症俞穴，再三用心。顖會連於玉枕，頭風療以金針。懸顱頷厭之中，偏頭痛止，強間豐隆之際，頭痛難禁。原夫面腫虛浮，須仗水溝前頂，耳聾氣閉，全憑聽會翳風。面上蟲行有驗，迎香可取，耳中蟬鳴有声，听會可攻。目眩兮，支正飛揚，目黃兮，陽綱胆俞。攀睛攻肝俞少澤之所，淚出刺臨泣頭維之處。目中漠漠，即尋攢竹三間，目覺䀮䀮，急取養老天柱。觀其雀目肝氣，睛明行間而細推，審他項強傷寒，溫溜期門而取之。廉泉中衝，舌下腫疼可取，天府合谷，鼻中衄血宜追。耳門絲竹空，住牙疼於頃刻，頰車地倉穴，正口喎於片時。喉痛兮，液門魚際去療，轉筋兮，金門丘墟來醫。陽谷俠谿，頷腫口噤並治，少商曲澤，血虛口渴同施。通天去鼻內無聞之苦，復溜去舌乾口燥之悲。啞門關衝，舌緩不語而要緊，天鼎間使，失音囁嚅而休遲。太冲瀉唇喎以速愈，承漿瀉牙疼而即移。項強多惡風，束骨相連於天柱，熱病汗不出，大都更接於經渠。且如兩臂頑麻，少海就傍於三里，半身不遂，陽陵遠達於曲池。建里內關，掃盡胸中之苦聞、聽宮脾俞，祛殘心下之悲悽，從知脅肋疼痛，氣戶華蓋有靈，腹內腸鳴，下脘陷谷能平，胸脅支滿何療，章門不容細尋，膈痛飲蓄難禁，膻中巨闕便針，胸滿更加噎塞，中府意舍所行，胸膈停留瘀血，腎俞巨髎宜徵，胸滿項強，神藏璇璣宜試，背連腰痛，白環委中曾經，脊強兮水道筋縮，目瞤兮顴髎大迎，痓病非顱息而不愈，臍風須然谷而易醒，委陽天池，腋腫針而速散，後谿環跳，腿疼刺而即輕，夢魘不寧，厲兌相諧於隱白，發狂奔走，上脘同起於神門，驚悸怔忡，取陽交解谿勿誤，反張悲哭，仗天衝大橫須精，癲疾必身柱本神之令，發熱仗少衝曲池之津，歲熱時行，陶道復求肺俞理，風癇常發，神道還須心俞寧，濕寒濕熱下髎定，厥寒厥熱湧泉清，寒慄惡寒，二間疏通陰郄暗，煩心嘔吐，幽門開徹玉堂明，行間湧泉，去消渴之腎竭，陰陵水分，消水腫之臍盈，癆瘵傳尸，趨魄戶膏肓之路，中邪霍亂，尋陰谷三里之程，治疸消黃，諧後谿勞宮而看，倦言嗜臥，往通里大鍾而明，咳嗽連聲，肺俞須迎天突穴，小便赤澀，兌端獨瀉太陽經，（小海穴）刺長強與承山，善主腸風新下血，針三陰共氣海，專司白濁從遺精，且如盲俞橫骨，瀉五淋之久積，陰郄後谿治盗汗之多出，脾虛穀兮不消，脾俞膀胱俞覓，胃冷食而難化，魂門胃俞堪責，鼻痔必取齦交，癭氣須求浮白，大敦照海，患寒疝而善蠲，五里臂臑生癧瘡而能治，至陰屋翳，療癢疾之疼多，肩髃陽谿，消癮風之熱極，抑又論婦人經事改常，自有地機血海，女子少氣漏血，不無交信合陽，帶下產崩，衝門氣衝宜審，月潮違限，天樞水泉須詳，肩井乳癰而極效，商邱痔瘤而最良，脫肛取百會尾翳之所，無子搜陰交石關之鄉，中脘主乎積利，外丘收乎大腸，寒瘧兮商陽太谿驗，痃癖兮衝門血海強，夫醫乃人之司命，非志力而不爲，針乃理之淵微，須至人之指教，先究其病原，後攻其穴道，隨手見功，應針取效，方知玄理之玄，始識妙中之妙。

玉龍歌

扁鵲授我玉龍歌，玉龍一試絶沉疴，玉龍之歌真罕得，流傳千載無差訛，我今歌此玉龍訣，玉龍一百二十穴，看者行鍼殊妙絶，但恐時人自差別，補瀉分明指下施，金針一刺顯明醫，傴者立身僂者起，從此名揚天下知，中風不語最難医、髮際頂門穴要知、更向百會明補瀉、即時甦醒免災危、鼻流清涕名鼻淵、先瀉後補疾可痊、若是頭風并眼痛、上星穴內刺無偏、頭風嘔吐眼昏花、穴取神庭始不差、孩子慢驚何可治、印堂刺入艾還加、頭項強痛難回顧、牙疼并作一般看、先向承漿明補瀉、後針風府即時安、偏正頭風有兩般、有無痰飲細推觀、若然痰飲風池刺、倘無痰飲合谷安、口眼喎斜最可嗟、地倉妙穴連頰車、喎左瀉右依師正、喎右瀉左莫令斜、不聞香臭從何治、迎香兩穴可堪攻、先補後瀉分明效、一針未出氣先通、耳聾氣閉從何治、須知翳風穴始痊、亦治項上生瘰癧、下針瀉動即安然、耳聾之症不聞聲、痛痒蟬鳴不快情、紅腫生瘡須用瀉、宜從聽會用針行、偶爾失音言語難、啞門一穴兩筋間、若知淺針莫深刺、言語音和照舊安、眉間疼痛苦難當、攢竹沿皮刺不妨、若是眼昏皆可治、更刺頭維即安康、兩睛紅腫痛難熬、怕日羞明心自焦、只刺睛明魚尾穴、太陽出血自然消、眼痛忽然血貫睛、羞明更澀最難睜、須得太陽針出血、不用金刀疾自平、心火炎上兩眼紅、迎香穴內刺為通、若將毒血搐出後、目內清涼始見功、強痛脊背腰人中，挫閃腰疼亦可攻，更有委中之一穴，腰間諸疾任君攻，腎弱腰疼不可當，施為行止甚非常，若知腎俞二穴处，艾火頻加体自康，環跳能治腿股風，居髎二穴認真攻，委中毒血更出尽，愈見醫科神聖功，膝腿無力身立難，原因風濕致傷殘，倘知二市穴能灸，步履悠然漸自安，髖骨能醫兩腿疼，膝頭紅腫不能行，必針膝眼膝關穴，功效須臾病不生，寒濕腳氣不可熬，先針三里及陰交，再將絕骨穴兼刺，腫痛頓時立見消，腫紅腿足草鞋風，須把昆侖二穴攻，申脈太溪如再刺，神醫妙決起疲癃，腳背疼起丘墟穴，斜針出血即時輕，解溪再與商丘識，補瀉行針要辨明，行步艱難疾轉加，太冲二穴效堪夸，更針三里中封穴，去病如同用手抓，膝蓋紅腫鶴膝風，陽陵二穴亦堪攻，陰陵針透尤收效，紅腫全消見異功，腕中無力痛艱難，握物難移体不安，腕骨一針雖見效，莫將補瀉等閑看，急疼兩臂氣攻胸，肩井分明穴可攻，此穴原來真氣聚，補多瀉少應其中，肩背風氣連臂疼，背縫二穴用針明，五樞亦治腰間痛，得穴方知病頓輕，兩肘拘攣筋骨連，艱難動作欠安然，只將曲池針瀉動，尺澤兼行見聖傳，肩諸紅腫痛難當，寒熱相争氣血耗，若血虛癥明補瀉，請君急灸自安康。
筋急不開手難伸，尺澤從來要認真，頭面縱有諸樣症，一針合谷效通神。
腹中氣塊痛難當，穴法宜向內關防，八法有名陰維穴，腹中之疾永安康。
腹中疼痛亦難當，大陵外關可消詳，若是脇疼并閉結，支溝奇妙效非常。
脾虛之症最可憐，有寒有熱兩相煎，間使二陽穴針瀉動，熱瀉寒補病俱痊。
九種心痛及脾疼，上脘穴內用針行，若還脾敗中脘補，兩針神效免災侵。
痔漏之疾亦可憎，表裏急重最難禁，或痛或癢或下血，二白穴在掌後尋。
三焦熱氣壅上焦，口苦舌乾豈易調，針刺關冲出毒血，口生津液病俱消。
手臂紅腫連腕疼，液門穴內用針明，更將一穴名中渚，多瀉中間疾自輕。
中風之症症非輕，中衝二穴可安寧，先補後瀉如無應，再刺人中立便輕。
膽寒心虛病如何，少衝二穴功最多，刺入三分不着艾，金針用後自平和。
時行瘧疾最難禁，穴法由來未審明，若把後谿穴尋得，多加艾火即時瘥。
牙疼陣陣苦相煎，穴在二間要得傳，若患翻胃并吐食，中魁奇穴莫教偏。
乳蛾之症少人醫，必用金針疾始除，如若少商出血後，即時安穩免災危。

如今癮疹疾多般，好手醫人治亦難，天井二穴多着艾，縱生瘰癧灸皆安。

寒痰咳嗽更兼風，列缺二穴最可攻，先把太淵一穴瀉，多加艾火即收功。

癡呆之症不堪親，不識尊卑枉罵人，神門獨治癡呆病，轉手骨開得穴真。

連日虛煩面赤粧，心中驚悸亦難當，若須通里穴尋得，一用金針体便康。

風眩目爛最堪憐，淚出汪汪不可言，大小骨空皆妙穴，多加艾火疾應痊。

婦人吹乳痛難消，吐血風痰稠似膠，少澤穴內明補瀉，應時神效氣能調。

滿身發熱痛為虛，盜汗淋淋漸損軀，須將百勞椎骨穴，金針一刺疾俱除。

忽然咳嗽腰背痛，身柱由來灸便輕，至陽亦治黃疸病，先補後瀉效分明。

腎敗腰虛小便頻，夜間起止苦勞神，命門若得金針助，腎俞艾灸起邅迍。

九般痔漏最傷人，必刺承山效若神，更有長強一穴是，呻吟大痛穴為真。

傷風不解嗽頻頻，久不醫時勞便成，咳嗽須針肺俞穴，痰多宜向豐隆尋。

膏肓二穴治病強，此穴原來最難量，斯穴禁針多着艾，二十一壯亦無妨。

胆寒由是怕驚心，遺精白濁實難禁，夜夢鬼交心俞治，白環俞治一般針。

肝家血少目昏花，宜補肝俞力便加，更把三里頻瀉動，還光益血自無差。

脾家之症有多般，致成翻胃吐食難，黃疸亦須尋腕骨，金針必定奪中脘。
無汗傷寒瀉復溜，汗多宜將合谷收，若然六脈皆微細，金針一補脈還浮。
大便秘結不能通，照海分明在足中，更把支溝來瀉動，方知妙穴有神功。
小腹脹滿氣攻心，內庭二穴要先針，兩足有水臨泣瀉，無水方能病不侵。
七般疝氣取大敦，穴法由來指側間，諸經俱載三毛處，不遇師傳隔萬山。
傳尸癆病最難醫，湧泉出血免災危，痰多須向豐隆瀉，氣喘丹田亦可施。
渾身疼痛疾非常，不定穴中細審詳，有筋有骨須淺刺，灼艾臨時要度量。
勞宮穴在掌中尋，滿手生瘡痛不禁，心胸之病大陵瀉，氣攻胸腹一般針。
哮喘之症最難當，夜間不睡氣遑遑，天突妙穴宜尋得，膻中灼艾便安康。
鳩尾獨治五般癇，此穴須當仔細觀，若然着艾宜七壯，多則傷人針亦難。
奔豚疝氣苦甚頻，氣上攻心似死人，關元兼刺大敦穴，此法親傳始得真。
水病之疾最難熬，腹滿虛脹不肯消，先灸水分并水道，後針三里及陰交。
腎氣沖心得幾時，須用金針疾自除，若得關元并帶脈，四海誰不仰明醫。
赤白婦人帶下難，只因虛敗不能安，中極補多宜瀉少，灼艾還須着意看。

咳喘之症最痰多，若用金針疾自和，俞府乳根一樣刺，氣喘風痰漸漸磨。傷寒過經猶未解，須向期門穴上針，忽然氣喘攻胸滿，三里瀉多須用心。脾瀉之症別無他，天樞二穴效堪誇，此是五臟脾虛疾，艾火多添病不加。口臭之疾最可憎，勞心只為苦多情，大陵穴內人中瀉，心得清涼氣自平。穴法深淺在指中，治病須臾顯妙功。

第二章 分門取穴

疾病之生，不離氣血，故湯液以病，有入血分之藥，有入氣分之藥，病之變化多端，則亦不離寒熱虛實四則，寒則溫之，熱則清之，虛則補之，實則瀉之，此為治病之不二法門也。故藥物治病，有溫清補瀉之別，而針灸者獨不然，故針灸之取穴，無異湯液之擬藥，是將普通常用之穴，分別氣血虛實寒熱六门，言其主要功用，俾臨症時易於採取焉。

氣門

（少商）宣泄肺氣，在大指內側，去爪甲如韭葉。（中府）理肺利氣，在乳頭直上三寸，旁開一寸。（雲門）開胸降氣，在中府上一寸六分。（經渠）降肺氣治逆氣，在腕後五分。（商陽）泄大腸之氣，兼瀉肺氣，在食指內，去爪角如韭葉。（合谷）宣泄肺氣之鬱結，在虎口歧骨間。（曲池）行氣，在肘外輔骨之縫中。（內庭）疏通腸胃之氣，在足次趾中趾之間。（豐隆）泄瀉肺氣，治喘哮，在外踝上八寸。（足三里）升氣，降氣，調中氣，在膝眼下三寸。（隱白）升陽氣，治嘔逆，在大趾內側，去爪甲角如韭叶。（公孫）治脾胃之氣上逆，而止嘔吐，在大趾本節後一寸。（風門）驅風，治嘔逆上氣，喘咳不安，在第二椎下，旁開一寸五分。（肺俞）專治肺病，宣泄肺鬱，治咳嗽喘嘔，在第三椎下，旁開一寸五分。（厥陰俞）治胸中膈氣，嘔吐，在第四椎下，旁開一寸五分。（肝俞）專治肝病，能泄肝氣，治肝氣之橫逆，在第九椎下，旁開一寸五分。（膽俞）泄肝膽之氣上逆，治翻胃食不下，在第十椎下，旁開一寸五分。（大腸俞）治痢疾，能疏通腸中氣化，在第十六椎下，旁開一寸五分。（膀胱俞）能疏通膀胱之氣化，而通調小便，在第十九椎下，旁開一寸五分。（照海）能引氣下行，在內踝五分。（俞府）開肺病，治咳逆上氣，嘔吐不食，在璇璣旁二寸。（內關）能調脾胃之氣，治嘔逆上氣，在大陵上二寸。（陽陵泉）瀉肝胆行氣導滯，在膝下一寸外夬骨前之陷凹處，（足臨泣）泄肝氣，治胸滿氣喘，在足小趾次趾本節後，（氣海）通治一切氣病，振陽氣，利氣，在臍下一寸五分，（建里）調理中焦之氣，治心痛上氣，嘔逆不食，在中脘下一寸，（中脘）專理腸胃之氣，而助消化，在臍上四寸，（下脘）功用同上，在建里下一寸，（上脘）功用同上，在臍上五寸，（巨闕）治咳逆上氣，胸滿氣痛，在臍上六寸，（膻中）治一切氣病，氣喘，短氣，喘哮咳逆，噎氣，翻胃，隔食，在兩乳之中間，（天突）治氣上逆，咳嗽哮喘，在結喉下二寸，（大椎）調和行氣，在第一椎上。

血門

（尺澤）止血，治吐血，在肘中約紋之中心，（魚際）治吐血，咳血，在大指本節後，赤白肉際，（太淵）治咳嗽咳血，在寸口前橫紋上，（少商）刺出血，能使氣血流通，（商陽）刺出血，功用同上，（二間）能治鼻衄，在食指第二節之前內側，（合谷）治鼻衄，在虎口歧骨間，（曲池）行血，治人經水不行，在屈肘橫紋頭，（迎香）治鼻衄血，在鼻孔旁五分，（天樞）治吐血，女人月水不調，漏或血結成塊，在旁臍二寸，（足三里）破瘀血，治吐血，咳血，在膝眼下三寸，（內庭）治齒衄、鼻衄，在次趾中趾之間。（三陰交）通經行瘀，清血、生血、凉血、固血，在內踝上三寸。（地機）治月事不調，在膝下五寸內側。（血海）功用同上，在膝髕上二寸。（腹哀）治大便膿血，在中脘旁四寸。（少衝）刺出血，能通行氣血，在小指內側之端，去爪甲如韮葉。（少澤）刺出血，功用同上，在小指外側爪甲旁。（風門）治鼻衄不止，在第二椎旁一寸五分。（肺俞）治咳嗽吐血，在第三椎下，旁開一寸五分。（心俞）治嘔血、咳血，在第五椎下，旁開一寸五分。（肝俞）治嘔血、咳血，在第九椎下，旁開一寸五分。（膈俞）通治一切血病，凡屬血症均宜取之，在第七椎下，旁開一寸五分。（委中）清血開氣，解血中之毒熱，在膝膕窩之正中。（合陽）治女子漏血不止，在委中下二寸。（照海）灸之，治月事不行，在內踝骨下四分。（交信）功用與合陽同，在內踝上二寸。（大陵）治喘咳嘔血，在手腕横紋之當中。（中衝）刺出血，能通行氣血，在中指之端，去爪甲如韮葉。（關衝）功用同上，在無名指外側，去爪甲如韮葉。（大敦）治血崩漏下不止，在大趾爪甲後叢毛中。（行間）行瘀破血結，在大趾次趾合縫後五分。（太衝）通經行瘀，養血、凉血，在行間後寸半。（曲泉）清血、凉血、養血，在屈膝横紋陷中，(中極)治婦人血崩不止，或月事不通，或產後惡露不行血結成塊，在臍下四寸。(關元)功用同上，在中極上一寸。(氣海)功用同上，在臍下寸半。(陰交)功用同上，在臍下一寸。

虛門 虛則補之

(太淵)生津液潤肺，(天樞)灸之治虛損勞瘵，(足三里)補脾胃，益氣血，(上巨虛)益胃，(隱白)補脾益氣，(公孫)補中運脾陽，(三陰交)補三陰之虛損，益精，生氣血，灸之則補陽氣，(漏谷)益精，治失精，在三陰交上三寸，(地機)補脾益陰精，在踝下五寸內側，(中衡)養津液，(肺俞)補肺，治虛勞，(心俞)補氣血之不足，(膈俞)養血虛血，(肝俞)益肝，補氣血，(魄戶)治虛癆肺痿，在第三椎下，旁開三寸，(膏肓俞)補虛損，益精氣，治虛羸瘦損夢遺失精，在第四椎下旁下三寸，(脾俞)補脾胃，助消化，在第十一椎下旁開半寸，(胃俞)功用同上，在十二椎下，旁開寸半，(腎俞)益腎，補腎陰，壯腎陽，在第十四椎下旁開寸半，(關元俞)補虛，腸胃虛寒，泄瀉在十七椎下，旁開半寸，(中膂俞)補腎陰，治腎虛消渴，在二十椎下旁

廣西省立醫藥研究所　針灸學講義

關寸半。(湧泉)補腎遺益精，滋陰退虛熱，在足掌心中。(太谿)益腎滋陰，在內踝後五分。(交信)補腎滋陰，在內踝上二寸。(復溜)功用同上，在內踝上二寸，治陰虛盜汗。(支溝)生津液，潤大便，在陽池後三寸。

(行間)益氣滋陰，在大趾次趾合縫後五分。(太沖)養肝陰，在行間後寸半。(曲泉)養肝補血，在膝內側，屈膝後紋頭陷中。(中極)治下元虛冷，在臍下四寸。(曲骨)補真氣，益精，在中極下一寸。(關元)固下元，益精氣，治諸虛百損，在中極上一寸。(氣海)固下元，益陽氣，補腎陰，在臍下寸半。(神闕)灸之益陽氣，治陽氣之欲脫，在臍中。(中脘)補胃，助消化，在臍上四寸。(上脘)功用同上，在中脘上一寸。(下脘)功同全上，在中脘下二寸。(命門)補腎，益精，治虛損，腰脊痛，痨熱，在十四椎下。

實門 實則瀉之

(神門)在腕後，腕兌骨之下陷中。(少沖)小指內側。(通里)俱瀉心，在腕側後一寸。(湧泉)在足掌心。(然谷)在公孫後一寸。(太谿)俱瀉腎，在內踝後五分。(公孫)大趾本節下一寸。(商丘)在內踝骨下微前陷凹。(陰陵泉)俱瀉脾，在膝下內輔骨下陷中。(大陵)在手腕横紋之陷中。(勞宮)在掌心。

(內關)在大陵上二寸。(曲澤)在肘内廉下之横紋中。(中衝)俱瀉心包。中指之
端。(中府)在乳上三寸、外開[illegible]。(少商)、(魚際)及尺澤、(列缺)俱瀉肺。(行間)、
(太衝)在大指節寸半。(曲泉)俱瀉肝。在曲膝之横紋端。(商陽)、(二間)、合谷、(曲
池)瀉大腸。(內庭)、(足三里)俱瀉胃。(少澤)及(少海)俱瀉小腸。在足骨之端。
去肘尖五分腦中。(委中)瀉膀胱。(關沖)、(外關)腕後二寸。(支溝)俱瀉三
焦。腕後三寸。(足竅陰)在第四趾外側爪甲角。(足臨泣)在足小趾次趾本
節後、去俠谿一寸五分。(陽陵泉)俱瀉膽。在膝下一寸外尖骨前之陷凹
處。(膻中)、(氣海)俱瀉氣。(血海)、(膈俞)俱瀉血。(關元)瀉膀胱。(天
樞)臍旁二寸。通腸道積。(中脘)瀉府積滯。(豐隆)瀉痰濁、通大便。
(上脘)瀉胸膈。(期門)瀉肝。

寒門　寒則温之

(中脘)温中健脾、和腸胃。有寒在腹一切寒冷。(氣海)治腹中一切寒冷。温
中下二焦。(關元)温下焦。暖子宮、振陽氣。(章門)治臟寒積聚。在脅
季脇端。(心俞)振陽氣、温氣血。(神闕)温暖腸胃而回陽。(足三里)温胃
[illegible]

實。腹中寒冷。(三陰交)溫中下焦。治虛寒一切寒冷。(公孫)理心腹寒。(陰陵泉)理脾寒。溫中寒冷。(隱白)溫脾壯陽。理中下焦寒冷。(曲泉)理足厥腹中寒冷。(至陰)溫和氣血。動腎火。(命門)(腎俞)功用同上。(大椎)解表寒。(復溜)同上。(陽[illegible])同上。(大敦)溫肝治寒疝。

熱門 熱劑清之

(少商)(尺澤)(魚際)(肺俞)俱清肺熱。(列缺)(經渠)退表熱。(商陽)(二間)清陽明經熱。退身熱。(合谷)清氣分及頭面諸竅之熱。(曲池)退身熱。清氣血分諸熱。(天樞)清腸胃之熱。(足三里)清胃腑之熱。(豐隆)降胃熱。化痰涎。(解谿)清胃熱。在足腕上繫鞋帶處。(內庭)功用同上。(衝陽)針出血能退熱。在足跗上五寸。足背最高之部。(厲兌)清胃熱。(大都)清脾熱。(三陰交)清熱血。平肝熱。(陰陵泉)清脾熱及濕中熱。(血海)清血熱。(神門)(通里)(少府)俱清心熱。(少衝)刺出血清血熱。(陰郄)功用同上。(復溜)清表熱。(大椎)驅表熱。(風門)清肺經之熱。(心俞)清心熱。瀉五臟之熱。(膈俞)清血熱。(肝俞)清肝熱。主治五臟之熱。(脾俞)功用同上。(胃俞)功用同上。(小腸俞)清腸中之熱。(中膂俞)清腎熱。(委中)刺出血，清血中之熱毒，主瀉四肢之熱。(涌泉)清腎熱，治病後餘熱不解，及熱厥。(太谿)清熱養陰。(曲澤)清心包之熱，治身熱煩渴。(間使)清心包，解胸中熱。(內關)功用同上。(勞宮)清心包，退身熱。(中衝)刺出血，清血熱。(關衝)功用同上。(外關)治一切外感身熱。(支溝)清三焦之熱。(絲竹空)清頭目熱，在眉毛梢外端陷中。(陽陵泉)降肝膽熱。(懸鐘)清三陽經熱，在外踝上三寸。(足臨泣)清肝膽熱。(竅陰)功用同上。(行間)清肝腎之熱。(上脘)清心胃熱。(中脘)清胃熱。(命門)清實熱。(陶道)表解熱，退身熱。(大椎)功用同上。(百會)清頭部熱，及腦熱。(金津玉液)出血清心胃熱，而生津液，舌下紫絡。

六氣病分門取穴

六氣者，風、寒、暑、濕、燥、火是也。以其能病人，故曰六淫，又同外邪。六氣之中，寒氣則於寒門中取穴治療之，熱氣則於熱門中求之，燥與火可以熱門與暑門清熱生津諸穴療之，惟風與濕則不能概括於四門中，兼兩[illegible]

集治風濕諸穴分別二門。

風門

（至陰）解外感風寒之邪，（列缺）解外風、治頭風，（合谷）解表驅風寒，（譩譆）驅風治頭痛，（大杼）解表驅風，（風門）能治一切風邪，（肺俞）驅風、治風寒咳嗽，（風池）治頭風、外感風邪，（環跳）搜經絡之風，治冷風濕痺，髀樞之宛陷中，（肩髃）搜周身四肢經絡之風，（曲池）搜周身風邪，（風市）治腰腿之風，在膝上外廉兩筋中，（陽陵泉）舒筋絡、搜四肢之風，（風府）專治風病，凡外感風邪及攣急風、中風等，均能治之，（百會）治頭風，及暴卒中風，（水溝）治暴卒中風，及頭面風邪，在鼻下溝之正中，（委中）治腰腿風，（足三里）搜四肢風。

濕門

（足三里）燥濕、祛濕，（上巨虛）祛濕，在三里下三寸，（下巨虛）功用同上，在三里下五寸，（三陰交）化濕行濕，（陰陵泉）滲濕利小便，（脾俞）化寒濕、醒脾除濕，（胃俞）功用同上，（委中）利濕，（承山）能治腸胃之濕而助消化，在委中下八寸腨腸之間。

(陽陵泉)行湿(曲泉)功用仝上(太谿)利湿(然谷)功用仝上(復溜)化湿(内関)利湿，治湿痰滞肺胃，(懸鐘)祛湿

(水分)利小便渗湿而治水肿，(中脘)化湿胃，(天樞)功用仝上(至陽)化脾胃之湿，

第一節 傷寒門

難經曰，傷寒有五，曰中風，曰傷寒，曰湿温，曰湿熱，曰湿病，故傷寒者，概括外感諸症而言也，凡疾病之由外受者，謂之外感，外感之邪，由皮毛而腠理而後傳入經絡臟腑，引起人身之内臟，血液，神經等起变化，此傷寒之所由作也，漢時張仲景，將傷寒之一症，分属于太陽，陽明，少陽，太陰，少陰，厥陰六經論治，三陽症中，則有表症與裏，三陰症中，則有寒化湿化，六經之中，復有合病，併病，傳变，等等，分條縷析，於所著傷寒論中，言之綦詳，為後世医家治療傷寒之正宗，但全書洋洋數萬言，非熟讀而所能研究，故挈六經之提綱，舍其湯药之方劑，参入鍼灸之治法，分别言之，欲得其詳者，非讀傷寒論全書不可也。

太陽

症狀：頭項強痛，恶寒，脉浮，如兼體痛嘔逆，無汗脉緊者，為傷寒，如兼發熱汗出恶風脉緩者為中風。

病因：傷寒有廣義狹義二種，廣義之傷寒，概指外感諸病而言，狹義之傷寒，即本條太陽病之傷寒症也，外感之邪，侵入人身之表部，名太陽病，爲風寒襲入化病之第一期也，人身感受外界之寒邪，血管收縮，故脈浮緊，血液凝固，故頭項強痛，寒邪外束，周身之毛孔閉塞，故無汗，肺氣不宣，故嘔逆，毛孔閉塞，體溫不能外達，故惡寒，如感受風邪，則風爲溫化，能使神經與膚從鬆弛，汗腺之排泄機能，故汗出，汗腺弛張，毛孔不閉，故惡風，體溫因汗出而外達，故發熱。

治療：風府　針瀉　合谷　仝上　頭維　仝上　風門　針灸

治理：風寒之邪，侵襲肌表，治宜解表，故針風府能逐風寒，合谷疏表發汗，風門頭維，治頭項之強痛，以其能直達病灶，而疏通該部之凝固也，諸穴合針則有疏解表邪，和營諧衛之功。

太陽腑病

症狀：太陽病發汗後，脈浮，發熱，渴欲飲水，水入則吐，少腹硬痛，小便不利，此爲蓄水症，若少腹硬痛，脈微而沉，小便自利，其人如狂，此爲蓄血症。

病因：太陽之腑為膀胱，俗稱尿胞，為貯尿之囊，其底旁左右各有輸尿管一條通於腎臟，人身飲入之水，由腎臟分泌後，再由輸尿管而入膀胱，貯蓄既滿，則由膀胱之排尿口從尿道泄出。若病邪入膀胱，則排尿口因病邪之刺激，而括約關鎖。是以小便不利，愈積愈多，因而脹滿，故少腹瘦硬而痛。同時腎臟因膀胱不能排泄，其分泌機能，亦受障礙，既不能分泌，自不能吸收，故雖渴欲飲水，而水入即吐出。蓄若血症，則因病邪，入於血管，腎臟分泌不能得力，則熱邪亦入血中，自膀胱而出，若一時尽下，則病自解，熱容留者，故傷寒論云太陽病不解熱結膀胱，其人如狂，血自下，下則愈之明文，若結於膀胱而不下，或下而不尽，故雖小便通利，而少腹仍硬痛也。

治療：蓄水——大椎 針陰陵泉 針曲池，足三里，小腸俞，中極，膀胱俞 以上均針。

蓄血——中極，三里，神門，內関，膀胱俞 以上均針。

治理：蓄水蓄血，原屬二症，症雖各異，然蓄於膀胱則一也，故皆宜針中極膀胱俞二穴，以疗膀胱中所結之血與水也，足三里，調節膀胱之氣化，而使之下行也，蓄水者則針陰陵泉小腸俞直利小便，大椎，曲池，退熱去濕，蓄血者則加刺神门、内关，以上穴能安神定志，而清热，以治其狂也。

陽明

症狀：壯熱，煩燥不惡寒，大渴引飲，大汗出，脉洪大而數，唇口乾燥，此爲陽明經病，如潮熱譫語，口臭氣粗，腹痛拒按，矢氣頻轉，大便秘結，小便短少，脉沉實有力，甚則沉伏，此爲陽明腑症。

病因：（經病）有由於太陽病，失於調治，轉屬陽明，或由衛氣衰弱，風寒之邪，長驅直入而成，蓋風寒之邪襲人人身，衛陽不能外達，故發熱，久而不解，則衛陽充盛，故壯熱，表邪已罷，故不惡寒，臟腑受高熱之熏灼，故煩躁，因其熱度過高，津液受其熏逼，故大汗出，因大汗大熱，津液被奪，臟腑肌肉，失其滋潤，致唇舌乾燥而口發渴，故飲水以自救也。熱盛則心房張縮強而速，故脉亦洪大而數。

（腑症）陽明之腑爲胃，症由熱邪深伏於腸胃，故肌膚反不覺大熱，而爲皮作有時之潮熱，因胃中之熱上衝神經，受高熱之刺激，影响於腦，腦神經失其正常之知覺，故譫言妄語，神識模糊，熱則灼津，腸胃枯燥，失其蠕動之能力，不能滋潤糟粕以排泄之，結於腸中，而成燥屎，故大便不行，於是之氣，則由肛门泄出，故矢氣頻轉，因燥屎停滯腸中，故腹痛而拒按，津液為大熱所劫，腎臟最從吸收水分，分泌量減少，故小便短赤也。

治療：二间，三间，合谷，曲池，内庭，解谿，中脘，足三里，照海，支溝均針瀉。

治理：陽明經病，為熱邪蘊于腸胃，其主要症狀為熱，故取大腸經之二间，三间，曲池及胃經之内庭，解谿等穴，以瀉其熱，此治經之法也，腑病不但腸胃熱，且腸中有燥屎，神昏，有急下存津之説，故取支溝照海，以通大便，佐中脘足三里以疏通腸胃之氣，並針經病各穴，以清熱，此治府症之法也。

少陽

症狀：寒熱往來，胸脅苦滿，默默不欲飲食，心煩喜嘔，口苦咽乾，頭痛在側，目眩耳聾，脉弦細或弦數。

病因：或由太陽傳變而来，或由風寒直入而成。太陽之邪在表，故曰表症，陽明之邪在裡，故曰裡症，少陽之邪，既在不表，又在不裡，而在於胸膜，肋膜，及横膈膜處，軀殼之内，臟腑之外，介乎表裡之間，故曰半表半裡症，邪在表則惡寒，在裡則發熱，少陽之邪，在半表半裏，故有表症之惡寒，復有裏症之發熱，而成寒熱往來之現象，因其邪在胸膜脇膜橫膈膜等處，附近之肝脾胖三臟，每因之而腫大，氣血不能暢行，故胸胃部自覺滿悶，同時胃之消化機能，亦受病邪之影響，而發生變化，故目眩耳聾。

治療：臨泣、竅陰、耳門、中渚、關衝。

治理：臨泣為少陽之俞，能治胸滿目眩，竅陰為木之井，能治耳聾口乾心煩，（中渚）渚灑少陽之氣，同使陰經蓄熱，關衝宣洩胸膈中部之邪，以其位居乳下，故能直達病竈，而清膽中之熱。

按傷寒之三陽經中，太陽陽明各有經病腑病，前人區別甚詳，惟少陽腑症缺缺，謝利恒先生謂目眩口苦，係膽火上炎，胸脇苦痛，係膽火擾胃，寒熱往來，係三焦不和，是少陽見症之目眩口苦，胸滿嘔吐，寒熱往來五症，係屬于腑，惟耳聾脇痛，為經絡病，經病腑病，錯雜發見而混合，故小柴胡湯一方，亦經腑合治而不分，並非少陽無腑病也。

又按俞根初先生通俗傷寒論，則論寒熱往來，耳聾脇痛為經病，目眩咽乾，口苦善噎，胸中氣寒為脾病。二説雖是各有不同，而其脾無多合病，不必為之強分也，本篇少陽條，亦經脾合而言之，而治療條中，所取各穴，亦已概括胃病脾病之治法矣。

太陰

症狀：腹滿而吐，食不下，時腹自痛，自利不渴，脈遲或細，舌苔白，是為寒化，若壯熱煩渴，舌焦黃，脈洪數者為熱化。

病因：凡病邪侵入人身，正氣出而抵抗，正邪相搏而發生種種現象，是謂病証，然人之體質有強弱，年齡有盛衰，年富體強者，正氣之力有餘，與病邪相抵抗，則成機能亢進之現象，是謂陽症，即熱化也。年老體衰者，正氣之力不足，與病邪抵抗，則顯機能衰減之象現，是為陰症，即寒化也。故受病之原因雖同，而為寒化熱化，則每因病者體質之強弱，而各異也。夫太陰者脾臟也，古人以上列諸症為脾病，實則即腸胃病也，寒化症，乃因体質屬冷氣內侵，或飲食生冷，以致腸胃受寒，飲食留滯于中不能消化，故腹脹滿而痛，而飲食不甚也，因其有寒化，故口不渴，血液得寒凝滯，血行緩慢，故脈遲弱也。若有熱化，則体溫增高，故脈數，本分因熱而消耗，故口渴舌焦，此寒化熱化之別也。致于吐利，為寒化熱化皆有之真，直腸胃得寒，則血管收縮，失其吸收作用，故上逆而為吐，下注而為利。得熱則蠕動亢進，血管吸受吸收，故亦為吐利也。

治療：寒化，隱白，公孫，足三里，中脘，章門。熱化，少商，三陰交，隱白，大都，中脘，天樞。針

治理：隱白為太陰之井，故能治腹滿，公孫異足三里，能引氣下行，以止嘔吐，佐章門直達病灶，則止嘔吐之功益偉。中脘從通腸胃之消化與分泌機能，而治自利。灸之則增加溫度以驅寒。熱化則取少商以瀉熱，三陰交清熱而養津液。隱白大都止嘔而溫太陰之熱。中脘天樞止直溢腸胃之熱邪，而制止其蠕動之亢進，則無吐利之患矣。

少陰

症狀：目瞑踡臥，聲低息微，不欲食，身重惡寒，四肢厥逆，脈

泄泻，食利清谷或不渴，脉细缓，舌白，此为挟水而动之寒化病，若心烦不寐，肌肤灼热，小便短赤，脉实数，舌光红少津液，此为挟火而动之热化症。

病因：肾虚之体，外邪侵袭肾经，肾阳虚者，则挟水而动，肾阴虚者，则挟火而动。挟水而动者，是为寒化，为全体机能衰减之病也，下焦虚寒，体温减低，不能达于四肢，故恶寒而四肢厥逆，寒邪过盛，血流缓滞，心脏衰弱，故声低息微，不欲言语，而脉细缓，四肢之神经神经失血营，得寒而收缩，故身寒而蜷卧，肠胃不能消化，肾脏失于吸收，致泄泻而下利清谷，挟火而动者，是为热化，则因体温亢进，津液大伤，致肌肤灼燥，神经因热而兴奋，故心烦而不能安眠，津液少则血管空虚，体温高则血行迅速，故脉实数。

治疗：寒化，肾俞，肓俞，关元，太谿，复溜，各穴均灸。
热化，涌泉，照海，复溜，三阴，通谷，神门，太谿。

治理：热化属肾阳虚，故灸肾俞以温肾，关元驱肠胃之寒，能肓俞

[illegible]

所以治腰痛也，太谿為少陰之俞，復溜為少陰之經，灸之能治身重惡寒。熱化，刺瀉泉、照海、腹溜、太谿，以泄少陰之熱，而生津液，至陰為膀胱相表裡故也。

厥陰

症狀：張目直視，煩躁不眠，熱甚不惡寒，口臭氣粗，四肢厥冷，心胸灼熱，熱深厥深，或下利膿血，或喉痛舌腫，脈弦數而疾，舌洪或紫或絳，此為純陽症。若四肢厥冷，爪甲青黑，腹中拘急，下利清谷，嘔吐，踡臥，脈細遲或沉，此為純陰症。若腹中痛聾，四肢厥冷，吐利交作，心中煩熱，渴喜飲冷，飲下即吐，煩渴躁擾，脈象細弦或細數不靜，舌或黃或白，舌質紅似潤而齒乾，此為陰陽錯雜症。

病因：厥陰為六經之極裡，陰之盡陽之生，故有純陽症，有純陰症，又有陰陽錯雜症。純陽症由熱邪傳厥變而來，純陰症為寒邪直中而得，陰陽錯症，為直中之寒邪與傳來之熱邪，互相錯亂交，故分別言之。

(純陽症)熱邪傳入厥陰，傳經極高，故熱甚而不惡熱，厥陰屬肝，肝熱上衝，故目開而直視。熱甚盛則氣血沸騰，故煩躁不眠，必胸灼熱，因其內有急劇之熱，氣血內趨，以爭散濟，不能充達于四肢，故四肢反覺清冷，內熱愈盛，則厥冷愈甚，故曰：熱深者厥亦深，喉舌為熱邪之熏灼，而喉燥舌爛，熱邪入腸中，腸壁腐爛，腸膜潰爛，故下利膿血。

(純陰症)寒邪直中厥陰，傳溫之生成，因之減少，不能達于四末，故四肢厥冷，與純陽症之因熱而厥者，適得其反，其辨別之法，先熱而後厥者為熱厥，而熱而厥者為寒厥，寒邪盛則血行遲滯，故爪甲青紫，腸胃得寒而不運化，故下利清谷，嘔吐酸水，陰陽錯雜症，陰陽錯雜，有寒熱互見，故有陰症之吐利，厥冷，腹中疼痛等等症，復有陽症之心中煩熱，口渴引冷等症，熱邪純熱

故雖飢餓而飲下即吐也。

治療：純陽症：大敦、中封、靈道、肝俞、期門、

陰陽錯雜者：中封、靈道、関元、間使、肝俞。

治理：純陽症為熱邪，故宜針以瀉之，大敦為厥陰之井，中封為厥陰之經，針之所以清瀉厥陰之熱也，期門、肝俞、泄肝氣，是通退身熱，純陰症為寒邪，故宜灸以溫之，灸肝俞、行間、期門者，驅厥陰之寒邪也，灸中脘、関元，為直接驅除腸胃之寒，以治下利嘔吐，腹部拘急等症，陰陽錯雜症，為寒熱互見，故針中封、靈道，以泄熱，灸関元、間使，以驅寒。

第二節　溫熱

論：傷寒與溫熱皆外感病也，惟外邪之侵襲人身，因其所入之部位不同，或所受之氣邪各異，其所病則異焉，夫傷寒為感受外界之寒邪，由毛竅而入，漸次傳裡，初起必有惡寒見証，入陽明始從熱化，故其發大熱時，必在數日以後，是其發也緩，而溫熱則不然，蓋溫熱之邪，從口鼻而入，初起少惡寒症狀，即有之亦甚微而易解，旋即大熱口渴，神昏譫語，相繼而來，是其發也暴，此傷寒溫熱辨別之大略也，茲後採戴北山廣溫熱論中傷寒與溫熱之辨別法五種，最要，錄之如下：

一、辨氣：傷寒由外入內，室有病人無病氣，間有有病氣者，必待表邪之深，轉入陽明陰腑之時。若溫熱之氣，從中蒸發于外，病初即有病氣觸人，以人身臟腑津液逢蒸而敗，（下略）女節言傷寒無臭氣，溫病則有臭氣也。

二、辨色：風寒主收斂，面色多光潔；溫病主蒸散，面色多垢晦，或如油膩，或如烟熏，望之可憎者，皆溫熱之色也。

三、辨舌：風寒在表，舌多無苔，即有苔，亦薄而滑，漸傳入裡，方由白而轉黃，轉燥，轉黑。溫熱頭痛發熱，舌上便有白苔且厚而不滑，或色兼淡黃，或如積粉，傳入陽明，則兼二三色，或白苔且燥；又有至黑不燥者，則必兼色之故。（下略）

四、辨神：風寒中人，自知所苦而清，神傳裡入胃，始有神昏譫語之時；溫病初起，便令人神情異常，而不知所苦，大概煩躁者居多，且或擾亂驚悸；及問所何苦，則不自知，即間有神清而能自主者，亦多夢寐

不安，閉目若有所見。（下略）

三、辨脉：温熱之脉，傳变後與風寒頗同，初起時與風寒迥别，風寒初起，脉無不浮，温邪從中道而出，一二日脉多沉。

讀戴氏文，則温熱與傷寒之辨别，已甚明了，然所謂温熱者，為一切温病熱病之總稱，病之屬乎温熱者，則有風温、暑温、温毒、温疫、温瘧、秋燥、冬温、温瘧等等，探其致病之原有二，一曰外感温熱，一曰伏氣温熱，外感温熱者，即感受温熱之邪，隨感隨發者是也，伏氣温熱者，乃感受外邪，而不即病，潛伏人身，至相當時期而發，內經所謂冬傷於寒，春必病温，冬不藏精，春必病温，等是也，夫病邪既藏於人身，豈可潛伏不動，相安無事，而經過此長時期始為病，觀視之，殊屬妄誕，然揆諸乎西學，則知其為不謬，我中医之所謂病邪，即西医之所謂細菌，細菌侵襲人身，人身之抵抗力強健，抵抗力強，則細菌亦末由施其技，而寄生乎血液或藏府間，因而蕃殖，是謂潛伏期，蕃育既多，抵抗力不能支持，其病乃作，是謂發作期，伏氣温熱之原，良有以也。

風温

症狀：微惡寒、發熱、頭痛、咳嗽、胸悶、自汗出、或見鼻衄、舌苔薄白、脉浮數。

病因：經云：冬傷于寒，春必病温，是由内有伏邪，至春令時屆温暖，因受邪之引誘而發，此乃伏邪爲病，其原理已述于前，亦有內無伏邪，因春時氣候温暖，人身之陽氣外泄，腠理漸疏，倘遇時感，致成此疾，夫所謂風温者，乃風中夾熱之氣，人感觸之，由口鼻而入肺，肺氣不宣，故胸悶不舒，病邪積蓄肺部，氣管因之不利，故發咳嗽，若熱度較高，鼻部血管乃充血而破裂，表血溢于外，故鼻衄，熱毒充塞肌膚，故發熱與頭痛，膚與中内腐物內蘊，腦部毛細管充血，故頭[illegible]痛也。

治療：魚際、經渠、尺澤，二間，針瀉。

治理：魚際爲太陰之滎，功能解表熱，經渠爲肺之經，能治咳嗽，而除寒熱，尺澤爲肺之合，能瀉肺中風熱之邪，肺與大腸相表裡，故取大腸之荥與穴二間，以瀉其熱，且取穴商陽宣肺氣之功，對之以爲諸穴之佐使也。

暑溫

症狀：頭痛壯熱，煩渴引飲，聲悶喘促，甚有神志不清，汗出如瀋，脈象洪數，或虛數，舌光絳。

病因：溫病之發于正夏者，名曰暑溫，蓋天交夏至者，熱當令，赤日懸空，酷熱如焚，人在氣交之中，感受暑熱之氣，因而成病者，是謂暑溫，暑者熱之邪，侵襲人身，由肺直入，体溫增高，故壯熱，熱邪蒸迫津液外出，故汗出如瀋，煩渴飲引者，大熱傷津也，聲悶喘促者，熱蘊於肺，肺氣膨脹，而從氣管以排泄也，熱邪激越，腦神經被激，故神志不清，熱盛因脈洪數，津傷則脈虛數，舌光而色絳者，亦熱盛津傷之故也。

治療：經渠、神門、湧泉、委中、陶道、支溝，神志不清者，加針命。

治理：鍼經渠，取其能泄肺之熱邪，而治咳嗽喘促也。涌泉能清熱而增津，委中刺血，以清血中暑熱之邪，又清陶道退身熱，諸穴合針，則有清暑熱增津液之功。神門一穴，則專治神志不清，鍼而瀉之，亦有退熱之效，如神志不清者，則加鍼人中穴以醒神昏，以為神門之輔佐，則其功效愈益佳也。

溫毒

症狀：壯熱面赤，大渴引飲，口氣穢濁，咽痛喉腫，目赤，氣出如火，中心煩熱，神昏譫語，舌黃燥紅，脈象洪數。

病因：溫熱之邪，兼夾穢濁之毒，釀之成病，直犯心包肉脈而入血分，其熱尤甚於暑溫，故不但壯熱煩渴、神昏譫語，更覺中心煩熱，呼出之氣如火也。咽喉更受熱毒之熏灼，因而發炎而充血，故發生腫痛。熱毒上乘，目部血管充血，故目赤，此症為溫熱病中最危最重之候，正如火之燎原，非大清其熱毒，不足濟也。

治療：少商、商陽、中衝、關衝、少衝、少澤，委中俱刺出血，支溝、合谷、勞宮針治治理：少商為肺經之井，商陽為大腸經之井，中衝為心包絡之井，關衝為三焦之井，少衝為心之井，少澤為小腸之井，刺出血，所以瀉各經之熱毒也，委中出血，則清血分之熱，合谷瀉氣分之熱，勞宮為心包絡之滎，針之以清心包之熱，支溝為三焦之合，能泄三焦之熱，熱毒退，神志清，諸恙自解。

秋燥

症狀：初起惡寒發熱無汗，煩燥，痰嗽胸悶，口渴，唇燥，舌無苔而燥，甚則喘促咳逆，咯血，脇肋膺乳掣引而痛，不能轉側。

病因：燥氣為病，多起秋令，蓋金風飆拂，燥烈之氣大行，人感之則成病，或暑濕內伏，復感外邪而發，而燥氣傷人，首先犯肺，次傳于胃，燥邪傷肺，故痰喘胸悶，甚則喘促咳逆，肺熱過重，肺絡破裂，血從氣管大溢，故咯血，肺脈受病而波及附近之脇肋膺乳等處，故而掣引作痛也。

治療：少商，魚際，尺澤，內庭，金津，玉液。

治疗：少商为肺之井，针之则泄肺之燥热，而兼治肠胁等处之痛；夹溪、尺泽、合谷清泄肺热，尤能止咯血；内庭清阳明之热；金津玉液，则能生津止燥，各穴相合，大有清燥热润肺止血之妙用。

冬温

症状：身热，微恶寒，有汗或不恶寒，头痛咳嗽，烦热口渴，或咽痛或面颊肿，甚则神昏谵语，舌黑齿燥，脉浮数。

病因：立冬以后，立春以前，所发之温病，即名冬温。夫冬月严寒，理无温病，良由气候反常，应寒而反温，其不正之气，中于人而发也。或平素嗜食温热之品，致内有蓄热，兼感外邪而发，温邪在肺，则肺失清肃，温邪郁结于肺，致咳嗽，咽痛，温邪上逆，则面浮颊肿，温邪在胃，则口渴引饮，热盛犯脑，则神昏谵语，津液枯涸，则舌黑齿干，冬温见此，则为危笃之候，殊难调治，至宜清热养津，或挽救。

治疗：鱼际，合谷，液门，内庭，侠溪，神门，间使。

理疗：具际会合，清理肺中温邪，故有清热而兼治咽喉，复治清热而生津液，内庭则理中之热邪，有神昏谵语者，则针神门使收阴之，若舌黑齿乾，速宜刺金津玉液，以使津液，不燥，解表症尚也。

湿温

症状：初起微恶寒，继则发热，饮食少思，午前较轻，午后则剧，身痛头重，脘腹胸胃痞满，小便短赤，面色垢浊，渴不多饮，神志模糊，甚则言语谵妄，舌苔厚腻垢浊，口黏而脉濡细，或濡数。

病因：湿温病多患于长夏秋初之时，盖此时既多暑热，每多阴雨，暑热与雨湿交蒸，化生湿热之邪，人感触之，辄病湿温，或饮食生冷，肠胃吸收作用减退，因而生湿，复感外邪而成，夫湿温之邪侵袭人身，则汗腺停蓄而起郁蒸，故初起有微恶寒，及身痛头重等症，惟不若伤寒之恶寒重也，湿热之邪，与脾胃相郁蒸，故继则热蒸发热，热度有时而升高，有时减轻，有时加剧，湿热留于肠胃，运化失职，故不思饮食，胃中之饮食，爲咳嗽，故脘腹痞滿，津液停滯而爲痰飲，積貯于肺，致胸膺不舒，凡腸胃之病，舌苔多厚，以其熱濁之氣上熏也，故溼溫之舌苔亦厚膩，若舌質紅絳無苔則爲津液大傷，熱甚亢盛之症，溼溫見此，勢難樂觀，若神志模糊，言語譫妄者則爲熱犯腦，亦屬重候，然有溼溫初起，即模糊譫語者，則爲溼痰蒙蔽神經使然，與盛熱犯腦之症，不可一例觀也。

取穴：間使，太淵，期門，章門，中脘，大椎，曲池，合谷。

穴理：大椎曲池退身熱，太淵合谷，宣泄肺中之熱而化痰涎，期門章門治胸腸痞滿，中脘促進腸胃之消化與吸收，使溼邪不致停留，間使不但能清熱，且有治神昏之功用，故神昏譫語者，更屬不可不鍼也。

溫瘧

症狀：先發寒後熱，熱重寒微，或但熱不寒，口渴引飲，骨節煩疼時瘧：病以時作，起伏似瘧，舌苔黃或絳，脈弦數。

病因：古人謂此症由于冬月感受寒之邪，潛伏人身，至夏月內暑熱之引誘而發，否則即感受溫熱之邪，而成溫熱性之瘧疾也。故其症狀與普通瘧疾相類，惟其純屬熱邪，故但熱不寒，或蓋經絡之寒，不若普通瘧疾之惡寒戰慄也。若夫口渴引飲，舌紅或絳等等，實屬熱邪傷津之徵。時瘧者，則為熱邪熾甚也。

治療：復溜、大椎、間使。

治釋：大椎為手足三陽之會，功能泄熱；復溜能除寒熱；間使係包絡系，為退熱之要穴。三穴合用，則能清泄溫熱之邪，且適治一切瘧疾，顧且俱效。但治普通瘧疾，多加灸，用于本症，則單針以泄熱，不可灸也。

溫疫

症狀：發熱惡寒，口渴心煩，頭暈咽痛，面色赤，舌上隱起紅點，胸悶身倦，甚則神昏譫語，舌黑唇焦，咽喉腐爛，為流行性之溫病，其爲溫熱病中危險之一症也。

病因：疫屬氣也，屬氣之熏蒸，或由天地之造成，或由人事之感招，其發也每多各鄉各鎮，沿門闔戶，相繼而發，病狀相同，將役傳染，故稱疫病，謂疫者，乃溫熱性之疫病，其作于人也，由口鼻而入心肺，熱毒燔灼，血液沸騰，故初起即現發熱，口渴心煩，咽喉痛等症，其化遲速，若不至昏，津液枯燥，則舌黑唇焦，咽喉腫爛，神昏譫語等症，相繼而來，可危殆也。

治療：十二井穴，與十宣穴，刺出血者，大椎，合谷，神門，內關，尺澤。

治理：十二井穴，與十宣穴，刺出血者，所以泄血分中之熱毒，以防其內陷也，大椎，曲池，合谷，所以退身熱也，神門，內關，尺澤，取其能清心肺之熱，而療神昏譫語也。

附白瘖

白瘖一症，每多發于濕溫病中，伏暑，春溫，冬溫等症，間或有之，然不多見，蓋濕溫之邪，侵襲人身，最爲纏綿難愈，故古人有謂為黏膩之邪，不易速解之況也。故延日久，則因微汗頻漏，皮膚鬆弛，若一經大汗，則汗孔之皮膚，因含汗液，鼓起而為白痦，色如晶瑩小粒水泡，掐之累累，汗多痦密，汗少痦疏，無論其為多為少，實為病邪發解之佳象也。毋庸調治，且有他症未罷者，則治他症亦須顧慮白痦，茲特述其症狀以為臨症時之參考也。

附　疹

疹症多見于溫毒、溫疫、暑溫、暑症中，良由熱毒熾盛，失治而致，溫熱之邪，混伏血液，血液不潔，鬱熱而伏於肌表以為透發之地，于是乎疹點現焉。色鮮紅，有頭無形，多發于胸腹肢体，為熱毒之徵；色紫者，熱毒更盛也。若色黑者，則為熱毒不治之症，古人謂疹黑胃爛者是也。治疹之法，則惟瀉血瀉毒，為不二法門，取穴宜委中、尺澤、十井穴等，均刺出血，庶乎血中之熱毒減，而疹亦退也。

第三節　暑病

暑為六氣之一，内經謂之暑，傷寒與金匱，則謂之暍，暑為陽邪，熱病居多，夏至以先，天未大熱，故經以先夏至日為病溫，後夏至日為病暑者，誠以暑令當令，天暑炎炎，地熱蒸蒸，人感觸之，則成暑病。然則富貴之家，避暑者于深堂水閣，居樹濃陰，縱亦不生暑病，殊不大扇風車，任情悅性，過飽食陰涼，此所謂靜而得之者為陰暑，實賤之軀，則負戴暑烈日之時，農夫田野，經商長途，奔走勞碌，不辭辛苦，暑病因此難免，此所謂動而得之者為陽暑，但此口腹不節，恣食生冷，或起居失調，夜臥當風，此皆暑病之起因也。考古人之言暑者，之有中暑，暑厥，伏暑，暑痧，兹分解之。

中暑

症狀：身熱，或微惡寒，汗出而喘，煩躁多言，倦怠少氣，面垢齒燥，脈芤，兼風，則發熱惡寒，身體疼重，兼濕則身熱疼痛，胸悶頭重。

病因：夏月炎帝司令，暑熱高蒸，爲爍石流金，吾人感之，觸感中暑，多由太陽而入，陽明是歷，故初起時，或兼太陽表症並之惡寒，隨即轉陽明而發熱也。夫暑爲熱邪，熱最易耗氣傷津，氣耗則倦怠少氣，津傷故口渴齒燥，津氣兩傷，無資生寬，故脈芤。兼風者，名暑風，風襲，體溫不能外透，故惡寒發熱。兼溼者，名暑溼，溼邪內阻，氣機窒滯，故胸悶頭重也。

治療：少澤、合谷、曲池、內庭、行間。

治理：少澤、合谷，泄暑熱而療喘，曲池，退身熱，內庭清陽明之蘊，行間清熱而養津液，兼風者加入風門，以驅風；兼溼者，加者，加針中脘以化溼。

暑厥

症狀：四肢厥逆，面垢齒燥，二便不通，神志昏迷，脈滑而數，舌光絳，或一厥而甦，便轉汗解，或再三厥而甦，但頭汗者，其熱深厥亦深也。

病因：暑熱鬱蒸，人感觸之，則成暑厥，蓋暑為熱邪，直犯人耗氣直入人身內部，則氣血內趨，以奪救急，不能達于四肢，故四肢厥冷。腸胃之蠕動力與腎臟之分泌機能，受病邪之影响，失司其職，故二便不通，暑熱上犯腦，即神志昏迷，若得汗則病邪由外透發，氣血外達，故四肢亦得不厥，若因三厥而熱者，則內熱，身重故也。

治療：人中，關沖，少商，氣海，百會。

治理：百會人中能治卒中惡邪，不省人事，故本症用之，以治神志昏迷，關沖瀉三焦之暑熱，少商瀉肺中之熱，氣海通調下焦之氣化，氣化行則二便自利也。

伏　暑

症狀：發熱頭痛，胸悶，漸至昏燥齒乾，內熱煩渴，舌白或黃，脈或弦，霍乱吐瀉，或腹痛下痢，或寒熱似瘧，亦有暑毒深入，熱結在裡，譫語煩渴不欲近衣，大便不通，小便赤澀。

病因：先受暑邪，潛伏于裡，繼為風寒所閉，不能外泄，或秋或冬，久而發病，有謂暑氣暴發者，暑氣未清，隨即收藏，至秋冬逆之而發，則效乎附會矣，伏暑亦為伏氣，其理已于溫熱門中言之，可不再贅；惟暑者為熱邪，且自內而發，熱內熾，煩渴，漸則津傷，而成舌燥齒乾等症，如暑熱而夾濕者，阻滯腸胃，腸胃失運化之權，致成霍亂吐瀉，或為下痢，夾風者，則暑風相搏，致發熱而瘧，若暑挾熱結於腸胃，則大便不行，小便短赤，其症狀病理，與傷寒陽明腑實症同，濕溫煩渴，不數述矣等症，皆為熱挾燥之徵也。

治療：清暑，生津，合谷，曲池，絕骨，行間，太谿，吐瀉如霍亂者，照熱霍亂條針治之，寒熱而瘧者，照溫瘧條針治之；熱結在裡，大便不行者，依照陽明病腑實條針治之。

治理：清暑生津，瀉暑熱而生津，合谷曲池，瀉內熱而止煩渴，太谿益腎真，行間絕骨，亦能瀉熱生津，為各穴之佐使也。

第四節 霍亂

四時皆能生病，而春秋為尤多，百病皆可傷人，而霍亂為最烈，最多倉卒，更在須臾，治或差误，補救莫及，考古書之記載者甚多，内経有霍亂論，傷寒論有霍亂篇，後世諸子百家，頗多言及，可謂詳且備矣，按霍亂為腸胃病也，良由飲食不節，起居不時，飢渴雜邪，傷其正氣，擾亂中焦，脾胃之升降失調，揮霍撩亂，而成此症，故有霍亂之名，金元諸大家，則有乾霍亂，濕霍亂之分，有清王孟英氏，復創熱霍亂，寒霍亂之說，茲申述之。

附寒熱霍亂之辨别法

霍亂之症，有屬于寒，有屬于熱，患之輕者，正氣未傷，邪未深入，神色尚清，不難因症辨别，患之重者，病毒深入，則脉伏音啞，面唇淡臟揭手擲足，煩燥喜飲，飲後厥冷，吐瀉並作，目眶振陷，汗出如雨，寒症有此見症，熱症亦有此見症，苟非于似中而辨其異異，則毫厘千里，生死立判，可不危哉，如同是声啞，屬熱者則氣粗語款，或其言語有壯厲之氣，屬寒則語遲氣微，有懶語呻吟之態，同是揚手擲足，屬熱者則坦腹仰臥，兩足排開，手足遊身，急逆衣被，轉側便利，屬于寒者，則多蜷臥，膝腿偎依，手或按腹，背或附腹，喜近衣被，身體重着，同時舌苔滑膩，屬寒者則浮白而腐，屬熱者，則粘而微黃，或舌底光绽現絳氣，同是煩燥發作，屬熱則喜飲冷，飲熱則胸中[illegible]証，入口即吐，飲冷則胸間頓暢，嘔吐遲慢，屬寒則喜飲熱，飲冷則胸格刺痛，作嘔大吐，飲熱則胸中暢適而不作嘔，同是吐瀉，屬熱者，則腹痛少，痛多拒按，所出之物，餿穢異常，而出連續，屬寒則腹痛，喜按，所出之物不甚餿臭，而出無力蓄積緩，寒熱之辨，大略如此。

寒霍亂

症狀：腸胃絞痛，或吐或瀉，或吐瀉交作，四肢厥冷，汗出而冷，面唇舌青，齒枯螺癟，渴喜飲熱，甚則目陷轉筋，兩目失神，音啞，脈伏，舌白，或黑而潤。

病因：嗜食生冷之物品，饮受寒冷之风露，以致肠胃受伤而成。盖肠胃司消化食物，分泌水液之职，若遇伤后之侵袭，则不消化，不分泌，致成上吐下泻之乱霍病。若但吐不泻，则病独偏于胃；若但泻不吐，则病独偏于肠。四肢厥冷者，系于在内，体温降低，不能充达于四肢也。转筋而痛者，是部神经失掉约制能力，水分由汗线而排泄，所谓阳虚则自汗也。水分由汗吐下三者之消失，兼已损坏各组织，而细胞乾枯，致胃肠燥热，眼珠陷缩，肌肉消瘦，致目陷失神。声嘶然血液之浓缩，致声哑，精衰者，肌肉痉挛，而腹部挛痛也。渴者，系水分消失之故，然多参和，致喜热饮。肠体虚者，水分消失过多，血液浓厚，血行窒碍，故脉停止也。

治疗：神阙、灸中脘、合谷、天枢、委中，以上俱针。

吐者加針內關、內庭、足三里、瀉者加灸、天樞、章門、陰陵、崑崙。

轉筋、加針、承山、絕骨、太谿。

治理：灸神闕，能除胃腸之寒氣，而振陽氣，中脘促進腸胃消化而分泌機能，益胃氣而散寒邪，合谷疏腸胃之氣，而調理中焦，委中、太衝，取其能清血也。吐則加針內關，取其能宣通胸膈之氣，足三理引胃氣下行使不上逆，且有升清降濁之功，內庭治腸胃之積滯，瀉則加灸天樞、章門，取其能除胃腸之寒也，陰陵泉、崑崙，舒脾胃之濕，而治瀉法也。

熱霍亂

症狀：發熱煩渴，氣喘胸悶，上吐下瀉，腹痛反甚，煩躁不安，神識昏迷，頭痛腹痛，舌黃膩，或脈脐沉、或伏、或代。

病因：本症原因，多由饮食杂进，肠胃运化失职，食中停滞于中，酝酿腐败，更受外界之暑热，清浊相混，乱于肠胃而成，或係体质怯弱，抵抗衰弱，因受他人传染而成。其见症有类霍乱相似，已辨别清楚，其所以脐现种种症状者，兼显非大吐大泻，水分消耗所致，惟其因于暑热，致发热常因续发，与乾霍乱不同也。若受因阴寒痛泻，缠汗后后，脐伏等症，则为更危之候，再进一层则全身厥冷而死。致见上各症，不分寒热，皆为紫后，以脏气衰弱，阳气欲脱之候，急当灸其神阙以复其阳，庶可挽救。其灸法，先将食盐外填满脐孔，再将艾团置脐孔上灸之，以支援汗止脉起为度。

治疗：少商、关冲、委中、（刺出血）合谷、大都、曲池、阴陵、中脘、腕骨、素髎、承山。

治法：少商、商陽、委中三穴刺出血，清血中之熱毒也。合谷、大都、內庭，清太陰陽明之熱，陰陵泉利小便而清暑熱。中脘通調腸胃之熱氣，且能治腹痛。素髎穴，善治霍亂，其經絡維劣側，能貫，浮出，能清熱。復溜為腎經之輸穴，乃

乾霍亂

症狀：腸中絞通痛，欲吐不得吐，欲瀉不得瀉，爪甲青紫，煩躁不安，甚則四肢厥冷，舌黃或白，脈多沉伏。

病因：暑熱穢濁之氣交蒸，壅閉中焦，邪蘊于腸胃，繼擾脾虛，賁門幽門，因受刺激而閉鎖，故欲吐不得，欲瀉不能，而腸中絞痛，煩躁不安之症狀見矣。較之吐瀉之濕霍亂，其危益甚。因穢毒深入血分，血液中含有毒素，血不清潔，故失其正常之色，或青或紫。氣機失宣，血行瘀滯，故脈沉伏而四肢厥冷。此症臨

名叛腸痧，若不急治，少腹滿而死。

治療：人中，少商，十宣穴，委中，刺出血；合谷，曲池，素髎，太衝，內庭，中脘，間使。

治理：此症在於藥物治療上，大多用探吐法，頗有效驗。蓋探吐可以宣洩氣機也。若針灸治療，則但取人中少商十宣委中等穴，刺出血，可以洩腸胃暑熱穢濁之氣，而清血中之毒。取合谷曲池中脘內庭，宣洩腸胃之氣結，而洩暑熱之邪。間使納會等穴，能使各穴，清暑熱解穢濁者也。

第五節 中風

中風症，素問名厥巔疾，亦曰大厥，其原文曰：血之與氣，交并于上，則為大厥，厥則暴死，氣復反則生，不反則死。又曰：厥成為巔疾，又據時張仲景，雖有中風之名，又有中經絡，中血脈，中臟腑之別，以分病之深淺，後世諸家，復有内風、外風，真中、類中之分。外界風邪之中於人而病者，為外風，為真中；肝風内動，非中外風而成者，則為内風，為類中。於是乎諸子百家，有言中風冬、屢春風者，有言屬内風者，亦有言地方多真中風，南方多類中風者。其論病理也，有言痰者，有言氣者，有言火者。五説多端，莫確根據，雖各有見地，亦見彼後學有莫適從之慨。茲據西學解剖所得，方知此病屬於腦，謂係腦充血，或貧血。良以腦為神經之總樞，吾人之知覺與運動，全賴乎神經。若腦已起變化，則神經亦隨之。故有卒然昏仆，不省人事，身足不用等等見證。然究内經命名厥巔疾，顛有深義。巔者，巔頂也，蓋謂巔頂之疾，雖未明言腦病，然究已指腦之部位而言矣。但西學所言係腦病，乃不過由病者之檢驗而得，其所以致此病者，則又不能説明。古人所言内風、外風也，茲據金匱之説，分中經絡、中血脈、中腑臟，復從類中，別為四條而言之。

中經絡

症狀：：形寒發熱，身重疼痛，肌膚不仁，筋骨不用，頸痛項强，閉口反張，痛甚狀攣暴發，兩脚搐强，舌苔薄白。

病因：：風為陽邪，人身腠理不固者，則從毛而入經絡，則襲神經，神經受重大之刺激，直奔腦系，故卒然昏厥，同時全身之神經，均受其影響，如運動性神經失其功用，則筋骨不用，知覺性神經失其功用，則肌膚不仁，致于項强閉口反張者，由經絡以督脈為病，脊骨反張考中醫之所謂督脈，實則脊髓神經，發源於腦，由脊骨而下行，腦既受病，則影響脊髓神經，而致脊出緊張，或急攣，致項强，或反張如角弓之狀，頸痛者則因腦藏神經致也。

治療：：合谷、曲池、陽關、陽陵、內庭、風府、肝俞。

治理：：合谷解寒熱而驅風，風府不特能驅風，而又直則脊

省立醫研所　針灸治療篇　二九

體神經，以維護弛衣服，所主筋，筋會陽陵，故鍼肝俞陽陵，以治筋骨不用，陽蹻為其佐使也。内經曰：中于面則下陽明，中于項則下少陽，中于背則下太陽，天地之中人，三陽經絡當其衝，故所取各穴多屬三陽經之穴，而内庭所以瀉陽明也。

中血脈

症狀：口眼歪斜，或半身不遂，或手足拘急，或左癱右瘓，脈弦或滑，舌白或紫。

病因：中風之較輕者，為中經絡，較重者為中血脈，最重者為臟腑，蓋人五臟各有俞，蓋所以別病邪之淺深也。經絡其病因病理，初患多數，有偏之種種見症，亦屬神經為病。蓋人身運動神經，分布左右兩邊，交錯周身，若一邊發生障礙，神經為礙，則為半身不遂之症，病於左者名之曰癱，病於右者名曰瘓，所謂癱瘓者，即半身不遂之象。

適繆刺左右之名稱也。

治療：口眼歪斜，地倉、頰車（針左者針右，針右者針左，或直接灸齊）。

半身不遂，百會、合谷、曲池、肩髃、手三里、崑崙、絕骨、陽陵、足三里、解谿。

左癱右瘓，治法同上。

足拘攣或麻木，行間、中封、崑崙、陽輔、陽陵、足三里。

手拘攣或麻木，手三里、肩髃、曲澤、間使、後谿、合谷。

治療：以上者係按據其部位而取穴，是意義，蓋病某部而針刺某部，如手部麻木拘攣，則于手部取穴，若足部拘攣麻木，則於足部取穴為是，能直達病灶，而恢復神經之功用，故[illegible]，雖口眼歪斜針左針右，針右針左者，則因針左者右邊之神經弛緩也，故宜左邊頰車地倉二穴，或針或灸，以刺激之，而使其恢復原狀，歪右者則反之，惟不宜針灸太過。

省立醫院研所　針灸經驗談

不然則在適當針灸之一道，要針灸矣。

中臟腑

症狀：：口噤不開，痰涎上壅，喉中痰鳴，不省人事，四肢癱瘓，不知疼痛，言語蹇澀，便溺不覺，時或有戒數。

病因：：此為中風之重症，多由其人飲食不節，起居失宜，或奔勞過度，及有鴉煙嗜好，以致生痰生濕，時氣不足，氣或傷肝之人，形體豐肥，多有痰濕，外邪乘虛直入臟腑經絡，更因固有之痰濕，上衝于腦，致卒然昏仆，不省人事，喉間痰聲漉漉，有若雷鳴，便溺不覺，乃因腦髓發(?)經絡弛緩，以致氣血阻遏也，此為中風不良之現象，言語蹇澀，乃舌部神經痙攣，舌本強直，轉動不靈之故也，四肢癱瘓，不知疼痛，亦神經發炎，功用閉也。

治療：口噤不開，頰車、灸百會、灸人中、灸
痰涎上壅，關元、灸十數壯或數十壯，氣海、灸十數壯，百會
灸三四壯，不語不知痛癢，神道灸百壯至二三百壯。
言語蹇澀，啞門、針關沖針

治療：百會為治中風之要穴，蓋中風為腦病，百會為居腦部直通腦所，確有特效。人中則可於昏厥時刺之，立能清醒，故爲中風之要穴。口噤不開者，系頰上下牙齒接處之筋拘攣，適當頰車之部位，故頰車灸之有特效。痰涎上壅，以痰屬下焦腎虛，故宜灸氣海關元以固元氣而引痰涎下行。啞門部位附近舌本，故能治舌強不語。神道、關沖，乃為啞門之輔佐，亦能治言語蹇澀也。

類中風

症狀：舌強神昏，痰壅氣逆，口開目合，鼾聲雷鳴，脈

省立醫藥研究所　針灸治療篇　三一

徵狀

病因：：此症非係外邪外襲，多由腎虛多慾之人，陰分太虧，不能涵陽，以致肝陽暴發，氣血上升，痰涌壅滯，驟然昏倒，以其形似中風，故曰類中風。口開目合，髮直頭搖，手撒肉動，元氣欲脫之勢，近今所謂神經衰虛性之興奮也，中風見此，皆為難治，若老人精神虛竭，心臟衰弱，驟然厥脫，而成類中者，則非針藥所能挽救矣。

治療：：參照中藏府條施治，然亦十中難救一二。

附中風之預兆及不治症

凡陰陽虛耗，或形體豐肥質弱之人，易患中風，如其人覺坐臥不安，或頭痛眩暈，或惡心嘔吐，或怔忡手振，或口苦舌乾，若係秘濇者，或四肢麻木，為中風之預兆，亟宜從事預防，若病發時而見鼻孔張大，面色晄白，口噤不遺溺，目合口開，手撒遺溺，痰聲如鋸者兼見一二，均屬不很。

第六節　驚風

驚風之名，創于金元，實即金匱之痓病也。蓋因小兒卒發驚恐，易成痓病，故名曰驚風。然其病因繁多，有因外感風邪者，有因內傷飲食者，若夫受驚而成，僅其一種耳。然驚風之中，復有急慢之別，急驚多屬外感實邪，慢驚則屬內傷虛症，發作時，症狀略似，而虛實懸殊，治療迥異，苟非明辨，誤人多矣。

急驚風

症狀：身熱面赤，煩哭，手足搐搦不定，口中氣熱，喉有痰聲，大便秘結，小便黃赤，脈弦滑數，舌苔黃或糙，鼻孔翕動，青紫，虎口脈紋紅紫，甚則鼠視口噤，角弓反張，不哭無聲。

病因：本症為腦神經病，其原因頗多，約言之可分三種，（一）為外感，小兒肌肉之組織不密，外衛不固，故易受外邪，因而發熱，小兒之神經系素敏，熱度倘高，則起熱度之更甚，而成抽搐反張等症，且小兒有疾，不能自述其痛苦，致爲人有疏忽之處，醫者不加細察，每爲誤治，如外感風寒，久而不解，入於中化爲熱，或誤用辛熱之劑，則內熱熾盛，而影响於神經，此古人所謂熱盛生風，風火熾動，熱度客於腸胃間，風火相搏，致抽搐發動者是也。二爲飲食內傷，王孟英小兒之疾，熱與痰二端而已，蓋純陽之体，日抱懷中，衣服加溫，又襁褓之類，皆用火烘，內外俱熱，熱盛生風，火風相煽，乳食不節，則必生痰，痰得火煉，則堅如膠漆，而乳仍不斷，則新舊之痰日積，發痰滿咽喉，又餵之食乳，以益其痰，從此胸高氣塞，目瞪手搐，以成驚風。三爲受驚，小兒心氣未足，若昇聞異聲，如雷霆巨聲，或目睹異物，頓生驚恐，以其腦髓未實，神經易致緊張，致抽搐反張等症，此皆急驚之原因也。

治療：少商、曲池、人中、大椎、湧泉、中脘、委中，微刺。

治理：：驚風之原因雖多，然總不外乎停痰、宿食、鬱熱，三者。其所現各症，亦無非神經之變化。故針少商、曲池以清熱，大椎而鎮靜神經，以治角弓反張。委中、湧泉清熱而能引熱下行，使不致發於腦髓。中脘消化痰食而除積熱。因小兒身體弱小，故宜微刺之。

慢驚風

症狀：：面色淡白，山根露筋，神昏氣促，四肢抽搐或厥冷，或倦怠少神，口吐涎，目直視，小便清長，大便溏薄或完穀不化，惡寒潮熱，喉中痰響，脉虛細，舌淡白。

病因：：錢仲陽曰：小兒慢驚，因病後或吐瀉，或藥餌傷損脾胃，肢體逆冷，口鼻氣微，足逆冷，昏睡露睛，此脾虛生風，無陽之症也。因吐瀉脾肺俱虛，肝木所乘，或急驚屢用瀉藥，因脾損陽消，遂成慢驚。錢為兒科聖手，其學說、頗可取法。蓋吐瀉與病後及藥餌損傷三者，當能使脾胃虛弱，則化力呆滯，飲食減少，化生之津液，不足以營養全身手足并血管中之補充養料缺乏，而成貧血症，致病兒面色㿠白，山根露筋，同時心臟因少血而衰弱，致發急少神，脈虛而細弱，大便溏薄，或完谷不化者，皆因脾胃虛弱，不消化不吸收之也，神經因缺乏營養，而發虛性之興奮，致四肢抽搐振動，然其為虛性之興奮，故不若急驚之劇烈也。

治療：：大椎，天樞，關元，神闕，各穴均灸

治理：，大椎，為治驚風之要穴，取其能鎮靜神經也，灸天樞關元溫補腸胃之寒氣，而助運化以遏泄瀉，灸神闕所以振陽氣而強心，此穴為治慢驚救穴，每見危篤之慢驚病，氣微欲脫之時，導灸此穴而得起者，會此而外，則無良圖也。

第七節 痙厥

痙

症狀：初起惡風發熱，頭痛連腦，或喘咳，或小便頻數，或嘔吐，胸悶，舌白滑或膩，脈弦而急數，甚則項背強痛，身體反張，臥不着席，發汗後溫，神昏譫語，欲起不得起，欲臥不得臥，舌苔或黃或膩，再甚則角弓反張，手足抽掣，少腹攣縮，大便堅實，口噤目赤。金匱云：太陽發熱無汗，反惡寒者，名曰剛痙；發熱汗出，而不惡寒者，名曰柔痙。此言其初起之症象也。又曰病者身熱足寒，頸項強，惡寒，時頭熱，面赤目赤，獨頭搖動，卒口噤，背反張者，痙病也。此痙病之本症也。又曰痙為病，胸滿口噤，臥不着席，脚攣急，必齘齒。此痙病之已甚也。痙病之症狀，不外乎此。

病因：痙者，頸項強直之義也。凡病而見頸項強直者，皆得以痙病名之。攷其原因繁多，有因外感而成者。如

省立医学研究所　针灸治疗篇　三四

伤风而发热，复经感寒而成痉，即内经所谓，诸痉项强，皆属于湿，风者，此也。如感风湿之邪而致痉者，体弱诸暴项强，皆属于风是也。金匮云：发汗多，因致痉。又曰风病下之则痉。又曰疮家不可发汗，汗出则痉。又曰太阳病发汗太过，因致痉。此为误汗误下以致痉，其他如病后火痉，风痰痉，妊娠痉，产后痉，种种名目繁多，不胜枚举，然总括之，则不外乎两端。一为感受外邪而成，一为诸病误治而得。其所以发现种种症状者，则又不外乎脑。内经曰：督脉为病，脊强反折。夫督脉，即人身之脊髓神经，是痉病属脑之明证也。故西医名之为脑脊髓膜炎。盖其以局部病状而取名也。外感之邪，乘入人身，侍虚虚弱者，总抗力衰弱，神经不胜其刺激，发生痉挛，益强直之状态，致成角弓反张，卧不着席，此外感成痉者也。若诸病误治，如误汗误下或过汗，以致津液亏损，神经火所養營氣誤治而致內熱大盛，神經錯亂，致為抽掣拘攣，神昏譫語，古人所謂熱甚生風者此也。他如惡寒發熱，頭痛項強，咳嗽等症，則為痙病之前驅期，若能及時針治，則免于成痙也。

治療：少商，出血，曲池，人中，中脘，委中，涌泉，合谷，风门，風府，大椎，身柱，至陽，命門，肺俞，膈俞，百會。

前驅期，百會，風府，風門，合谷，肺俞。

治理：少商為肺之井穴，外感之邪，經口鼻入，少先清肺，故刺之以宣肺氣，解外邪，曲池清熱而止抽掣，人中、合谷，開口噤而醒神昏，委中清熱而止項脊強直。中脘清熱而下燥結，涌泉引熱下行，使不犯腦。他如百會大椎等穴，則直刺病灶之局部，其功效較他穴為尤著。痙病之原因雖多，其為腦神經病則一，病狀亦相類，故但立一方，足以遍施之。如其見症

省立醫研所 · 針灸治療篇 三五

暑有不同者，是有又覆于暑氣表臨病時隨机应手，

症病然，他病病亦然，也。

厥

厥症有二，四逆謂之厥，忽然卒仆，不省人事，亦謂之厥，故張介賓曰，厥症起於足者，厥發之始也，甚致卒倒暴厥，忽不知人，輕則漸蘇，重則即死，最為急候，雖亦不知詳察，但以手足寒熱為厥，又以脚氣厥，謂之甚也，又傷寒有寒厥熱厥之分，亦以手足為據，蓋觀首錄的是之氣變異，非內經之所謂厥也，張氏之言，蓋亦分厥為四逆暴厥二種，四逆之厥，有熱厥寒厥，暴厥之症，則有痰厥，食厥，氣厥等等之不同也。

痰厥

症狀，。驟然卒倒，面白神昏，目閉不語，口吐涎沫，面發厥冷

脈多沉滑。

病因，。此症多由其人素多痰濕，然痰積多亦不致遂成卒厥

更由痰多之人，停留之不坚实可拔，易招外界之感触，如六经之侵，七情之暴发，而引动其固有之痰浊，蒙蔽脑髓，故有昏仆卒倒之种种危象，是以痰厥一症，主因在痰，然必有其他感触为其诱因也。

治疗：中脘、丰隆、合谷，针；膻中，灸

治理：痰浊之生，多由于脾胃不运化，以致津液停留而成，中脘能转输中州，使中焦不致停留以绝痰浊之来源，此为根本疗法也。丰隆为涤降痰浊之枢纽，合谷醒神昏，古人以痰厥为痰迷心窍，故灸膻中以豁心胸中之痰浊。

食厥

症状：面黄嗳气，身热口渴，骤得痉厥，昏不能言，手不能举，胃脘高起，脉多滑。

病因：此症多由饮食过度，或感风寒或暴怒而成，古人所谓胃气不行，阴阳痞隔，升降不通，而成是厥者也

岳王邑石印　鍼灸從新講義　三六

乃多見於小兒，良以小兒脾胃不健，消化力弱，每於食傷，夜滯鬱于中焦，化為痰積，致發熱口渴，胃脘高起，胃中熱濁之氣薰蒸，神經受害過甚，而發生痙厥等症。

治療：中脘、足三里、內庭、中衝。

治理：食厥之起，原屬食滯鬱故，針中脘足三里，助脾胃之消化，而去食滯。因食滯而發熱，屬陽明經，故針陽經之穴內庭，以退身熱，刺中衝以醒昏厥，蓋能於胃熱部[illegible]發百利，則效益佳。

氣厥

症狀：面色晄白，氣促不語，神志昏清，而不能自主，卒然昏倒，面發厥冷，口出冷氣。

病因：此症多由氣秘鬱之人，不從[illegible]鬱，情志不遂，氣机鬱結而成，或大怒、大悲、大驚、過悲、勞傷而發，蓋因情太過，神經受重大之刺激，而驟然能致

經者神志恍惚，不能自主，重者則半側[illegible]等症候見矣

治療：膻中、建里、內關、氣海。

治療：氣會膻中，故針膻中以調氣。氣海能總一切氣病，勝玉歌曰：諸般氣症從何治，氣海針之灸亦宜。故二穴為治氣厥之要穴也。建里內關能寬胸中鬱結，並與氣厥者，莫不心胸寬闊也。

寒厥

症狀：手足厥冷，身寒四末，爪甲冰冷而青紫，不渴而下利清谷，腹痛或不痛，脉沉遲細，舌苔淡白。

病因：此係真下條之厥，乃四肢厥逆，非真厥也，乃手足三陰[illegible]寒邪內盛，衛氣降低，故身手足清冷，腸胃受寒邪，故上下[illegible]氣，古人所謂陰盛陽虛者是也。

處方：神闕、氣海、關元。俱灸

治療：灸神闕、氣海、關元三穴，以復陽氣，陽氣充則厥除

主治：兩手足而溫矣，且三穴均在腹部，能直腸胃之氣，再商該復蘇都能，斯吐下亦止。

熱厥

症狀：身熱手足厥逆，煩渴昏冒，不省人事，譫語自汗溺赤，脈數或伏，舌絳黃乾。

病因：本症由于熱邪內盛，致陽阻而格，熱邪伏於脈內，斯神昏不省人事，此證為熱邪之未退，陽氣內斂，發大傷陰，舌絳而乾，手足厥逆者，熱盛之徵也，此謂陽盛陰衰者是也。

治療：針刺：湧泉、復溜、曲池、合谷。

理論：熱厥為熱邪內盛，故針厥陰之滎穴行間以瀉之，湧泉復溜清熱而生津，曲池合谷退身熱而醒神，曲澤退熱降溫，手足自溫，諸恙亦瘳。

第八節 癲狂

癲之與狂，皆為神經錯亂之病，古來醫籍，多分二症，良由狂則常動剛暴，癲不若狂之猛，今茲故有陰癲陽狂之稱，究二症之原因，古人則謂是痰所致，痰迷心竅，而發癲狂，形惟近屬之說也者，則謂二者症狀雖有差異，皆為腦神經病也，其所以癲為狂者，則以腦神經受病部之刺激，人身之正氣正者，反應力強，故其現象亦剛暴，則為狂症，反之則正氣弱者，則反應力不強，故其現象亦柔和，此為癲病，貌視之，則狂病重而癲病輕，實則癲病更深於狂也，然狂病較為易治，癲病則難醫療，且有狂病不愈，久則成癲，可見癲者為狂病更進一步也。

狂

症狀：喜怒無常，歌哭無時，妄言妄見，自高自尊，少臥不饑，病脈多滑大，甚則登高而歌，棄衣而走，踰牆上屋。

卷五　醫療研究　鍼灸治療篇　三八

病因：：狂始發，先自悲也，喜忘多怒善恐者，得之憂飢；狂始發，少臥不飢，自高賢也，自辯智也，自尊貴也，善罵詈，日夜不休，狂言善驚，善笑好歌樂，得之大恐。又曰多食善見鬼神，善笑而不發於外者，得之有所大喜。因此以觀，則癲狂諸因，是情過度而成，蓋七情太過，腦細胞受重大之刺激，以致細胞翻亂，以致發為多喜怒不常，歌哭無時，行動乖常，種種異態意識之舉動。此外亦有陽明傷寒熱盛發狂，即因胃熱發狂也。胃熱何以發狂？是由胃中有迷走神經，若胃熱過盛，則能直接影響於迷走神經，由迷走神經傳遞于腦，而發狂。然胃熱盛發狂，則多一發即止，且不為癲狂之狂症，雖治而易發。

治療：：十三鬼穴

傷寒陽明熱盛發狂：曲池、大椎、[illegible]膏、湧泉、期门

治理：：十三鬼穴即人中、少商、隱白、大陵、申脈、風府、頰車、承漿

灸法：上星、男子會陰、女子玉門、曲池、委中、鳩尾、間使、後谿。針之顯有效驗。其理由：余經驗解釋：蓋因胃熱痰聚，故針曲池以清陽明之熱；大陵退身熱，湧泉清肉熱，行間、期門泄氣，並泄熱，而顯奇效。

癲

症狀：或笑或歌，或哭或泣，言語顛倒，穢潔不知，精神恍惚，食不知飽，飢不知食，好静多睡，如醉如痴，經年不愈。

病因：此症不外因痰太過，中焦停積，或鬱鬱不遂，憂思不解，好鬱悶抑鬱，情失所求，或財勢困迫，總之不能償其所願，中心鬱結，久則耗液灼津，古人謂五志之火内燔，痰分多積，以致解不生化，而為之癲症。蓋人身之神靈，飲食、神經失所爲着，亦能使人靈動活潑；故如經驗之，精神恍惚，甚者腦經錯亂，行動舉止亦不能自主，故或喜或歌，或哭或悲或·妄言妄動，古人謂之魂不守舍也。癲疾之因，由於情懷不遂，致使此症，皆重心理療法，宜先將其身自，暢其心志，解其所懸，然後施鍼術。則事半而功倍矣。

治療：依照狂症針十三穴鬼穴，或加灸心俞三四壯至十壯。

調理：癲狂之病，調理頗困，或有術無奏效矣，有症之雖緩心俞者，然其鬱發心陽，而安神定志也。癲疾之癒而未久者，針之灑效，已屢試之。惟久年癲疾，或發或癒，則根深蒂固，殊難為力矣。

癇

症狀：發時昏然僕倒，痰聲轆轆，目上視，口眼喎斜，口吐白沫，忽然昏倒，昏不知人事，移時即醒，或日數發，或數日一發。

病因：癇症，古人每與癲症並稱，並有謂癇即癲者，蓋其病源，同謂二十歲以上為癲，二十歲以下為癇，余則殊難信也。癇病之由，總緣痰阻而動也，痰火相亂，則閉竅，經謂之癇

熱瘧

症状：熱多寒少，或但熱不寒，發时骨節煩疼，肌肉消爍，汗出未病乃破，煩渴而呕，脉弦数，舌苔黄腻。

病因：瘧疾雖四时皆有，而夏秋为多，良由則夏天之暑氣下，地之湿氣上，暑湿交蒸醞釀，人感觸之，釀成瘧疾，或貪凉而沐浴當風，汗液不出，饕餮飽食，新睡，胃積難消，凡此種種皆瘧疾之主要原因也。致於既熱瘧者，則为感受暑熱之邪，古人为暑内伏，陰氣先伤，陽氣独發，故熱多寒少，或但熱不寒也。

治療：太谿，间使，陶道，後谿，俱针瀉。

治理：陶道，为治瘧疾之特效穴，太谿，间使，後谿，清暑熱之邪。暑熱清則煩渴头痛等症亦解。

寒瘧

症状：寒多少熱，腰背头项疼痛，甚則戰慄鼓頷，继乃發热，愈熱時汗出，或不汗出而解，脈多弦滑，舌苔白。

病因、夏月乘涼沐浴，感受寒邪，伏於太陰，不能出外，未與陽爭，故多寒少熱，北人謂為脾寒病者此也，以其屬寒邪，故發熱時多惡寒，少熱，或竟無熱，戰慄鼓頷者，惡寒重也。

治療：大椎，間使，後溪，陶道。

病理：大椎，陶道，屬於督脈，古人謂督脈主一身之陽氣，鍼之瀉之，則能退熱，補之灸之，則能除寒，故能治惡寒發熱之瘧疾，且據內經，邪入風府，循膂而下之說，則二穴正所以當其衝也，惟瘧病灶，究在何處，尚無確定之論，二說雖可通，然終嫌無確實之證據，故大椎陶道二穴，何以能治瘧疾，其理殊難究測，而於治療上，實有偉效，普通瘧疾，於未發前一二小時，或針或灸，未有不愈者，近賢慎軒氏，謂風府脊骨髓骨，實是神經之要處，則瘧疾當屬神經系統之病，更引金匱瘧脈自弦之說，謂弦脈為管壁纖微神經拘急脈象又謂砒霜金鷄納為瘧母之特效藥，曾與脊髓神經之功用等說，以證明瘧疾屬神經系病之原理，然則大椎陶道等穴，亦為刺激神經之要穴，與砒霜金鷄納合一作用也，惟王氏之說，是否確實，則尤有可疑也。

間日瘧

病狀：寒熱往來，發有定時，頭痛胸悶納少，小便渾黄，脉弦，隔一日作者，謂之間日瘧，間二日或三日作者，謂之三陰瘧。

病因：中醫謂瘧邪伏於淺者，則日作，稍深則間日作，若深入三陰，則間二三日一發，謂瘧邪從衛氣而出入，邪在淺則出入易，故日作，邪在深，則出入難，故間日或二三日而作，故日作者病輕，間日者較重，二三日發者，則更重矣，西醫則謂瘧菌侵入血球，生殖蕃息，待原虫充满，毁此血球，而入彼血球之際，人體遂發熱，此項原虫，約分三種，生長之期，各有不同，故有一日瘧間日瘧三日瘧之别，西學之說，原由檢驗而得，自不能謂其不確，惟

四二

中医言邪气之藏于浅深者，亦未可非，曾见病疟者，初起大都日作，继则间日，治疗尚易，若久延不愈，则正气日虚，乃致二三日一发之三阴疟，调治颇难，此非病邪深浅之明证乎。

治疗：与上同，惟宜每日针灸一次，连治三次，如不愈者，若三阴久疟，则加灸脾俞，以久疟则面黄食减，故宜脾俞之益脾。

疟母

症状：面色萎黄，寒热日作，或时作时止，或不作，少食，胁内有块，结于右胁，硬痛，此乃先由疟而来，故名疟母，脉弦细，舌苔淡黄，或光剥。

病因：金匮云，疟疾一日不瘥，此为结癥瘕，名曰疟母，后世诸家，则谓疟邪夹痰血痰湿，结于胁下，伏于肝经而成，实则脾脏肿大也，良由疟疾发热之时，脾脏充血，次则细胞增生，此时脾肿大，达平常之数倍，若延迁不治，则结缔渐渐固，纤维硬化，而成癥瘕，名曰疟母，脾脏肿大，则消化力减退，故少食，疟邪久菌，血液日耗，赤血球减少，故面色無華彩也。

治療：：章門，針灸脾俞，針灸有寒熱者，則加針灸大椎間使。

洮理：：臟會章門，故章門專主各臟之病，且其部位附近脾臟，針而灸之，能直達病灶，而散其血結，使其軟化，脾俞，促進脾臟之運化，而補血液，此適應本之良法也。

第十節　瀉痢

內經曰，春傷於風，夏生飧泄，又曰，霄氣留連，則為洞泄，又謂濕勝則濡泄，此言泄瀉之病源也，又曰，飲食不節，起居不時者，陰受之，又謂陰受之，則入五臟，入五臟則脹滿閉塞，下為飧泄，久為腸澼，此言痢之病因也，夫瀉與痢，皆腸胃病，或由外感而成，或由內傷飲食而致，古人早已言之，惟二者之症則不相同，瀉則大便時引而通利，所下之物，或為稀水，澄澈清冷，或稀溏糟粕，或完穀不化，有寒熱之分，痢者則大便時引，所出不多，裏急後重，滯而難下，緣大腸滯下，而所出之物，皆屎垢膩，或作白色，或赤

色，或赤白兼作，故有白痢赤痢赤白痢之分，且二症之路線，亦大有别焉。

寒瀉

症狀：腸鳴腹痛，大便泄瀉，所下之物，澄澈清冷，或完穀不化，小便短少，四肢厥冷，倦怠無力，脉多沉緩，舌多白膩。

病因：吾人飲食入胃，則由腸胃消化之吸收，而取其精華，而排泄其糟粕，此無病之人也，若腸胃失司其職，則泄瀉之病作矣。夫寒瀉由腸胃受寒，由寒邪自外侵襲，或多食生冷，以使腸胃虛寒，不能熟腐水穀，腸壁之吸收管，因受寒邪而緊束，吸收失常，遂使水分逆流，故瀉下稀薄，澄澈清冷，或完穀不化，水分多數由大便，故小便短少，更有五更泄瀉者，晝則大便如常，惟至五更天將明時，則洞泄數次，古人謂腎泄，良由腎司利尿之臟，腎陽衰弱，小便不利，則水停腸中而泄瀉，故曰腎泄，柯韻伯曰：夫鷄鳴至平旦，天之陰，陰中之陽也，因陽氣當至而不至，虛邪得以菌而不去，致作泻於粪形，西医名谓之肠痨，谓此症有结核菌潜居肠中，昼则气化力强，该菌不得逞势，若至更阴，则人众已静，人身之机关皆静，肠中抵菌之力乃弱，致该菌得肆其毒，而为泄泻也。

治疗：中脘、气海、天枢、神阙，復灸肾俞、命门。

治理：神阙、中脘、气海、天枢，四穴均在腹部，灸之能除肠胃之寒邪，而暖腹中，逐寒调气止泻之效。肾虚则加灸命门、肾俞，以温补肾阳，肾阳振则泄泻愈矣。

热泻

症状：暴注下迫，泄泻黄糜气秽，肛门灼热，口渴烦热，腹部疼痛，或呕恶数作，小便短赤，苔黄，脉数。

病因：实係感受寒邪，多食生冷而成。热泻多由于暑热蕴於肠胃，故常患於夏秋之时，因肠壁之神经受热邪之刺激而兴奋，蠕动亢进，遂使水分长驱直下，而为泄泻。热邪郁蒸，肠胃中之宿食，因而發酵腐敗，故所下之物，穢臭不堪，而肛門亦覺灼熱。腹部因之疼痛，水分因泄瀉而消失，故口渴，更有瀉青色者，則由於膽汁分泌過多，故泄下青色之糞水，而以小兒爲多見之。

治療：太白、太谿、曲池、三里、陰陵泉、曲澤。膽熱泄青者加膽俞、足臨泣、陽陵泉。

治理：古人以泄瀉病屬脾，蓋脾臟亦爲消化器官也，故鍼太白，以泄其熱，曲池、足三里，亦泄腸胃之熱邪，曲池、太谿，清暑熱，而瀉頻熱口渴，陰陵泉，不特能清熱，且有通利小便之功，使水分與熱邪，由小便而分利之，膽熱泄青，則鍼膽俞、足臨泣、陽陵，以泄之。

白痢

症狀：腹痛下痢，青白粘膩，欲行不暢，甚後重白，或膩，或膿泥或細。

病因：痢疾多患於夏秋之間，良由此時暑濕熱三氣蒸鬱，若感受之，蘊於腸胃，則成痢，或多食生冷油膩及腐敗之物，停留腸胃恐。

張景岳謂痢疾是暑熱貪涼，過食生冷，至未火西流，新涼得氣，則伏陰內動，而為下痢。蓋飲食失宜，阻碍腸胃之消化，因而積滯其中，或暑濕之邪，或生冷飲食之刺激，而分泌多量之粘液，或夾脂油而出，故見下青白粘膩粘，滯膠滯腸中，故欲行不暢，肛门重墜，此所謂氣滯不化也。因其粘液不得暢行，積滯不去，故腹中作痛，所謂痛則不通者是也。

治療：合谷，關元，脾俞，天樞，（因於暑濕者則鍼之，寒濕者則灸之。）

治理：合谷疏通大腸之氣滯，肛门重墜者，用之頗有效，蓋古人所謂調氣則後重自除也。關元，天樞，亦所以調腸胃之氣化，而宣積滯，灸之可除寒濕之邪，針之可泄暑熱之氣。脾俞，取其能醒脾快胃也。

赤白痢

症狀：腹痛下痢，裏急後重，赤白相雜，腥穢不堪，肛门灼熱，日數十行，口渴舌紅，苔黃膩，脈弦數或滑。

病因：下文所谓湿热或伤阳明，热胜于湿，伤阳明血分，则为赤痢；湿胜于热，伤阳明气分，则为白痢；湿热俱盛，则气血两伤，而为赤白痢。夫湿热之邪，停于肠胃，肠膜因之发炎，交需渗出粘液，甚则肠壁血管破裂，故所下赤白兼作，直肠发炎，故后重，里紧急常欲便，而肛门重坠，不得畅行，垢污不能尽量排泄，故日数十行，若肠膜溃烂，所下之物，或如败酱，或如屋漏水，如鱼脑，或猪肝者，皆不治之候也。

治疗：小肠俞、中膂俞、足三里、合谷、外关、腹哀、复溜。

治理：小肠俞、中膂二俞，为治赤白痢之要穴，盖其部位附近直肠，针之能直达病灶，而泄湿热之邪；合谷、足三里，泄阳明之热，而疏通肠胃之气；腹哀，治腹痛下痢，以其部位近肠胃也；内关、复溜，则清湿热；若下痢如鱼脑、败酱、猪肝者，则因热毒深重，故难治。

休息痢

症狀：下痢腸中微覺隱痛，每感起居飲食失調或過勞而發，乍發乍止，經年不愈，面黄食少，神倦肢瘦。

病因：此症多由痢疾調治失宜，或失于通利，或兜濇太早，以致餘邪逗留腸中，素飲食調和，起居適宜，則腸胃之抵抗力强，可以不發，若飲食失調或稍多勞動，則抵抗力衰減，餘邪得以肆虐而發生下痢，每多經年累月時愈時休息然，故名休息痢，久痢則脾胃虚弱，故食少而面黄也。

治療：神闕、天樞、關元、小腸俞、脾俞，各穴條灸

治理：久痢則脾虚，故宜脾俞，以益脾，神闕、天樞、關元、小腸俞、四穴，均取以調腸胃之氣，而促進其消化機能，以外更有百會一穴，善治久痢，蓋久痢則清陽之氣下陷，灸百會則能升下陷之清陽，蓋與以上各穴同灸，正與東垣之補中益氣法，同一意義也。

噤口痢

省立醫研所　鍼灸治療編　四天

症狀：危悶咽逆，痢下不止，心頭發熱，飲食不下，舌苔黃膩燥，脈弦數。

病因：噤口者，飲食不下也，其症有二，有初起而噤口者，有久痢而噤口者，夫飲食不進，則生化之源告匱，又復下痢，奪其津液，則此症之危也可知，其初起即噤口者，則因暑溼或熱邪，蘊阻胃中，以致消化機能失職，故飲食不下，嘔逆頻作，然此乃病毒拒胃，去其病邪，其胃納自然，飲食自進，若久痢噤口不食，則為胃氣將絕之候，勢難藥救也。

治療：初起即噤口者，依照赤白痢條針之，久痢噤口者，依照休息痢條灸之，然多不救也。

第十一節　咳嗽

咳為有聲而無痰，嗽是有痰而無聲，二者雖有別，然多合言之，夫咳嗽肺病也，其原因多端，素問云，五臟六腑皆令人咳，非獨肺也，蓋肺主一身之氣，為諸氣出入之道路，故咳嗽雖不盡屬肺，而借道於肺以出之，夫咳嗽之發生，非風寒暑濕等邪之外襲，痰飲之阻滯等等，以致肺中即積蓄，乃作咳嗽以排之，故咳嗽乃排泄肺中積蓄物之一種作用，非病態也，可知治咳嗽，當驅除其積蓄物，而咳嗽自已也，尋常之咳嗽，不外風寒，痰熱，痰飲，乾咳，四種，茲分條言之于下，更有虛勞咳嗽，則入虛損门中。

風寒咳嗽

症狀：形寒頭痛，或頭暈，鼻流青涕，咳吐痰沫，白膩而爽，或咳或嘔，或咳引脇下痛，或咳而喘逆，脈象浮滑，舌苔薄白而膩。

病因：此症由風寒自外襲入，傷及肺氣而成，古人謂肺之合皮毛，又謂肺主皮毛，蓋毛亦為呼吸器，肺時在翕張，皮毛之孔亦時在翕張，以其微而知覺也，若風寒束于肌表，毛孔寒闭，则肺气不宣，故发生咳嗽喘满等症，此为咳嗽症之最轻浅者。

治疗：列缺，风府，肺俞，合谷，天突，兼呕者加针太渊，经渠，兼喘者，加针三间，商阳，大都，兼咳引胁痛者再加针，行间，期门。

治理：本症由于风寒外束，治宜疏散表邪，故取合谷，列缺，风府，解表而驱风寒也，佐天突，以宣肺气，咳嗽无不关于肺，故肺俞，为治嗽咳之要穴，咳而呕者，系仍属肺，故取太渊。列缺，以止呕，胁痛属肝，故取行间，期门，二穴以泄之，且期门位居胁部，能直达病所，故治胁痛之功效特佳，兼喘证者，则取三间，商阳，大都泄肺气而止喘。

痰热咳嗽

症状：身热，咳逆不畅，咯痰浓厚，口干胸闷，舌红苔黄，脉象洪数。

病因：此症系风热袭肺，肺中津液，为风热之邪所烁，锻炼成痰，积蓄于肺，乃为咳嗽，痰系稠腻之痰，黏滞肺管，故咳而不爽，胸闷者，痰热阻滞也；口乾者，肺有热也。

治疗：经渠、尺泽、鱼际、解谿、陶道、丰隆。

治理：经渠，为肺之经穴，能治咳逆；尺泽为肺之合穴，能泻热；鱼际，退身热；解谿、丰隆，泄痰热；陶道，疏散风热之邪；各穴相合，则有疏表热化痰涎之功，故能治痰热咳嗽之功。

痰饮咳嗽

症状：形寒喘逆，每届清晨或初更，则作咳甚剧，咯痰白腻或稀薄白沫，胸闷，或胁痛，甚或不能平卧，或胸背之间一处作冷；舌多白腻，脉濡滑或沉濡而细。

病因：此症多由饮食生冷，或感受寒邪而发，古人所谓形寒饮冷则伤肺者是也；然必因平素脾阳不振，或老人之阳衰者，不能运化津液，以致停蓄为痰饮，每受外邪或生冷食物之引诱，则渍入肺络，而为咳嗽，清晨初更，则脏腑安静，脾胃运化之力益衰，故咳亦愈剧也。

治療：肺俞、膏肓、足三里、脾俞俱灸

治理：肺俞以膏肓，位居背部，灸則直達肺臟，去寒邪而化痰飲，灸脾俞能以振脾陽而運化也，足三里，則降氣逆，若老人久年之痰飲、咳嗽，每多下元虧損，則宜加氣海、關元，以攝納下焦之氣。

乾咳嗽

症狀：咳而無痰，声不連續，内熱口渴，甚則胸脅引痛，脈象多弦數，舌多絳無苔

病因：此症多因感受時令之燥氣，尤多患於秋令，蓋秋時燥氣盛，切感觸之直入肺臟，肺失清肅而成，或多食辛熱，嗜好烟酒，致病有鬱熱消爍肺液而成，陳修園云：肺為臟腑之華蓋，臟腑之火不得水制，上刑肺金，致肺燥乾咳，有声無痰，與寒飲作咳者不同

治療：少商、列缺、肺俞、關冲、足三里、魚際。

治理：魚際，瀉肺熱，少商、關冲，清肺熱而生津，列缺肺俞，止咳逆，足三里，降氣，諸穴同用，大有清熱潤燥降氣止咳之功，故能治乾咳嗽也。

肺痿

症狀：咳声不揚，咳痰黏於上行，行動數步，氣即喘促，銜聲連声，痰始一應，口渴，甚則半身痿廢。

病因：金匱謂肺痿之起，或從汗出，或從嘔吐，或從消渴，小便利數，或從便難，又被快藥下利，重亡津液，故得之。喻嘉言曰：肺痿其積漸，已非一日，其熱不止一端，總由胃中津液不輸於肺，肺失所養，轉枯轉燥，然後成之。于是肺火日熾，肺熱日深，肺中小管日窒，咳声以漸不揚，胸中脂膜日乾，肺痰黏於上行，觀此，則肺痿原由肺中津液枯少，以致肺葉日漸乾癟，其所以半身痿廢，手足痿軟者，亦為津液虧損，筋失所養而成也。

治療：膏肓，肺俞，足三里，少商，列缺，魚際，太淵，中府，曲池。

治理：肺痿由於肺熱傷津，故宜取少商，列缺，魚際，太淵等穴，清肺熱以生津，膏肓，肺俞，為治痰之要穴，中府能清肺熱而治喘促，足三里則降氣，曲池清熱生津，至若半身痿廢，手足痿軟，則為難治，可達照中風門半身不遂及手足不用條針治之。

肺癰

症狀：咳嗽、吐痰、腥臭、胸中隱痛、鼻息不聞香臭、自汗喘急、甚則喘鳴不休、唇反、咳吐膿血、色如敗滷、渚臭異常、正氣大敗、而不知痛、但坐不得臥、飲食難進、爪甲紫而帶彎、手掌如枯樹皮、面艳顴紅、声哑鼻煽等症、皆为不治。

病因：肺癰之成、多由感受風寒、未經發越、停留肺中、蘊蓄而熱、或素湿热痰涎垢膩、蒸淫肺竅、以致咳吐膿血、或如敗滷等者、則不可挽救也。

治療：魚際、少商、尺澤、豐隆、足三里、風門、肺俞、合谷。

治理：魚際、少商、尺澤、清泄肺熱、豐隆、足三里、降氣而化痰濁風門、肺俞、合谷、諸穴、皆泄肺氣而治喘急、初起者、針之可以收斂、灸則不能为力矣。

第十二節 痰飲

未經發越，停留肺中，一經蒸為熱，或兼寒並發，延臟、蝕經肺臟，以致咳吐膿血，或吐膿涎者，則不可挽救也。

治療：魚際、少商、尺澤、豐隆、足三里、風門、肺俞、合谷。

針理：魚際、少商、尺澤，清理肺經；豐隆、足三里，降氣而化痰涎；風門、肺俞、合谷、諸穴，皆益肺氣而治喘急。初起者，針之可以收效，久則不能為力矣。

第十二節 痰飲

痰與飲，二病也。稠膩者為之痰，稀薄者為之飲。二者皆津液所化也。人而無病，則能營養人身；有病則為痰飲，反足以為害矣。夫痰皆藏於腸胃與肺中，故每因咳吐下而出。飲者，流溢周身，無處不到。蓋痰飲雖皆屬津液所化，而其變化之原因，要有不同也。痰蓋乃胃中食物之精華，或肺中津液薰蒸而成。考吾人飲食入胃，化為乳糜，其精華則由腸胃之吸收管吸收之，循達於淋巴管，以入血管而為血。若腸胃之吸收作用減退，則津液停滯腸胃而為痰。來時為風寒之侵襲，或大熱之燻蒸，則津液停滯於肺，而為肺中之痰。此痰謂之飲，由未化。飲者為胃中水穀所化，或血中水分變成。吾人飲入之水，本由胃中吸收，運行周身，而為汗為尿。若吸收作用障礙，則水分停滯而為飲，且血中亦有水。若一部分之鼓動力、輸送力障礙，則停滯而為飲，停於內臟內膜之飲，溢於外則為肌膚之飲，飲者能流溢周身，無處不到，此飲痰之所由成也。古人論痰，則有濕痰、燥痰、風痰、熱痰、寒痰之分，飲痰則有痰飲、懸飲、溢飲、支飲、伏飲之別，痰狀不同，飲類各異，是不可不辨也。

濕痰

症狀：肢體沉重，腰痠脘悶，脈軟滑，面黃，舌淡而膩，痰多易咯，口不渴。

病因：此病多飲食不調，如多食油膩厚味，或感外界之濕邪，以致脾胃衰憊，不能運化津液，停留於胃，蘊釀成痰，致腹胀脘闷、肢倦泥重等症作矣。

治疗：：脾俞、膻中、中脘、丰隆、足三里，针灸俱参。

治理：：古人谓脾胃为生痰之源，故取脾俞、中脘二穴，促进脾胃之运化，使津液不致积蓄为痰，兼之则具化湿之功，丰隆，专化痰湿，膻中，宣通气机，诸穴合用，则有健胃运机、祛化湿痰之功。

燥痰

症状：：喉痒而咳，咳则痰少而胶厚，气短促，面㿠白，咳而不爽。

病因：：痰有厚薄之分，稠厚者为稠痰，稀薄者稀痰，大约痰之属风属湿属寒者，多稀薄，属火属燥属热者多稠腻，人之精血充足，则化力厚而成稠痰，人之精血衰弱，则化力薄而成稀痰，故暴病多稠，久病多稀，本条之燥痰，乃燥气伤肺，铄津成痰，故浓厚粘腻，胶滞肺管，故咳嗽不爽，呼吸短促也。

治疗：：依照咳嗽门痰热咳嗽条针治之。

風痰

症狀：：神機驟然蒙閉，神智昏迷，四肢抽搐，痰聲如鋸，胸膈滿悶，脈弦面青，兩目瞪視。

病因：：此症多由肥盛之人，肌肉不堅，津液不化，古人謂肥人多痰濕，或平素嗜好烟酒，以致痰濁阻滯，陰分日衰，不能涵陽，則肝風內動，挾痰濁而犯腦，致成神昏抽搐等症，故名風痰，非外感之風邪也。

取穴：：大敦，行間，中脘，膻中，列缺，關元，百會，人中。

治理：：大敦，行間潛熄肝風，中脘，泄化痰濁，列缺，膻中，宣肺氣而開痰涎之凝窒，以治胸膈滿悶，人中，百會，醒神智而止抽搐，關元，攝納下焦之氣，諸穴合用，則具潛陽熄風開竅豁痰之效。

熱痰

症狀：：燥熱口渴，神昏嗜睡，咳痰濃黏，脈洪面赤，或譫語，或神識不清，病因：此系由于热邪躁踞肺胃，津液为热邪之燔熏，因而成痿，故厚脏而色萎，烦热口渴，神昏嗜睡，神识不灵，古人则谓痿热之熏灼而失其灵动活泼也。

治疗：经渠、阳溪、丰隆、间使、委中、灵道、神门。

治理：经渠，泄肺热，丰隆，化痰浊，委中、阳溪、间使清热而治烦热口渴，灵道、神门清热而醒昏神。

寒痿

症状：咳痰稀薄，脉沉而目青黑，小便短少，手足清冷，小腹拘急，舌润青紫色。

病因：古人谓命门真阳衰微，不能蒸化津液，上泛则为痰，亦命门即肾，功主分泌水液，若失其功用，则水液停留，故少腹拘急，小便短少，肾不分泌，则肠胃之吸收机亦失吸收之功能，致水液停留，而为寒痿，即谓水泛为痰者此也，手足清冷者，阳气衰也。

治療：命門、腎俞、膻中、肺俞、足三里俱灸

治理：命門、腎俞，位居腎臟之外，灸之則直達腎臟，促進其分泌機能，此謂壯腎陽以制水也。膻中、肺俞，則溫化肺胃之寒痰，足三里，引氣下行，灸之且能運化水液，使不致停蓄為痰也。

痰飲

症狀：素盛今瘦，咳逆稀痰，腸間水聲漉漉，頭目眩暈，足下寒甚，或小便不利，肌肉浮腫，脈多弦滑，舌白或紅潤。

病因：金匱有四飲之名，曰痰飲、懸飲、溢飲、支飲，惟痰飲屬痰，雖則屬痰，而此咳之痰，必是粘液，或雜以微細痰屑之稀痰，而豈非孚臟之痰可比也。痰飲症，古人所謂素盛今瘦，夫昔肥而今瘦者，良由飲食所化之津液，不能運化，停留腹部腔隙，以成痰飲，故腸間漉漉有聲，肺中津液，因痰飲之消耗，不能榮養肌肉，以致

務日邪療甫，故昔肥而今瘦也。若小便不利，則水飲無從排泄，勢必溢於周身，致爲浮腫，或滯於肺，則爲咳逆也。

治療：：天樞、中脘、命門、膏肓、氣海、俱灸

治理：：天樞、中脘、氣海，運行腸胃之水飲，使不停留。命門，溫補腎陽，以通利小便，使停留之水由小便而排泄之。膏肓引肺中之痰飲而治咳逆也。

懸飲

症狀：：咳唾白沫，脇下引痛，脈多弦細，舌多白膩，甚或經年累月不愈，呼吸氣短，不得仰視也。

病因：：水飲能流溢人身，古人以其停留于何部而異其命名，蓋亦醫學以辨別之法也。懸飲者，多起于病後虛弱，脾氣飲水，或暴飲過多，因中宮陽氣衰微，不能蒸化分播，以致水停脅下。金匱謂水停於脅，脅下支滿，噯而痛，蓋肝臟為水氣窒礙，故咳唾引痛。水飲留於脇下，懸而不降，亦由小便而排泄。

故曰懸飲，若久延不愈，呼吸氣短，双目卸視，則為难治。

治療：大椎、陶道，俱灸；肝俞針灸；肺俞灸；期門、章門針。

治理：肝俞行肝臟停留之水飲，期門、章門，治脇下引痛，兵直達病灶，能運行脇下之水飲；大椎、陶道、肺俞，灸之則振陽氣，化水飲，而治咳唾白沫。

溢飲

症狀：肢節腫痛，筋骨煩疼，嘔逆，咳嗽，喘急，不得卧，脉浮弦。

病因：金匱云：水飲流行，歸於四肢，當汗出而不汗出，身體疼痛，謂之溢飲。此症之職，多由其人素冷受濕者，飲水過多，含濕更甚，脾因濕而失其運化之力，以致水飲停留，外不能由毛窍排泄為汗，內不能由膀胱輸送而為小便，是以浮為溢四肢，故肢節腫痛，筋骨煩疼。水飲入肺，則咳嗽喘急，停留於胃，則為嘔逆，因其為水飲流溢而發生諸病，故名溢飲。

治療：水分、關元、神闕、肝俞、中脘、足三里，俱灸。

證釋：水分專治水腫，以其能分利水道也，關元、神闕、中脘，能運行水液，而促進脾胃運化之機能，足三里，降逆氣，以治喘急嘔逆，命门，促進腎臟之分泌，使水飲從小便輸出，則無洋溢之患矣。

支飲

症狀：咳嗽嘔吐痰滿，咳逆氣短倚息不得臥，脈弦細，舌苔白潤。

病因：金匱云，咳逆倚息，短氣不得臥，其形如腫，謂之支飲。夫飲之原因，皆其人平素肺臟衰弱，有咳嗽之疾，間作間息，或感風寒，咳嗽痰涎較多，若因其徵而忽之，緣增劇，而成支飲，或由脾胃虛寒，水飲停留，或結於脾胃心下之處，故成嘔吐脹滿咳逆等症。

治療：依照溢飲將針治之。

伏飲

症狀：胸滿喘逆、咳唾、腰背痛、心下痞、振振惡寒、身瞤劇、脈

伏飲灸治。

病因：伏者，潛而藏之之意，蓋水飲伏於人身而為病也。張百穀曰：凡水飲蓄而不散，謂之留飲。留飲者，留而不去也。留飲去而不盡者，皆名伏飲。伏者，伏而不動也。飲之所以伏者，必由脾腎陽虛，不能蒸散。伏於肺胃，則為咳逆嘔吐，心下痞滿等症。伏於腰背筋骨肌肉等處，則為腰背疼痛，身瞤劇等症。此外更有癖飲、飲癖、痰飲、酒癖等名。癖者，是素有痞疾，間作間息，以成癖也。癖者，是水積腸中之意，流者是水飲流行也。酒癖者，以嗜於飲酒，每多飲病也。然其見症滋繁，已概括於條中，故不另述。

灸療：膻中、中脘、關元、腎俞、脾俞、膏肓（俱灸）

治療：膻中、中脘。去脾胃之伏邪，腎俞、脾俞，治腰背之痿痛，而振脾腎之陽，並化伏藏之水飲。膏肓，治喘咳而化痰飲。伏飲去則諸恙悉解。

第十三節 哮喘

熱哮

症狀：身熱口渴，喘咳不得卧，聲如曳鋸，兩脈滑數。

病因：哮與喘二症也，哮者喉中有痰聲，其病因偏於痰，故金匱云哮，謂咳而上氣，喉中水雞聲，喘則為呼吸之氣急促，其病因偏於氣，故治哮者，宜治痰，治喘則宜理氣也。然哮病之中，復有寒熱之別，熱哮，由於痰熱內鬱，留於肺絡，氣為痰阻，故呼吸有聲如曳鋸，喘咳並喘喉者，痰滯氣逆也，身熱口渴，痰熱盛也。

治療：天突、膻中、合谷、列缺、足三里、太冲、豐隆，俱針

治理：熱哮由於痰熱而鬱，故刺天突、膻中，以宣肺氣，而治咳逆，以取足三里、豐隆，以泄降痰熱，合谷、列缺，清泄肺熱，太冲能治諸逆上冲，諸穴合用，則有化痰泄熱，泄肺熱，降氣逆之功，故能治熱哮也。

冷哮

症状：形寒畏冷，咳嗽痰多，喉中有声，脉细弦，或细滑，舌润苔白。

病因：此病多由素有痰饮之人，留积胸中，每遇风寒而发，盖风寒外束，肺气先伤，阳气不得外泄，引动痰饮上逆，故咳嗽痰多，痰饮壅滞气道，故呼吸时，喉中有声也。

治疗：灵台，俞府，乳根，膻中，天突，丰隆。

治理：冷哮原因，内有痰饮，兼感风寒而发，治宜疏解风寒，温宣肺气而化痰饮，故灸灵台以解表寒，灸膻中以宣肺气，天突，乳根，俞府，丰隆，以化痰饮，表解饮除，则肺气宁矣。

实喘

症状：胸高气粗，呼吸促急，两肩耸起，声达户外，两脉滑实。

病因：素问曰，诸病喘满，皆属于热，又谓邪气入于六腑，则身热不时卧，上为喘呼，李士材云，喘者促促气急，喝喝息数，张口抬肩，摇身撷肚，此皆指实喘而言也，夫实喘之原因，多由于感受外邪，壅塞肺窍气道为之阻塞，故胸高气阻，肺气急于向外排泄，故呼吸短急，而两肩耸动也。其声如鼾者，乃呼吸之气粗而急，与痰鸣之气发声有别也。

治疗：肺俞，合谷，鱼际，足三里，膻中，内关，俱针。

治理：喘为有虚实之分，实者宜泻之，故取肺俞，合谷，鱼际，以泄肺气，膻中，内关，以泄胸中之邪，足三里，降气，实喘泻而至面发鼻衄，则不治，宜通灸关元气海，亦救于百中或可救。

虚喘

症状：喘时声低息短，吸不归根，若断若续，动则更甚，心悸怔忡。两脉虚细。

病因：虚喘由于肾元亏损，丹田之气不能摄纳，气浮于上面成，多患于老人，亦其为气不足，故虽喘而声低气短，与实喘不同也。古人云：呼出心与肺，吸入肾与肝，肾亏则吸不归根，故若断若续也。心悸怔忡者，乃心下惕惕然跳跃，筋惕然动，若有惊恐，而心動不寧，本由心腎衰弱，腎氣上逆而致也。

考穴：關元，腎俞，氣海，足三里，[illegible]。

治理：關元，氣海，臍輪之上穴，而補丹田之氣，足三里，引氣下行，腎俞，益腎元虧損，腎為元，丹田為根，則氣上逆之弊[illegible]

第十四節 虛勞門

陽虛

症狀：精神少氣，自汗喘乏，食減無味，腹脹矢泄，或精氣清冷，陽痿不舉，日晡腹疼，膝下清冷，小便為疼，面唇蒼白，舌白無華，脈象沉細軟弱，或大而無力。

病因：經曰，陽虛生外寒，乃心臟機能衰弱，輸血力弱，因下血管貧血，故見惡寒少氣等症，脾陽不振，則化力不強，吸收減退，故腹脹泄瀉，腎陽衰弱，則精冷陽痿，手痿腳冷，故治陽虛者，宜補脾腎二穴也。

治療：命門，腎俞，脾俞，關元，神闕（灸之很多）。

治理：灸命门、腎俞，壯腎陽也。腎陽充則膝冷、陽痿等症悉解。脾俞、益養脾脈，復佐關元、神闕，以補下焦之元陽而強心。脾陽振則化力強，心陽振則輸血力足，新要字少氣、自汗泄瀉等症亦愈矣。

陰虛

症狀：怔忡盜汗，潮熱或五心煩熱，口乾不寐，男子遺精，女子經閉或面赤唇紅，咳嗽痰血，脈象數而無力。

病因：註云：陰虛生內熱。多由熱病後，或少年色欲過度，觸及肝腎，精陰枯涸，不能涵陽，以致陽氣偏旺，而生內熱，痰於遺精不寐等症。亦由陰虛陽旺，君相之火不藏也。面赤唇紅等症，則由陰虛于下，而陽浮於上也。

治療：大椎、陶道、肺俞、膏肓、足三里、陰郄、後谿、肝俞、腎俞。

治理：大椎、陶道，瀉陽退熱；肺俞、膏肓、足三里，治咳嗽而益虛；肝俞、腎俞，益肝腎之陰，以強陽；陰郄、後谿，清虛熱而治盜汗。惟輕可針而灸之，熱重者慎勿灸也。

五勞

痨瘵：潮熱盜汗，咳嗽痰多，初起多稀薄，久則漸形膠厚，胸部或背部一處作痛，或側面而臥，此肺勞也。若面色蒼白盜汗者，為心勞，食少肌消而脹泄者，為脾勞，兩脇引胸而不能轉者，為肝勞，足軟弱不能久立而遺精者，為腎勞。

病因：精氣內奪則因虛損，由虛而漸以成勞，故勞者，精氣虛憊之極也。越人謂自上損下者，一損肺，二損心，三損胃，四損肝，五損腎；自下損上者，一損腎，二損肝，三損肺，四損心，五損脾，五臟俱損，乃成五勞。夫五勞雖屬患肺，蓋腎虛勞之關鍵，故中醫之論勞病，每屢數及之，如咳嗽吐血，久而不愈，上損及肺脾之呼吸系病，不能呼吸吐納，精內之新陳代謝因而失職，能影響脾胃之消化，及心之循環，腦之神經，腎之內分泌者，脈亦受其累，此即謂自上損下也。又有少年腎傷，損及腎脈，精液枯涸，遂生虛熱，引起肝陽，肝旺乘脾，消化失職、无寄资生，则心之输络，系由体给，神经系组织，均失营养，至末期可连累及肺，此即谓自下损上也，古人又即谓上损及中，过胃不治，盖肺病第一期，病专在肺，咳嗽痰多，重延及神经，循环谓之第二期，潮热盗汗颧红，至怀及消化机能，饮食不进，则为末期，已属不治，又谓下损及中，过脾不治，盖肾阴虚，而生内热，以致饮食不进者，亦为不治也，惟西医论病，则为谓结核菌为患，然一必因体气先弱，失却抵抗能力，故遂合于结核菌之滋长蕃育也。

治疗：四花、腰眼，肺病加肺俞、膏肓、足三里，心病加阴郄、安眠，脾病加脾俞，肝病加肝俞、章门，肾病加精宫、三阴交。

治理：四花、腰眼，专治五劳、及一切虚损，肺病则加肺俞、膏肓、足三里，以治咳嗽，而降气，心病则加阴郄、安眠，养阴退热，而敛盗汗，脾病则加胃俞、脾俞，补益脾而健运泻，肝病则加肝俞，以益肝，章门以治肠病，肾病则加肾俞、精宫、三阴交，以补益胃脉，而泄遗精，本病之初起者，适治得法，尚可挽救，若久延不愈，则非针药所可图收也。

第十五节 吐衄门

吐血

症状：吐血，或从吐出，或从呕出，倾盘盈碗，或鲜赤中兼紫黑大块，吐后不即凝结，面色皖白，脉多虚芤。

病因：吐血出于胃，方书所谓腑血是也，其原因多由胃热逼血妄行，因而上溢，或暴怒火逆伤肝，古人谓怒则气上，以致血向上逆，或肝火昌炽，鼓激胃中之血上涌，致从呕吐而出，或饮酒过多，伤胃而吐血，要皆属胃中之血，有谓肝心脾皆能吐者非也，失血过多，则现贫血之现象，故面色皖白，而脉虚芤也。

治疗：鱼际、尺泽、足三里、膈俞、中脘、内庭、呕血加肝俞、行间。

治理：吐血出于胃，故针足三里、内庭，以泄降胃气之上逆，盖气逆然后血逆也，针膈俞以宁血，鱼际尺泽能止血，中脘清胃热热而清衛氣，咯血屬肝火，故取肝俞以抑肝，行间以泄肝，然肝氣上逆而咯血者，多兼胸脅痕痛，則宜加針期门阳陵以治之。

咳血

症狀 因咳嗽而見血，或乾咳，或痰中兼血咳出，氣喘急，然所出之血，不如吐血之多也。脉多微弱。

病因 咳血出於肺，方書所謂臟血是也。其原因多由於外感風熱，鬱于肺而咳嗽，傷肺，故血從咳嗽而出；或陰虛火動上逆而致血，或肥盛酒客肇痰中有血，凡此皆肺中之血也。惟咳血久而成癆，或因癆虛而咳血者，則見肌肉消瘦，四肢倦怠，五心煩熱，咽乾顴赤，潮熱盗汗等，當依與虛癆條治療之。

治療 肺俞、百劳、足三里。膈俞、陰虚火動者加三陰交、肝俞，痰中帶血者，加豐隆、中脘、風熱鬱於肺者，加風门列缺

治理 咳血屬肺，故肺俞百癆，為治咳血之要穴，足三里降

唐立医研所　鍼灸治療學　五九

氣、降虛火動者，則加針肝俞、三陰交以養陰，酒傷痰中夾血者，則加中脘、豐隆以降氣化痰，風熱傷肺者，故加針風門、列缺以渲風熱之邪。

衄血

鼻衄、眼衄、耳衄、牙衄、皮膚出血。

症狀　鼻衄即鼻中流血，亦名紅汗；耳衄、牙衄，即耳中與牙齒出血也；眼衄，目中出血也；皮膚出血，又名肌衄。

病因　衄者，血從經絡滲出，而行於清道也。良由風熱壅盛而發，或煙酒怫鬱刺激而出。古人謂陽絡損，則血外溢，血外溢，則為衄血也。

治療　（鼻衄血）合谷、禾髎、大椎、魚際、列缺、少商、上星。

鼻衄原由風熱鬱肺，肺火上炎而成，故針合谷、大椎、上星疏散風熱，魚際、列缺清肺熱，禾髎位在鼻旁，故能治鼻衄也，少商能清肺，且為治鼻衄之特効穴。

（眼衄血）睛明、太陽、行間、曲泉。眼衄乃積熱傷肝或諸葯擾動陰血，以致血注目眥，故宜針行間、曲泉，以清经部熱，睛明太陽，以其部位近目，故能泄局部之熱，而止血也。

（耳衄）足竅陰，刺出血，俠谿、陽陵泉、行間、翳風，此症多由飲酒過度，或多怒之人，肝膽之火上激，以致血從耳出，故針竅陰、俠谿、陽陵、行間以泄肝膽之熱，翳風以泄風熱以局部之熱而止血。

（眼衄）膈俞、血海，此症不血循經脈，而從毛竅逆出，故取膈俞血海以清血熱，而止其血也。

（牙衄）合谷、内庭、手三里、足三里，牙衄乃陽盛熱上，故針合谷、内庭、手三里，以泄陽明之熱，足三里，清熱而引熱下行。

第十六節 嘔吐

实熱嘔吐

症狀：口渴發熱，食入則吐，所出之物，多數穢臭酸穢，头目暈眩。舌黄脉數。

病因：嘔者有聲而有物。吐者有物而無聲。二者雖略有不同，然皆胃病也。嘔吐屬于熱者，由胃有鬱熱，火勢上炎，胃氣不能下降而成。或怒激肝氣，肝木横逆，或肝胆風熱上炎，皆致嘔吐。經曰：諸逆衝上，皆屬于火。諸嘔吐酸，皆屬於熱是也。夫吐出之物，或苦或酸者，則因胃酸與胆汁因熱，而分泌過多，上逆者，盡也。

選穴：内庭、合谷、内關、中脘、上脘、足三里。肝胆之氣上逆者，佐陽陵泉、太冲。

治理：嘔吐，因於胃熱，故針内庭足三里，以清熱而降氣。嘔吐之病灶在胃，故針中脘上脘，以直泄胃中之熱。而止嘔吐，合谷内關，宣達腸部之氣而清熱。胆肝之火上亢者，佐針太冲、陽陵以泄之。

若兼痰症嘔吐，則單針三里豐隆穴，其效敏捷。

虛寒嘔吐

症狀：嘔吐稀涎，面青肢冷，胃脘不舒，口鼻氣冷，不渴，苔白，脈細。

病因：嘔吐之由為寒氣蘊，因而脾胃之陽不振，運化失職，或飲食冷生，以致寒濕濁邪留滯中焦，停上逆而嘔吐，濁氣留脘不舒，由腹脹滿也。

治療：中脘、內關、氣海、胃俞、三陰交、膻中宜泄、脾俞、足三里，俱灸。

治理：嘔吐皆由氣上逆，故足三里為要穴，內關、膻中宜泄胸中之氣，脾俞、胃俞振脾胃之陽，而化寒濕濁邪，三陰交能溫脾化濕，氣海理腸胃之氣，氣調則無上逆為吐之患矣。

乾嘔

[illegible]

症狀：乾嘔不止，有聲無物，與噦相似，惟不甚噦聲之惡濁而長也；但覺胸膈不舒，口渴或不渴，甚則四肢厥冷脈絕。

病因：乾嘔亦屬胃病，蓋由清濁之氣升降失常，鬱抑於胸膈之間，乃脾胃虛弱，運化失職，氣机失調而成，亦有因於胃熱者，濁熱之氣上攻，則兼發熱口渴。

治療：中脘、足三里、内關、脾俞、胃俞、章门，俱灸；胃熱者，改灸易針，加針内庭、厲兌。

治理：脾虛寒者，則單用灸法，以溫補脾胃，如脾俞、中脘、章门等穴是也；餘三里、内關，亦專降氣行氣，而具升清降濁之功；因胃熱者，則針以瀉之，猶加内庭、厲兌，以清陽明之熱。

第十七節 噎膈

雲膈

症狀：脘腹脹滿，嘔吐清水，四肢厥冷，食不得入、飲食雖可入而良久反出、面色晄白、脈遲細。

病因：膈間痞塞不通、飲食不下也。若食入反出、謂之反胃。乃胃膈間發病、故通名爲膈也。然膈間於中者、陽氣衰微、寒邪凝聚、脾氣不能轉、胃氣不能降、故飲食不下。反胃亦因脾胃虛寒、不運行水穀、不能熟腐五穀、變化精微、致食雖可入、良久復出也。王太僕曰：食入反出、是無火也。古人謂朝食暮吐、暮食朝吐、是謂寒氣也。

治療：膻中、鳩尾、膈俞、灸中脘、足三里、公孫、脾俞、胃俞、腎俞。

治理：膻中調氣、膈俞寬膈、中脘調胃之氣、足三里、公孫、降氣進中、脾俞、胃俞、腎俞壯陽而袪寒邪。

熱膈

證狀：胃脘熱痛、口苦舌燥、煩躁不安、嘈雜吞酸、吐食入即吐、或食後有痛、脈洪大而有力。

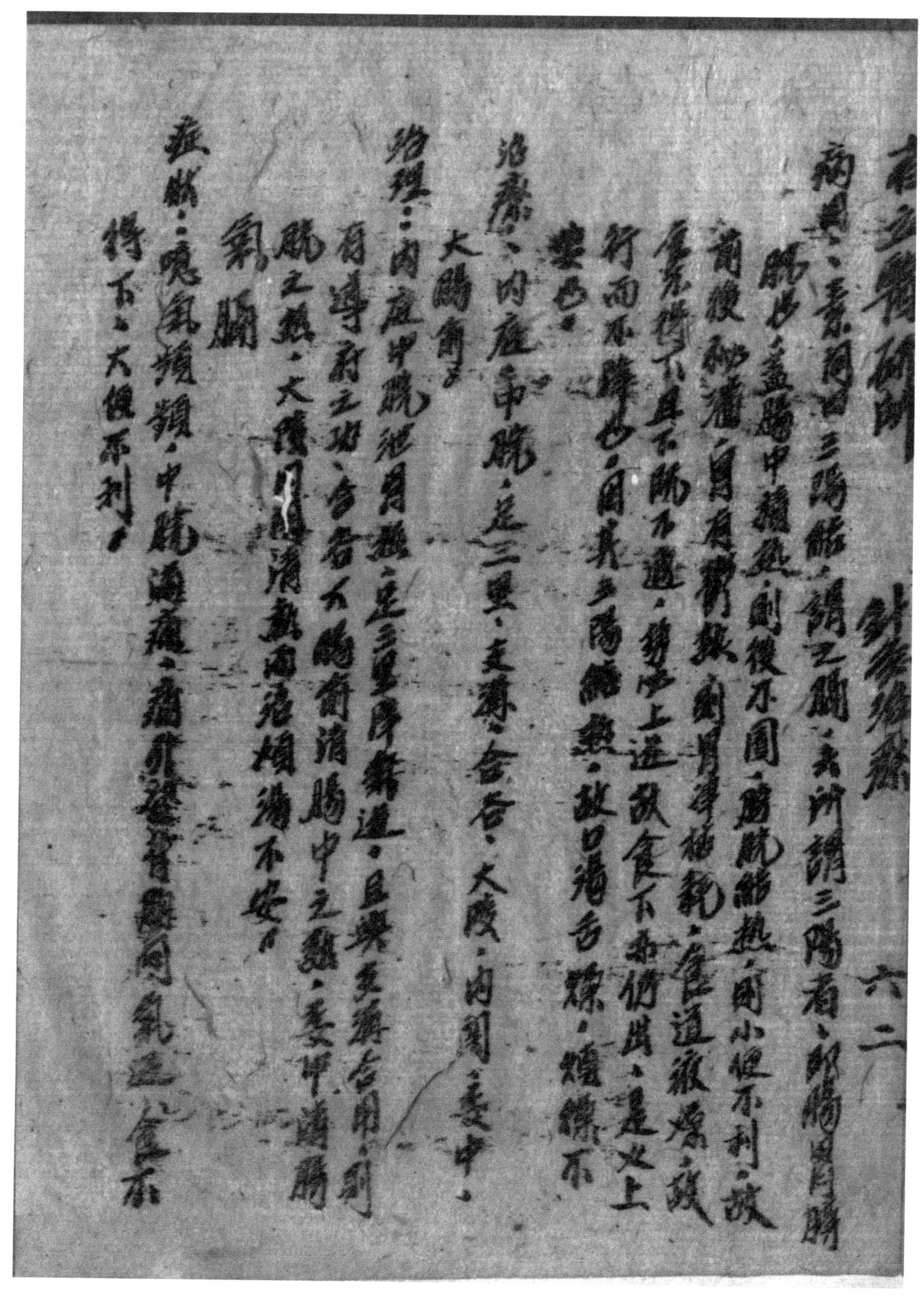

古今醫學研究　針灸療法　六二

病因：素問曰：三陽結，謂之膈。夫所謂三陽者，即腸與膀胱是也。蓋腸中積熱，則便不圓；膀胱結熱，則小便不利。故前後秘濇，而自覺煩躁，則胃津枯乾，食道窄燥，致食物梗下，且下脘不通，勢必上逆，飲食下而復出，是以上行而不降也。因其三陽結熱，故口渴舌燥，煩躁不安也。

治療：內庭、中脘、足三里、支溝、合谷、大陵、內關、膻中、大腸俞。

治理：內庭、中脘泄胃熱，足三里降氣逆，且與支溝合用，則有導積之功，合谷、大腸俞清腸中之熱，膻中通膈脘之熱，大陵、內關清熱而寬煩滿不安。

氣膈

症狀：噯氣頻頻，中脘滿痛，痛引背脊，脇肋氣逆，食不得下，大便不利。

病原：黄帝曰：膈塞閉絶，上下不通，則暴憂之病也。此言膈
之病由於憂鬱不舒為患也。內經曰：憂則氣結，結則心
鬱，憂愁不解，則氣鬱於中，運化不行，胃氣上
逆，故食不得下而成氣膈。

病因治療：中脘、膻中、氣海、列缺、內關、胃俞、三焦俞、足三
里　俱鍼灸期門，鍼

治理：氣膈以調氣為主，故取膻中、氣海，理氣之鬱結也；
三里降氣之上逆也；列缺、內關，宣胸膈之氣；期門泄
肝氣，鬱結不舒，則胃氣不能舒布，故取胃俞、
三焦俞以運行胃氣，氣調鬱解，膈症自除。惟此
症為情志病，前病者能達觀，則易於收效也。

痰膈

症狀：咽喉氣閉，喉間痰聲，胸膈脹，不舒，飲食不能下
咽，舌多膩苔，而脈滑實。

病因：此症多因憂思惡怒，肺胃受傷，血液漸耗，鬱

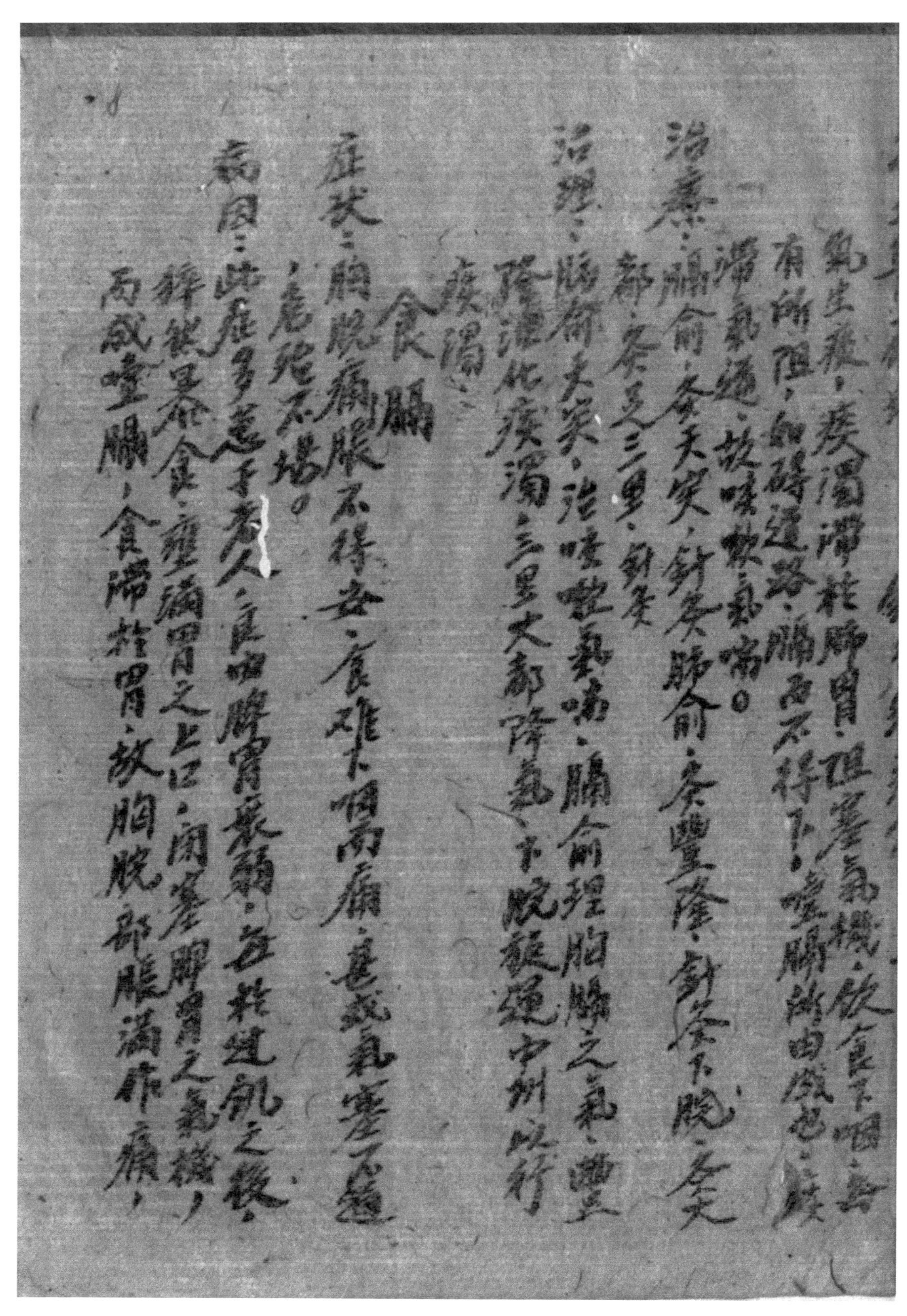

氣生痰，痰濁滯於肺胃，阻塞氣機，飲食下咽，無有所阻，細碍道路，膈而不得下。噎膈所由發也。故一滯氣逆，故噎噯氣喘。

治療：膈俞，灸天突，針灸脾俞，灸豐隆，針灸下脘，灸天部，灸足三里，針灸

治理：膈俞、天突，治噎噯氣喘，膈俞理胸膈之氣，豐隆滌化痰濁，三里、大部降氣，下脘疏通中州以行痰濁。

食膈

症狀：胸脘痛脹不得安，食難下咽而痛，甚或氣塞不通，危殆不堪。

病因：此症多見于老人，食由脾胃最弱。再于精神過亂之後，辞鬱畏食，痰滿胃之上口，閉塞脾胃之氣機，而成噎膈，食滯於胃，故胸脘部脹滿作痛，

諸藥擾動陰血，以致血從目出。故宜針行間、曲泉，以清肝經熱，睛明、太陽，以去眼部附近目絡脈局部之熱，而止血也。

(耳衄)足厥陰。則出血。俠谿、陽陵泉、行間、翳風。此症多由飲酒過多，或多怒之人，肝膽之火上激，以致血從耳出。故針厥陰、俠谿、陽陵、行間以瀉肝膽之熱。翳風以泄風熱局部之熱而止血。

(肌衄)膈俞、血海。此症系血瘀滯膈，而從毛竅溢出。故取膈俞、血海以清血熱，而止其血也。

(牙衄)合谷、內庭、手三里、足三里。牙衄乃陽蘊熱上炎，故針合谷、內庭、手三里，以瀉陽明之熱。足三里，清熱而引熱下行。

第十六節 嘔吐

實熱嘔吐

症狀：口渴發熱，食入則吐，所出之物，多臭穢，或酸，头

[illegible]

目暈眩。舌黄脉數。

病因：：嘔者有聲而有物，吐者有物而無聲。二者雖略有不同，然皆胃病也。嘔吐屬于熱者，由胃有鬱熱，火勢上炎，胃氣不能下降而成，或怒激肝氣，肝木横逆，或肝胆風熱上炎，皆致嘔吐。經曰：諸逆衝上，皆屬于火，諸嘔吐酸，皆屬於熱是也。夫吐出之物，或苦或酸者，則因胃酸與胆汁因熱，而分泌過多 上逆者，溢也。

治療：：内庭、合谷、内關、中脘、上脘、足三里、肝胆之氣上逆者，加陽陵泉、太冲。

治理：：實熱嘔吐，因於胃熱，故針内庭足三里，以清熱而降氣。嘔吐之病灶在胃，故針中脘上脘，以直泄胃中之熱，而止嘔吐。合谷内關，皆疏胸部之氣而清熱。胆肝之火上亢者，則加針太冲、陽陵以泄之。

腹露青筋，面色灰暗，则病在奇经损伤之症。若口渴烦热，则为肝热，其热盛，肾阴之竭于上腾也。凡此皆为水臌重危之候，难期痊愈之症，而转求手术。

疗法：肾俞灸，膀胱俞灸，三阴交针，阴陵泉针，水分灸，人中、期门灸。

说明：肾俞、膀胱俞，以当膀胱之气化，而促进肾脏之功能。阴陵泉通利小便，脾俞振脾阳以行水，水分为治臌之特效穴，以其能分利水分也。三阴交，健化脾脏之湿。人中可开窍针泄水。

气臌

症状：腹大而四肢瘦削，皮色不变，按之窅而即起，喘促烦闷，或肠鸣气走，漉漉有声，二便不利，脉弦郁。

病因：气臌要在脉，原为二症，以手按之，或凹而不随手

[illegible]所致，

针灸[illegible]

起者，水臌也，按之成凹而隨手起者，氣臌也。氣臌之原因，多由七情鬱結，氣化凝聚，留滯中焦，腹部為之脹滿，因情太過，傷及脾胃，脾胃失運化之能，血液無產生，肌肉失所營養，故四肢漸形瘦削也。

治療：膻中，氣海，關元，脾俞，胃俞，中脘，足三里，各灸數壯。

治理：氣臌為氣虛氣積，治以理氣為主，故取膻中、氣海、關元，調而消鬱結，脾胃俞、中脘、足三里，則助脾胃之運化，氣調則脹滿自除，脾胃強，則化力足，新陳恙均解矣。

實脹

症狀：腹脹堅硬，大便秘結，小便黄赤，行動氣滯，呼吸短促，或見面赤氣粗，脈沉實有力。

病因：由於多食生冷之物，脹延經日之間，飲食停滯濕之邪，多食生冷之物，以致脾陽不振，失其旋運，濕濁阻滯，因而脹滿。

治療：依照氣臌各穴針灸之，以調其氣，大便秘結者，加針支溝、內庭，並瀉足三里，以化結滯而導大腑。

虛脹

症狀：容形枯槁，脹起於經年累月，腹部脹滿，朝寬暮急，大溏便薄，或小便清白，脈細少氣，面淡舌白。

病因：虛脹多起於久瀉，或飲食起居，不善攝養，或病後飲食不慎，中氣受傷，脾胃虛弱，不能運化，濁氣滯塞於中，以致脹滿，若痢疾臌脹，久病羸之，臍突凸起，喘急不安者，此為脾腎俱敗，則难调治，若咳嗽失音，青筋橫絆腹上，及爪甲青，或頭面蒼黑嘔吐，頭重，上喘下瀉者，皆不治之症也。

治療：關元、中脘、下脘、神闕、脾俞、胃俞、大腸俞，各灸三五壯，治理：壅脹由於中氣壅積，脾胃衰弱，故灸関元、神闕、中下脘各穴，以益中氣，大腸俞以鼓舞腸中氣化，以治大便溏薄，脾俞胃俞則調補脾胃，扶助正氣，脾胃健，則運化復常，而脹消矣。

第十九節　癥瘕門

癥

症狀：面黄肌瘦，飲食減少，神疲體倦，胸脘腹間，有塊凝痛，按之有形，牢固不動，音究漸躍。

病因：積聚之有形可徵者，曰癥。古人謂者真也，然有食癥，痰癥，血癥之分。食癥者，因食積而成癥也，多由多食生冷粘膩之物，脾胃虛弱，不能消化，停滯脘間，與氣血相搏，積聚成塊，日漸長大，堅固不移，痰癥由於痰濁鬱滯，多積於脇下，血癥乃血積而成也，多由脈絡虛弱，寒熱失節，或風寒內侵，或內挫跌撲，氣血停滯，凝痹經絡，而成血癥。

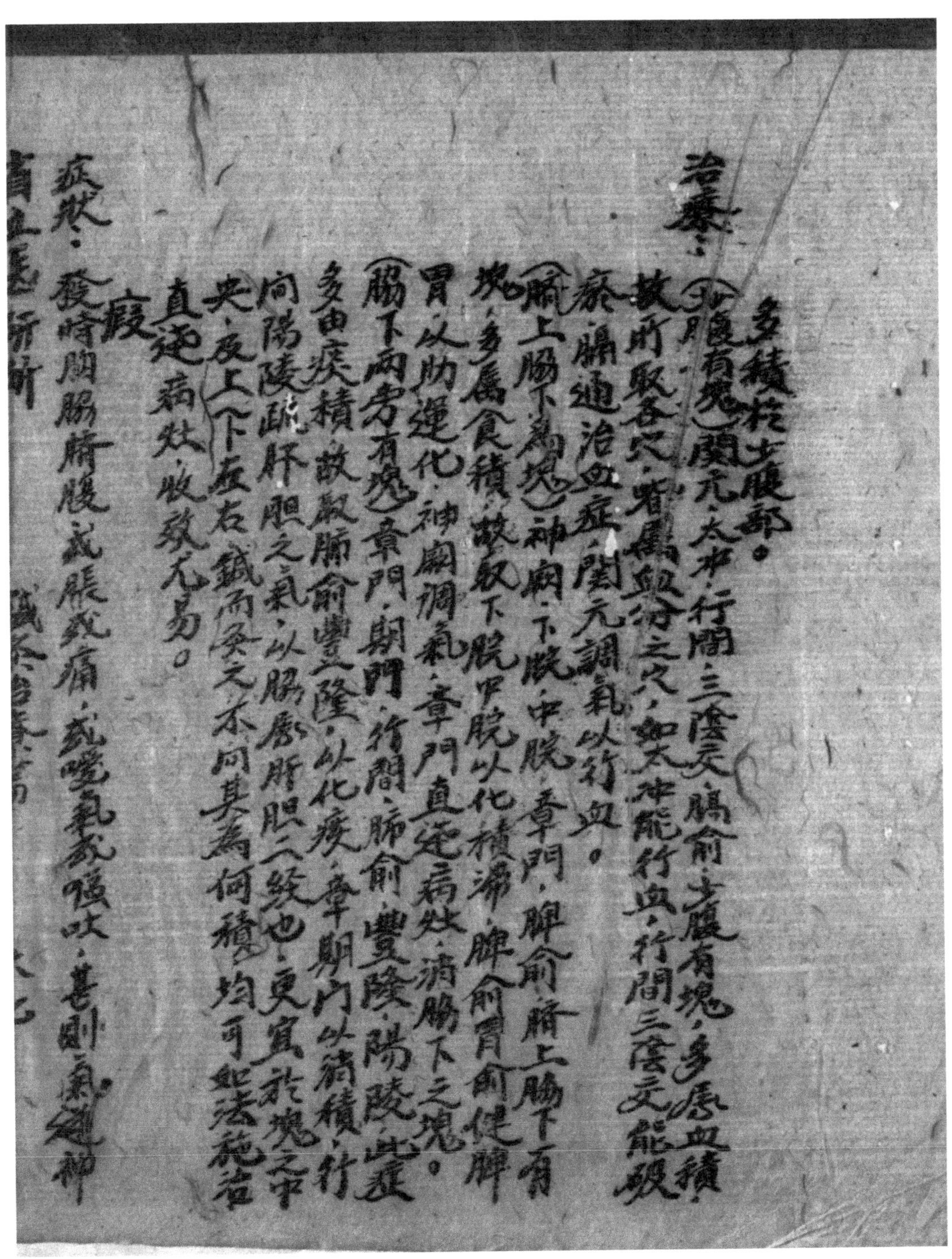

治療：

多積於少腹部。

（少腹有塊）關元、太冲、行間、三陰交、膈俞。少腹有塊，多屬血積，故所取各穴，皆屬血分之穴，如太冲能行血，行間三陰交能破瘀，膈俞通治血症，關元調氣以行血。

（臍上脇下為塊）神闕、下脘、中脘、章門、脾俞、臍上脇下有塊，多屬（食積）故取下脘中脘以化積滯，脾俞胃俞健脾胃，以助運化，神闕調氣，章門直達病灶，消脇下之塊。

（脇下兩旁有塊）章門、期門、行間、肺俞、豐隆、陽陵、此症多由痰積，故取肺俞豐隆，以化痰，章期門以消積，行間陽陵疏肝膽之氣，以脇屬肝膽二經也。更宜於塊之中央、及上下左右，鍼而灸之，不問其為何積，均可如法施治直達病灶，收效尤易。

瘕

症狀：發時胸脇臍腹，或脹或痛，或噯氣或嘔吐，甚則氣逆神

[illegible]

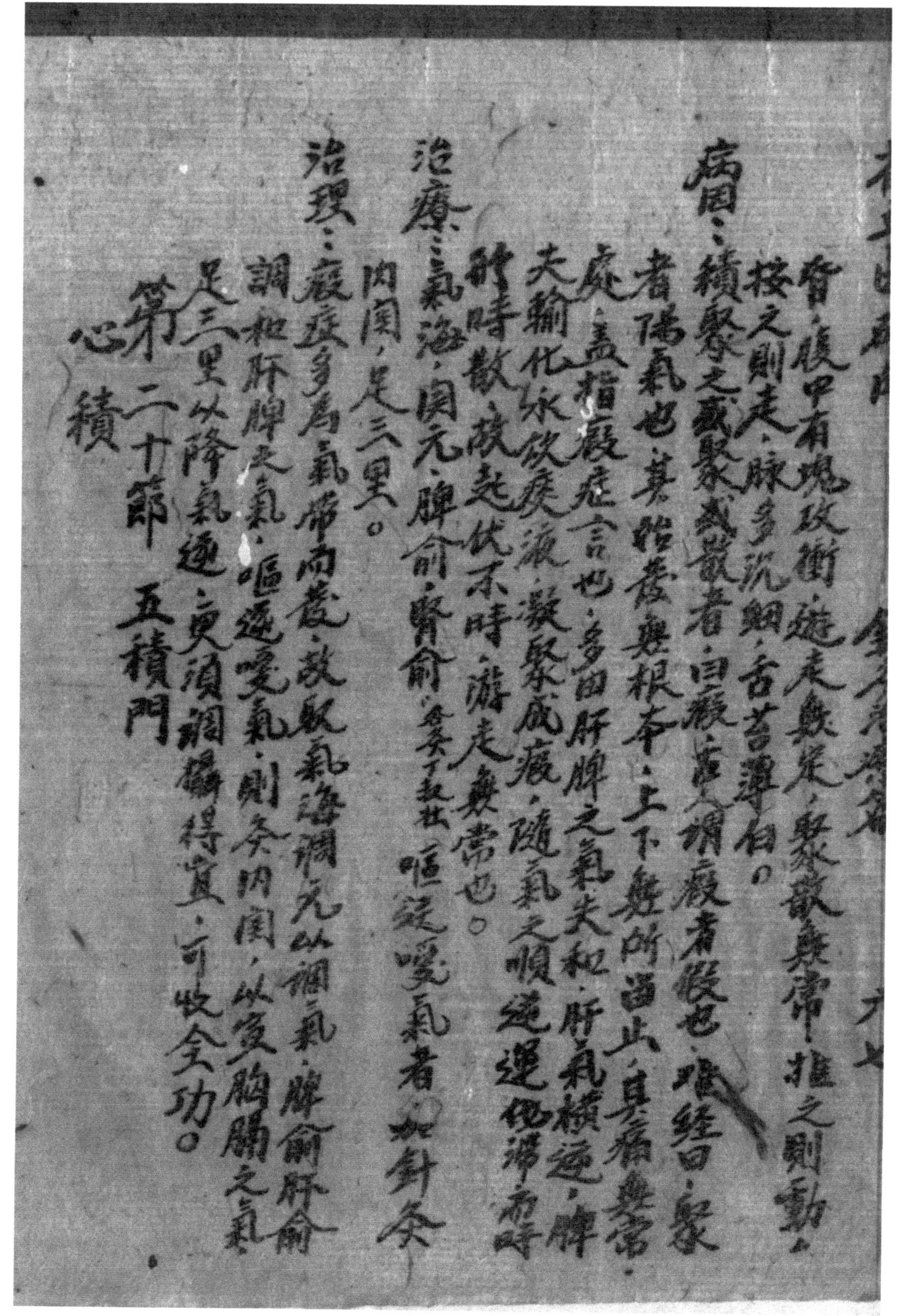

脅腹中有塊攻衝，遊走無定，聚散無常，推之則動，按之則走，脉多沉細，舌苔薄白。

病因：積聚之癥，聚散者，曰瘕，瘕者假也，難經曰：聚者陽氣也，其始發無根本，上下無所留止，其痛無常，瘕，蓋指瘕症言也，多由肝脾之氣失和，肝氣橫逆，脾失輸化，水飲痰涎，凝聚成瘕，隨氣之順逆遲滯而時聚時散，故起伏不時，游走無常也。

治療：氣海，關元，脾俞，腎俞，（各灸十五壯）嘔逆噯氣者，加針灸內關，足三里。

治理：瘕症多為氣滯而發，故取氣海調元以調氣，脾俞肝俞調和肝脾之氣，嘔逆噯氣，則灸內關，以宣胸膈之氣，足三里以降氣逆，更須調攝得宜，可收全功。

第二十節　五積門

心積

症狀：此症起於臍畔臍上，大如手臂，形如屋樑，由臍至心下，袁繫於中，伏而不動，久則令人心煩心痛，夜眠不安，身體腫，腰背腫，不可轉動，困苦異常，脈沉細或亂，舌絳。

病因：難經曰：心之積，名曰伏樑，起臍上，大如臂，上至心下，有若屋樑，故名伏樑。此症多由心經氣血不舒，凝聚而成也。

治療：上脘針灸　大陵針　心俞針灸　脾俞針灸　行間　三陰交。

治理：上脘直刺病灶，散血氣之凝，心俞、脾俞、大陵、血海瀉，而泄心經之積氣，足三里調氣行血，行間、三陰交，行血而破血結，首能心曠神怡，可冀漸以向愈。

肝積

症狀：左脇下有塊，狀如覆杯，有足似龜，久則寒熱瘧或咳嗆嘔逆，脇下脹痛，脈弦而細。

病因：難經曰：肝之積，名曰肥氣，在左脇下，形如覆杯，有頭足，久不癒，令人咳逆，痞疾，此症多因肝脹逆氣與痞積合而成。

治療：章門，灸中脘，針灸期門，針膈俞，針灸脊椎，咳逆，加針灸大椎、足三里。

治理：章門、期門，化腸下之塊，肝俞調肝氣，膈俞、行間舒血，破痞而化積，中脘為諸穴之佐使，位逆病灶，能理氣而消積，痞塊者，則針灸大椎以除之，咳逆者，則取三里以降氣。

脾積

症狀：胃脘脹痛，如覆大盤，面黃肌瘦，飲食不為肌膚，胸悶嘔噫，脈多沉細。

病因：脾積者，脾之積氣也，難經曰：脾之積，名曰痞氣，在胃脘，如覆大盤，久不癒，令人四肢不收，此症因於脾胃衰弱，不氣機運行，否則痰飲、積聚不化，而成積，脾胃衰弱，不能運化津液，故面黃而肌瘦也。

治療：痞根穴、脾俞、中脘、內庭、足三里、隱白、行間，痞之大塊之上下左右針而灸之。

治理：瘕根為經外奇穴，專治瘕積，凡屬積聚用之皆效。脾俞、中脘、章門，胃之募穴，而助運化。內庭、隱白，足三里、針臍四旁之積氣，針肉破積聚，後于塊之上下左右，針灸之，其效尤著。

肺積

症狀：微寒微熱，咳嗆氣促，呼吸不便，嘔逆頻作，右脇下覆大如杯，胸痛引背，脈弦細。

病因：難經曰：肺之積名曰息賁。蓋因肺氣積于脇下，喘息上賁也，以其多因肺氣不利，痰濁不化，積聚脇下而成。

治療：巨闕、期門、肺俞、經渠、章門、豐隆、內關、足三里，針而灸之。

治理：息賁治法，宜降氣開痰、散結，故取期門、章門、巨闕，宜理肺氣，以散結，內關、經渠，宣肺而開痰濁之積聚，豐隆、足三里，降氣而化痰濁。

針灸醫術　[illegible]

腎積

症狀：先於臍左角，起一小塊而微痛，塊漸大，痛漸劇，時上時下，痛則腹部悸動不時，甚則痛攻心下，坐臥不寧，因苦萬狀，繼則漸漸不衝，塊漸小，痛亦漸止，發作無定，起伏不時。

病因：賁豚積即奔豚，因其發作時，有物如豚之奔走，故名。金匱曰：奔豚病，從少腹起，上衝咽喉，發作欲死，復還止，皆從驚恐得之。經曰：恐則傷腎，蓋大驚猝恐，腎藏之氣乖常，厥逆臍氣結而上逆，故自少腹上衝於心胸，甚則欲死。古人謂水氣上逆，凌心也。然亦有由腎氣虛而客邪積聚，或房勞不節，復感寒涼而成斯疾者矣。

治療：中極，章門，腎俞，湧泉，三陰交，關元，俱用灸法。

治理：奔豚由於腎氣虛寒，水氣上逆，故灸腎俞，湧泉以益腎陽，而排除水氣，關元中極，行氣而通調水道，章門、三陰交，補腎脾之虛弱，總收氣海，驅內寒穴，功可驅散也。

第廿一節 三消

上消

症象：心胸煩熱，咽如火燒，大渴飲引，飲食解渴，小便清利，食量減少，大便如常，舌上赤裂，脈多細數。

病因：內經曰心移熱於肺，傳為鬲消，鬲消即上消也，多因嗜慾過度或過食辛熱之物或感受燥熱之邪，以致心肺鬱熱，故飲水而易消也。

治療：內關，神門，魚際，尺澤，肺俞，人中，然谷，太谿，金津，玉液。俱針

治理：上消由於心肺鬱熱，故針內關、神門以清心熱，魚際、尺澤以清肺熱，然谷、太谿清熱養陰，金津玉液清心熱而生津液，針人中以調陽脈，且此穴亦能治消渴，多飲水也。

中消

症狀：口渴引飲，多食善飢，不為肌膚，肌肉瘦削，大便秘結，小便頻數，自汗，口臭，甚或面赤唇焦，脈象滑疾，舌紅苔黃。

病因：經云二陽結謂之消，又曰大腸移熱於胃，善食而瘦，謂之食

倦，又曰：邪在脾胃，陽氣有餘，陰氣不足，則熱中善飢。其症乃脾胃鬱熱，津液耗燥，故消穀多食，而不能生津液，以滋養肌肉，以致漸形瘦削也。

治療：中脘、胃俞、脾俞、內庭、曲池、三里、支溝、陽陵、金津玉液，俱針。

治理：中脘、胃俞、內庭，瀉胃熱也；曲池清大腸之熱，脾俞、陰陵清脾熱，金津玉液，清熱而津液；三里、支溝，清熱而通大便。

丁　下消

症狀：初起便溺不爽，溺如膏脂，煩渴引飲，漸至腿膝枯細，面色黧黑（瘦），耳輪焦黑，小便多而渾濁，或上浮如脂，或形羸瘦，脈數，舌絳。

病因：下消又名腎消，多因色慾過度，肝腎陰虧，虧則火旺，而津液為消爍，故煩渴引飲，而小便渾濁也。

治療：湧泉、然谷、腎俞、肝俞、肺俞、曲泉、中膂俞，俱針。

治理：下消由於肝腎陰虧，虛火上炎，故針肺俞以清上焦之虛火。

腎俞肝俞，以益肝腎之陰而制陽光，湧泉然谷曲泉以清虛熱，而養津液，中脊俞消熱而養腎陰，此皆治腎陰虛而成消渴者，然亦有命門火衰，火不歸元者，則宜灸腎俞，中膂俞，中極，命門，関元，氣海，以補下焦之陽，而納上浮之火。

第二節 黃疸門

陽黃

症狀：一身盡黃，色如橘子柑皮，身熱煩渴，或消谷善飢，小便赤濇，大便秘結，脈滑數，舌黃苔。

病因：黃疸有陽黃、陰黃之分，陽黃屬熱，陰黃屬寒，陽黃多由脾胃濕熱鬱蒸而成，喻嘉言謂夏月天氣之熱與地氣之濕交蒸，人受二氣，內結不散，發為黃疸，惟近今之說者，則為膽熱，膽口炎腫，汁不下於小腸，溢於血管，而發黃色也。

治療：中脘，足三里，委中，至陽，胆俞，陽陵泉，公孫，三陰交，俱針。

治理：中脘足三里清胃熱而導府，委中清熱而利濕，胆俞陽陵泉泄胆中……之熱，公孫三陰交，清脾熱，至陽化濕熱而退身熱。

陰黃

症狀：身目皆黃，黃色晦黯，有若薰烟，形寒胸痞，腹滿踡臥，四肢痠重，或自汗自利，小便赤少，渴不欲飲，甚則嘔吐，舌淡而白，脈濡而細，大便白色。

病因：陽黃色明，屬濕熱，陰黃色晦，屬寒濕，亦有因陽黃服寒涼藥劑過多，而成陰黃者，陰黃之成，多由過食寒冷之物，或感受寒濕之邪，蘊積脾胃，越於皮膚而成。

治療：脾俞，氣海，足三里，至陽，中脘，陽綱，俱用灸法。

治理：陰黃屬寒濕，阻於脾胃，均灸脾俞中脘以化脾胃之濕邪，氣海除腹中之寒，濕而治腹滿，至陽陽綱化寒濕，足三里行濕而治嘔吐。

酒疸食疸

症狀：身目均黃，心中懊憹，胃呆欲吐，腹脹溲黃，面發赤色，小便短少，足下熱，舌苔黃膩，脈弦實是，此酒疸也，若寒熱不食，或食畢即頭胃脘腹滿悶，二便秘結，舌膩而脉滑實者，此食疸也。

病因：酒疸者，疸病之因於酒傷得之者也，如飢時飲酒，或酒後當風而臥，入水浸浴，以致酒濕之熱，鬱而不宣，蒸蓋為黃，食疸又名谷疸，為食傷所致之疸也，是由胃熱大飢，過食停滯，致傷脾胃而成者，所謂酒疸食疸者，均屬陽黃範疇，不過因其病因不同而易其名稱耳，胡康白先生謂，凡人飲食不良，不論因酒因食，妨礙膽汁之排泄者，均成黃疸也。

治療：酒疸依照陽黃條針之，（食疸）中脘、足三里、胃俞、內庭、至陽。

治理：酒疸雖由酒傷，亦屬濕熱為病，故與陽黃同治，食疸由於食積，故取中脘、足三里以運化食滯，胃俞、內庭以瀉胃實而清熱，至陽消熱而退黃，他如陽綱、腕骨等穴，俱可採用，更宜與陽黃條互相參看。

女勞疸（黑疸）

症狀：額黑，皮膚黃，微微汗出，手足心熱，每薄暮發熱，然後以少腹

省立醫研所　鍼灸治療學　六二

拘急，小便自利，大便黑，為女勞疸之的症。

病因：：女勞無度，或醉飽入房，或小腹蓄血，或脾中濕濁不運，古人謂為脾腎之色外現，則身黃而額黑，黑疸，多由酒疸女勞疸，久延或誤下以致脾腎虛弱而成，初起則面部微黑，甚則周身漸黑，大便亦黑，若腹脹如水狀，或心中如啖蒜狀，皮膚不仁者，則為危候。

治療：：公孫，然谷，中極，脾俞，腎俞，至陽，陽綱，俱用灸法。

血瘀者，加關元、膈俞。

治理：：女勞疸與黑疸，均由脾腎虛弱，故灸脾俞腎俞以益脾腎，佐公孫然谷以宣脾腎之氣化，至陽陽綱專退身黃，為治疸症之要穴，若小腹有瘀血者，則加針灸關元膈俞以行瘀。

第二三節 汗病門

自汗

症狀：：不因勞動，不因發散，濈然汗自出，或每至天明時汗自出，惡寒身冷，脈象虛微，舌質淡紅。

病因：自汗為陽虛，陽者衛外而固表者也，陽氣內虛，陰中無陽，益陽虛益而表不固，腠理疏，則汗隨氣泄，經謂陰勝則身寒汗出，即其人陽虛也，若過服解劑，汗出不止，則為亡陽危候。

治療：合谷，針後補，灸大椎，灸。

治理：瀉合谷補復溜以止汗，大椎以固表而振陽，並可參閱下條盜汗各穴，若自汗發脫，並宜灸神闕，不論壯數，但以汗止為度，蓋汗出過多，則心脈衰弱，神闕為強心之穴也。

盜汗

症狀：睡中汗出，醒後即收，氣虛神倦，脈虛細，舌質紅而光，[illegible]

平人脈虛弱細微者，是盜汗也。

病因：盜汗屬陰虛，陰者藏營而斂藏者也，陰分虛弱，則生內熱，而迫液外泄，若兼咳嗽顴紅，潮熱等症，則已入損門，為難治，若汗出如珠不流者，此為絕汗，死不可治。

治療：間使，復溜，陰郄，肺俞，大椎，百勞。

治理：盜汗為陰虛內熱，故針間使後谿陰郄，以養陰退熱。肺俞膏肓，退熱而益陰。若婦人產後脫血過多，致陽無依，大汗不止者，則宜本條各穴，改針為灸，并加灸氣海、關元等穴，以固其元。

黃汗

症狀：身重而発，狀如周痺，胸中窒塞不能食，煩燥不眠，汗自出而口渴，汗出沾衣，色正黃如柏汁，脈象多沉。

病因：黃汗為疸症之一，身黃而汗出，黏表作黃色也。乃脾家濕熱蘊蒸，由毛孔泄出，多由汗出時水浸浴，水入毛孔，鬱蒸而為黃汗，仲景所謂黃汗得之汗出入水中浴，水從汗孔中入得之是也。

治療：脾俞、陰陵、三里、中脘、公孫、至陽。

治理：黃汗為脾家濕熱，故取脾俞公孫以清脾熱，三里中脘至陽以清熱化濕，陰陵滲利濕邪。此外如三焦俞、人中等穴，均可佐使。蓋宜酌量針黃疸門陽黃各條各穴。

第二四節 寤寐門

不眠症

症狀： 精神恍惚，怔忡健忘，轉輾不寐，四肢懈怠，甚則心煩焦急，頭旋眼花，元氣不支。

病因： 此症多由思慮過度，傷及心陰，神不守舍，或病後血虛火旺，心神不安，乃由煩而不寐，怔忡健忘等症。然亦有胃中有積有熱，致痰濁阻滯，則心煩不寐，內經所謂：胃不和則臥不安是也。他如郁怒晝旺，怒火上衝，雜念交感，致成心理之失眠者，則惟靜養，可以奏功，針藥所難及也。

治療： 三陰交，神門，間使，心俞，內關。胃有積熱者，則針中脘，三里，內庭，天樞。痰濁阻滯，豐隆，中脘，足三里，肺俞。

治理： 失眠之由於心陰不足，神不守舍，與血虛火旺者，則針三陰交，間使，內關，以滋陰養液，心俞，神門，以安神寧志，而養心陰，至因積因熱因痰者，則理當積清熱化痰；積滯去熱邪退痰濁除，則神志安靜，自得酣卧矣。

多寐症

症狀：：四肢倦怠無力，胃呆食減，呵欠頻頻，精神委頓，反復昏睡，脈則虛緩。

病因：：此症多由大勞大病之後，脾陽虛憊，精神不振，以致怠倦多寐，或濕邪內戀，蒙蔽清陽，神志不清，昏迷好睡，則必兼舌膩口糊等症。

治療：：脾陽虛憊者，大椎、至陽、肝俞。

濕邪內戀者，中脘、足三里、脾俞、胃俞。

治理：：大椎、至陽，振陽氣；脾俞、益脾；艾灸三穴，則能奮精神，而治陽虛多寐；濕濁者，則取中脘，三里、脾俞、胃俞，以鞏健中樞，而化濕邪。

第二五節　疝氣門

衝疝

病狀：氣從少腹上衝心，疼痛異常，甚則發汗淋漓，飲食不進，二便秘塞不通，古人所謂不得前後爲衝疝也。

病因：疝症均屬於肝與衝任爲病，良由衝任循腹裏，肝脈過腹裏而環陰器，故疝氣惟有衝疝、厥疝、瘕疝、狐疝、㿗疝、癃疝、㿉疝，書之區別，終不外乎此三經也，衝疝之原因，是由寒濕之邪，久羈于內，化而爲熱，客寒觸之，以致少腹疼痛，牽引睪丸，甚則氣上逆，而衝心作痛，歲久不愈，漸變衝心疝氣，則難調治矣。

治療：關元，太沖，獨陰，臍上三角灸法，（三角灸量口角三倍摺之成三角。）

治理：衝疝乃衝任與肝三經之氣滯而成，故用臍上三角灸法，以宣通氣結，關元太沖，疏肝任二經之氣，獨陰爲經外奇穴，專治疝氣。

㿗疝

症狀：少腹控卵，腫急絞痛，甚則陰囊腫大，如升如栲栳，或頹癩不仁。

病因：此症因太陽寒濕之邪，下結膀胱，因而陰囊腫痛，經曰：三陽為病，發寒熱，傳為癩疝，三陽即小腸膀胱胆，小腸膀胱居下体，而肝與胆為表裏，故皆能致疝也。

治療：曲泉、中封、太冲、太冲、大敦、氣海、中極。

治理：肝脈循陰器，故疝痛皆宜取肝經之穴，曲泉中封，泄肝氣也，太冲大敦，疏肝之氣也，且二穴治疝氣，每有特效，可謂治一切疝氣之主要穴，復針灸氣海中極，以調氣氣，而化寒濕之邪。

厥疝

症狀：脉大而虛，少腹痠痛，上下左右，攻衝無定，甚則四肢厥逆。

病因：肝經素有鬱熱，寒邪外襲，肝氣乃不條達，因而厥逆，遂成此疝。

治療：太冲、大敦、[illegible]陰、石门、氣海。

治理：太冲大敦疏泄肝之氣，石门氣海，舒氣而治少腹痠痛也。

狐疝

症狀：睾丸偏有大小，卧則入腹，立則出腹，時上時下，脹緊攻痛，久則正氣日衰，疝氣日盛，以致不能還原，甚則脹墜欲絕也。

病因：經曰：肝脈生病爲狐疝。多由寒濕之邪，襲入厥陰，流結下焦，邪挾肝風而上下也。

治療：依經 疝穴灸之。在於臍下六寸兩旁一寸。灸三壯。

瘕疝

症狀：腹有瘕疝，左右有塊，痛而且熱，時下白濁，女子不月，男子囊腫。

病因：此症多由於脾經濕熱，下注於衝任交會之處，以致結爲瘕疝，作痛，衝爲血海，任爲氣海，脾濕下注，衝任失調，故女子爲不月，男子則陰囊腫痛。

治療：氣海、中極、陰陵、陰交、大敦、太沖。

治理：陰陵化脾經之濕熱，大敦、太沖治陰囊腫痛，氣海、中極、陰交，宣衝任之熱，而消瘕疝。

癀疝

症狀：睪丸腫甚，睪核腫脹，偏有大小，堅硬如石，痛引臍腹，甚則脹重囊周腫脹而成膿時出黃水，或成漏瘡，爛或下膿血。

病因：此症稱為癀疝者，以其少腹囊腫也，甚則下膿血也，多由肝木不條達血凝氣滯而成，且肝脈繞陰器，故結於陰囊而為癀疝。

治療：鍼灸癀疝條治療之，再加鍼氣衝、中極，以行氣血之凝滯，而治臍腹部之痛。

癃疝

症狀：少腹滿痛，腎囊大腫，小便秘塞，甚則脹緊欲絕。

病因：癃者小便不通也，疝痛而小便秘塞，故名癃疝，此症多由脾經濕熱下注膀胱，濕熱相結，故小便不通，腎囊腫大，少腹滿痛等症見是。

治療：關元、陰陵、三陰交、水道、大敦、太冲。

穴理：癃疝治法，為通利小便，故取關元宣膀胱之氣化，而治少腹滿痛，陰陵、水道，化脾經之濕熱，而通調水道，大敦、太冲，則治陰囊腫脹也。

第二十六節　遺精門

康健之男子，氣盛精旺，淫色慾節勞，其有偶然遺者，非病也，乃盈滿而遺也，謂之遺精滑。若每日遺，或三五日遺，以致疲勞倦怠，耳鳴頭眩者，則病更甚者，有失於好之調治，久則漸入虛勞，而成不治。蓋遺精一症，則又有夢無夢之別，有夢屬心病，無夢屬腎病，有夢曰夢精，無夢曰滑精，二者之治法雖有不同，述之於後。

夢精

症狀：精泄時，每夢與女子交合，或每夜一遺，或數日一遺，久則神思恍惚，脉多弱數，舌紅，有時黃等。

病因：遺精屬心病，多由好色之人，見美色觸於目，而起淫心，即以手淫，或乃因夢而遺精，古人謂心爲君火，腎爲相火，慾念妄動，則君火搖於上，相火熾於下，水不能濟，而精隨以泄，或陰虛之體，不能涵陽，陽易動興，而致遺泄，甚失於調治，久則漸入損門，爲患不淺也。

治療：心俞、白環俞、腎俞、中極、關元、三陰交。刺

治理：心俞、白環俞、腎俞五穴，清君相之火而滋陰，三陰交則養肝陰以涵陽，所謂壯水以制火也。中極、關元，益虛損而固精，惟由於慾念妄動者。

則爲心理所造成，允宜怡养性情，清寡慾，庶可收效，不然則無情之鍼灸，可救生理之變化，不能治情慾之妄動也，医者病者宜注意之。

精滑

症狀：每在睡中，無夢，有遺，或慾念一動，陽舉而精自滑下，不分晝夜，甚則一日數度，精神委頓，耳鳴耳聩，腰痛頭昏，漸則潮熱盜汗，而成虚癆，脉虚弱或細數。

病因：此症多由縱慾無度，或誤於手淫，斵丧太過，以致腎氣不藏，精關不固，不能攝精，每因慾念一動，即不禁而滑出，漸至神經衰弱，而潮熱盜汗等症作矣，调治殊难，治療此症，首宜使病者定心志，節嗜慾，然後施以鍼灸之法，古人云，服药百様，不如一宵独卧，此症尤相宜也。

治療：精宮，腎俞，関元，中極，俱用灸法

治理：精宮能固攝精氣，為治遺精，関元中極，固精益元氣而補虚弱，腎俞補益腎藏，若夹有潮熱盜汗等症，則加鍼灸膏肓，足三里。

第二十七節　淋濁門

淋與濁之症也，淋者小便數而且澀，淋瀝不暢故謂之淋，時果亦淋之為病，小便如粟狀，少腹弦急，痛引臍中，大抵淋病之起，多由肥熱之故，與濁懸異，濁者小便時下濁液，綿綿不斷如水狀態，多由濕熱下注，與淋病有石淋、膏淋、血淋、氣淋、熱淋之分，濁有赤濁白濁之別，症狀各有不同，宜分別之。

五淋

症狀：（石淋）臍腹引痛，小便艱難，輕則下沙，甚則下石，或黃赤，或渾濁，色澤不定，便時則痛纏於心肺，令人難忍。（膏淋）小便淋瀝不通，過勞而發，身體疲倦，溲時發痛腹脹，牽引谷道，勞之微者，其淋亦微，勞之甚者，其淋亦甚。（血淋）溺痛帶血，血色鮮紅，脈數。（氣淋）少腹痛，頭有餘瀝。（熱淋）肥盛之人，濕熱流注下焦，多發於夏季，令人瘦削之人，陰虛津枯，熱蓄而淋，然皆因中熱痛，小便熱赤，口渴喜飲冷，或煩熱。

病因：（石淋）由於膀胱蓄熱，煎熬尿液之渣，結成砂石，從尿道而出，雖此症非甚多，陰陽大虧，而常患淋症者，亦多有，不易痊癒，故五淋中，要以石淋為最乎。無一能見其治法，膀胱治愈，故為淋病中最重之症。（勞淋）由於本體衰弱，元氣不足，膀胱不能輸送尿道，皆一遇勞事，淋瀝隨出，此證寒不通，而為淋病。（氣淋）此症亦因膀胱蓄熱，熱甚搏氣，使其常道，尿溲便下（氣淋）由於氣化不及州都，脬中氣脹，致使小便急滴，小腹滿堅。（熱淋）熱淋有虛實之分，屬於實者，如尿不潔，婦人交合，或好食辛辣，過炒厚味，積熱本甚，流注下焦，脬移內為熱淋，屬虛者，如好色縱慾，陰精枯竭，相火易熾，煉灼津液，腎氣為之斷喪，致水道不利，而成熱淋。

治療：腎俞、三焦俞、小腸俞、膀胱俞、陰陵、中極、合谷、尺澤，石淋加針行間、太谿、委中，勞淋加針關元，血淋加針血海、三陰交，氣淋加針氣海，熱淋加針湧泉。

治理：淋症有五，然皆為小便澀痛，屬腎與膀胱，熱邪鬱結，不能滲泄故也。故針腎俞、膀胱俞，宣通氣化，三焦俞、小腸俞，以清熱，中極以助下焦氣化，陰陵以通利小便，合谷、尺澤開肺氣，而調水道，石淋加行間、太谿、委中以清熱，勞淋加灸關元以益下元，血淋加血海、三陰交以清血，氣淋加灸氣海以調氣，熱淋加湧泉以清熱。

赤白濁

症狀：初起口渴，小便時莖中痛熱，如火灼刀割，積濁之物，淋瀝不斷，隨溲衝出，不便時，自流濕液，白濁則色白，如眼之眵，如瘡之膿，赤濁溺赤濁赤黃，經過相當日數，則莖中不灼痛，小便則頻數，溺液自滴，膝多清冷或癃滯。

病因：白濁赤濁，多由入房太甚，或交媾不潔，忍精不泄，以致敗精瘀腐蘊釀而成，或濕熱下注，而成濕熱濁，然由敗精瘀腐者，十中六七，由濕熱下注者，十常二三，古人謂色白如泔，或如腐化腐漿，而馬口不乾結者為濕，色黃赤而馬口乾結者為火，然間有失於調治，久則脾氣下陷，而成脾腎虛弱之症，則當求脾腎而兼之兩固之，不能與普通之赤白濁一例觀也。

治療：三陰交，關元，腎俞，膀胱俞，陰陵，脾虛下陷者，脾俞，腎俞，關元。中極，章門，針而灸之。

治理：濁與淋同屬一症，然治其法則相近，本症取腎俞、膀胱俞、關元俞等穴，鼓舞下焦之氣化，佐三陰交、陰陵、滲熱而分利小便，蓋小便通暢則濁自除，脾腎虛者，則針灸脾俞、腎俞、章門俞、關元、中極，以益脾腎，而固下元。

第廿八節　癃閉門

小便癃閉

症狀：閉者小便閉，無點滴下；癃者淋瀝點滴而出，一日數十行，或數日無度。屬實熱者，則煩渴舌赤，大便閉，小便不通，莖中澀痛；屬虛寒者，惜寒喜煖，手足逆冷，小腹如冰，言語輕微，亦無熱候，口不渴，舌淡紅，但覺少腹脹急，脘腹痞滿，甚則胸悶氣喘。

病因：屬實熱者，則多因濕熱之邪，鬱阻膀胱，以致小便閉塞，少腹脹滿；屬虛寒者，則由腎陽衰弱，不能分佈水道，以致小便點滴，日數十行。然亦有敗精瘀血，阻塞溺道，以致小便閉塞；更有因肺氣不宣者，古人謂肺主通調水道，肺氣閉塞，則小便不通也。

治療：精海，関元，中極，属実熱者，加刺陰陵，三陰交，曲泉，属虚寒者加灸腎俞，膀胱俞，肺氣不宣者，加合谷，尺澤。

治理：氣海関元中極宣下焦之氣化，氣化行，則小便暢下，属実熱者，則佐陰陵等穴，清熱而利小便，属虚寒者，則佐腎俞等穴，以振腎陽，肺氣不宣者，則佐合谷等穴，以開宣肺氣，上竅開，則下竅自利，若因瘀結癃閉者，則多属鬱熱之症，可依照実熱癃針治之。

大便閉

症状：大便閉結，腹部脹満，疼痛拒按，内熱煩燥，口渇便赤，此属実閉，若形弱神衰，肌肉消痩，内無実熱，大便秘結，此属虚秘。

病因：実閉症，多由食積與熱邪阻滞腸中，以致便秘腹痛，故必兼煩熱口渇等症，虚秘者，則因虚雞結，腸中失所濡潤，不能輸送糟粕外出，故内無実熱等症，肌肉消痩者，血津枯，而営養缺乏也，

治療：大腸俞，支溝，足三里，氣海，実熱者，加中脘，内庭，三間，陰虚者，加太冲，太谿。

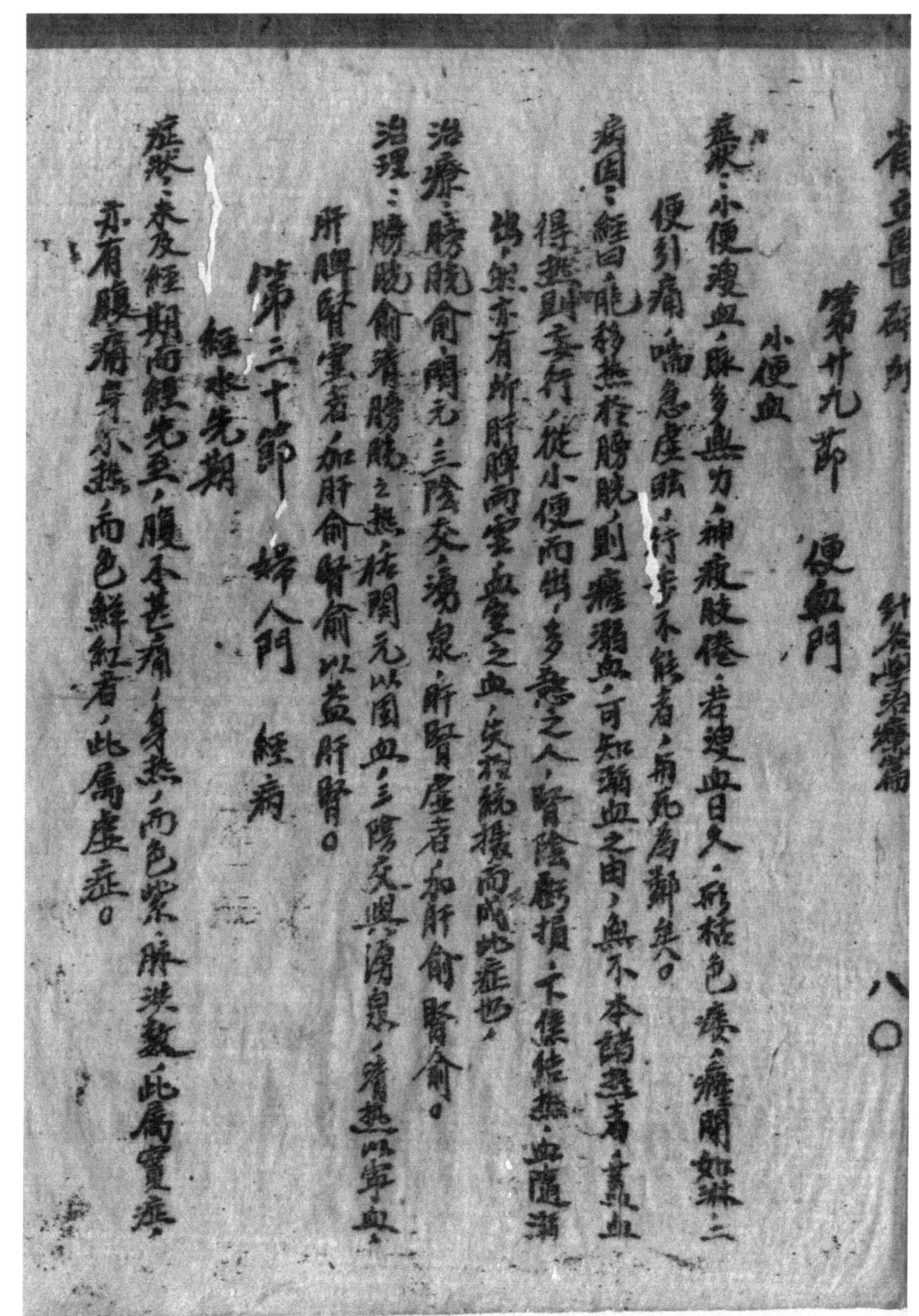

[illegible]立國醫研究所　　針灸學治療篇

第廿九節　便血門

小便血

症狀：小便溲血，脈多無力，神疲肢倦，若溲血日久，形槁色瘁，癃閉如淋，二便引痛，喘急虛眩，行步不能者，病屬難矣。

病因：經曰，胞移熱於膀胱，則癃溺血，可知溺血之由，無不本諸熱者，蓋血得熱則妄行，從小便而出，多慾之人，腎陰虧損，下焦結熱，血隨溺出，然亦有肝脾兩虛，血室之血，失於統攝而成此症也。

治療：膀胱俞，關元，三陰交，湧泉，肝腎虛者，加肝俞，腎俞。

治理：膀胱俞清膀胱之熱，於關元以固血，三陰交與湧泉，清熱以寧血，肝脾腎虛者，加肝俞腎俞以益肝腎。

第三十節　婦人門　經病

經水先期

症狀：未及經期而經先至，腹不甚痛，身熱，而色紫，脈洪數，此屬實症，亦有腹痛身不熱，而色鮮紅者，此屬虛症。

八〇

病因 女子經水以三旬而一至，月月如斯，經常不變，故謂之月經，又謂之月信，信有不調，則失其常度而諸病見矣。素問曰：天地溫和，則經水安靜，天寒地凍，則經水凝泣，天暑地熱，則經水沸溢，可知經水先期，屬血熱者為多矣，蓋血熱內蘊，能使神經異常亢起，非常之興奮，於是血液運行亦同時起過常度，而經乃先行期至矣，然亦有因於氣虛不能攝血，而不由血熱者，更有因於憂鬱悠恚過度，血液之循環乖度，遂至血不藏肝，肝氣橫逆，而經水先期來者，此在乎臨症時細察也。

治療 血熱，血海，三陰交，行間，關元，針肝氣橫逆者，加曲泉，期門，肝俞，氣虛者，灸氣海，中極，三陰交。

治理 血熱而經先期至者，則當清血熱，故取血海三陰交行間等穴，以清熱，關元位居子宮，針之則直達子宮，故為經病之要穴，針而泄之以清熱，肝氣橫逆，則加針曲泉期門肝俞以泄肝氣，氣虛者，則灸氣海中極三陰交，以益氣而固血。

經水後期

症狀 經水後期而來，小腹綿綿作痛，而色淡不鮮，脈亦無力或濡細，兼惡寒喜煖，此虛寒也。然亦有色紫成塊者，而脈細數，此血熱竟乾枯也。

病因 方書謂經水後期，當由血室虛寒，或生冷凝滯，蓋血室虛寒，或嗜服生冷，其血因寒邪而凝結，於是血液之循環凝滯，運行之能力減退，遂致經行後期矣。間亦有血熱乾枯者，蓋血熱內燔之人，多為虛熱之薰灼，遂致血絡燥結，血液乾枯，血行凝滯，而致經水後期而至者，然不常見也。

治療 虛寒者，關元、氣海、血海、地機、歸來，灸；血熱內燔者，依照血熱而經水先期條針治之。

治理 虛寒而經水後期，治當驅寒邪，溫下焦，而調氣血，故灸關元、氣海、歸來，以暖子宮，而益血氣，除寒冷；灸血海、地機，以散血液之凝滯而促進血行，庶乎寒冷祛去，氣暢血調，自無後期而至之患矣。

月經過多或減少

義 婦人經水一月一行，其排泄量，須月月平均，若經來過多或減少則為病矣。

病因 方書以經多屬實，經少屬虛，此言其常也，為經來過多者，有由於氣虛者，有由血熱妄行者，有由鬱怒則傷肝者，蓋氣虛則不能攝血，血熱則血液妄行，鬱怒則肝氣橫逆，凡此種種，皆足以造成經過多之病。經來過少，有由於癆熱內耗者，有由於脾胃虛弱者，有由於血室虛寒者，蓋癆熱內耗，則血液乾枯，脾胃虛弱，則飲食減少，健運失常，營血乏生化之源，血室虛寒，則血液之運行多衰微，因而凝注，凡此種種，皆能使月經減少也。

治療 經水過多，或過少，屬氣虛者，依照經水先期氣虛條治療之，屬癆熱者，依照經水先期血熱條針之，血室虛寒者，依照經水後期虛寒條治療之，脾胃虛寒者，則於虛寒條中加灸脾俞胃俞，以補益之。

經閉

症狀 經閉有虚性、實性兩種，虚性之症狀，爲頭眩心悸、面色晄白、脈細，初則經行減少，漸至閉經不行，或神疲氣短，腹冷脈微，經行後多，漸至經閉，如見少腹硬滿痛，脇肩裏痛，脈象沉細，而月事不來，或腹滿脹痛，胸悶噫嗳，脈象弦細，而月事不來，此實性之經閉也。

病因 經閉之原因頗多，本條所言不過舉其大畧耳，實性之經閉，多由瘀血停積，瘀血積於子宮，新血不得下行，故致經閉而少腹硬痛，或由氣化鬱閉，血滯不行，經閉而滿腹脹痛，胸悶，噫嗳等症，皆氣鬱之徵也。

虚性之經閉，多由血液貧乏，或神經衰弱，子宮不能分泌經水，致頭眩、心悸、氣短、腹冷等氣虚血弱之現象，或脾胃虚弱，消化不良，飲食減少，缺乏產生經水之原料，亦成經閉之病，而現食少便溏面黄等症，然亦有由生理異常者，則月經終身不來，所謂暗經是也。又有二月一行者，謂之並月；三月一行者，謂之居經；一年一行者，謂之避年；其經水雖不按月而來，然亦能受妊，身無疾病，此生理之異常，不能作疾病論也。

治療 實性經閉，膈俞，血海，氣海，中極，行間，曲泉，三里，俱用針瀉。

虛性經閉，三陰交，膈俞，肝俞，關元，脾俞，胃俞。俱用灸補。

治理 經閉之屬實者，每由經水瘀結，或因結氣之阻滞，以致閉而不下，則當去其障礙，而經自通，故宜針瀉膈俞，血海以去血積，氣海中極運子宮，調氣而行血，其他如三里、行間、曲泉俱有破血行血之長。若虛性經閉，其根本為血液缺乏，無瘀可破，無積可通，治宜補之益之，則水到渠成，血液充而經自下，故灸膈俞肝俞關元三陰交等穴，補血液，益下元，脾胃二俞則培養中土，滋其化源，經閉之由於脾胃虛弱者，尤為主要穴也。

經期腹痛

省立醫研所　針灸治療學篇　八三

症狀　經期腹痛，有經前腹痛、經來腹痛、經前與經來而少腹作痛者，多拒按，或經水成塊，脈多沉實；經後而少腹作痛者，則多為空虛之痛，痛而喜按，脈多虛而細弱。

病因　凡經前經來而腹痛者，多屬血瘀氣滯，經盡血之後，其痛即止；經後而痛者，多屬氣血虛弱。然其原因頗為複雜，如屬於血瘀氣滯者，則有因胞宮陰寒自盛，經水不得陽氣之溫化而暢行，而逆致少腹綿綿作痛，經水既少，甚則四肢厥冷；或行經之期，感受風寒，致傷陽氣，氣血凝泣，不復暢行而腹痛甚寒冷；或熱客胞宮，以致行經發熱劇烈之疼痛，所下經血，臭穢異常；他如經期不慎，誤食生冷，或誤食酸鹹過度，皆足以使血凝氣滯，而患此經前與經來之腹痛也。

若經後腹痛，則由於血少，少少供不應求，月經臨期，勉強勞動，以致血管中之血液缺乏之，遂造成空虛之痛，痛則喜按，按者本喜少之，或經後血室空虛，寒邪客之，以致腹痛；或其體質先天不足，發育不全，室女初次經來，即患經痛，以後每行必痛，經期尚準者，此屬道狹窄，經水不得暢行，針藥所難醫治，必待生產之後自行痊愈也。

治療　血瘀氣滯者地機，血海，氣海，中極，足三里，合谷，支信，經後腹痛由於寒客胞宮者，關元，氣海灸之，由於血虛者，依照經閉門，虛性經閉條治療之。

治理　經前與經來腹痛，由於血瘀氣滯，治宜行血調氣，故取地機血海支信等穴以行血而治瘀積。氣海中極以疏下焦之氣，合谷三里以宣氣滯，由於寒者則灸以溫之，由於熱者，針以泄之，經後腹痛之由於寒客胞宮者，則灸關元氣海二穴，以散寒邪。

經漏

症狀　經來不斷，淋漓無時，所下不多，或時行時止，或少腹綿綿作痛，神疲肢倦，飲食減少，脈現細或數。

病因　經漏者，淋漓不斷也，此症多由孱弱之人，氣虛不能攝血，衝任不

因此致月事淋瀝不斷，色多淡而不鮮，或因行經未淨而行房事，致
傷胞宮而成，則多少腹痠痛，此外如寒熱邪氣，客於胞中，或
憂思鬱結，氣滯不宣，皆足致此，臨症時當細辨之。

治療 氣虛不能攝血者，關元、氣海、百會、腎俞、命門，俱用灸法。

治理 氣海關元益氣而固血，腎俞命門，補益下焦之元氣，百會
則從高而升舉之，故能治淋瀝不斷，經期行房、與氣滯不宣
者，依照經來腹痛條治療之，寒熱之邪客於胞中者，依照經水
先期血熱條與經水後期虛寒條治療之。

血崩

症狀 突然下血不止，病人顏成貧血狀態，全身皮膚成蒼白色，口唇爪
甲亦蒼白，心慌忐忑，四肢發麻，或常耳鳴，甚則不省人事，脈芤或
沉微伏。

病因 血決之謂之崩，是急病也，其原因亦有多端，素問曰：陰虛陽搏，
謂之崩。張石頑曰：崩之由憂患，或脾胃虛損，不能攝血，或肝

甚有火，過熱妄行，或怒動肝火，血熱沸騰，或肝經鬱結，血不歸經。良此腎足，道陷血崩，此外復有悲哀過度，亦為血崩之大因，蓋吾人平日最是氣和平，而血安靜，若猝遇不如意事，而起悲哀，致氣機鬱結，神經乃起變化，以致血行之秩序淆亂，甚則血管破裂，而成血崩之患。雖患血崩之原因固多矣，當血崩不止，生命之虞，在指顧間，危險殊甚，若不亟為制止，而欲尋求來源，亦乃不濟事也，然不論其病原如何，當以止血為要務，遏止急流，庶可救急於當時，遑後因症施治，以善其後。

治療　血崩不止　關元　中極　百會　三陰交　隱白　大敦　以上穴均用灸直接灸法，不論壯數，以止血為度。

治理　關元　中極　並下元而固氣，百會升清止血，三陰交養血，隱白、大敦為治血崩之特效穴，直接灸之，可以止血，其原理如何，莫能解之，舊說所謂大敦屬肝，隱白屬脾，肝藏血，脾統血，故二穴能治血崩，然其確實之理由，或尚有未奏者，俟之以追知者。

第三十一節　帶下

白帶　赤帶　赤白帶

症狀

女子下部流出粘液，似水似膿，或稀或稠，色白者，名白帶，色赤者名赤帶，赤白相間者，為赤白帶，或子宮疼痛，腰痠頻仍，或穢甚大（下墜），失於調攝，則變為久病，粘液愈多，體質衰弱，皮膚黃白，食量減少，食慾不振，腹痛頭眩，間有孕育不無望，或月經不調，且易致血崩，及食量衰減等症。

原因

諸家之于女有帶可知婦女多患帶病矣，王孟英曰，帶下為女子生而即有，津津常潤，本非病也，但過多則為病矣，女子所為帶下者，謂其綿綿如帶而下也，則實言此。有主於風入胞宮者，巢元方、孫思邈、嚴用和、婁全和善諸人是也，有主濕熱者，劉河間、張潔古諸人是也，有主脾虛氣陷者，趙養葵、薛立齋諸人是也。有主痰濕者，朱丹溪是也，有主脾胃虛者，張景岳是也，立說多端，總而言之，不外寒熱二端而已，其病處則在子宮也，張子和曰，赤白痢者，是大邪血客于大肠；赤白带者，是大邪血客于胞宫，故閩合俗曰子宫流白带，与肺伤风则流清涕，大肠病则下痢，其理相同。盖伤风流涕，为鼻膜分泌出之粘液；下痢为大肠分泌出之粘液；白带下则为子宫分泌出之粘液也。子宫若血蓄，或子宫有寒，皆能分泌出之粘液，或黄或白，其色不一，夹血者，即为赤色。属热者，少腹隐隐作痛，所以泄下之物或夹秽臭，阴道灼血，因其子宫发炎故也。属寒者，则不痛，不秽臭，所下之物，色白为多。惟带下除上列原因外，更有思想无穷，慾火中烧，或手淫太过，房事不节，以致损伤子宫，而成本症，带下由此而成者，更为多数也。

治疗　带脉　归来　三阴交　中极，位近子宫，色赤者加三焦俞、小肠俞、血海。

治理　带脉专治带下，归来、中极，位近子宫，能直达子宫病灶，驱除障碍。三阴交针之则清热，灸之则能温暖下焦，用之以为备穴之佐使。属热则针泻以清热，属寒则灸以除寒。赤带係子宫炎腫脐湿，失血而下，故针灸血海之清血，三焦俞、少阳俞以清下焦之火，若带病久矣，体质消瘦，食减面黄者，则当加针灸肾俞、命门、关元、脾俞，以补脾肾，而固下元。

附不孕之治疗法

生育之事，男女均有密切之关系，苟男方发育健全，而无疾病，则两性交合，未有不生育者也。反之，若男女方有疾病，或生理异常，则不能成孕矣。夫生理之异常，属女性者，则有螺纹鼓角脉五不孕，及子宫斜屈之类，属男性者，则有发育不全，阳物短小，精管不正等。凡此种种，亦非针药所能愈，其于疾病者，则可得而治知。然其原因颇多，在女子则月经不调，气血衰损，子宫寒冷，虚者不受孕，在男子则阳痿不举，精寒精冷，或早泄等，亦不能生育也。

无论何种，视其或先或后，辨其虚实寒热，遵照男妇病门中各条治疗之。若无病者，宜取肾俞、气海、肝俞、心俞、三阴交，针而灸之，以益其气血。子宫虚寒，宜取关元、中极、肾俞、三阴交，以振下焦阳气，而养其元，亦宜

[illegible]灸之。

一陽痿不舉，或曰陽痿，責命門衰竭，宜[illegible]灸之。[illegible]精、氣兩[illegible]

[illegible]陽，精足陽充，則陽舉矣。

精薄精冷 依照予子宮虛寒不孕[illegible]處方[illegible]

育效。

濕腳氣

症狀 浮腫先見於足部，或弱先見，漸延至兩股兩膕，不便行走，甚則脛之[illegible]

水，疼重難動，因寒而發者，面黑者寒，足冷如冰，是為寒濕腳氣。

濕癖化熱者，面黃口渴，便秘溺赤，足如火熱，是濕熱腳氣。

若是攻心嘔吐，煩渴異常，氣促喘息，或腹部臍脈動躍震手，則為

喘氣攻心之危候，若脈短促，音啞，或言[illegible]，甚人昏厥不語，而鼻

孔痛者，則不治。

病因 腳氣病由於經絡[illegible]，分[illegible]

[illegible]

濕腳氣也，痿躄不收為癱廢，即乾腳氣也。濕氣衝胸為厥逆，即腳氣攻心也。

濕腳氣之原因，多由處居低濕之地，濕邪外襲足脛經絡，及肉而致腫脹，或飲汙穢之水，及腐敗食物，化生濕熱，下注而成，亦有之為毒上攻，則成腳氣衝心之症。

治療 足三里 三陰交 絕骨 陰市 陽輔 陽陵 犢鼻 商邱 崑崙。腳氣攻心加針關元 氣海 大敦。

治理 腳氣病所取各穴，皆為疏泄之局部，且各穴之功效，如陰陵、陽陵、風市等之通經絡，如三里、崑崙等之化濕行氣，故能消腳氣之腫脹，濕腳氣，可針灸之，若濕熱腳氣，腫痛實熱者，瀉之可灸。若腳氣攻心，則宜加取關元、氣海、大敦以降逆氣之上逆。

乾腳氣

症狀 兩腳乾瘦，不腫而痛，或痿弱攣急，或發熱，指細，步履難艱，面色枯燥，舌多紅，脈弦數，或弦細，甚則亦能衝心而厥也，傳為痿廢部震動等症。

病因 本病多起於病後，嘗養飲之，或暑熱所傷足三陰，津液為熱所灼，以致枯細瘦弱，而為乾脚氣。

治療 湧泉 三陰 太谿 照海 陰陵 陽陵 三陰交 絕骨 三里。

治理 本症所取各穴，均能達病灶，而具養陰退熱，通經絡之功，若兼心症，則與濕脚氣之脚氣攻心條同治。

第三十三節 痿痺門

痿症

症狀 腿膝手足不利，或不能伸屈，軟弱不能履行，或麻木而失其知覺。

病因 痿者，四肢無力，舉動不能，如委棄之狀也。此症多由熱邪灼傷精血，而皮毛筋骨為之軟弱無力，或病後精血太虧，筋骨失所營養而成。內經所謂大經空虛，營衛之氣不足也。

治療 陽陵 絕骨 大杼 灸，參看手足各病門。

[illegible]

治理 痿症乃筋骨為病，宜灸陽陵、大杼、絶骨三穴，以恢復筋骨之用，并參看手足各病門以治療之。

一、痺症

症狀 筋骨二部份作痛，或稍腫，或遊行走痛，而無定處。

病因 經云風寒溼三氣雜至，合而為痺。風氣勝者為行痺，寒氣勝者為痛痺，溼氣勝者為著痺，都為經絡受風寒溼各邪之襲擊，而發生疼痛拘急等症。

治療 依患處施治療各穴，改灸為針，或針且灸之，并參觀手足胸背各病門。

第三十四節 頭部門

頭痛

症狀 外感頭痛，多屬三陽經絡。太陽頭痛，在正中與項部；少陽頭痛，多在兩側；陽明頭痛，多在額部；厥陰頭痛，多見氣怯神衰，過勞神務，或頭痛如破，或時常發作痛，頭暈不安。

病因 外邪襲表，入三陽經絡，頭部血管或充血或貧血，實致頭痛，以頭部屬三陽經也；然有因風、因寒、因濕、因熱、因暑等之差别。感受風寒而痛者，則兼惡寒發熱，無汗。因於濕者，則頭痛而重，身倦怠無力，口糊。因於熱者，口乾發熱，心煩，口渴。因暑者，或有汗或無汗，身惡熱。如血分不足，陰火攻沖，則痛連魚尾，善驚，陽或五心煩熱。因七情鬱怒，肝膽火擠上沖而痛者，則頭痛如破，或痛引齒頰下。因痰飲而痛者，則兼昏重而痛，憒憒欲嘔，頭痛身有寒。因不可不辨也。

治療 腦頂痛：上星、風池、百會。正頭痛：上星、神庭、前頂、百會。顳角眉稜骨痛：攢竹、合谷、列缺、眉心。偏頭痛：頭維、太陽、風池、臨泣。

治理 此各穴，皆根據病灶而取，頭痛之屬實熱者，針以瀉之。屬虛屬寒者，針而灸之。

更宜究其病因何屬，而加用其他穴俞。如因外感風寒者，加列缺、風門、風府、大椎等穴，以驅風寒。因濕者，則加中脘、三里、陰陵等穴，以化濕。因暑熱者，則加刺委中、尺澤、合谷、曲池、關衝等穴，以清暑熱。而陰血分不足，陰虛上冲者，加復溜、間使、三陰交、腎俞、腎俞等穴，以養陰退熱也。肝膽之火上冲者，加肝俞、期門、行間等穴，以泄肝。因痰飲者，則加豐隆、脾俞、三里等穴，以化痰飲。此皆貴乎醫者臨症時隨機而應變之。

附頭風　雷頭風

頭風者，頭痛也，並非二風。凡頭痛之久而不愈，起伏不常，時發時愈者，名頭風也。故其症狀為清淺，與頭痛一也。惟有因痰飲停留胃脘，其人善吐痰多，發作無時，甚則停痰上攻，口吐清痰，昏暈不省人事，飲食不進者，則為痰頭風。若頭痛而起核塊者，為雷頭風，乃是由痰濕阻滯，若頭中如雷之鳴者，風痰所致也。治療之法，痰頭風宜取豐隆、脾俞、三里、中脘等穴，以化痰濁。

依風池、腦空、頭維、合谷等以穴治頭痛。當與風府、百會、風池、風府等以驅風而治頭痛。因痰者，依以化痰之穴，更宜審其寒熱，於診視之上屬寒者則灸之，屬熱者則出血，則收效更易也。

眩暈

症狀：腦頂脹悶，暈而頭旋，俗稱頭旋眼花是也。由于內風者，見耳鳴心悸，或夜間盜汗，五心常熱。屬外風者，則多惡寒發熱，骨節疼痛，或頭脹而悶，頭痛顛痛。

病因：經云諸風掉眩，皆屬於肝，故眩暈之症，多屬肝腎陰虛，不能涵陽，而虛陽上越，致成頭旋眼花，五心發熱等症。其因於外風者之間亦有之，蓋風邪外襲，激動痰涎，上干而致眩暈，然屬外風者爲鮮。

治療：屬內風者，百會、頭維、太陽、攢竹、上星、肝俞、腎俞、湧泉、行間、三陰交。

屬外風者，風池、風府、頭維、攢竹、豐隆、三里、中脘。

按理：內風眩暈，乃屬肝腎陰虛，而虛陽上越，法當滋填肝腎，兼取脾胃二俞，及湧泉、行間、三陰交等穴，以益脾腎而納，崑陽佐百會、攢竹等穴，以治頭部之眩暈。標本兩顧，庶免有敗。外風，則取風池、風府以驅風邪，頭維、攢竹以治頭暈頭痛，復佐豐隆、三里、中脘等穴以化痰濁。風邪解，痰濁平，則眩暈自已。

附大頭瘟、蝦蟆瘟

（大頭瘟）是症多由風熱之邪，襲入三陽經絡，初起于鼻額，延至面目紅腫，如火灼熱，內有先寒後壯熱，氣粗，口乾舌燥，咽喉腫痛，不利，或寒熱往來。甚則大便不通。若不急治，壅塞必致腐化，成膿更有傳染之可能。

（蝦蟆瘟）則腫于頸項部，亦屬風熱為病。其兼見之症狀，與大頭瘟相類，亦能傳染。治此二症，多宜取太陽穴之靜脈，用三稜針刺去惡血。委中、尺澤之靜脈，及少商、商陽、中衝、少衝、少澤等穴，均刺出血，以清熱而解毒。後刺合谷、曲池等穴，以退熱而消腫。如大便不通者，更宜針中脘、足三里、支溝等穴，以通大便。

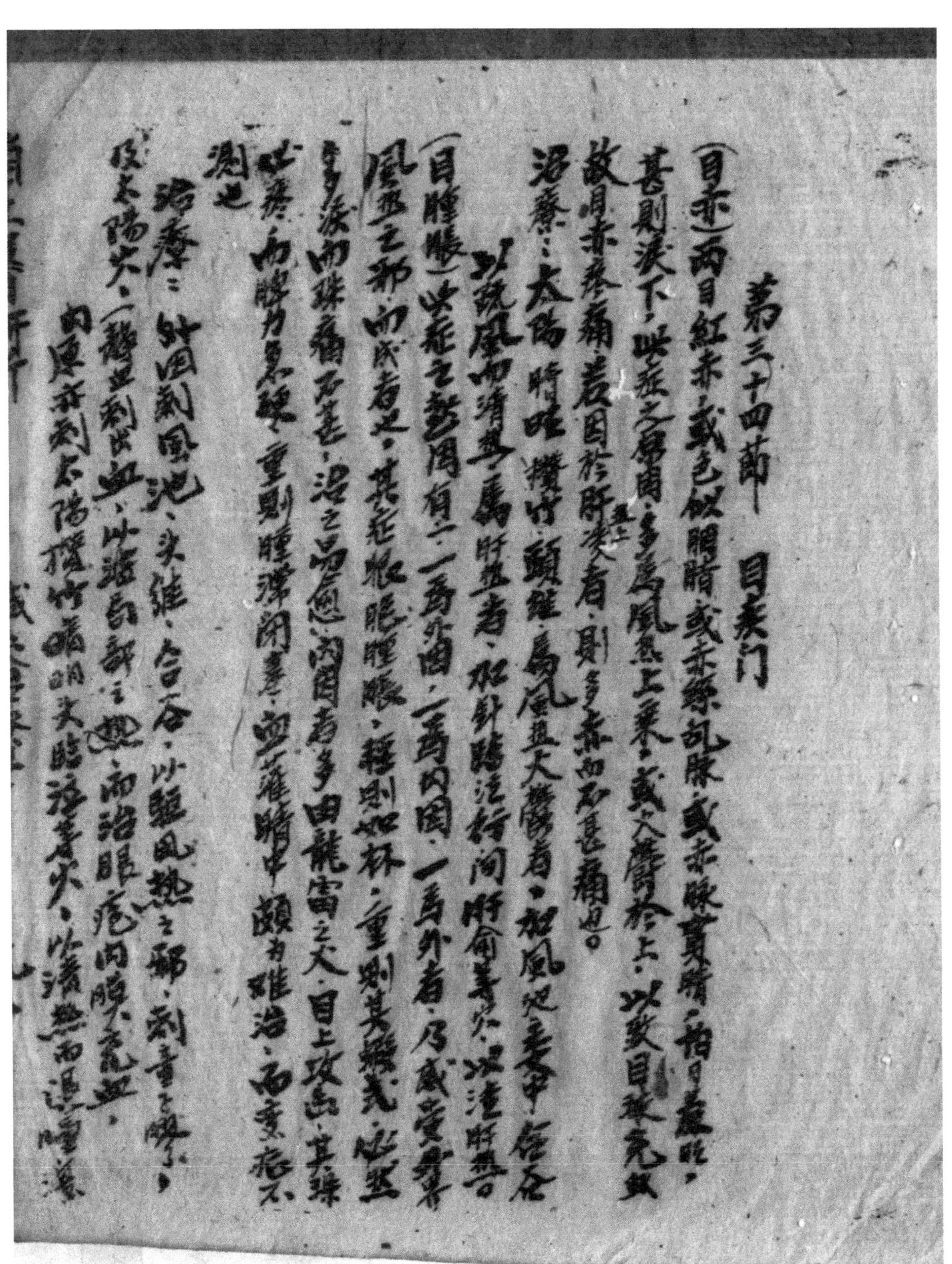

第三十四節 目疾门

（目赤）两目紅赤，或色似胭脂，或赤絲亂脈，或赤脈貫睛，眵目羞明，甚則淚下。此症之原因，多為風熱上乘，或火熱升於上，以致目赤充血，故目赤疼痛。甚因於所受者，則多赤而不甚痛也。

治療：太陽、睛明、攢竹、頭維。為風熱大盛者，加風池、委中、合谷，以疏風而清熱。屬肝熱者，加針臨泣、行間、肝俞等穴，以清肝熱。

（目腫脹）此症之致因有二：一為外因，一為內因。一為外者，乃感受外風熱之邪而成者也。其症胞瞼腫脹，輕則如杯，重則其狀若桃，必然多淚而珠痛不甚，治之易愈。內因者，多由龍雷之火，自上攻出，其珠必疼，而胞肉亦硬，重則腫滿閉塞，血灌睛中，頗為難治，而變症不測也。

治療：針風池、頭維、合谷，以驅風熱之邪，刺耆之峽等及太陽穴，一轉出刺出血，以瀉局部之熱，而治眼疮內瞼充血。

內因者刺太陽、攢竹、睛明、頭臨泣等穴，以清熱而退腫。

治針肝俞、足臨泣、光明、行間、湧泉等穴，以引上逆之氣而下之，然亦每不易治也。

（青盲原因）青盲者，瞳孔如常，無損無缺，且無異態，而視物不見，其原因多由七情內傷，損其精血，以致眼失所養，故為難治，若高年積病後，或心腎不充而致斯病也，雖治不易愈。雀目俗稱雀盲，亦稱鷄盲，因肝經之鬱風所障，其狀至晚不見，至曉復明，乃由血室虛弱，肝經目，目得血而能視，血虛則不能視也，

治療：青盲之原因，均由陰血虧虛而致，治當益視肝腎之陰，鍼肝俞、腎俞、命門、三陰交，以益肝腎之陰，陰充目得所養而光明復，雀盲取睛明、攢竹，以拯緩神視經之功用，

（目昏）初起時目昏，於霧中（治當滋補肝腎）漸覺空中有黑花，又漸則視物成二件，久則光不復收，遂成廢疾，此症多由元氣虛弱，先天稟素損而致，如七情太過，不節之傷，以致精血不足，則成此症，亦有因病失治，針灸目光兩傷者，則難治也。

治療：依照青盲目昏暴盲目條治療之。因之者，皆屬肝陰不足而腎主病也。

翳膜：此症先感視物不明，繼則生膜如蠅翅，其象如有不同，故名雖多端，有聚翳、圓翳、冰翳、滑翳、濇翳、散翳、浮翳、偃月翳、劍脊翳、棗花翳、白翳、黃心、黑花翳等等。圓翳者，黑睛上一點圓，光忌一般，雖傍兩眼，日中看之差小，陰處看之則大，或明或暗，視物不明。冰翳，如冰凍堅實，傍處反日裏看之，其痛一目，痛而淚出。滑翳，如水銀珠子，微含黃色，不痛無淚，遮繞瞳神。濇翳，微如赤色，或聚或散，濇痛無淚。散翳，形如鱗點，乍青乍白，疼痛流淚。浮翳，上如冰光，白色環繞瞳神，不痒不痛。沉翳，白藏在內下，向日細視方明，疼痛夜重。偃月翳，風輪上半，氣輪交際，隱隱白色，薄薄蓋下，其色粉青。劍脊翳，赤脈貫翳，色白或如糙米色，或微黃者，狀如劍脊。棗花翳，周圍高白，起於風輪，從白膜之內，四圍環布而來。白翳黃心，四邊皆白，中心一點黄，大小眥頭微赤，圍圍居黑珠上，患花翳，凝結青色；大小眥形皆痛，翳翳下墜，此皆翳膜之名稱與症狀之大略也，欲知其詳，則當讀專書也；其原因多由肝氣鬱盛，而發在表也，亦有因勞鬱過度，或涼藥過多而成者。

治療：取睛明，四白，太陽，攢竹，等穴，以退翳膜，取肝俞，行間，光明，以泄肝，更可割少商出血鬼眼，以退翳膜，陽氣衰少者，針而灸之。

（目淚）目淚之症有二：一爲迎風流淚，一爲目淚自流，迎風而流淚者，多患於老年婦人，蓋年老則淚線硬化，一遇風寒，伸縮力減退，則淚外流，且婦人善哭泣，以致淚線弛張，衰弱斯甚，目淚自流者，多由感受風邪，或肝氣上激，淚線分泌目淚過多，而向外溢也。

治療：迎風流淚，宜針灸太陽及攢竹，頭維，攢竹，以致收縮其經絡，弗直發，灸大小骨空，無有特效，目淚自流，取太陽，風池，頭維，後谿，睛明等穴，以泄其熱，肝熱者，取肝俞穴，以泄肝。

第三十五節　耳疾

（耳聾）此症有二，一為耳聾，一為重聽。耳聾則兩耳無所聞，重聽則較耳聾為輕，但聞之不真也。按腎開竅於耳，少陽之脈絡耳，故肝膽之火上逆，則為耳聾。腎氣虛弱為重聽，亦有受暑之邪，蒸發虛而成耳暴聾者。

治療：耳門、翳風、聽宮。耳聾者，加肝俞、行間、俠谿、臨泣等穴，若係肝膽之火。重聽者則肝俞、腎俞、太谿，以補益肝腎。耳暴聾者，加風池、合谷等穴，以疏散暑風之邪。

（耳鳴）耳鳴有虛實二種。耳中如蟬噪不休，以手按之愈鳴者為實，乃肝膽之火上逆也。虛時鳴時止，以手按之則不鳴，或其鳴者屬虛，乃肝腎之陰不足也。虛者依照重聽條治療之，實者，依照耳聾條治療之。

第三十六節　鼻疾

（鼻塞）鼻為肺之竅，風寒傷肺，津液凝滯，則為鼻塞不通，或風熱聾：肺鼻腠失嗅，亦或鼻塞之病。

治療：宜取迎香，直入，以宣鼻塞，復取風府、囟會、上星，以疏腦風邪。

（鼻流清涕或濁涕）鼻流清涕不止，名曰鼻鼽，多由感受風寒，鼻腔黏膜分泌液過多，而向外流溢也。鼻流濁涕，名曰鼻淵，亦曰腦漏，鼻流時下白帶，有時或黃，或紅，係腦髓發炎膜，鼻亦由風寒化熱，鼻腔黏膜因炎腫而成之症也。

治療：鼻鼽宜取上星、風池、大椎，鍼而灸之，以發風寒。鼻淵宜于以上各穴，單用針法，以發風熱，復加針迎香、百會、囟會，以[illegible]而去鼻腔之炎腫。

第三十七　齒牙門

（牙痛）齒為骨之餘，而屬腎，其經部則屬陽明，故陽明鬱熱，或陰虛而虛陽上亢，則為齒痛，或風熱外襲，亦成此症。然屬陽明鬱熱者，則舌苔口渴，紅腫疼痛多多，無寒熱。屬虛陽上亢者，則不腫不渴，舌多無苔。若因風熱者，則多兼寒熱而惡

治療 風寒。其有因于虫痛者，則齒上有蛀孔也。

治療 合谷、頰車，刺病處之局部以止痛。上牙痛，則加厲兌、合谷。下牙痛加針承漿。陽明胃熱者，則加厲兌、內庭以瀉之。虚陽上亢者，加厲兌、足三里以清之。屬風熱者加列缺，以驅風熱。

第三十八節 口舌門

口乾舌腫 屬為脾胃，脾開竅于口，故口乾舌腫隨心。腎屬脾胃有熱，舌為腫而起白皮，或裂如縫痛者，名曰木舌，亦屬心脾之火逆上也。

治療 宜取合谷、二間、足三里、三陰交，次取少商、商陽，刺出血，以清脾胃之熱。痛甚加刺大陵、神門、人中等穴，以清心熱。

舌瘡舌出血 舌瘡者，舌痛而有瘡，甚至舌生糜爛。舌出血者，舌破而有血流出。按心開竅于舌，故舌病屬心。心熱太盛，則舌瘡糜爛，盛血破而流血也。

治療 取金津玉液，刺出血以清心火，復針合谷、委中、人中、太沖

九四

內關等穴以瀉熱。

重舌木舌　重舌者舌下焮腫如舌形，木舌則舌腫滿口，而語蹇。本屬心脾積熱而發於外，均是急症，宜速瀉之。

治療　宜速以三棱針於舌上兩邊刺出血以清熱退腫（舌正中不可刺），復針金津玉液十宣等穴出血以泄熱。

第三十九　咽喉门

喉痹　喉裏腫塞痹痛，痰多不能咽物，甚則水漿不下，其原因甚多，有由于風熱者，則兼壯熱惡寒；有由于熱毒者，則兼面黃、目赤、目睛上視；有由于陰毒者，則喉間腫如紫李，微見黑色，惡寒，身倦，腰痛肢痠；或有由於飲酒過度而成，或七情所傷而成，氣痰壅喉，痹等非數言可盡，然多屬痰火及風熱抑遏而已。

治療：宜刺少商、合谷、頰車、關衝等穴以瀉鬱熱，復針尺澤、神门、涌泉、豐隆、三里等穴以清熱而化痰。

(喉風)咽喉腫痛、痰涎壅塞、口噤不開、不能言語、面赤腮腫、湯水難下。多由痰火而成。惟所起之根源、有所不同。如忿怒失常、而動肝火；酒傷過度、而動心火；膏粱炙煿、而動胃火；誦讀憂惱、而動肺火；房勞不節、而動腎火。凡此種種、皆足以使火上痰升、而成喉風症。名稱亦有多端、有所謂鎖喉風、啞瘴喉風、纏喉風、啗食喉風、撮口喉風、陰毒喉風、走馬喉風、驟舌喉風、連珠喉風、落架喉風等、不勝備舉也。

治療：宜急刺少商、商陽、關衝、出血、以清熱開鬱、再針合谷、尺澤、魚際、神門、內關、豐隆、以清熱化痰。

(咽腫喉痛)普通之咽腫或喉痛、皆屬風熱、宜取少商、合谷、液門等穴、以疏散之。

(乳蛾)乳蛾生於帝丁之旁、形如乳頭、紅腫疼痛、妨礙飲食、有單蛾雙蛾之別。單蛾生於一邊、雙蛾生於兩邊。其因有二、一屬實火、二屬虛火。屬實火者、則起於猝暴、兼有形寒發熱、頭痛等症、虛火則身生緩慢，而身寒熱之見象也。

主治：宜刺金津、玉液、廉泉等穴，以清熱退腫，復佐合谷、少商以泄熱。

第四十節 小兒疳症

疳症：多因小兒氣血虛憊，脾胃受傷所致，有因驟提斷乳，早食甜膩，或乳食不節，而成者，有恣食肥甘香炒生冷而成者，其症多見頭皮光急，毛髮焦稀，腮縮鼻乾，口饞舌白，兩眼昏爛，揉鼻挦眉，脊聳體黃，齩牙咬甲，焦渴自汗，尿濁瀉酸，腹脹腸鳴，癖積癥熱，嗜啖瓜菓，鹹酸，炭米泥土等物，此皆疳症之現狀也。張石頑謂疳者，藏府虫疳也，良以此症原由寄生虫潛居藏府而成。又謂疳者乾也，因脾胃津液乾涸而患。在小兒為五疳，在大人為五癆，甚小兒之疳症，即大人之癆病也。名雖殊多，姑舉其要，以資參考。

肝疳：面目爪甲皆青，眼生眵淚，隱澀難睜，搖頭揉目，耳瘡流膿，腹大而露青筋，身體瘦弱，糞青如苔。

心疳：身體壯熱，面赤唇紅，口舌生瘡，胸膈煩悶，五心煩熱，盜汗發渴，脾疳、面色萎黃、肌肉消瘦、心下痞硬、發熱喜睡、好食泥土、头大頸細、有時吐瀉、大便腥黏。。

肺疳、面白氣逆咳嗽、毛髮焦枯、肌膚乾燥、增寒發熱、常流清涕、鼻頰生瘡。。

腎疳、面目黧黑、齒齦出血、口中氣臭、足冷如冰、腹痛泄瀉、啼哭不已。。

無辜疳、腦後項邊、有核如彈丸、按之轉動、軟而不痛、其中有蟲、如米粉、身熱羸瘦、或便利膿血。。

丁奚疳、手足極細、腹大臍突、面白、潮熱往來、顱[illegible]不、面身黃瘦。。

蛔疳、皺眉多啼、嘔吐清沫、中脘作痛、唇口或紅或白、腹脹虛痛、肛門濕癢。。

脊疳、身熱羸瘦、煩渴下利、拍背有聲如鼓鳴、脊骨如鋸齒、十指皆瘡、頻嚙爪甲。。

牖露瘡、虚熱往來、头骨分開、翻胃吐虫、煩渴啞嘶、此外更有腦部生瘡謂之腦疳、潮熱五心煩熱、盜汗喘嗽、謂之疳癆、手足虚折者、謂之疳痨、熱皆同一疳症、以其症狀稍有差異、而别其名稱也。

治療、四縫穴、用粗針刺之、擠去白色之水液、至見血乃已、或用交叉灸法、或於中食二指割脂、按此症、頗為难治、药物治療、亦善見功、惟此三法、併用之、頗有捷效、其理則不可解、惟疳症之輕症者、則用四縫穴、重者則宜用交叉灸、或割脂法。

第四十一節　胸腹门

胸痛、由多傷寒表邪未解、下之太早、内陷胸中、或六淫之邪傷肺、或肺氣鬱怫不宣、胸亦為之作痛、惟痰凝氣結、或血積於内、亦成胸痛、惟多陷隱作痛、其痛緩、其来漸久之不愈、飲食減少、此内傷胸痛也。

治療（外感胸痛）表邪内陷者、支溝、間使、行間、内關、針之下胸祉表邪、六淫傷肺者、氣戶、肺俞、中府、列缺、少商、針之以宣肺氣。。

（内傷胸痛）期门、天突、中脘、膻中、以調氣、痰凝者加足三里、豐隆、以化痰、血積者、加膈俞、行間以血行。。

（胸中痞痛）此症胸中心下痞痛、而無實質可指、多由脾胃虛弱、運化不及、以致痰凝食滯、或憂思鬱結、氣滯不宣、致成胸中痞痛不舒也。

治療、陰陵、中脘、足三里、承山、內關、針而灸之、以宣展氣機而助運化。

脇痛、古人謂肝脈藏於內、外在於脇、且厥陰少陽二經均行脇部、是以脇痛無不屬於膽肝之病、然外有傷內感之不同、內傷者、如暴怒傷膈、怒哀氣結、或飲食失節、冷熱失調、或痰積流注於脇、與血相搏、皆能為痛、惟因於怒氣、或怒哂而作痛者、則痛而且脹、得噯則緩、其痛有時而息、因痰積者、則痛無已時、或脇下高起作痛、此內因也、外因者、如傷寒邪入少陽、耳聾脇痛、此風寒所襲而為脇痛、然多兼寒熱頭痛等症、此外更有跌仆閃歐、內傷乎血、積於肝經、則脇部亦作痛、惟痛而不斷、按之則劇、綿綿無已時。

治療、一切腹痛以期门章门陽陵泉為主穴、如由於暴怒或怒哀过度者、加針灸膻中氣海以調氣、痰積塊者、加中脘足三里以化痰行積血積者、加針膈俞行间太冲以行血、風寒襲入少陽、參閱傷寒少陽痛條、

中脘脹痛、此症多由中州陽氣衰微、脾胃虛弱、以致氣滞不運、或食滞不化、或痰湿互阻、更有七情內傷、木不條達、或肝氣横逆、而影響於脾胃、亦成中脘脹痛之症。。

治療、中脘、建里、內關、足三里、針而灸之、以旋運中宮、開宣氣機、惟由肝氣失於條達或横逆者、則宜加針期门行间以舒肝。。

腹痛、腹部疼痛、其症甚多、古人謂臍以上屬火屬实、臍下以屬寒屬虛、然亦不能執一而論也、究腹痛之原因、有外感寒邪而痛、有脾虛氣滞而痛、有食滞而痛、有血凝而痛、他如湿熱陰寒、等皆足以致腹痛也、凡外感寒邪多食生冷以犯腸胃而痛者、其腹柔軟、而不拒按、脾胃虛弱、冷氣凝滞不通、因而致而痛者、其痛綿綿不已、喜熱

手按揉，面白神疲，小便清利，飲熱惡寒，或得食稍安，脈多微弱，如口腹不謹，強食過飽，或食後坐卧，以致停滯不化，則脘腹脹痛，痛不欲食，噯氣作酸，或痛而欲利，利後稍減，脈多滑實，若憂思太過，憂思鬱結，或跌仆傷損，以致血瘀疼滯而痛者，則不脹不痛，飲水作噎，過夜更痛，痛於一處，定而不移，如痢疾腹痛，霍亂吐瀉而腹痛，則多濕熱，或陰寒之阻滯也，各詳本門，茲不再贅。

治療，中脘，天樞，氣海，足三里，虛寒者灸之，實熱者針之，脾胃虛弱者，加針灸脾胃三陰交，以溫補之，食滯不化者，加針內庭大腸俞以化積滯，血瘀作痛者，加針肝俞膈俞行間，以行血瘀之痛，或於痛處針而灸之，其痛自散。

肝胃氣痛，此症多由於脾胃虛弱，肝氣乘之，以致當脘疼痛，或口泛清涎或嘔吐頻作，飲食不進，甚則二便不通，手足厥冷，脈沉或伏，時發時癒，每多成為痼疾。

治療，宜針期門，行間，陽陵，以疏泄肝氣，中脘氣海，以調肝胃之氣，內關足、三里、行氣而止嘔吐、若疼痛過劇、而致厥伏肢冷二便不通者、則可於尺澤委中各部之靜脈刺出血。

第四十二節 腰背門

腰痛、腰者腎之腑、痛屬腎病、故入房過度、損其真氣、腎精虛弱、則腰部作痛、惟多腰肢痿弱、隱隱作痛、身體疲倦腳膝痠軟、此外更有風濕寒濕濕熱閃氣瘀血、痰積等之不同、風濕者、腰部重痛不能轉側、或痛無定處、牽引腿足、或兼寒熱、多由感受風濕之邪而成也、寒濕者、其腰如冰、拘緊疼痛、得熱則減、得寒則增、或兼头痛身痛等症、多由感受陰寒雨濕之邪、而成者也、濕熱者、痛部發熱、痛沉重、小便黃濇、或兼煩熱口渴等症、多由感受濕熱之邪而成者也、閃氣者、閃挫跌仆、常動損傷、忽然腰部發痛、不可俯仰、瘀血者、日輕夜重痛有定處、不能轉側、痰積、痛部重滯、一片作痛、或一片如冰、喜得熱按、凡此種種、皆腰痛之原因也。

治療、環跳、委中、承山、腎虛者、則針灸腎俞以益腎、風濕者、加針灸風市陽陵以逐風邪，寒湿或湿热者，加針灸三里陰陵以化湿，湿热則針，寒湿則灸，瘀血則及瘀積者，則於痛處針而灸之，以行血滞而化瘀積。

腰痠、腰痛有風寒與湿之異，腰痠患處肩背，背重惟有酸瀰，與無腎虛重腰痛皆治之。

脊、背强痛：督脉主經而膀胱之經，夾脊通脊背，若因寒湿等邪之侵襲，或經氣凝滞，而脊背乃作强痛，或打撲損傷，從高墜下，惡血內留，則為痛不可忍，或不能轉側也。

治療：人中、委中、白環、風府，以宣通督脉膀胱二經之氣，而驅風寒之邪。惡血內留者，則針所屬之俞，以行血脉瘀。

背痛：背部属太陽經，以風寒湿等邪侵襲表入太陽，或經氣滞，則背部作痛。經云：背為胸中之府，胸中有邪，則背部亦能作痛。若背一處作冷亦痛，此多由痰飲内伏，或寒邪凝滞也。

治療：大杼、膏肓、崑崙、肺俞、風门、人中，以疏太陽之氣，且遠痛处，而通背血脉留所……

治一切背痛，兼有兼見他症者，則加取適當之穴治之，蓋背部之身
冷痛者，亦可於痛處針而灸之，則直搗其巢，驅其邪陽，中效甚速也。

第四十三節 手足病門

四肢之病，不外手足麻痺痠麻，不能屈伸行動等等，多由風寒濕侵襲經絡，或痰飲流入四肢，或血凝氣滯，或墜墮傷筋，跌仆損傷，或勞役過度損，治療之法，則視其病處之部位屬於何經，麻而不痛者，不熱者宜灸，癢而熱痛者宜針，虛寒則灸之，虛實則針之，此治手足各病之大法也，明乎此，庶無誤治之弊矣。

肘臂痛或麻木，前廉或外廉痛者，肩髃、曲池、合谷、陽谿、三里、列缺、外關；後廉或內廉痛者，大陵、內關、尺澤、陽谷、曲澤、肩外俞、肩中俞。

手不能舉，肩髃、曲池；不能向前或向後，巨骨、肩貞。

肘臂攣急不能伸屈，尺澤、曲池、曲澤、手三里，足；手腕不能伸屈，大陵、陽谿、陽池。

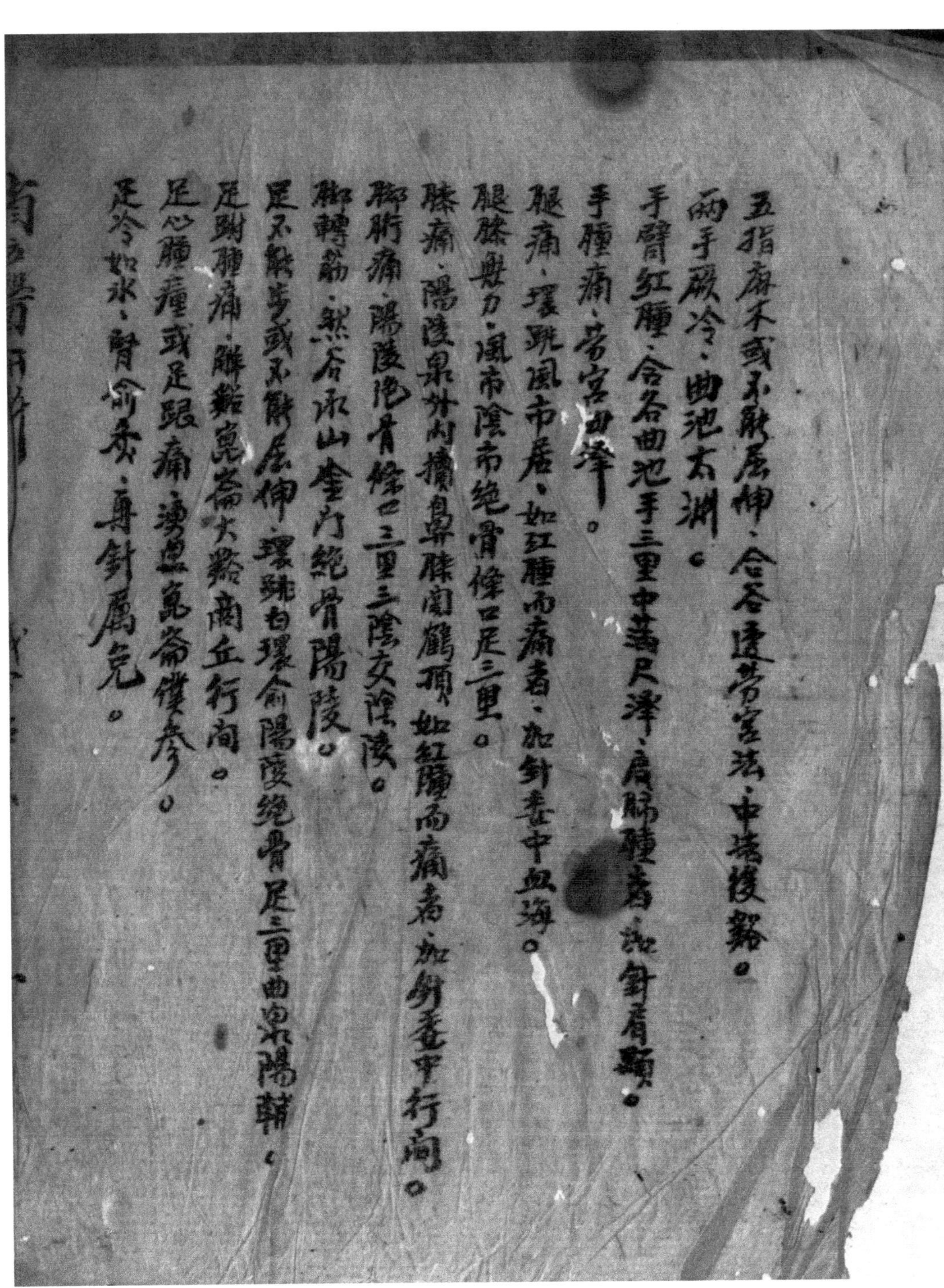

五指痲木或不能屈伸、合谷透勞宮法、中渚後谿。
兩手厥冷、曲池太淵。
手臂紅腫、合谷曲池手三里中渚尺澤、肩膊腫者、加針肩髃。
手腫痛、勞宮尺澤。
腿痛、環跳風市居髎、如紅腫而痛者、加針委中血海。
腿膝無力、風市陰市絕骨條口足三里。
膝痛、陽陵泉外內犢鼻膝關鶴頂、如紅腫而痛者、加針委中行間。
腳脛痛、陽陵泉絕骨條口三里三陰交陰陵。
腳轉筋、然谷承山金門絕骨陽陵。
足不能步或不能屈伸、環跳白環俞陽陵絕骨足三里曲泉陽輔。
足跗腫痛、解谿崑崙大谿商丘行間。
足心腫痛或足跟痛、湧泉崑崙僕參。
足冷如冰、腎俞灸、再針厲兌。

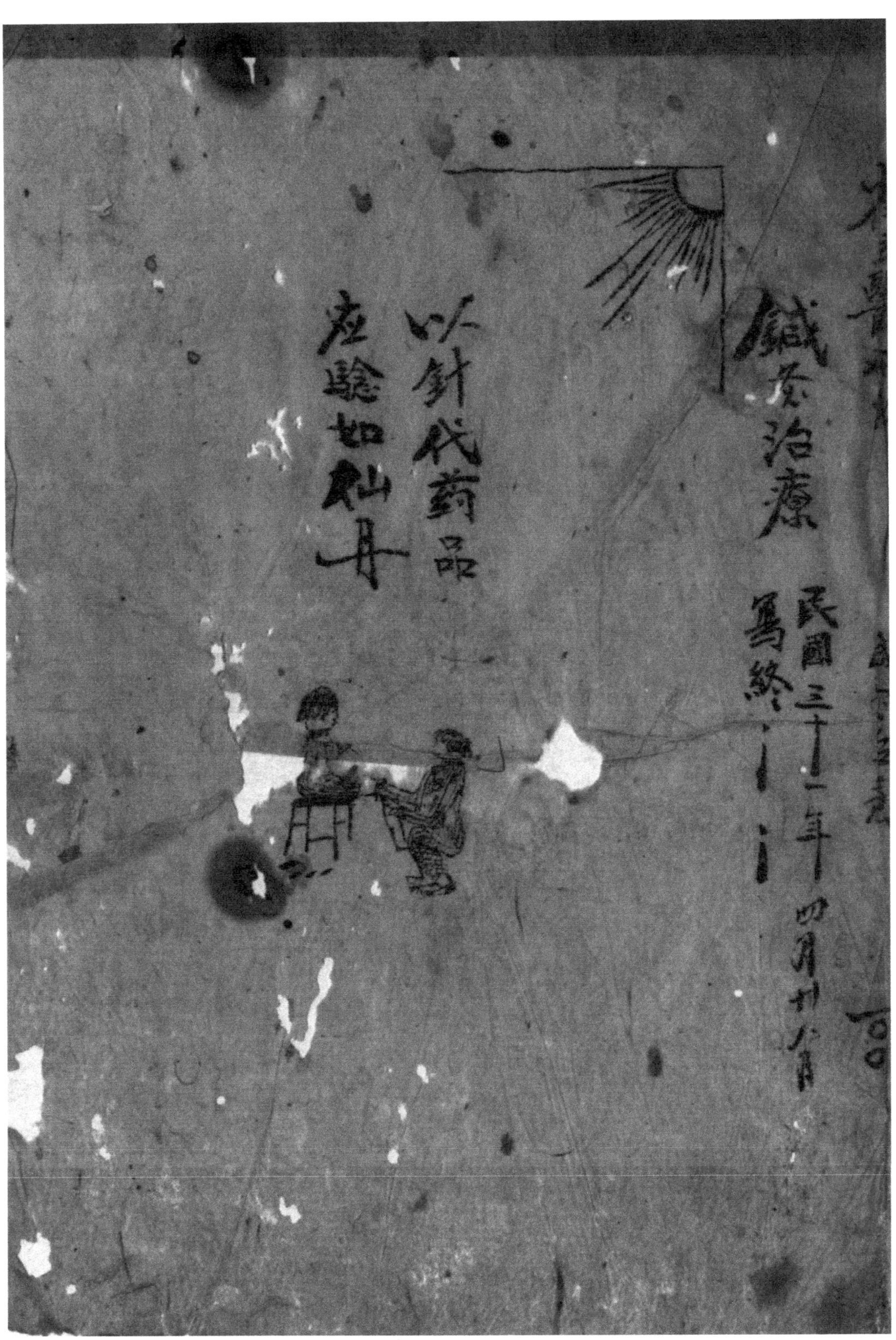
鍼灸治療
民國三十二年四月廿八日
寫終
以針代药品
应驗如仙丹